⑩旧閑谷学校(岡山県備前市)，**⑪旧弘道館**(茨城県水戸市)　いずれも江戸時代の学校で，旧閑谷学校は岡山藩主の池田光政が創った庶民のための学校(郷学)，旧弘道館は水戸藩主の徳川斉昭が創った武士のための学校(藩校)です。

⑬旧富岡製糸場(群馬県富岡市)　明治時代の殖産興業政策によって造られた官営模範工場で，日本の製糸業に大きな影響をあたえました。

⑮女(荻原守衛作　長野県　碌山美術館蔵　高さ99cm)　留学先のフランスで目にしたロダンの彫刻に影響を受けて彫刻家となった荻原守衛が，1910(明治43)年に制作した作品です。

(石膏原型 重)

⑫大浦天主堂(長崎市)　日本が開国した後の1864年にフランス人によって造られたカトリックの教会で，日本に現存する最古のキリスト教建築です。

⑭黒き猫(菱田春草筆　東京都　永青文庫蔵・熊本県立美術館)　明治時代に横山大観などと並んで活躍した日本画家の菱田春草が，1910(明治43)年にえがいた作品です。

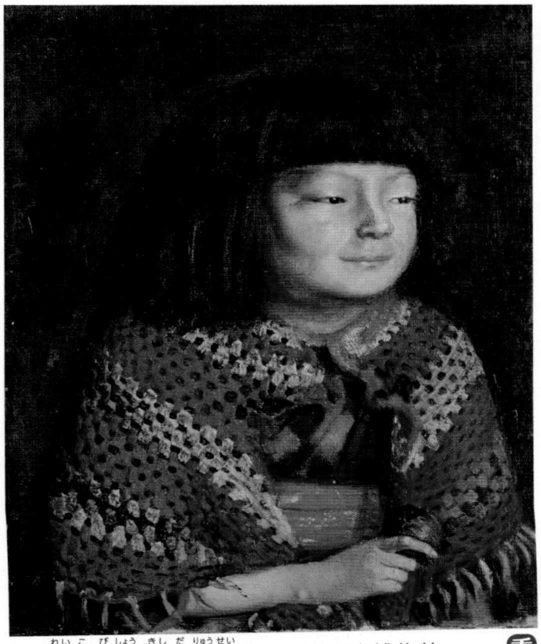

⑯麗子微笑(岸田劉生筆　東京国立博物館蔵)　大正時代から昭和時代初期にかけて活躍した洋画家の岸田劉生が，1921(大正10)年に自らの娘をえがいた油絵です。

❶四日市コンビナートの夜景（三重県四日市市） 1960年代に四大公害病の一つである四日市ぜんそくの原因となったコンビナートは，その後，公害対策が進められ，現在ではその夜景が人気を集めています。(p.263)

環境

エネルギー

人権

平和

持続可能 実現に

❷平和の礎（沖縄県糸満市） 太平洋戦争での地上戦で20万人以上が犠牲となった沖縄は，現在も，在日アメリカ軍基地の問題の解決を図りつつ，平和へのメッセージを発信し続けています。(p.239・261)

宝

伝統

文化

❸三十三間堂（蓮華王院本堂）の千体千手観音立像（京都市 妙法院提供） 後白河上皇の信任の下で平清盛が建てた三十三間堂は，室町幕府の将軍足利義教や，豊臣秀吉など，ときの権力者の保護を受けながら，現在まで受けつがれてきました。(p.67)

東都両国ばし夏景色

❹**花火の見物客でにぎわう両国橋**(五雲亭貞秀筆　三都涼之図 東都両国ばし夏景色　東京都　国立国会図書館蔵)　江戸の大半を焼きつくした1657(明暦3)年の「明暦の大火」の後，江戸幕府は，避難路として両国橋を造るなど，火災に強いまちづくりを進めました。(p.130)

防災
安全

な社会の
向けて

歴史に
学ぶ

私たちはなぜ歴史を学ぶのでしょうか。それは，私たちの未来を考えるために歴史が必要とされるからです。

私たちが生きる現代の社会は，AI(人工知能)など科学技術のいっそうの発展により，生活や社会の仕組みが急速に変化してきています。また，グローバル化や少子高齢化が進む中で，環境・資源・防災・貧困・平和などに関する多くの課題に直面しています。

こうした問題を解決するために，歴史が役に立ちます。歴史は，人々が過去にどのようにして課題を克服しようとしたのかを教えてくれるからです。より良い社会を創り出そうとする人々の姿に学ぶことで，私たちはより平和で豊かな社会を追い求めることができるのです。

次の時代を生きる人々に私たちのバトンを受けつぐためにも，歴史を通して人々が生み出してきた知恵と努力に学ぶことが求められています。

情報
技術

横濱海岸鉄道蒸氣車圖

❺**鉄道の開通**(三代目歌川広重筆　横浜海岸鉄道蒸気車図　神奈川県　横浜開港資料館蔵)　1872(明治5)年に日本で初めて新橋・横浜間に開通した鉄道は，その後国内に広まり，人々の生活や産業に大きな影響をあたえました。(p.172・194)

日本の国宝・重要文化財 …… 巻頭1
持続可能な社会の実現に向けて …… 巻頭3
目次 …… 2
この教科書の使い方と学び方 …… 4

第1章 歴史へのとびら

歴史の流れ …… 6

1節 歴史をとらえる見方・考え方

1 時期や年代の表し方 …… 8
2 歴史の流れのとらえ方 …… 10
3 時代の特色のとらえ方 …… 12

2節 身近な地域の歴史

1 テーマを決めて調査・考察しよう …… 14
2 まとめと発表をしよう …… 16

第2章 古代までの日本

導入の活動 平城京が造られた背景にせまろう …… 18

1節 世界の古代文明と宗教のおこり

1 人類の出現と進化 …… 20
2 古代文明のおこりと発展 …… 22
3 中国文明の発展 …… 24
4 ギリシャ・ローマの文明 …… 26
5 宗教のおこりと三大宗教 …… 28

2節 日本列島の誕生と大陸との交流

1 旧石器時代と縄文時代の暮らし …… 30
2 弥生時代の暮らしと邪馬台国 …… 32
3 大王の時代 …… 34

3節 古代国家の歩みと東アジア世界

1 聖徳太子の政治改革 …… 36
2 東アジアの緊張と律令国家への歩み …… 38
3 律令国家の成立と平城京 …… 40
4 奈良時代の人々の暮らし …… 42
5 天平文化 …… 44
6 平安京と律令国家の変化 …… 46
7 摂関政治の時代 …… 48
8 国風文化 …… 50
資料から発見! 絵巻物から古代の人々の姿をとらえよう …… 52
もっと歴史 現代に生きる神話 …… 54
地域の歴史を調べよう-1 大陸への玄関口・福岡 …… 56
基礎・基本のまとめ 古代までの学習をふり返ろう …… 58
まとめの活動 古代日本のキーパーソンはだれだろう …… 60

第3章 中世の日本

導入の活動 武士の館について探ろう …… 62

1節 武士の政権の成立

1 武士の成長 …… 64
2 院政から武士の政権へ …… 66
3 鎌倉幕府の成立と執権政治 …… 68
4 武士と民衆の生活 …… 70
5 鎌倉時代の文化と宗教 …… 72

2節 ユーラシアの動きと武士の政治の展開

1 モンゴル帝国とユーラシア世界 …… 74
2 モンゴルの襲来 …… 76
3 南北朝の動乱と室町幕府 …… 78
4 東アジアとの交流 …… 80
5 産業の発達と民衆の生活 …… 82
6 応仁の乱と戦国大名 …… 84
7 室町文化とその広がり …… 86
資料から発見! 屏風絵から中世の人々の生活をとらえよう …… 88
もっと歴史 東アジア世界の国々の交流と琉球文化 …… 90
地域の歴史を調べよう-2 戦国時代の城下町・一乗谷 …… 92
基礎・基本のまとめ 中世の学習をふり返ろう …… 94
まとめの活動 古代との比較から中世の特色を探ろう …… 96

第4章 近世の日本

導入の活動 近世の人々の様子をとらえよう …… 98

1節 ヨーロッパ人との出会いと全国統一

1 中世ヨーロッパとイスラム世界 …… 100
2 ルネサンスと宗教改革 …… 102
3 ヨーロッパ世界の拡大 …… 104
4 ヨーロッパ人との出会い …… 106
5 織田信長・豊臣秀吉による統一事業 …… 108
6 兵農分離と秀吉の対外政策 …… 110
7 桃山文化 …… 112

2節 江戸幕府の成立と対外政策

1 江戸幕府の成立と支配の仕組み …… 114
2 さまざまな身分と暮らし …… 116
3 貿易の振興から鎖国へ …… 118
4 鎖国下の対外関係 …… 120
5 琉球王国やアイヌ民族との関係 …… 122

3節 産業の発達と幕府政治の動き

1 農業や諸産業の発展 …… 124
2 都市の繁栄と交通路の整備 …… 126
3 幕府政治の安定と元禄文化 …… 128
4 享保の改革と社会の変化 …… 130
5 田沼意次の政治と寛政の改革 …… 132
6 新しい学問と化政文化 …… 134
7 外国船の出現と天保の改革 …… 136
資料から発見!
浮世絵から近世の人々の生活や意識をとらえよう …… 138
もっと歴史 アイヌ文化とその継承 …… 140
地域の歴史を調べよう-3 会津藩の政治と産業 …… 142
基礎・基本のまとめ 近世の学習をふり返ろう …… 144
まとめの活動 近世で最も活躍した身分はだれだろう …… 146

第5章 開国と近代日本の歩み

導入の活動 近代化とはどのようなことか考えよう …… 148

1節 欧米における近代化の進展

1 イギリスとアメリカの革命 …… 150

2 フランス革命 152
3 ヨーロッパにおける国民意識の高まり 154
4 ロシアの拡大とアメリカの発展 156
5 産業革命と資本主義 158

2節 欧米の進出と日本の開国

1 欧米のアジア侵略 160
2 開国と不平等条約 162
3 開国後の政治と経済 164
4 江戸幕府の滅亡 166

3節 明治維新

1 新政府の成立 168
2 明治維新の三大改革 170
3 富国強兵と文明開化 172
資料から発見! 錦絵から文明開化の様子をとらえよう 174
4 近代的な国際関係 176
5 国境と領土の確定 178
6 領土をめぐる問題の背景 領有の歴史的な経緯 180
7 自由民権運動の高まり 182
8 立憲制国家の成立 184

4節 日清・日露戦争と近代産業

1 欧米列強の侵略と条約改正 186
2 日清戦争 188
3 日露戦争 190
4 韓国と中国 192
5 産業革命の進展 194
6 近代文化の形成 196
もっと歴史 メディアの発達が日本を変えた 198
地域の歴史を調べよう－4 多文化共生都市・神戸 200
基礎・基本のまとめ 近代(前半)の学習をふり返ろう 202
まとめの活動 日本と世界との結び付きを考えよう 204

第6章 二度の世界大戦と日本

導入の活動 戦争が続いた時代の暮らしを考えよう 206

1節 第一次世界大戦と日本

1 第一次世界大戦 208
2 ロシア革命 210
3 国際協調の高まり 212
4 アジアの民族運動 214

2節 大正デモクラシーの時代

1 大正デモクラシーと政党内閣の成立 216
2 広がる社会運動と男子普通選挙の実現 218
3 新しい文化と生活 220 *

3節 世界恐慌と日本の中国侵略

1 世界恐慌とブロック経済 222
2 欧米の情勢とファシズム 224
3 昭和恐慌と政党内閣の危機 226
4 満州事変と軍部の台頭 228
5 日中戦争と戦時体制 230

4節 第二次世界大戦と日本

1 第二次世界大戦の始まり 232
2 太平洋戦争の開始 234
3 戦時下の人々 236
4 戦争の終結 238
もっと歴史 「解放令」から水平社へ 240
もっと歴史 オリンピック・パラリンピックと日本 242
地域の歴史を調べよう－5 東京大空襲の記憶を伝える 244
基礎・基本のまとめ 近代(後半)の学習をふり返ろう 246
まとめの活動 戦争へのターニングポイントは何だろう 248

第7章 現代の日本と私たち

導入の活動 戦後日本の歩みを考えよう 250

1節 戦後日本の出発

1 占領下の日本 252
2 民主化と日本国憲法 254

2節 冷戦と日本の発展

1 冷戦の開始と植民地の解放 256
2 独立の回復と55年体制 258
3 緊張緩和と日本外交 260
4 日本の高度経済成長 262
5 マスメディアと現代の文化 264

3節 新たな時代の日本と世界

1 冷戦後の国際社会 266
2 冷戦後の日本 268
3 持続可能な社会に向けて 270 *
もっと歴史 日本のエネルギーのこれまで 272 *
もっと歴史 震災の記憶を語りつぐ 274
地域の歴史を調べよう－6 広島の復興と平和への思い 276
基礎・基本のまとめ 現代の学習をふり返ろう 278
まとめの活動 現在の日本を形作ったものは何だろう 280
歴史のまとめ 歴史に学び，未来へと生かそう 282

用語解説 284
人名さくいん 290
事項さくいん 292
年表 297
歴史の中の植物 巻末1
各地の主な史跡／旧国名地図 巻末2

●特設ページ

資料から発見!	各時代に特徴的な資料を取り上げ，読み取ったり考えたりすることで，その時代への理解を深めるページです。
もっと歴史	本文ページの学習内容を，もっと深めたり，もっと広げたり，もっとちがう視点でとらえたりするページです。
地域の歴史を調べよう	身近な地域の歴史について調査する学習の事例を取り上げているページです。

ご担当の先生，保護者の皆さまへ
*のページでは，火山の噴火，地震や津波，土砂くずれなどによって起こった災害の写真をあつかっています。ご指導の際にはご配慮をお願いいたします。

章の構成と学び方

課題をつかむ → 課題を追究する → 課題を解決する

1 導入の活動

小学校の学習をふり返る活動を通して，章の学習をつらぬく**「探究課題」**を立てます。「探究課題」を意識しながら，その後の学習に取り組んでいきましょう。

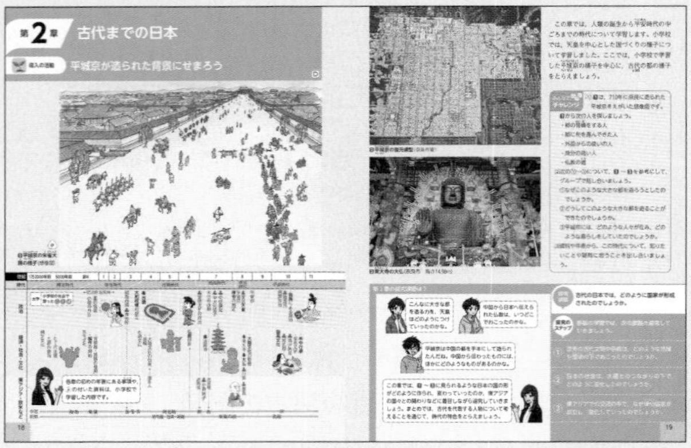

第2章 古代までの日本
平城京が造られた背景にせまろう

（小）の付いた資料は，小学校で学習した内容です。

2 本文ページ・特設ページ

本文や資料などを基に「探究課題」を追究していきます。**節ごとの課題である「探究のステップ」**や，**項ごとの「学習課題」**をふまえながら，学習を進めましょう。
学習の進度に応じて，「もっと歴史」や「資料から発見！」などの特設ページにも取り組みましょう。

3 基礎・基本のまとめ

基礎的・基本的な知識や技能を確認したうえで，**「探究課題」の解決**に取り組みます。本文ページでの追究の成果を生かして取り組みましょう。

本文ページの構成と学び方

導入資料
この項の追究のきっかけとなる資料を掲載しています。

学習課題
この項で追究する内容の見通しを持つための課題です。

コラム
本文と関連する内容や技能を，「歴史にアクセス」や「スキル・アップ」などで取り上げています。

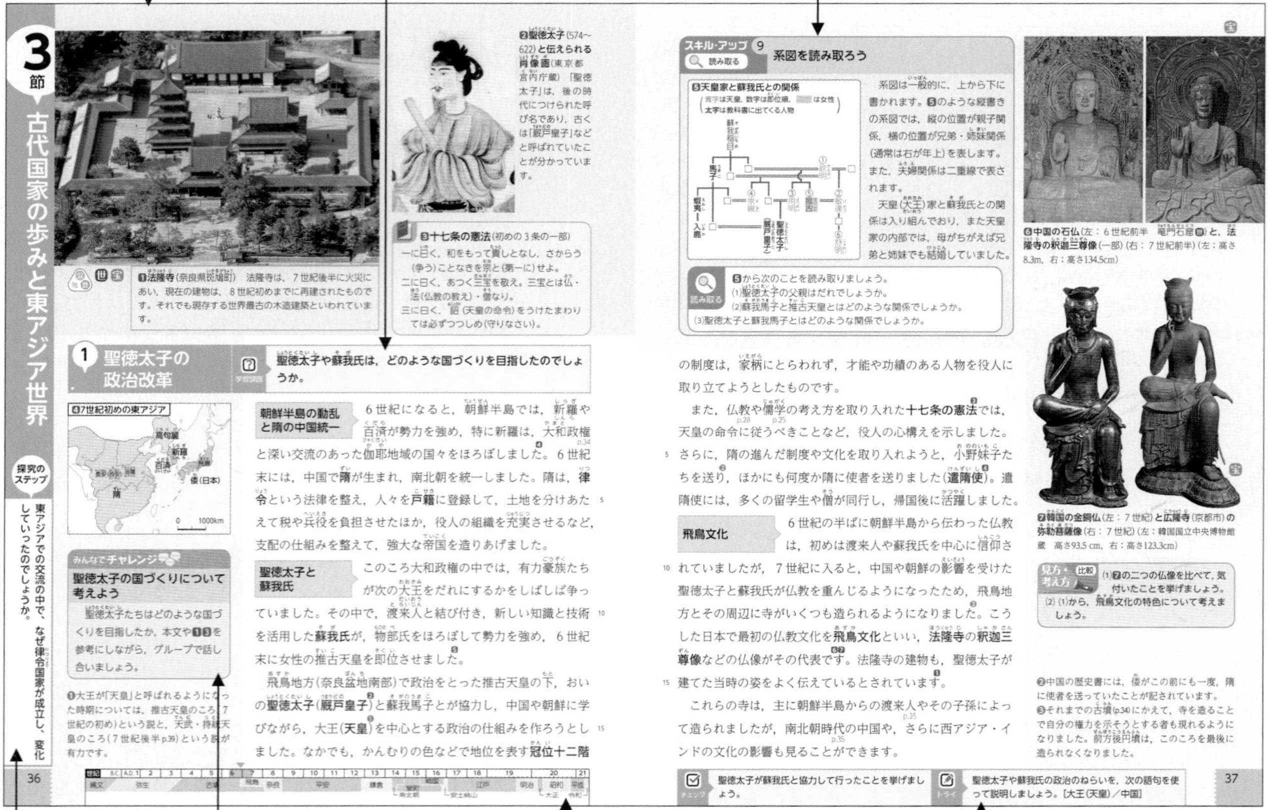

3節 古代国家の歩みと東アジア世界
1 聖徳太子の政治改革
聖徳太子や蘇我氏は，どのような国づくりを目指したのでしょうか。
スキル・アップ 9 系図を読み取ろう
みんなでチャレンジ 聖徳太子の国づくりについて考えよう
36
37

探究のステップ
「探究課題」を解決するためのステップとなる，節ごとの課題です。節の学習を終えた後で取り組みましょう。

活動
本文や資料と関連する活動を，「みんなでチャレンジ」や「見方・考え方」，「読み取る」などで取り上げています。

年表スケール
この項で学習する時代や年代を示しています。

チェック＆トライ
「学習課題」を解決するために，項の学習の最後に取り組む課題です。「チェック」で基礎的・基本的な内容を確認したうえで，それをふまえて「トライ」に取り組みましょう。

国名の表記について	この教科書では，世界の国々の名称を省略して示しています。	アメリカ合衆国 ― アメリカ 大韓民国 ― 韓国	朝鮮民主主義人民共和国 ― 北朝鮮 中華人民共和国 ― 中国	ソビエト社会主義共和国連邦 ― ソ連 など

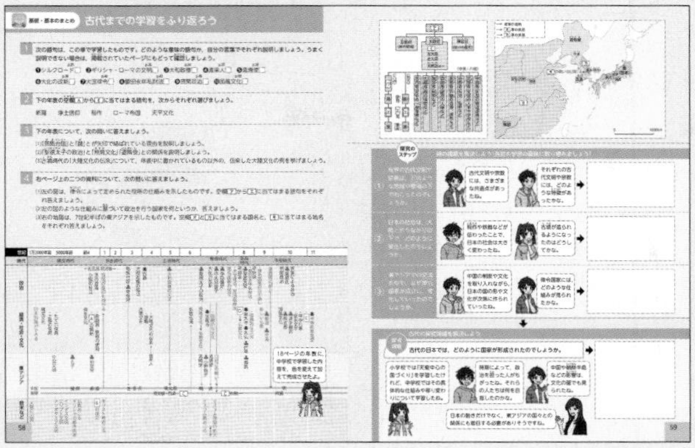

4 まとめの活動

学習してきた**時代を大観**して，時代の特色をつかみ，章の学習をまとめます。知識や技能だけでなく，思考力・判断力・表現力も生かして取り組みましょう。

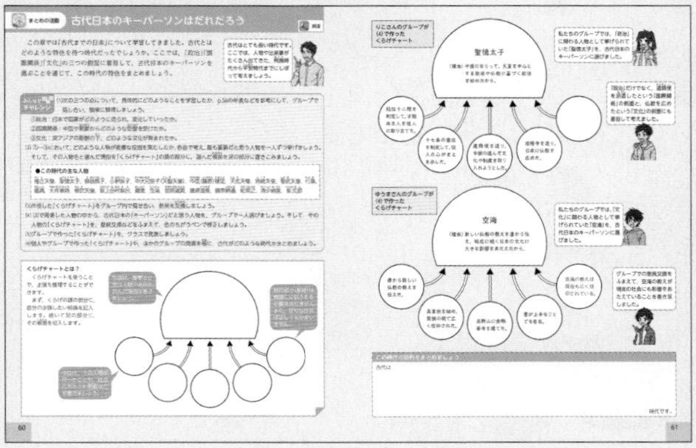

課題の追究を深めるコラム・活動・マーク

みんなでチャレンジ グループで協力しながら取り組む，対話的な活動のコーナーです。

時代の区切りについて考えよう……8
時系列に整理しよう……10
資料から時代の特色をとらえよう……12
古代文明について考えよう……22
古墳の分布から考えよう……34
聖徳太子の国づくりについて考えよう……36
政治の変化をとらえよう……67
鎌倉幕府滅亡の原因を考えよう……77
戦乱の世を終わらせたものは何だろう……111
大名の統制について考えよう……115
政策のちがいを考えよう……132
日本来航の背景を考えよう……156
江戸幕府滅亡の原因を考えよう……167
三大改革について考えよう……171
大日本帝国憲法について考えよう……184
日露戦争の影響を考えよう……191
アジアでの民族運動をとらえよう……215
日本が戦争に突入した背景を考えよう……231
国民生活の変化をとらえよう……236
日本復興の象徴は何だろう……263
現代文化の特色を考えよう……265
自分たちにできることを考えよう……270

スキル・アップ 歴史の学習を進めるうえでの基礎的・基本的な技能を身に付けるコーナーです。 ➡ **集める** **読み取る** **まとめる** 小学校の社会科や「スキル・アップ」などで身に付けた技能を活用して，情報を集めたり，読み取ったり，まとめたりするコーナーです。

1 年表を読み取ろう……9
2 年表にまとめよう……11
3 書籍で調べよう……15
4 インターネットで調べよう……15
5 レポートにまとめよう……16
6 歴史新聞にまとめよう……17
7 歴史地図を読み取ろう……25
8 文献資料を読み解こう……33
9 系図を読み取ろう……37
10 絵巻物を読み取ろう……53
11 調べるテーマを見つけよう……56
12 屏風絵を読み取ろう……89
13 現地調査をしよう……93
14 グラフから変化を読み取ろう……131
15 博物館や郷土資料館で調べよう……142
16 聞き取り調査をしよう……143
17 風刺画を読み解こう……189
18 表(マトリックス)を使って考察しよう……201
19 インターネットで発信しよう……245
20 プレゼンテーション・ソフトを使って発表しよう……277

見方・考え方 関連 歴史的な見方・考え方を活用して考察することで，学習を深めるコーナーです。

歴史にアクセス 本文の学習内容をくわしく説明したり，関連する内容を取り上げたりしているコーナーです。

宝 国宝マーク **重 重要文化財マーク** 重要文化財や，そのうちの国宝に指定されている文化財に付けています。

世 世界遺産マーク **記 世界の記憶マーク** **無 無形文化遺産マーク** 国際連合教育科学文化機関（UNESCO：ユネスコ）が，世界遺産や世界の記憶，無形文化遺産に登録・選定した物件や記録物，芸能などに付けています。

ICT（情報通信技術）を活用した学習

D ●このマークがあるページでは，インターネットを使った学習ができます。

●インターネットは，右のコードか，下のURLのどちらかから接続しましょう。

＊Dマークに関するコンテンツの使用料はかかりませんが，通信費は自己負担となります。

https://tsho.jp/03j/sr/

●主なコンテンツ

[クイズ]時期や年代の表し方……8
[リンク]歴史の学習に役立つリンク集……15
[クイズ]だれだろう？ 歴史人物～古代編～……18
[クイズ]だれだろう？ 歴史人物～中世編～……62
[クイズ]だれだろう？ 歴史人物～近世編～……98
[シミュレーション]鎖国下の窓口……120
[クイズ]だれだろう？ 歴史人物～近代(前半)編～……148
[シミュレーション]金の流出……165
[動画]原子爆弾の投下……238
[動画]ARを活用した発信……245

他分野・他教科との関連を図った学習

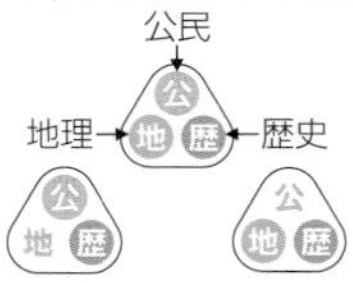

公民
地理
歴史
公
地
歴

分野関連（地歴・歴公・3分野）マーク
地理や公民の学習と特につながりの強い内容に付けています。

教科関連マーク
他教科の学習と特につながりの強い内容に付けています。Dも付けている所は，その教科の教科書の紙面を左のURLやコードから確認することができます。

この教科書に登場するキャラクター

あおい
ひろと
ゆうま
りこ
まき先生
なおと先生

第1章 歴史へのとびら

歴史の流れ

おごる平氏は久しからず!
平氏にあらずんば人にあらず!
この世をばわが世とぞ思う…。
和をもって貴しとなし…。
一所懸命!
天は人の上に人を創らず…。
ゼイタクは敵だっ!
親愛なるキティーへ…。
新しい憲法の話をします。
安保反対

みんなでチャレンジ　小学校での学習をふり返り，このイラストがどのような流れになっているか，またどのような「時代」を学習したか，グループで話し合いましょう。

君死にたまふことなかれ…。
大日本帝國憲法
発車オーライ!
NEWS
PANIC ON WALL STREET
普選
メーデー
青鞜
FREEDOM

1節 歴史をとらえる見方・考え方

歴史についてより深く学習するためには、どのような見方・考え方が必要でしょうか。

1 時期や年代の表し方

学習課題 時期や時代は，どのように表現したらよいのでしょうか。

みんなでチャレンジ 時代の区切りについて考えよう 〔時期〕

(1)p.6～7から，知っている人物や出来事を，グループ内で挙げましょう。
(2)時代が変わるポイントはどこか，読み取りましょう。
(3)それぞれの時代で，どのような人物が活動しているか，読み取りましょう。

この項では，6から7ページの「歴史の流れ」や，巻末の年表を参照しながら学習を進めましょう。巻末の年表を参照する際は，右のスキル・アップを参考にしましょう。

①西暦

ヨーロッパで考え出された年代の表し方で，世界で広く使われています。キリストが生まれたと考えられていた年を「紀元1年(元年)」とし，その前を「紀元前○年」その後を「紀元○年(紀元後○年)」と表します。「紀元1年」の前の年は「紀元前1年」となるので，「紀元0年」は存在しません。

見方・考え方〔時期〕 次の出来事が西暦何年に起こったか，巻末の年表から探して答えましょう。
(1)源頼朝が征夷大将軍になる。
(2)ポルトガル人が鉄砲を伝える。

②世紀

西暦の100年ごとに区切る年代の表し方です。紀元1年から100年までを「1世紀」，101年から200年までを「2世紀」と表します。西暦と同じく「0世紀」は存在しません。

紀元前を「B.C. (Before Christ：英語)」，紀元後を「A.D. (Anno Domini：ラテン語)」と表すこともあります。

紀元前(B.C.)
紀元後(A.D.)
17世紀
16世紀
2世紀
1世紀
1世紀
2世紀
20世紀
21世紀
1700年～1601年
1600年～1501年
200年～101年
100年～1年
1年～100年
101年～200年
1901年～2000年
2001年～2100年

見方・考え方〔時期〕 次の西暦年は何世紀に当たるか答えましょう。
(1)935年 (2)1392年 (3)1600年

③元号

東アジア各国で中国にならって取り入れられた年代の表し方で，日本では7世紀半ばの「大化」が最初の元号だといわれています。元号は，「大化の改新」のように，歴史的な出来事の名称にも使われることがあります。

見方・考え方〔時期〕 次の元号は何時代のものか，巻末の年表から読み取りましょう。
(1)保元 (2)承久 (3)応仁 (4)天正

④時代区分

「平安時代」や「室町時代」など，歴史の流れを大きく区切って表します。また，社会の仕組みの特徴によって，「古代」や「中世」などの大きな区切り方をすることもあります。時代の区切りについてはさまざまな考え方があり，明確でないことがあります。

見方・考え方〔時期〕 巻末の年表を参考にして，次の空欄に当てはまる時代名を答えましょう。
古代→(　　　)→近世→(　　　)→現代

歴史にアクセス 十干十二支

五行	木		火		土		金		水	
十干	きのえ 甲 コウ	きのと 乙 オツ(イツ)	ひのえ 丙 ヘイ	ひのと 丁 テイ	つちのえ 戊 ボ	つちのと 己 キ	かのえ 庚 コウ	かのと 辛 シン	みずのえ 壬 ジン	みずのと 癸 キ

十二支	ね 子 シ	うし 丑 チュウ	とら 寅 イン	う 卯 ボウ	たつ 辰 シン	み 巳 シ	うま 午 ゴ	ひつじ 未 ビ	さる 申 シン	とり 酉 ユウ	いぬ 戌 ジュツ	い 亥 ガイ
西暦	2020	2021	2022	2023	2024	2025	2026	2027	2028	2029	2030	2031

「干支」は古代中国で使われていた年代の表し方です。万物の基と考えられた「木・火・土・金・水」を，それぞれ二つに分けた「五行十干」と「十二支」との組み合わせで作られ，60年で一回りします(還暦)。また十二支は江戸時代まで時刻や方位を表す際に使われていました。干支を由来とするものは現在でも多く残っているので探してみましょう。

スキル・アップ 1 読み取る

年表を読み取ろう

年表では，多くの場合，左から右へ(もしくは上から下へ)と，時代の流れが表現されます。また，日本だけでなく，世界の出来事も年表に表現されていることがあります。

年表は，歴史学習で最も基本的で大切な資料です。巻末の年表を常に参考にして，いつ起こった出来事なのかを確認(かくにん)しながら学習しましょう。

見方・考え方 時期 次の出来事がいつ起こったか，西暦(せいれき)・元号・時代区分の三つで表しましょう。
(1)平治(へいじ)の乱　(2)建武(けんむ)の新政

時代の区切りが明確でない所は，ななめに示されているんだね。

一定の期間にわたって起こった出来事は，横書きで入っているね。

出来事だけでなく，文化の名前や代表的な文化財，人物なども示されているんだね。

日本の出来事と世界との関係が，矢印で記されているね。年表を縦に見ると，例えば日本が鎌倉(かまくら)時代のころ，中国ではモンゴルが力をのばしていたことが分かるね。

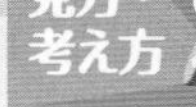

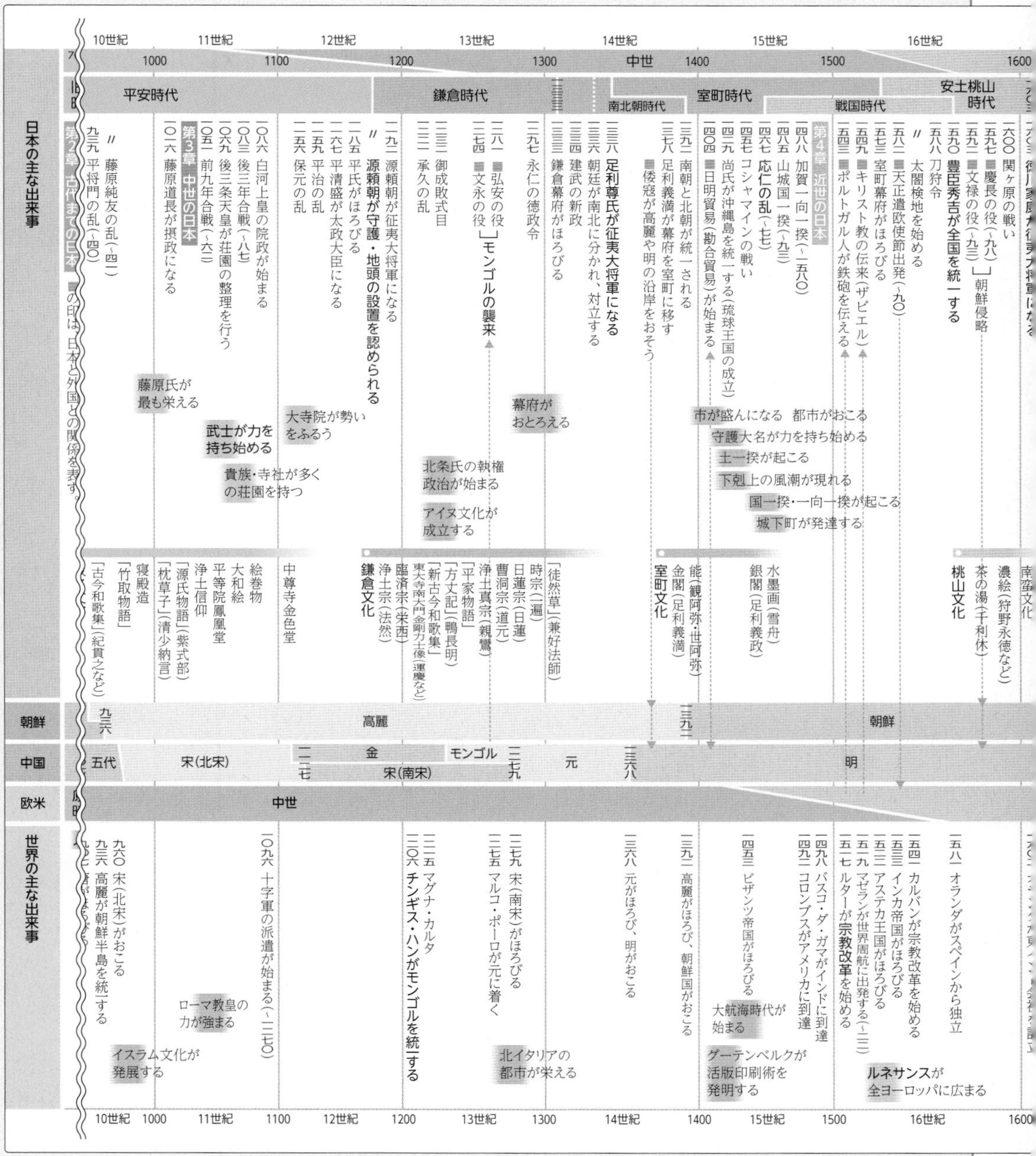

10世紀
11世紀
12世紀
13世紀
14世紀
15世紀
16世紀
1000
1100
1200
1300
1400
1500
1600
中世
平安時代
鎌倉時代
南北朝時代
室町時代
戦国時代
安土桃山時代
日本の主な出来事
第2章 古代までの日本
■の印は，日本と外国との関係を表す。
九三九 平将門の乱(～四〇)
〃 藤原純友の乱(～四一)
一〇一六 藤原道長が摂政になる
第3章 中世の日本
一〇五一 前九年合戦(～六二)
一〇六九 後三条天皇が荘園の整理を行う
一〇八三 後三年合戦(～八七)
一〇八六 白河上皇の院政が始まる
一一五六 保元の乱
一一五九 平治の乱
一一六七 平清盛が太政大臣になる
一一八五 平氏がほろびる
〃 源頼朝が守護・地頭の設置を認められる
一一九二 源頼朝が征夷大将軍になる
一二二一 承久の乱
一二三二 御成敗式目
一二七四 ■文永の役
一二八一 ■弘安の役
モンゴルの襲来
一二九七 永仁の徳政令
一三三三 鎌倉幕府がほろびる
一三三四 建武の新政
一三三六 朝廷が南北に分かれ、対立する
一三三八 足利尊氏が征夷大将軍になる
一三七八 足利義満が幕府を室町に移す
■倭寇が高麗や明の沿岸をおそう
一三九二 南朝と北朝が統一される
一四〇四 ■日明貿易(勘合貿易)が始まる
一四二九 尚氏が沖縄島を統一する(琉球王国の成立)
一四五七 コシャマインの戦い
一四六七 応仁の乱(～七七)
一四八五 山城国一揆(～九三)
一四八八 加賀一向一揆(～一五八〇)
第4章 近世の日本
一五四三 ■ポルトガル人が鉄砲を伝える
一五四九 ■キリスト教の伝来(ザビエル)
一五七三 室町幕府がほろびる
一五八二 ■天正遣欧使節出発(～九〇)
〃 太閤検地を始める
一五八八 刀狩令
一五九〇 豊臣秀吉が全国を統一する
一五九二 ■文禄の役(～九三)
一五九七 ■慶長の役(～九八)
朝鮮侵略
一六〇〇 関ヶ原の戦い
藤原氏が最も栄える
武士が力を持ち始める
貴族・寺社が多くの荘園を持つ
大寺院が勢いをふるう
北条氏の執権政治が始まる
アイヌ文化が成立する
幕府がおとろえる
市が盛んになる　都市がおこる
守護大名が力を持ち始める
土一揆が起こる
下剋上の風潮が現れる
国一揆・一向一揆が起こる
城下町が発達する
寝殿造
「竹取物語」
「古今和歌集」(紀貫之など)
「枕草子」(清少納言)
「源氏物語」(紫式部)
浄土信仰
平等院鳳凰堂
大和絵
絵巻物
中尊寺金色堂
鎌倉文化
浄土宗(法然)
臨済宗(栄西)
東大寺南大門金剛力士像(運慶など)
「新古今和歌集」
「方丈記」(鴨長明)
「平家物語」
浄土真宗(親鸞)
曹洞宗(道元)
日蓮宗(日蓮)
時宗(一遍)
「徒然草」(兼好法師)
室町文化
金閣(足利義満)
能(観阿弥・世阿弥)
銀閣(足利義政)
水墨画(雪舟)
桃山文化
茶の湯(千利休)
濃絵(狩野永徳など)
南蛮文化
朝鮮
九三六
高麗
一三九二
朝鮮
中国
五代
宋(北宋)
一一二七
金
宋(南宋)
モンゴル
一二七九
元
一三六八
明
欧米
中世
世界の主な出来事
九三六 高麗が朝鮮半島を統一する
九六〇 宋(北宋)がおこる
一〇九六 十字軍の派遣が始まる(～一二七〇)
一二〇六 チンギス・ハンがモンゴルを統一する
一二一五 マグナ・カルタ
一二七五 マルコ・ポーロが元に着く
一二七九 宋(南宋)がほろびる
一三六八 元がほろび、明がおこる
一三九二 高麗がほろび、朝鮮国がおこる
一四五三 ビザンツ帝国がほろびる
一四九二 コロンブスがアメリカに到達
一四九八 バスコ・ダ・ガマがインドに到達
一五一七 ルターが宗教改革を始める
一五一九 マゼランが世界周航に出発する(～二二)
一五二一 アステカ王国がほろびる
一五三三 インカ帝国がほろびる
一五四一 カルバンが宗教改革を始める
一五八一 オランダがスペインから独立
イスラム文化が発展する
ローマ教皇の力が強まる
北イタリアの都市が栄える
大航海時代が始まる
グーテンベルクが活版印刷術を発明する
ルネサンスが全ヨーロッパに広まる

歴史的な見方・考え方 1 時期や年代

歴史の学習では，ある出来事が「いつ(どこで，だれによって)起こったのか」という「**時期や年代**」をとらえることが必要です。出来事や人物が出てきたら，それらはいつの時代(何年ごろ)に，どこで起こった(活動した)のかを確認(かくにん)するようにしましょう。

2 歴史の流れのとらえ方

学習課題 歴史の流れをとらえるには，どうしたらよいのでしょうか。

みんなでチャレンジ 時系列に整理しよう

推移　まとめる

(1)下の一覧のうち，p.6 ～ 7の「歴史の流れ」にえがかれているものを探しましょう。
(2) ①政治の動き，②外国との関わり，③文化の移り変わりの三つのテーマから一つを選びましょう。
(3)下の一覧から，自分のテーマに関係する人物・出来事・文化財を選び，右のスキル・アップと巻末の年表を参考にして，年表の形に整理しましょう。

この項では，小学校の学習内容をふり返りながら学習を進めましょう。

小 小学校で学んだ人物・文化財・出来事

人物

卑弥呼
聖徳太子
小野妹子
中大兄皇子
中臣鎌足
聖武天皇
行基
鑑真
藤原道長
紫式部
清少納言
平清盛
源頼朝
源義経
北条時宗
足利義満
足利義政
雪舟
ザビエル
織田信長
豊臣秀吉
徳川家康
徳川家光
近松門左衛門
本居宣長
杉田玄白
伊能忠敬
歌川広重
ペリー
勝海舟
西郷隆盛
大久保利通
木戸孝允
福沢諭吉
明治天皇
大隈重信
板垣退助
伊藤博文
陸奥宗光
東郷平八郎
小村寿太郎
野口英世

文化財

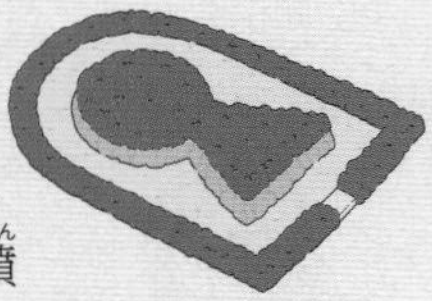

縄文土器
弥生土器
大仙(仁徳天皇陵)古墳
法隆寺
東大寺大仏
正倉院
厳島神社
能・狂言
金閣
銀閣
水墨画
龍安寺
石見銀山
日光東照宮
歌舞伎
人形浄瑠璃
浮世絵
富岡製糸場
八幡製鉄所
原爆ドーム

出来事

稲作の伝来
大和政権(大和朝廷)の成立
大化の改新
律令の制定
大仏の造営
国風文化
源平の戦い
鎌倉幕府の成立
元との戦い(元寇)
室町文化の形成
鉄砲・キリスト教の伝来
楽市・楽座
検地・刀狩
江戸幕府の成立
鎖国
元禄・化政文化(町人の文化)
開国
明治維新
文明開化
自由民権運動
大日本帝国憲法の制定
条約改正
日清・日露戦争
第一次世界大戦
日中戦争
第二次世界大戦
太平洋戦争
原爆投下
日本国憲法の制定
高度経済成長
東京オリンピック・パラリンピック
東日本大震災

スキル・アップ 2　まとめる
年表にまとめよう

　年表を作るときは，まず何をテーマにするかを決めます。巻末の年表には多くの出来事がのっていますが，そこからテーマに沿った事項(じこう)をぬき出して年表を作成することで，自分がとらえたいことを明確にすることができます。また，自分で年表を作ることで，時代の大きな流れが理解しやすくなります。

　いつ起こったのかはっきりしない出来事については，ほかの出来事との関係から，大まかな時期を決めて記しましょう。

時代区分が書いてあるから，いつ起こった出来事なのか，いつの人物なのかが，分かりやすくなっているね。

「人物」「文化財」「出来事」の三つの項目(こうもく)別になっていることで，読みやすく，整理がしやすいね。

関係する事項を矢印で結ぶと，つながりが分かりやすくなるね。

「時代」でなく「世紀」を基(もと)に年表を作ったら，どのようになるかな。

●「③文化の移り変わり」をテーマとした年表の例

時代	人物	文化財	出来事
縄文		縄文土器	
弥生		弥生土器	
古墳		大仙古墳	
飛鳥	聖徳太子 →	法隆寺	
奈良	聖武天皇・行基・鑑真 →	正倉院・東大寺大仏	大仏の造営
平安	紫式部・清少納言／平清盛 →	厳島神社	国風文化
鎌倉			
室町	足利義満 →／雪舟・足利義政 →	能・狂言・金閣／水墨画・銀閣／龍安寺	室町文化の形成
戦国	ザビエル →		キリスト教の伝来
江戸	近松門左衛門 →／本居宣長・杉田玄白／伊能忠敬／歌川広重 →	日光東照宮／人形浄瑠璃／歌舞伎／浮世絵	元禄文化／化政文化／開国
明治	福沢諭吉／野口英世		文明開化
大正			
昭和			東京オリンピック・パラリンピック
平成			

歴史的な見方・考え方 2　推移

歴史の学習では，出来事の「時期や年代」(p.9)に着目するだけでなく，複数の出来事を時間の流れに沿って整理し，どのように「**推移**」していったかをとらえることが必要です。「出来事がどのように展開していったのか」「政治や社会，文化，国際関係がどのように変化・継続(けいぞく)したのか」といったことに着目して学習しましょう。

❶江戸時代（1850年ごろ）の高輪の様子（歌川広重筆　江戸名所 高輪秋の景　東京都　国立国会図書館蔵）

3 時代の特色のとらえ方

学習課題 時代の特色をとらえるには，どうしたらよいのでしょうか。

二つの絵を比べると，たった20年の間に，社会が大きく変化したことが分かるね。

なぜ短い間にこんなに大きく変わったのかな。変化の背景には，どのような出来事があったのかな。

みんなでチャレンジ　資料から時代の特色をとらえよう

比較・関連・現在　読み取る

❶と❷はともに，現在の東京都港区高輪の昔の様子をえがいたものです。

(1) ❶と❷とを比べて，①服装，②乗り物，③海上の様子，④その他の四つの視点から，異なる点を挙げましょう。

(2) ❶と❷とを比べて，共通する点を挙げましょう。

(3) ❶から❷への変化は，p.6～7の「歴史の流れ」のどのタイミングで起こったものか，考えましょう。また，その変化はどのような出来事をきっかけに起こったか，p.10の一覧から探しましょう。

(4) ❶と❷から，現在の私たちの生活にも見られるものを挙げましょう。

この項では，❶と❷の資料を読み取りながら学習を進めましょう。

江戸時代から明治時代にかけて起こった出来事をふり返ってみよう。

歴史的な見方・考え方 3　比較

物事の特色をとらえるには，別の物事と「比較」することが必要です。例えば，左の(1)や(2)のように，前後の時代を比べて，共通する点や異なる点を考えることで，その時代の特色をとらえることができます。

❷明治時代(1870年ごろ)の高輪の様子(三代目歌川広重筆　東京品川海辺蒸気車鉄道之真景　港区立郷土歴史館蔵)

現在の高輪の様子と比べると，どんなことが分かるかな。

❸現代の高輪の様子(2020年)　中央の建物は高輪ゲートウェイ駅です。

歴史的な見方・考え方 4

相互の関連

歴史上の出来事は，ひとりでに起こるわけではなく，背景や原因になった出来事や，影響を受けた出来事があります。左の(3)のように，出来事の「**相互の関連**」を考えることで，歴史をより深くとらえることができます。

歴史的な見方・考え方 5

現在とのつながり

過去の出来事の中には，現在にまで影響したり，私たちの生活と関係したりするものもあります。左の(4)のように，「**現在とのつながり**」について考えることで，現在の社会への理解が深まります。

この節で学習した五つの歴史的な見方・考え方は，歴史の学習に欠かせないものです。これらを使って考察することで，歴史をより深くとらえることができます。

また，地理的な見方・考え方も大切です。特に出来事が起こった「場所や環境」に着目することは，歴史の学習でも役に立ちます。

次のマークの入っている箇所は，これらの見方・考え方を活用する活動ですので，この節の学習をふり返りながら取り組んでみましょう。

見方・考え方 比較　　関連

1 テーマを決めて調査・考察しよう

学習課題 テーマの設定や調査，考察はどのように行ったらよいのでしょうか。

私たちが生活している地域には，どのような歴史があるのでしょうか。地域によってさまざまな歴史があり，私たちの生活と深く関わっているものもあります。身近な地域の歴史に着目して，地域に残る史跡（しせき）や，受けつがれてきた伝統・文化などを調べてみましょう。

ここで学習する調査の流れは，歴史学習の基本ですので，しっかりとおさえておきましょう。

調査の流れ

1	2	3	4	5
調査するテーマを設定する	調査を行う	調査内容から考察する	調査内容をまとめ，発表する	調査全体をふり返る

! 調査学習の具体例を，各章の **地域の歴史を調べよう** のページで取り上げています。これらのページを参照しながら，調査学習の流れをとらえましょう。

1 テーマの設定

- 自分が興味のあるものや，疑問に思ったことに着目して，テーマを決めましょう。
- 簡単に答えが見つかるものや，調べるのが難しすぎるテーマはやめましょう。
- グループで話し合う中で気付いたことを，テーマにしてもよいでしょう。
- テーマが決まったら，先生に相談してアドバイスをもらいましょう。

スキル・アップ
11 調べるテーマを見つけよう(p.56)

❶近くの公園の石碑（せきひ）についての調査(p.56)

2 調査

- インターネットの利用や，博物館などの見学，聞き取り調査など，どのような方法で調べるのが適切か，下の一覧を参考にして考え，調査計画を立てましょう。
- 一つの資料だけでなく，さまざまな資料を基（もと）に調べましょう。
- 調べたことは記録（メモ）に取り，集めた資料とともに整理しておきましょう。

スキル・アップ
13 現地調査をしよう(p.93)
15 博物館や郷土資料館で調べよう(p.142)
16 聞き取り調査をしよう(p.143)

主な調査方法
- 図書室・図書館を利用する→歴史書・伝記・人名辞典など
- インターネットを利用する
- 博物館・美術館を利用する→展示を見学する，学芸員に話を聞く
- 郷土資料館など地域の施設（しせつ）を利用する
- 遺跡（いせき）や遺物（いぶつ）を見学する
- 聞き取り調査をする→地域の人，施設の人など

❷店舗（てんぽ）での聞き取り調査(p.143)

身近な地域の歴史について調べるには，どのような方法があるのでしょうか。

スキル・アップ 3
集める

書籍で調べよう

3資料館の図書コーナーでの調査(p.276)

調べたい内容やテーマに応じて適切な書籍を選んで調べると，より有効な情報を集めることができます。また，図書館の司書の人に相談するのもよいでしょう。

●歴史上の出来事を調べる ➜ 百科事典：おおまかな内容をおさえたいとき
歴史事典・辞典：一つの項目を具体的に調べたいとき
図録：資料をくわしく調べたいとき
●時代や年代から調べる ➜ 年表：年代を確認したいとき，年代順に並べて見たいとき
●人物・地名を調べる ➜ 人名辞典：人物の経歴・業績などを調べたいとき
地名辞典：地名の読み方・由来などを調べたいとき
●郷土史を調べる ➜ 地域の副読本：地域の歴史のおおまかな内容を調べたいとき
自治体史：遺跡・名所・行事などを調べたいとき

スキル・アップ 4
集める

インターネットで調べよう

4インターネットでの調査(p.92)

インターネットでは，キーワードを入力して検索するだけで，短時間に多くの情報を得ることができます。利用するときは，必要な情報や，利用したウェブページのURL，ウェブページを見た日時を記録しておきましょう。

●役に立つウェブページ D

地方公共団体や教育委員会のウェブページ，博物館や美術館のウェブページが便利です。興味のある出来事を見つけたら，リンクをたどって探してみましょう。

●利用上の注意

説明にかたよりがあったり，個人的な意見が書いてあったりすることがあります。また，内容をそのまま丸写しして使うと，著作権法に違反してしまう可能性もあります。情報をうのみにせず，正しく選択して，注意して利用しましょう。

[**技術**：安全に利用するための情報モラル ▶D]

3 考察

推移・比較・関連・現在

スキル・アップ
18 表(マトリックス)を使って考察しよう(p.201)

●1節で学習した見方・考え方を活用して考察しましょう。特に，調べた内容が「どの時代に関わっているのか」「なぜ作られたのか(残っているのか)」というように，「**相互の関連**」の見方・考え方を使って，歴史的な背景について考えるとよいでしょう。また，「どのように変わってきたのか」「どこがちがうのか(同じか)」というように，「**推移**」や「**比較**」の見方・考え方を使って考えるのもよいでしょう。

●「**現在とのつながり**」の見方・考え方を活用して，調べた内容が現在の私たちの生活とどのように関わっているかをさまざまな角度から考え，今後の社会の在り方について構想することも大切です。

●調べた内容や聞き取った内容に食いちがいがあったり，分からなかったりしたときは，さまざまな資料に基づいて判断しましょう。

5教室での話し合い(p.245)

テーマの設定 ＞ 調査 ＞ 考察 ＞ まとめと発表 ＞ ふり返り

2 まとめと発表をしよう

学習課題 調べたことを分かりやすくまとめたり発表したりするには，どうすればよいのでしょうか。

4 -① まとめ

●調べたことを，図やイラストなどを使って分かりやすく表現しましょう。
●まとめる方法にはいろいろあります。適切な方法を選択してまとめましょう。
●調べて分かったことや分からなかったこと，自分の感想，今後の課題についてもまとめましょう。

主なまとめの方法
・年表や人物カードにまとめる
・レポートや歴史新聞にまとめる
・漫画やイラストでまとめる
・イラストマップにまとめる
・インターネットを使って発信する

スキル・アップ
19 インターネットで発信しよう(p.245)

スキル・アップ 5 まとめる レポートにまとめよう

●**レポートの構成**
次のような構成でまとめるとよいでしょう。
1 テーマ設定の理由
2 調査方法，調査内容
3 調査結果の考察
4 自分の感想・反省

●**まとめ方のポイント**
○分かりやすく伝える工夫をしましょう。
・項目を大小に分けて整理する。
・文字の大きさや濃淡を変える。
・レイアウトを考える。
○写真やイラスト，地図，年表，グラフなど，資料を効果的に活用して表現しましょう。
○グループでまとめる場合は，分担を決めましょう。
○分かったことや分からなかったこと，課題なども書きましょう。

年表やQ&A形式を使って，分かりやすくまとめてあるね。

1大阪府堺市の歴史をまとめたレポートの例

テーマ　中世から近世にかけての堺市の歴史

テーマ設定の理由
私たちが住む堺市について何を知っているかクラスで出し合ったところ、知らないことが多いことに気づいた。そこで、時代ごとに堺市の歴史を分担して調べることになり、私たちのグループは、中世から近世の初めにかけての堺市について調べた。

調査方法
(1) 博物館で「自治都市・堺」を調べた。
(2) 図書室で「千利休」を調べた。
(3) 刃物工場を見学し、刃物職人の方に聞き取り調査をした。

調査内容
●堺市の歩み（中世～近世）

1469年	遣明船が堺に寄港するようになる
	○10人の会合衆が自治を行うようになる
1550年	ザビエルが堺を訪れる
	○堺で鉄砲が造られる
	○千利休がわび茶を完成させる
1586年	豊臣秀吉が堺の環濠をうめる
	○堺でたばこ包丁の生産が盛んになる
1600年	徳川家康が堺に奉行を置く

↑鉄砲（火縄銃）

↑千利休

●近世の代表的な人物：千利休
・堺の裕福な商人の息子。10代のころに茶の湯を学び、わび茶を完成させた。
・会合衆の一人だった。
・織田信長と豊臣秀吉に仕えたが、秀吉のいかりにふれて、自害した。

●刃物職人の方への質問と答え（Q＆A）
Q いつごろから包丁が造られるようになったのですか？
A 江戸時代に入って戦乱がなくなったころから、造られるようになりました。
Q 堺では、どのような刃物が造られているのですか？
A 初めはたばこ包丁が造られていましたが、菜切り包丁や出刃包丁なども造られるようになりました。
Q 堺市には現在、どのくらい刃物製造所があるのですか？
A 刃物の組合に入っている人だけでも、70ほどの刃物製作所があります。

・中世の堺は、ヨーロッパ人から「東洋のベニス」とも呼ばれる大都市だった。会合衆という有力な商人を中心に自治を行っていた。室町時代に環濠という、敵を防ぐための堀が造られた。環濠は豊臣秀吉がうめて、江戸時代にまた造られたが、今は阪神高速道路になっている。
・千利休はわび茶を完成させた。わび茶の考えは、現在の日本人の「おもてなし」にも通じるところがある。
・千利休は、織田信長に鉄砲を売る商人でもあった。千利休の屋敷跡や墓などの史跡が堺に残っている。
・堺は鉄工の技術が高く、刃物や鉄砲を造っていた。今もたくさんの刃物製造所があるが、たばこ包丁ではなく、料理用の包丁を造っている。

感想・反省
・刃物工場の見学や刃物職人の方からの聞き取り調査が楽しく、もっと知りたいと興味を持った。
・中世から近世の歴史に、現在の堺市につながるさまざまなものがあり、おどろいた。

スキル・アップ 6 まとめる　歴史新聞にまとめよう

●歴史新聞の作り方

○トップ記事を決めましょう。
○タイトル(大見出し)をつけましょう。
○写真やイラスト，地図，年表などを入れましょう。
○コラムを，トップ記事とはちがう視点で入れましょう。

●まとめ方のポイント

○レイアウトを考えましょう。
○資料には，必要に応じて説明書きをつけましょう。
○新聞のタイトルを決めましょう。
○編集後記として，調査の感想を書くとよいでしょう。

見出しがシンプルで分かりやすいね。コラムや編集後記が書かれていることで，紙面に変化があるね。

地域の歴史新聞
徳川家と文京区
発行者：○○○○

江戸時代の文京区は、武家屋敷や大名屋敷が建ち並ぶ、徳川家と関係の深い土地だった。そこで、区内に残る、徳川家にゆかりのあるものを探した。

徳川家ゆかりの地名　春日

区内の「春日」という地名は、春日局がこの土地を拝領したことからついた。春日局は、安土桃山時代から江戸時代前期の女性で、第三代将軍徳川家光の乳母だった。父は明智光秀の家来の斎藤利三。江戸城大奥のいしずえを築いた女性で、生涯、家光を支えた。

春日局の菩提寺、麟祥院には、春日局の墓が残っている(上)。墓石の一番上と台座の部分には、東西南北にあなが開けられている。これは「死んだ後もこの世を見て、政治をただしたい」という、春日局の遺言による。

徳川家ゆかりの建造物

赤門(旧加賀藩御守殿門)

本郷の東京大学に、「赤門」と呼ばれる門がある。これは、かつて東京大学の敷地にあった加賀藩の屋敷の、御守殿門である。加賀藩の前田斉泰が第十一代将軍徳川家斉の娘の溶姫と結婚するときに、溶姫を前田家にむかえるために建てた。現在は、国の重要文化財に指定されている。

湯島聖堂

江戸幕府は、社会の秩序を保つために、儒学をすすめた。江戸時代の初め、儒学者の林羅山は、自宅に儒学の創始者である孔子をまつる廟を造った。これを第五代将軍徳川綱吉が湯島の地に移したのが、湯島聖堂の始まりである。湯島聖堂には、後に松平定信が、寛政の改革の一環として昌平坂学問所を設け、幕府の儒学研究の中心となった。

〔コラム〕柳沢吉保と六義園

駒込にある六義園は、第五代将軍徳川綱吉の側近だった柳沢吉保が、自らの別荘の庭として造ったものである。「六義園」という名称は、中国の古典に由来する。現在では、桜の名所として知られている。

〔編集後記〕

地域に徳川家にゆかりのある地名や建物がたくさん残されていることが分かり、歴史を身近に感じることができた。近世以外の時代の文京区の様子についても知りたいと思った。

❷東京都文京(ぶんきょう)区の歴史をまとめた歴史新聞の例

4-② 発表

●聞く人の興味をひく工夫(くふう)をしましょう
・クイズ形式の問題を出す。
・画用紙や模造紙で示す。
・実物を見せる。
・寸劇や実演をする。

●分かりやすい発表にしましょう。
・大きな声ではっきりと話す。
・聞く人の顔を見て話す。
・内容や感想など，伝えたいことを自分の言葉で表現する。

発表の流れ
・初めのことば
・テーマ設定の理由
・調査内容の説明
・感想と反省
・質疑応答

スキル・アップ
20 プレゼンテーション・ソフトを使って発表しよう(p.277)

5 ふり返り

●設定したテーマに沿って調べたりまとめたりすることができたか，ふり返りましょう。
●さらに調べてみたいことが出てきたら，記録しておきましょう。
●ほかの人からの質問や意見を生かして，次の学習で改善できることを考えましょう。
●自分のまとめ方や発表の仕方を見直して，次の学習に生かしましょう。

第2章 古代までの日本

導入の活動　平城京が造られた背景にせまろう

D

小
1平城京の朱雀大路の様子(想像図)

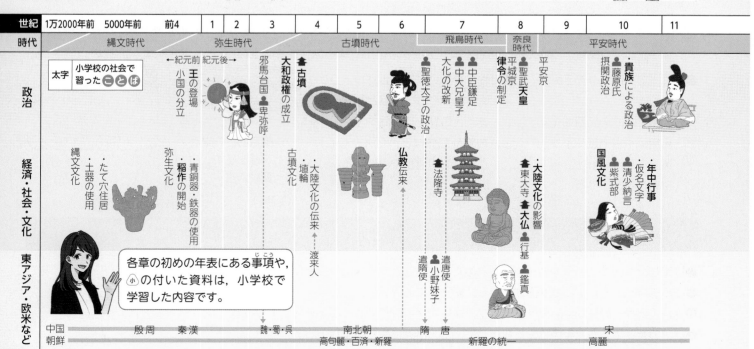

世紀	1万2000年前	5000年前	前4	1	2	3	4	5	6	7	8	9	10	11
時代	縄文時代		弥生時代			古墳時代				飛鳥時代	奈良時代	平安時代		

太字	小学校の社会で習ったことば

政治

←紀元前 紀元後→

- **王**の登場
- 小国の分立
- 邪馬台国　卑弥呼
- **大和政権**の成立
- **古墳**
- 聖徳太子の政治
- 中臣鎌足
- 中大兄皇子
- 大化の改新
- **律令**の制定
- 平城京
- 聖武**天皇**
- 平安京
- 摂関政治
- 藤原氏
- ・**貴族**による政治

経済・社会・文化

- 縄文文化
  - ・たて穴住居
  - ・土器の使用
- 弥生文化
  - ・**稲作**の開始
  - ・青銅器・鉄器の使用
- 古墳文化
  - ・埴輪
  - ・大陸文化の伝来
- **仏教**伝来
- 法隆寺
- ・**大陸文化**の影響
- 東大寺
- **大仏**
- 行基
- **国風文化**
- 紫式部
- 清少納言
- ・仮名文字
- ・**年中行事**

東アジア・欧米など

- 渡来人
- 遣隋使
- 小野妹子
- 遣唐使
- 鑑真

各章の初めの年表にある事項や，小の付いた資料は，小学校で学習した内容です。

中国：殷　周　秦　漢　魏・蜀・呉　南北朝　隋　唐　宋

朝鮮：高句麗・百済・新羅　新羅の統一　高麗

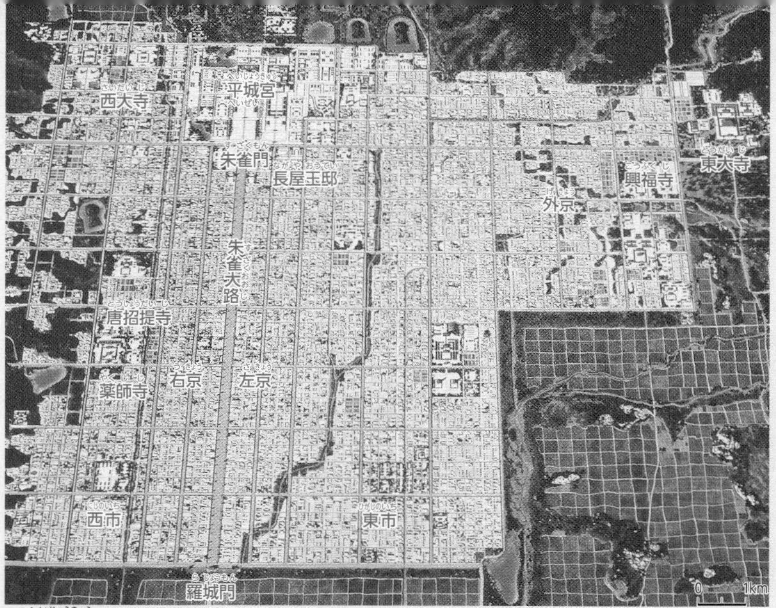
西大寺
平城宮
朱雀門
長屋王邸
東大寺
興福寺
外京
朱雀大路
唐招提寺
薬師寺
右京
左京
西市
東市
羅城門
0 1km
❷平城京の復元模型(奈良市蔵)

❸東大寺の大仏(奈良市　高さ14.98m)

この章では，人類の誕生から平安時代の中ごろまでの時代について学習します。小学校では，天皇を中心とした国づくりの様子について学習しました。ここでは，小学校で学習した平城京の様子を中心に，古代の都の様子をとらえましょう。 p.285

みんなでチャレンジ

(1) ❶は，710年に奈良に造られた平城京をえがいた想像図です。❶から次の人を探しましょう。
- 都の警備をする人
- 都に税を運んできた人
- 外国からの使いの人
- 身分の高い人
- 仏教の僧

(2)次の①～③について，❶～❸を参考にして，グループで話し合いましょう。
①なぜこのような大きな都を造ろうとしたのでしょうか。
②どうしてこのような大きな都を造ることができたのでしょうか。
③平城京には，どのような人々が住み，どのような暮らしをしていたのでしょうか。

(3)資料や年表から，この時代について，知りたいことや疑問に思うことを出し合いましょう。

第2章の探究課題は？

こんなに大きな都を造る力を，天皇はどのようにつけていったのかな。

中国から日本へ伝えられた仏教は，いつどこでおこったのかな。

平城京は中国の都を手本にして造られたんだね。中国から伝わったものには，ほかにどのようなものがあるのかな。

この章では，❶～❸に見られるような日本の国の形がどのように作られ，変わっていったのか，東アジアの国々との関わりなどに着目しながら追究していきましょう。まとめでは，古代を代表する人物について考えることを通じて，時代の特色をとらえましょう。

探究課題 古代の日本では，どのように国家が形成されたのでしょうか。

探究のステップ 各節の学習では，次の課題を追究していきましょう。

① 世界の古代文明や宗教は，どのような地域や環境の下でおこったのでしょうか。

② 日本の社会は，大陸とのつながりの下で，どのように変化したのでしょうか。

③ 東アジアでの交流の中で，なぜ律令国家が成立し，変化していったのでしょうか。

1節 世界の古代文明と宗教のおこり

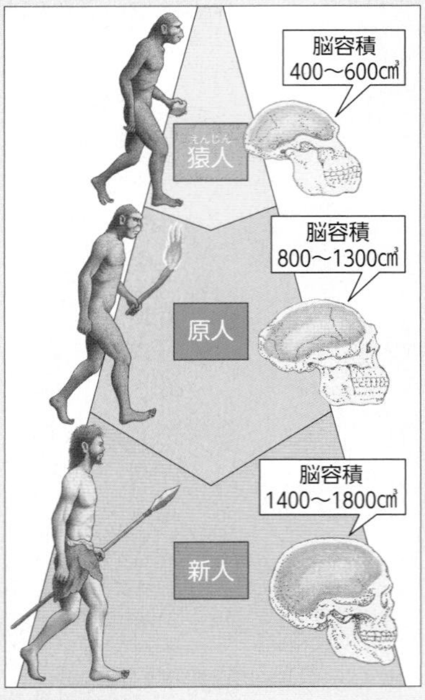
脳容積
400〜600㎤
猿人
脳容積
800〜1300㎤
原人
脳容積
1400〜1800㎤
新人

❷人類の進化

❶**最古の人類サヘラントロプス・チャデンシス**（想像図）　アフリカのチャドで，2001年に発見されました。

1 人類の出現と進化

学習課題 人類はどのように進化し，どのような生活をしていたのでしょうか。

探究のステップ 世界の古代文明や宗教は、どのような地域や環境の下でおこったのでしょうか。

人類の出現

現在知られている最も古い人類は，今から約700万年から600万年前にアフリカに現れた**猿人**で，このときにはすでに後ろあし(足)で立って歩いていたと考えられています。❶ 立って歩くことで，重くて大きな脳を支えられるようになり，また，自由に使えるようになった前あし(手)で道具を使用することを通じて，次第に知能が発達していきました。❷

旧石器時代

今から250万年ほど前から，地球は寒冷化して氷河時代となり，陸地の約３分の１が氷におおわれるような氷期と，暖かい間氷期とがくり返されました。その間にも人類は少しずつ進化していきました。

今から200万年ほど前に現れた**原人**は，石を打ち欠いてするどい刃を持つ**打製石器**❸❹を作り始め，これを使って，動物をとらえて食べたり，猛獣から身を守ったりするようになりました。

やがて，人類は火や言葉を使えるようになりました。今から20万年ほど前には，アフリカで現在の人類の直接の祖先に当た

❸**打製石器**（左：フランス出土　個人蔵　長さ22cm，右：イギリス出土　イギリス　ロンドン自然史博物館蔵　長さ10.9cm）

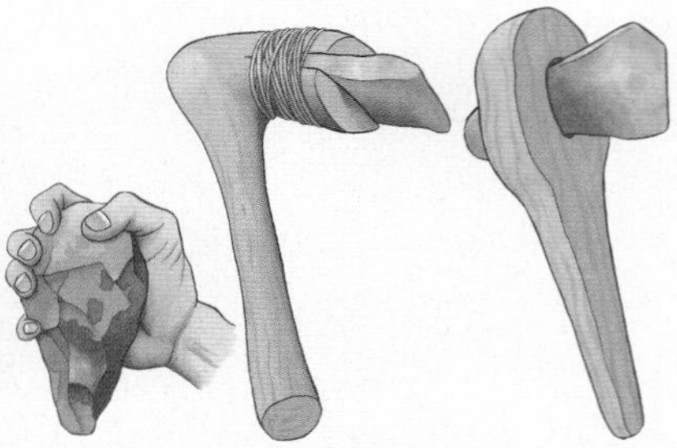

❹**石器の使われ方**（左：❸，中・右：❽）

世紀	B.C.	A.D. 1	2	3	4	5	6	7	8	9	10	11	12	13	14	15	16	17	18	19	20	21

縄文　弥生　古墳　飛鳥　奈良　平安　鎌倉　室町（南北朝）　戦国　江戸（安土桃山）　明治　大正　昭和　平成　令和

↑**5ラスコー洞窟の壁画**（フランス）世 今から約2万年前の旧石器時代に，新人によってえがかれたものです。このような旧石器・新石器時代の洞窟・岩陰壁画は，ヨーロッパ・アフリカ・オーストラリア・東南アジアなどで見つかっています。

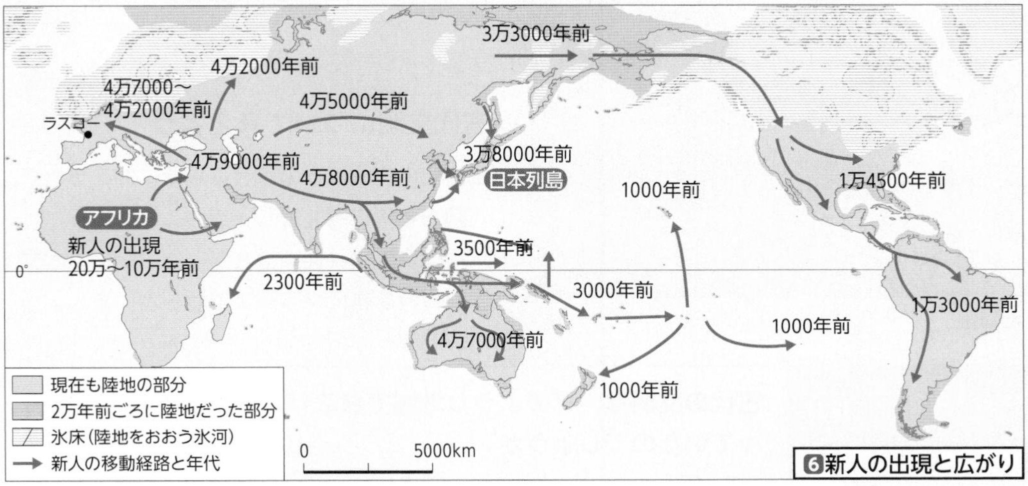

3万3000年前
4万2000年前
4万7000～
4万2000年前
ラスコー
4万5000年前
4万9000年前
3万8000年前
日本列島
4万8000年前
1000年前
1万4500年前
アフリカ
新人の出現
20万～10万年前
3500年前
0°
2300年前
3000年前
1万3000年前
1000年前
4万7000年前
1000年前
現在も陸地の部分
2万年前ごろに陸地だった部分
氷床（陸地をおおう氷河）
新人の移動経路と年代
0
5000km

6新人の出現と広がり

る**新人**（**ホモ・サピエンス**）が現れ，世界中に広がりました。56 狩りや採集を行って移動しながら生活し，打製石器を使っていた時代を**旧石器時代**と呼び，１万年ほど前まで続きました。

新石器時代

今から１万年ほど前に最後の氷期が終わり，気温が上がり始めると，海水面が上昇して，魚や貝，そして食料になる木の実が増えました。また，弓と矢を発明したことで，小形で動きのすばやい動物をとらえることができるようになりました。

こうして人々は，木の実や，魚・貝，動物をとって食料にしていましたが，やがて定住して，麦や粟，稲を栽培し，牛や羊などの家畜を飼う所も現れました。巻末1④ このころ**土器**7が発明され，食物を煮ることができるようになりました。また，木を切ったり加工したりしやすいように，表面をみがいた**磨製石器**48も作られるようになりました。このように，土器や磨製石器を使い，農耕や牧畜を始めた時代を，**新石器時代**といいます。

7土器（イラン出土　フランス　ルーブル美術館蔵　高さ28.5cm）

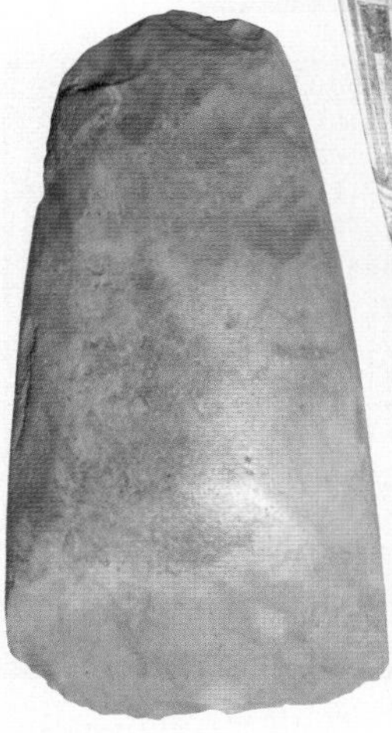

8磨製石器（イギリス出土　個人蔵　長さ20.0cm）

読み取る　5の壁画や7の土器には何がえがかれているか，読み取りましょう。

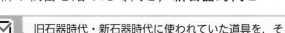

チェック　旧石器時代・新石器時代に使われていた道具を，それぞれ挙げましょう。

トライ　旧石器時代と新石器時代とのちがいを，生活の仕方に着目して説明しましょう。

❶**ギザの三大ピラミッド**(エジプト)　紀元前2500年ごろに造られ，最大のもの(左)は，完成時の高さが約147m(現在は約139m)ありました。 世

❷古代エジプトの農作業をえがいた壁画

みんなでチャレンジ　場所・比較

古代文明について考えよう

(1)古代の文明はどのような場所におこったか，❺を参考に考えましょう。

(2)古代文明の共通点やちがいについて，本文や資料を基にグループで話し合いましょう。

2 古代文明のおこりと発展

学習課題　**古代の文明は，どのような地域でおこり，どのような特色を持っていたのでしょうか。**

❸**ナイル川**(エジプト)

❹**礼拝堂の壁画**(エジプト考古学博物館蔵)　王が神に聖水と香水をささげている様子。象形文字で「永遠に神の代理であるあなた(王)に全ての生命・権力・よろこびをあたえる」と記されています。

文明のおこり

人類は**農耕や牧畜**を発達させ，集団で食料を計画的に生産し，貯蔵するようになりました。このため人口が増えた一方，集団を率いて多くの富を持つ者と，支配されて働く貧しい者との区別が生まれました。また，集団の間で争いが生まれ，強い集団が弱い集団を従えて大きくなり，各地で国のまとまりができました。

国の支配者は政治や戦争を指揮する王となり，ほかの有力者は貴族となりました。また商人や職人も現れ，**青銅器**や**鉄器**，貨幣，文字や法律も発明されました。こうして都市を中心に**文明**がおこりました。特に，アフリカとアジアの大河のほとりでは，**エジプト文明・メソポタミア文明・インダス文明・中国文明**が発展しました。❺

p.289

p.24

エジプト文明

エジプトでは，毎年夏にナイル川❸がはんらんし，後に養分の多い土を残すため，川の周囲で農耕が発達しました。❷紀元前3000年ごろに統一王国がで

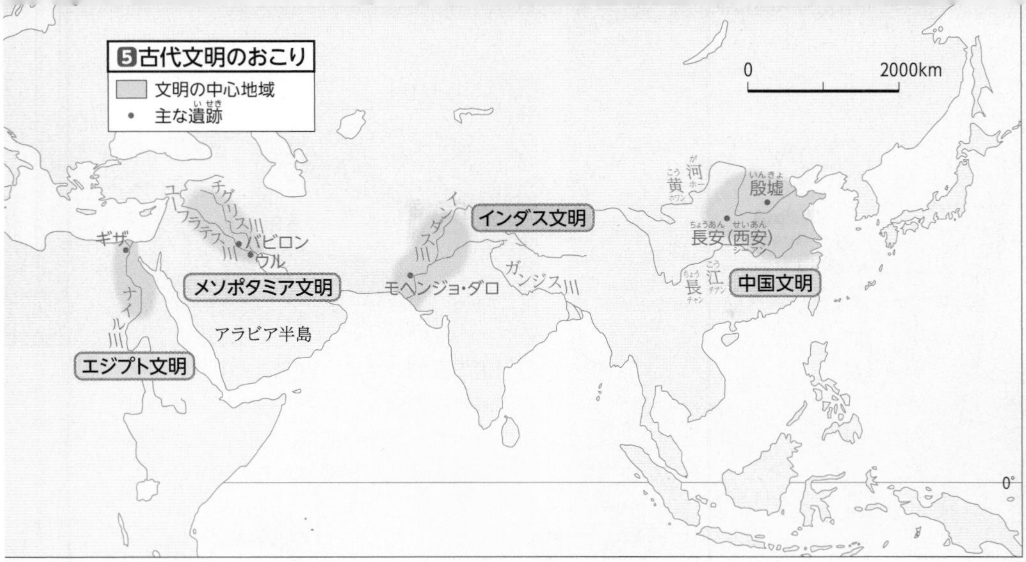
5古代文明のおこり
文明の中心地域
主な遺跡
0 2000km
チグリス川
ユーフラテス川
バビロン
ウル
ギザ
ナイル川
メソポタミア文明
アラビア半島
エジプト文明
インダス川
インダス文明
モヘンジョ・ダロ
ガンジス川
黄河
殷墟
長安(西安)
長江
中国文明
0°

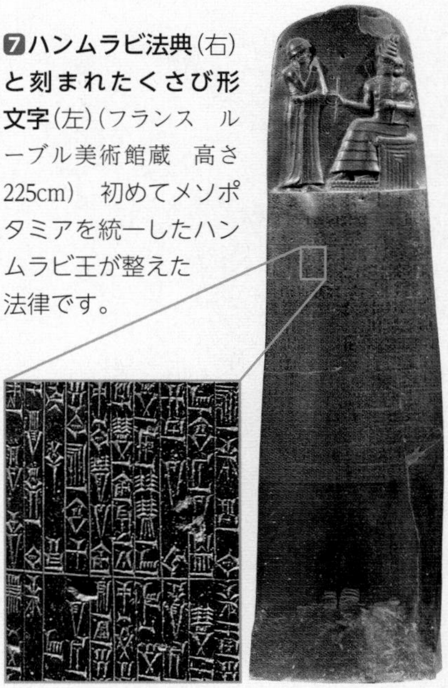

7ハンムラビ法典(右)**と刻まれたくさび形文字**(左)(フランス ルーブル美術館蔵 高さ225cm) 初めてメソポタミアを統一したハンムラビ王が整えた法律です。

6ウルのジッグラト(復元 イラク) ウルはメソポタミア文明の代表的な都市国家です。ジッグラトは各都市国家に造られた聖塔で，頂上に神殿が設けられていました。

き，神殿やピラミッド[1]が造られました。川のはんらんの時期を知るために天文学が発達し，太陽を基準に１年を365日として12か月に分ける**太陽暦**が作られ，**象形文字**[4]も発明されました。

メソポタミア文明

チグリス川とユーフラテス川にはさまれたメソポタミアには豊かな土地が広がり，紀元前3000年ごろに城壁と神殿を持つ都市国家[6]がいくつも生まれました。また，**くさび形文字**[7,8]が発明され，月の満ち欠けに基づく**太陰暦**や，時間を60進法で測ること，１週間を七日とすることが考え出されました。

エジプトやメソポタミアをふくむオリエントの地域では，後にアルファベットが発明され，鉄器が広く使われるようになりました。

インダス文明

インダス川のほとりでは，紀元前2500年ごろ，整備された道路や水路を持つ都市を中心に，インダス文明が生まれました[9,10]。その後，紀元前1500年ごろ，中央アジアからアーリヤ人が進出し，神官を頂点とする身分制度(後のカースト制度)を持つ国々を造りました。

> **8ハンムラビ法典**　(部分要約)
>
> **第196条**　もし人が人の目をつぶしたときは，かれの目をつぶす。
>
> **第199条**　もし人の奴隷(p.288)の目をつぶし，あるいは骨を折ったときは，その奴隷の値の半分を支払う。
>
> **第200条**　もし人が，その人と同格の人の歯を折ったときは，その歯を折られる。

9モヘンジョ・ダロの都市遺跡(パキスタン)
インダス文明で最大級の都市遺跡です。

10インダス文字が刻まれた印(インド デリー国立博物館蔵) インダス文明でも文字が使われましたが，まだ解読されていません。

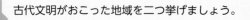

チェック　古代文明がおこった地域を二つ挙げましょう。

トライ　エジプト文明・メソポタミア文明・インダス文明に共通する点は何か，20字程度で説明しましょう。

❶西安(長安)にある兵馬俑坑(上)と兵馬俑(左：中国　秦始皇帝兵馬俑博物館蔵　高さ125cm)　兵馬俑は，兵士や馬をかたどった等身大の焼き物で，秦の始皇帝の墓のそばに，約7000体が東向きに並べられていました。元はあざやかに色が付けられ，武器も身に着けていました。

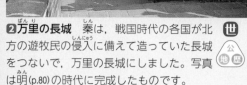

❷万里の長城　秦は，戦国時代の各国が北方の遊牧民の侵入に備えて造っていた長城をつないで，万里の長城にしました。写真は明(p.80)の時代に完成したものです。

❸秦の始皇帝が統一したます(左)とおもり(右)(左：台湾　国立故宮博物院蔵　長さ21.9cm，右：中国　陝西省歴史博物館蔵　底の直径23.6cm)

3 中国文明の発展

学習課題　古代の中国では，どのような文明がおこったのでしょうか。

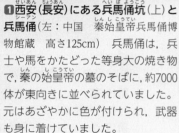

❹殷で造られた青銅器(兵庫県　白鶴美術館蔵　高さ17.2cm)　祭りの道具として使われました。

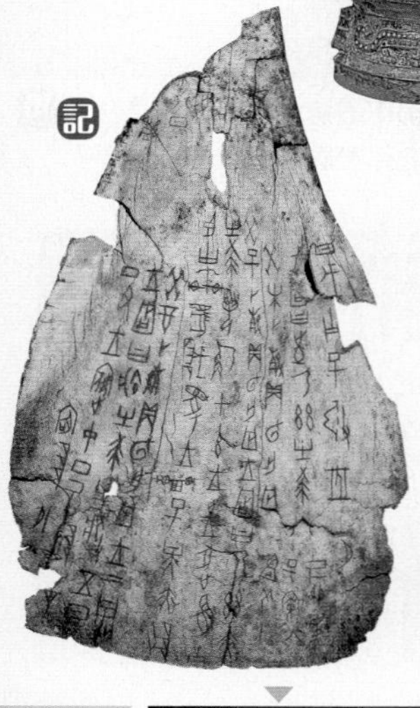

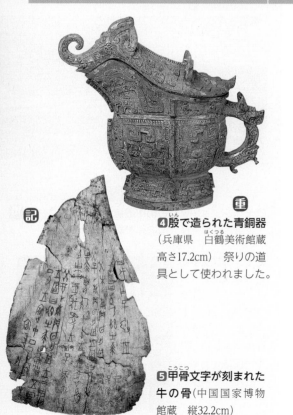

❺甲骨文字が刻まれた牛の骨(中国国家博物館蔵　縦32.2cm)

中国文明の発生

中国では，今から１万年ほど前に，黄河の中・下流域で粟(巻末1❹)などを，長江の下流域で稲を栽培する農耕文明が生まれました。紀元前16世紀ごろになると，黄河の流域に**殷**という国がおこりました。この国では，優れた青銅器❹が造られ，戦争や農業など政治における大切なことが，うらないによって決められていました。このうらないの結果は亀の甲や牛や鹿の骨に**甲骨文字**❺で刻まれ，現在の漢字の基になりました。

殷は，紀元前11世紀に周によってほろぼされました。しかし，周の支配力は次第に弱まり，紀元前８世紀には，多くの国々が争う戦乱の時代になりました(春秋・戦国時代)。国々は競って力を強めようとしたため，鉄製の兵器や農具が広まり，農業や商業が発達しました。

また，紀元前６世紀ごろには**孔子**❼が現れ，家族の道徳が社会を安定させる本であり，支配者は，思いやりの心である「仁」と，

世紀	B.C.	A.D. 1	2	3	4	5	6	7	8	9	10	11	12	13	14	15	16	17	18	19	20	21

縄文　弥生　古墳　飛鳥　奈良　平安　鎌倉　南北朝　室町　戦国　安土桃山　江戸　明治　大正　昭和　平成　令和

スキル・アップ 7 読み取る
歴史地図を読み取ろう

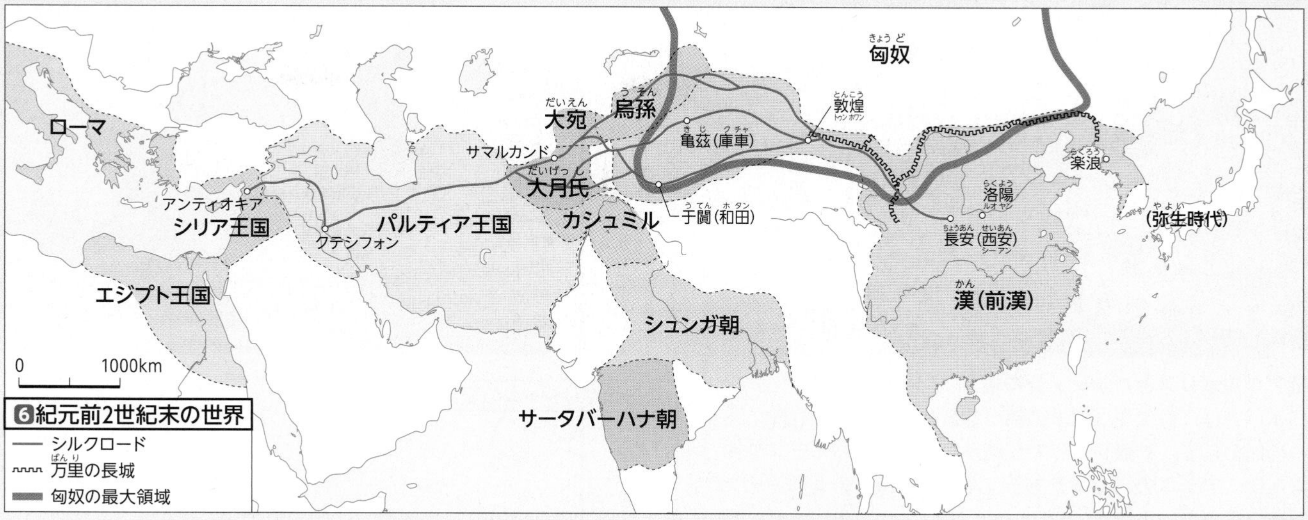

匈奴
ローマ
大宛
烏孫
敦煌
サマルカンド
亀茲(庫車)
大月氏
楽浪
洛陽
アンティオキア
シリア王国
クテシフォン
パルティア王国
カシュミル
于闐(和田)
長安(西安)
(弥生時代)
エジプト王国
漢(前漢)
シュンガ朝
0 1000km
サータバーハナ朝
シルクロード
万里の長城
匈奴の最大領域

❻紀元前2世紀末の世界

歴史を学習する際には，過去の特定の時期の様子を表した地図(歴史地図)を使うことがありますが，現在では存在しない国があることや，国境や国の範囲が異なることがあります。歴史を学習する際には，こうした点に注意して，地図を見ましょう。

読み取る
(1)地図帳で，イランという国の位置を確認しましょう。
(2)現在のイランの範囲に，❻では何という国があるか答えましょう。

相手との関係にふさわしいふるまいをする「礼」を基本にした政治をするべきだと説きました。この教えは**儒学**(**儒教**)と呼ばれ，後に朝鮮や日本にも伝えられて，人々の考えや社会の在り方にp.35影響をあたえました。

秦の中国統一

紀元前３世紀には，**秦**の王が中国を統一する帝国を造り上げ，初めて「皇帝」と名乗りました(**始皇帝**[1])p.288。秦は，長さ・容積・重さの基準[3]p.285や，文字，貨幣を統一しました。また，北方の遊牧民の侵入を防ぐために万里の長城[2]を築きました。しかし，始皇帝の死後，厳しい政治に対する反乱が広がり，統一してわずか15年でほろびました。

漢の成立

秦にかわって中国を統一した**漢**は，紀元前２世紀には，朝鮮半島に楽浪郡などを設け，中央アジアも支配下に入れて大帝国になりました[6]。このため，「**シルクロード**(絹の道)」を通って，中国から西方へは絹織物などが，西方から中国へは良馬[8]やぶどう，インドでおこった仏教p.28などがもたらされました。漢の時代には儒学が国の教えとされて広がり，質の良い紙も発明されました。

❼孔子(前551?〜前479)
仁と礼に基づく政治を説く
魯という小国に生まれ，魯の高官を務めたり諸国をめぐったりしながら，弟子たちに，理想的な人格と，良い政治について説きました。「論語」はそのときの言行録で，儒学の古典として東アジア世界に広まりました。(東京都　湯島聖堂蔵)

❽名馬の青銅器(中国　甘粛省博物館蔵)　遊牧民の匈奴に対抗するために，他国との同盟や良質の馬などを求めて，漢は西方へと拡大しました。

書写：文字の成り立ちと移り変わり ▶
国語：「論語」 ▶ D

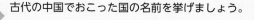

チェック 古代の中国でおこった国の名前を挙げましょう。

トライ 中国文明の特色を，(1)金属器，(2)文字の面からそれぞれ30字程度で説明しましょう。

❶アクロポリスとパルテノン神殿(ギリシャ：アテネ)　アクロポリスは，古代ギリシャの都市国家(ポリス)の中心部にある自然の丘で，神殿やとりでが築かれました。パルテノン神殿には，アテネの守護神である，ギリシャ神話の女神アテナがまつられていました。

世　公　地　歴

見方・考え方　推移　地中海沿岸の様子がどのように変化したか，❷❻❼から，それぞれの地図の時期に着目して読み取りましょう。

❷古代ギリシャ人の交易活動

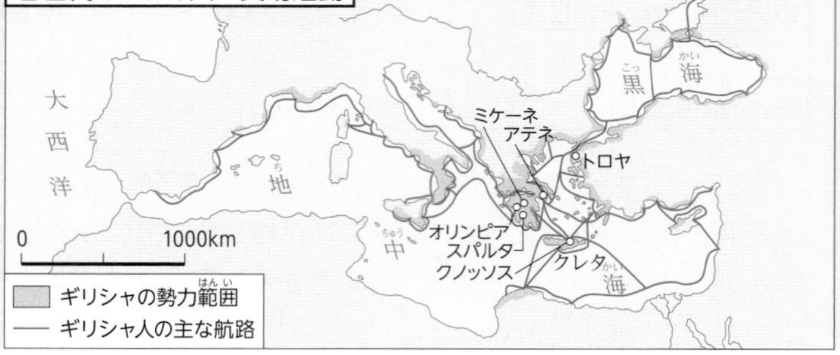

大西洋
地
中
海
黒
海
ミケーネ
アテネ
トロヤ
オリンピア
スパルタ
クノッソス
クレタ
0
1000km
ギリシャの勢力範囲
ギリシャ人の主な航路

4 ギリシャ・ローマの文明

学習課題　**ギリシャやローマの文明は，どのような特色を持っていたのでしょうか。**

❸つぼにえがかれた古代ギリシャの兵士　密集して，丸いたてでたがいの体を守りながら戦う，結束力の必要な戦術を採っていました。

まとめる　本文と巻末の用語解説を参考にして，民主政・王政・共和政・帝政のそれぞれの特徴をまとめて，比べましょう。

❶ギリシャの民主政は，今日の民主主義の起源となりました。

ギリシャの都市国家

地中海沿岸は，農耕や牧畜に適した気候を持ち，商人の活動も古くから活発でした。[2] ギリシャ人は，紀元前8世紀ごろから，アテネ[1]やスパルタのような都市国家(**ポリス**)p.288を地中海各地に造りました。こうした都市国家の中心は，成年の男性からなる市民でした。市民は奴隷p.288を持ち，農業を営み，戦争では兵士として戦いました。[3] 最も栄えたアテネでは，市民全員が参加して話し合って国の方針を決める民会を中心に，**民主政**p.289が行われました。[1] オリエントを統一したペルシャp.23が紀元前5世紀にギリシャに攻めこむと，ポリスは連合してこれを撃退し，**ギリシャ文明**は全盛期をむかえました。ギリシャでは，演劇や彫刻などの芸術や，哲学や数学，医学といった学問も発達しました。

ヘレニズム

紀元前4世紀になると，北方のマケドニアがギリシャを征服し，さらに**アレクサンドロス大王**[5]の下で東に遠征してペルシャを征服し，インダス川に

世紀	B.C.	A.D.1	2	3	4	5	6	7	8	9	10	11	12	13	14	15	16	17	18	19	20	21

縄文　弥生　古墳　飛鳥　奈良　平安　鎌倉　室町(南北朝)　戦国　安土桃山　江戸　明治　大正　昭和　平成　令和

↑5 **アレクサンドロス大王**（前356〜前323）（イタリア　ナポリ国立考古学博物館蔵）　東に遠征して，各地に自らの名にちなんだ都市を造りました。絵は，ペルシャとの戦いをえがいたモザイク画です。

←4 **ミロのビーナス**（フランス　ルーブル美術館蔵　高さ202cm）　ギリシャのミロス島で発見された，ヘレニズム期の彫刻です。

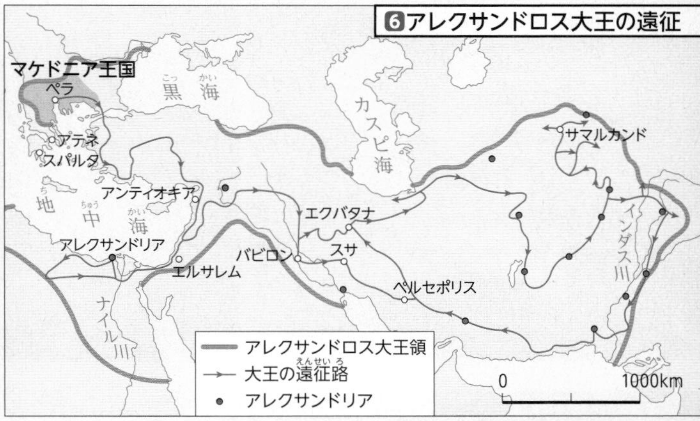

マケドニア王国
ペラ
黒海
カスピ海
アテネ
スパルタ
地中海
アンティオキア
エクバタナ
アレクサンドリア
バビロン
スサ
エルサレム
ペルセポリス
ナイル川
サマルカンド
インダス川
アレクサンドロス大王領
大王の遠征路
アレクサンドリア
0　1000km

6アレクサンドロス大王の遠征

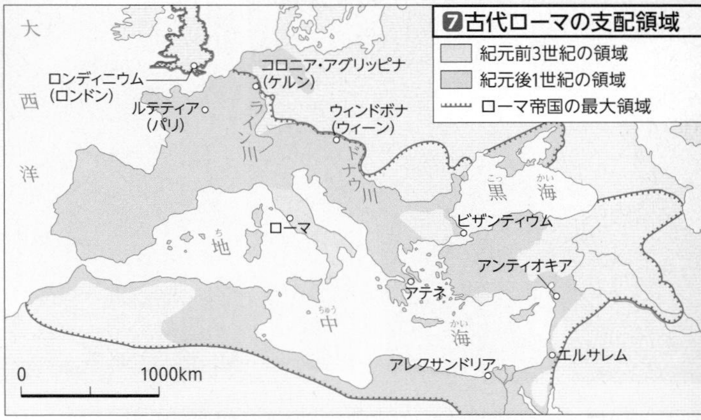

紀元前3世紀の領域
紀元後1世紀の領域
ローマ帝国の最大領域
大西洋
ロンディニウム（ロンドン）
コロニア・アグリッピナ（ケルン）
ルテティア（パリ）
ウィンドボナ（ウィーン）
ライン川
ドナウ川
黒海
ビザンティウム
ローマ
地中海
アンティオキア
アテネ
アレクサンドリア
エルサレム
0　1000km

7古代ローマの支配領域

まで達しました[6]。この結果，ギリシャの文明が東方に広まりました。これを**ヘレニズム**と呼びます[4]。ヘレニズムの文化は，後p.289にインド・中国・日本の美術にも影響p.37・44をあたえました。

ローマ帝国

ギリシャの西のイタリア半島中部では，イタリア系の人々が都市国家のローマを造っていました。ローマは，紀元前６世紀に王政p.284を廃して，貴族が率いる**共和政**p.284の国になりました[2]。ローマはその後，イタリア半島全体に支配を広げ，さらに紀元前30年には地中海を囲む地域を統一しました[7]。その一方で，度重なる征服戦争で平民が没落して貧富の差が広がり，内乱が起こって，皇帝が支配する帝政p.288に変わりました。

ローマ帝国は，領土を現在のヨーロッパ北部にまで広げ，中国とも交易p.285し，世界最大級の都市ローマを首都としました。また，ギリシャ文明を吸収して高度な文明を築き，長さ・容積・重さの基準を統一し，道路網を整え，各地に水道[8]や浴場，闘技場[9]などの施設を造りました。ローマ帝国の法律や暦は，後のヨーロッパでも長く使われました。

8古代ローマの水道橋（フランス：ガール県）　世

9コロッセオ（闘技場　イタリア：ローマ）　世

②ローマの共和政は，現在世界に数多くある共和国の起源となりました。

チェック　ギリシャ文明とローマ文明の具体例を，二つずつ挙げましょう。

トライ　ギリシャ・ローマ文明が後のヨーロッパにあたえた影響を，それぞれ20字程度で説明しましょう。

❶三大宗教の寺院と礼拝の場所　現在でも，地域をこえて多くの人々に信仰されている仏教・キリスト教・イスラム教は，「三大宗教」とも呼ばれます。（Ⓐミャンマー：パガン　アーナンダー寺院，Ⓑフランス：パリ　ノートルダム大聖堂，Ⓒイラン：イスファハン　イマームモスク）。

読み取る
(1)❶のⒶ～Ⓒの建物がどの宗教のものか，❹を参考にして考えましょう。
(2)地理の教科書や地図帳にのっている宗教分布図と❹とを比べて，気付いたことを挙げましょう。

5 宗教のおこりと三大宗教

学習課題 古代の宗教は，どのような地域でおこり，どのような特色を持っていたのでしょうか。

❷シャカ（パキスタン　ラホール博物館蔵　高さ84cm）

↓**❸ボロブドゥール遺跡**（インドネシア）　8世紀末に造られた世界最大級の仏教寺院です。

宗教のおこり

人類は，太陽や月，星の動き，また季節や天気の移り変わりや動植物の営みといった自然の働きに，人間をこえる力を感じて，神について考えるようになりました。やがて人々は，病気や貧しさからのがれることや，自分と一族の成功や発展を願って神に祈るようになり，また死後の世界について考えることもありました。これに応えて神の教えを説く者が現れ，儀式や聖典も整えられて，宗教が成立しました。❶❹

仏教のおこり

紀元前5世紀ごろのインドに生まれた**シャカ（釈迦）**❷は，世の中には苦しみが多いが，修行を積んでさとりを開けば安らぎを得られると教え，**仏教**の開祖となりました。仏教では，個人のさとりよりも他人を助けることを重視する教えや，仏を敬うことで救いを得られるとする教えも生まれました。仏教は東南アジア❸や中国，日本にも伝えられ❹，それぞれの地域で独自の発達をとげました。❶

❶その一方でインドでは，アーリヤ人（p.23）の宗教が先住民の信仰を吸収して成立した，多神教（p.287）のヒンドゥー教が広まり，仏教は弱まっていきました。

世紀	B.C.	A.D.1	2	3	4	5	6	7	8	9	10	11	12	13	14	15	16	17	18	19	20	21

縄文　弥生　古墳　飛鳥　奈良　平安　鎌倉　南北朝　室町　戦国　安土桃山　江戸　明治　大正　昭和　平成　令和

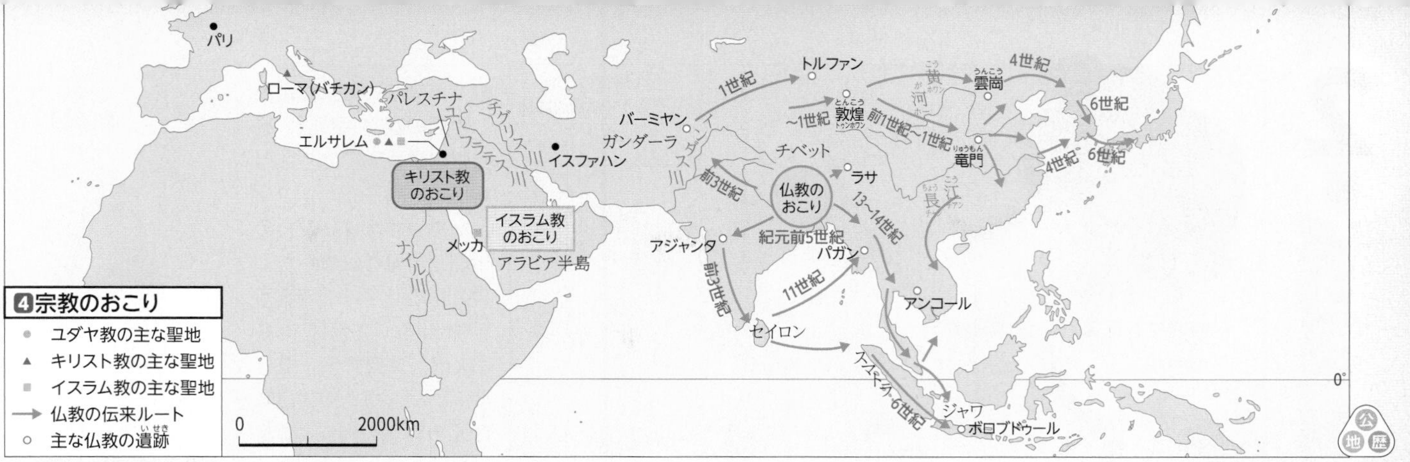
パリ
ローマ(バチカン)
パレスチナ
エルサレム
キリスト教のおこり
イスラム教のおこり
メッカ
アラビア半島
イスファハン
チグリス川
ユーフラテス川
ナイル川
バーミヤン
ガンダーラ
インダス川
トルファン
敦煌
黄河
雲崗
竜門
長江
チベット
ラサ
仏教のおこり
紀元前5世紀
アジャンタ
パガン
アンコール
セイロン
ジャワ
ボロブドゥール
1世紀
~1世紀
前1世紀~1世紀
4世紀
6世紀
4世紀
6世紀
前3世紀
前3世紀
13~14世紀
11世紀
7世紀~8世紀
0°
0
2000km
ユダヤ教の主な聖地
キリスト教の主な聖地
イスラム教の主な聖地
仏教の伝来ルート
主な仏教の遺跡
❹宗教のおこり

←❺**カーバ神殿**(サウジアラビア：メッカ)　イスラム教の最高の聖地で，イスラム教では，カーバ神殿の方向に向かって1日に5回礼拝することとされています。また，イスラム教徒(ムスリム)は一生に一度はカーバ神殿に行くべきとされています。

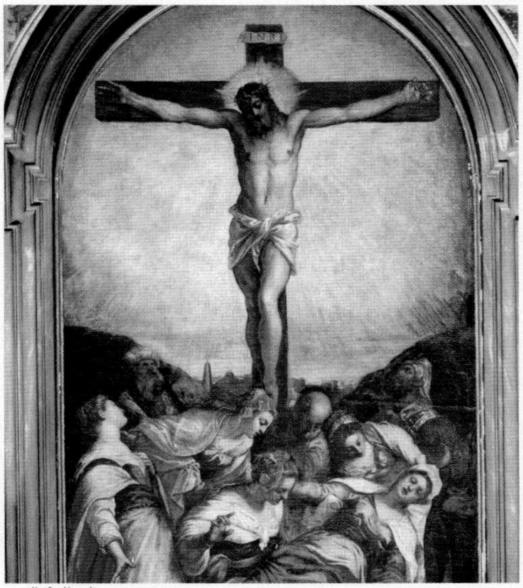

❻**十字架にかけられたイエス**(ティントレット筆　イタリア：ベネチア　ジェズアーティ教会蔵)

❼**エルサレム**　エルサレムはユダヤ教・キリスト教・イスラム教の聖地で，各教徒が共生しています。手前はユダヤ教の聖地である「なげきの壁」，奥はイスラム教の聖地である「岩のドーム」です。

キリスト教のおこり

西アジアのパレスチナ地方では，紀元前から，ヤハウェを唯一の神とするユダヤ教[7]が信仰されていました。紀元前後にこの地方に生まれた**イエス**[6]は，ユダヤ教を基にして，人はみな罪を負っているが神の愛を受けられること，また弱者を思いやることを教えました。この教えは弟子たちによって「聖書(新約聖書)」にまとめられ，**キリスト教**と呼ばれました。キリスト教は，4世紀末にローマ帝国p.27が国の宗教に定めたこともあってヨーロッパで広く信仰されるようになり，後にアメリカやアジア，アフリカにも伝えられました。

イスラム教のおこり

6世紀のアラビア半島に生まれた**ムハンマド**は，ユダヤ教やキリスト教を基に，唯一の神アラーのお告げを受けたとして，**イスラム教**を始めました。ムハンマドは，世の全てを定めるアラーに従うことや，神の像をえがいたり拝んだりしてはならないことを説きました。聖典の「コーラン」は，信者の生活や政治，経済活動を定める法としての役割も果たしました。イスラム教は，アラビア半島から西アジアや北アフリカ，東南アジアにも広まりました[5][7]。p.100

チェック　三大宗教がおこった時期と場所を，それぞれ本文からぬき出しましょう。

トライ　三大宗教がおこった地域の特色を，❹とp.23❺を参考に，20字程度で説明しましょう。

探究のステップに取り組もう(p.59)

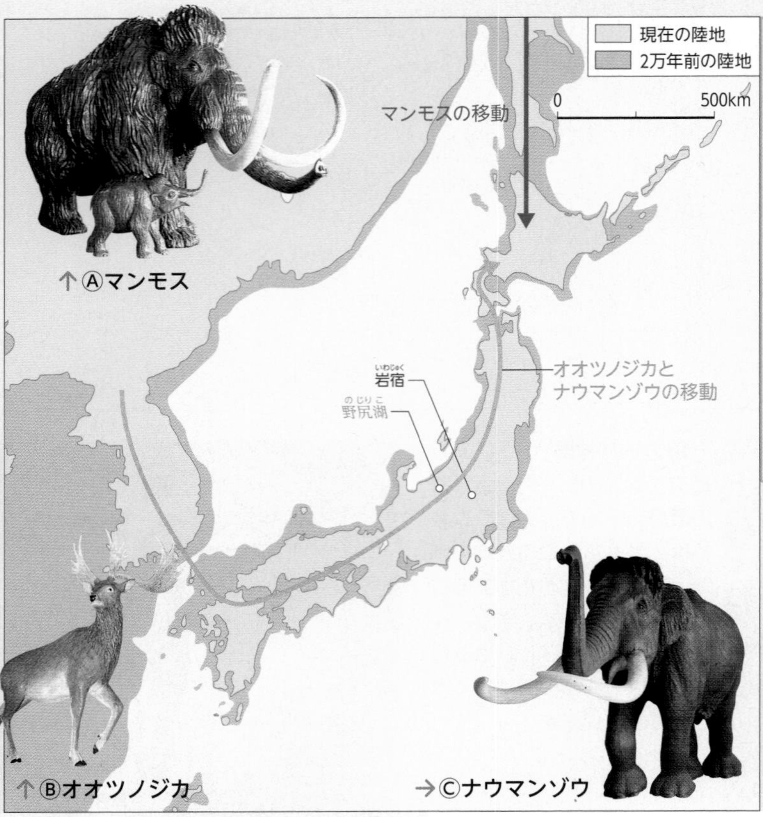

現在の陸地
2万年前の陸地
0
500km
マンモスの移動
岩宿
野尻湖
オオツノジカと
ナウマンゾウの移動
↑Ⓐマンモス
↑Ⓑオオツノジカ
→Ⓒナウマンゾウ

❶2万年前の日本列島と氷期の動物(復元)　長野県の野尻湖では，数万年前の地層から，ナウマンゾウやオオツノジカの化石が発見されました。(Ⓐ北海道　苫小牧市美術博物館蔵　復元の体長360cm，Ⓑ長野県　野尻湖ナウマンゾウ博物館蔵　復元の体長210cm，Ⓒ富山市科学博物館蔵　復元の体長260cm)

❷岩宿遺跡(群馬県)**から発見された打製石器**(群馬県　相澤忠洋記念館蔵　実物大)　黒曜石で作られています。

考える　❶の陸地と動物の移動の様子から，日本列島に人が住み始めた経緯を考えましょう。

1 旧石器時代と縄文時代の暮らし

学習課題　日本列島に住み始めた人々は，どのような生活をしていたのでしょうか。

探究のステップ　日本の社会は，大陸とのつながりの下で，どのように変化したのでしょうか。

旧石器時代の暮らし

氷河時代には，海面が今より100m以上も低くなり，p.20 海の浅い部分が陸地になることもありました。現在の日本列島も，たびたびユーラシア大陸と陸続きとなり，マンモス・ナウマンゾウ・オオツノジカなどの大形の動物が，大陸と同じように住んでいました。❶

これらの動物を追って大陸から移り住んできた人々は，打製石器❷p.20を付けたやりなどを使って動物をとらえたり，植物を採集したりして暮らしていました。人々は，簡単なテントや岩かげに住み，食べ物を求めて，移動しながら生活していました。❸火を使って体を温め，つかまえた獲物を焼いて食べたりしました。

1万年ほど前になると，最後の氷期が終わり，陸地にあった氷が解けて，海面が上昇しました。大陸とつながっていた部分が海になり，現在の日本列島の形がほぼできあがりました。

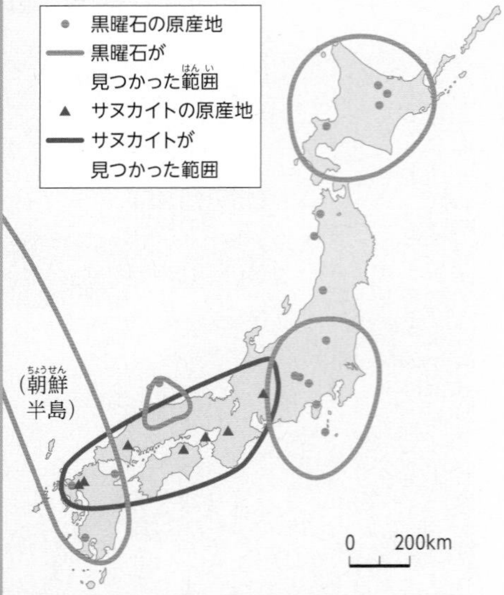

黒曜石の原産地
黒曜石が見つかった範囲
サヌカイトの原産地
サヌカイトが見つかった範囲
(朝鮮半島)
0
200km

❸旧石器時代の人々の移動　黒曜石(❷)やサヌカイトは，ナイフのようにするどい石器を作る，貴重な材料でした。これらは原産地から100km以上はなれた所にまで運ばれて，石器に加工されていたことが分かっています。

縄文時代の暮らし

1万数千年前から，日本列島の人々は土器を作り，これを使って木の実を煮て食べた

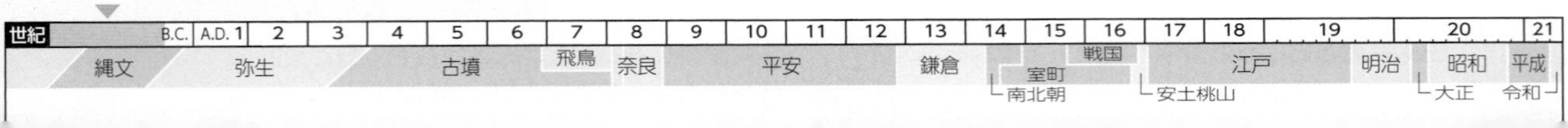

世紀
B.C.
A.D. 1
2
3
4
5
6
7
8
9
10
11
12
13
14
15
16
17
18
19
20
21
縄文
弥生
古墳
飛鳥
奈良
平安
鎌倉
室町
戦国
南北朝
江戸
安土桃山
明治
昭和
大正
平成
令和

❹縄文時代のむらの生活の様子（想像図）

読み取る
(1)❹から次のものを探しましょう。
［縄文土器／石器／貝塚／たて穴住居］
(2)❹の人々は何をしているか，それぞれ読み取りましょう。

宝

❺**縄文土器**（上：青森県出土　東京国立博物館蔵　高さ32.4cm，下：新潟県出土　新潟県　十日町市博物館蔵　高さ46.5cm）

りするようになりました。厚手で，低温で焼かれたため黒褐色をしたこの土器は，表面に縄目のような文様が付けられていることが多いので，**縄文土器**[5]と呼ばれます。このため，この時代を**縄文時代**，このころの文化を縄文文化と呼びます[4][6]。p.289縄文土器は，世界的に見ても非常に古い土器の一つとされています。

この時代には，最後の氷期が終わり気温が上がったので，植物の栽培も始まりました[1]。しかし，林にはくり・どんぐりなどの木の実が豊富で，鹿・いのしし・鳥などのけものや，魚や貝も豊富にとれたため，農耕や牧畜はあまり発達しませんでした。海に近いむらでは，食べ終わった後の貝殻や魚の骨などを捨てた**貝塚**ができました。

人々は移動しながら生活するのをやめて，食料を得やすい場所に集団で定住するようになり，ほり下げた地面に柱を立てて屋根をかけた，**たて穴住居**を造って住みました。人々は耳飾りを付けたり，抜歯を行ったり，祈りのため土偶[7]を作ったりしました。巻頭1❶人が死ぬと，地面に穴をほり，手足を折り曲げてうめる屈葬[2]を行いました。こうした縄文時代は１万年以上続きました。

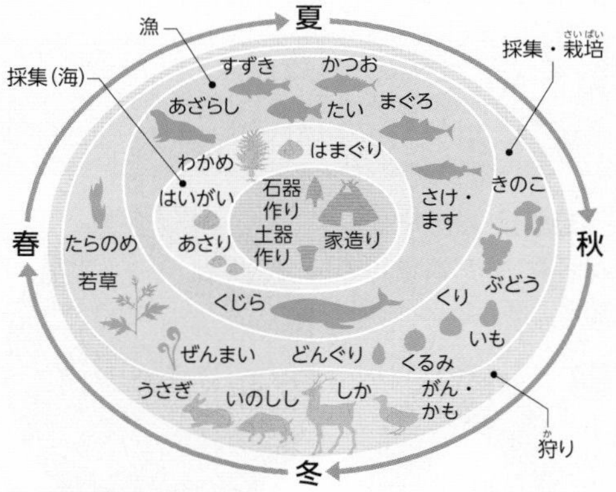

夏
漁
採集（海）
採集・栽培
すずき
かつお
あざらし
たい
まぐろ
わかめ
はまぐり
はいがい
石器作り
土器作り
家造り
さけ・ます
きのこ
春
秋
たらのめ
あさり
若草
くじら
くり
ぶどう
いも
ぜんまい
どんぐり
くるみ
うさぎ
いのしし
しか
がん・かも
冬
狩り

❻**縄文人の生活カレンダー**

重

❼**土偶**（青森県出土　東京国立博物館蔵　高さ36.7cm）

❶ひょうたん・えごま・豆などが栽培されていました。

❷屈葬は，死者の霊による災いを防ぐために行われたという説もあります。

チェック　縄文文化の具体例を三つ挙げましょう。

トライ　縄文時代の人々の生活は旧石器時代からどのように変わったか，30字程度で説明しましょう。

❶弥生時代のむらの生活の様子(想像図) 田の部分は，春から冬にかけての季節の様子を，左から右に示しています。

見方・考え方 比較 (1)❶から次のものを探しましょう。[弥生土器／高床倉庫]
(2)❶とp.31❹とを比べて，変わった点を挙げましょう。

❷**弥生土器**(上：高坏 大阪府出土 東大阪市立郷土博物館蔵 高さ21.5cm，下：甕 福岡県出土 九州大学文学部考古学研究室蔵 高さ19.6cm)

2 弥生時代の暮らしと邪馬台国

学習課題 **稲作が始まって，社会はどのように変化したのでしょうか。**

弥生時代の始まり

紀元前４世紀ごろ，❶朝鮮半島から移り住んだ人々によって**稲作**が九州北部に伝えられ，やがて東北地方にまで広がりました。❷これらの地域の人々は，水田の近くにむらを造り，たて穴住居の近くには，ねずみや湿気を防ぐ高床倉庫を造って，収穫した稲を収めました。❶

稲作とともに，大陸から青銅器や鉄器も伝わりました。銅鏡❸や銅鐸❹のほか，武器であった銅剣や銅矛も，日本では主に祭りのための宝物として使われました。青銅器よりかたい鉄器は，武器や工具，農具に用いられました。このころには，**弥生土器**❷❸という，やや高温で焼かれた，赤褐色の，薄手でかための土器も作られるようになりました。このため，この時代を**弥生時代**，このころの文化を弥生文化と呼びます。

国々の成立

集団で行う稲作が盛んになると，むらの人々を従える有力者や，いくつかのむらを

→❸**銅鏡**(福岡県出土 福岡県 伊都国歴史博物館蔵 直径46.5cm)

宝

宝

❹**銅鐸**(兵庫県出土 兵庫県 神戸市立博物館蔵 高さ39.4cm)

❶弥生時代の始まりを，紀元前10世紀ごろとする説もあります。
❷北海道や沖縄などでは，環境のちがいから，狩りや漁，採集を中心とした独自の文化が発展しました(p.140)。

世紀 B.C. A.D.1 2 3 4 5 6 7 8 9 10 11 12 13 14 15 16 17 18 19 20 21
縄文 弥生 古墳 飛鳥 奈良 平安 鎌倉 室町 南北朝 戦国 安土桃山 江戸 明治 大正 昭和 平成 令和

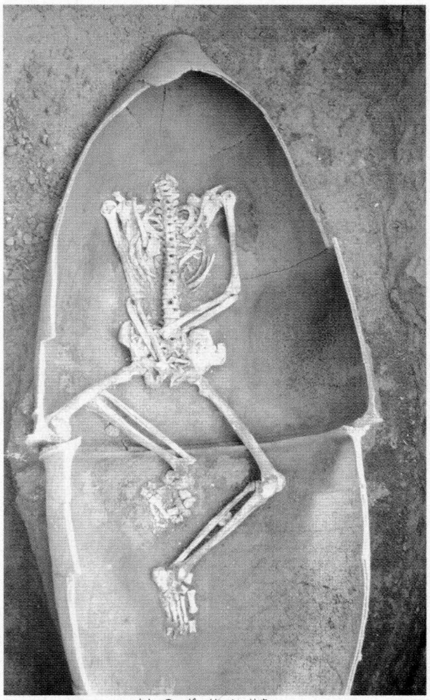

⑤吉野ヶ里遺跡(佐賀県)**で発見された首のない遺骨**　むらどうしの戦いによって死んだ人の骨だと考えられています。

宝

⑥「漢委奴国王」と刻まれた金印(福岡県出土　福岡市博物館蔵　印面は実物大)　金印は，国王が皇帝にあてて送る文書に封をするのに使うものです。この金印は，江戸時代に志賀島(福岡県 p.38❶)で発見されました。

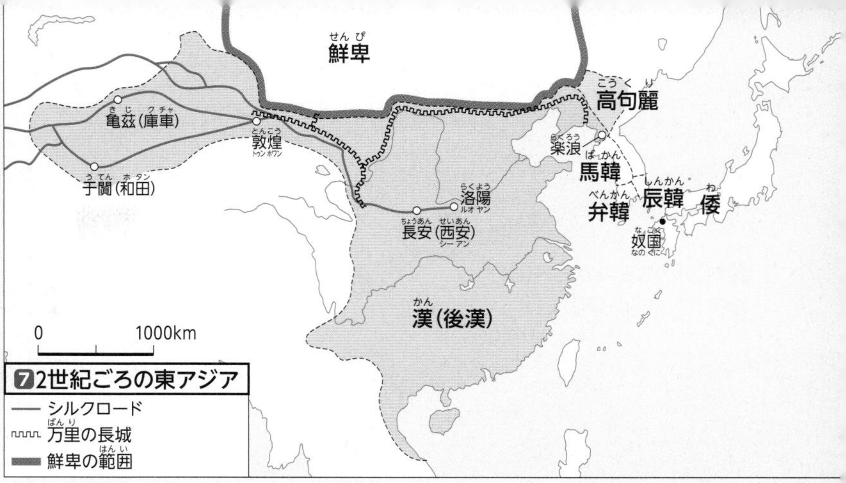

鮮卑
高句麗
亀茲(庫車)
敦煌
于闐(和田)
楽浪
馬韓
辰韓
弁韓
倭
奴国
洛陽
長安(西安)
漢(後漢)
0
1000km
シルクロード
万里の長城
鮮卑の範囲

⑦2世紀ごろの東アジア

スキル・アップ 8　読み取る　文献資料を読み解こう

文献資料は，「いつ」「だれが」「何を」「何のために」書いたのかを考えて読むことが大切です。例えば，中国では，後を受けた国が前の国の歴史書を書く伝統があるため，歴史書には，前の国の正しさや，その支配のおよぶ範囲などが書かれています。

読み取る　❽❾❿から，当時の倭(日本)の状況について読み取りましょう。

まとめる王が現れ，小さな国々ができていきました。❺中国の歴史書「漢書」には，紀元前１世紀ごろ，倭(日本)に100余りの国があり，なかには楽浪郡を通じて漢の皇帝に使いを送る国もあったと記されています。❽ p.25 また「後漢書」には，現在の福岡県にあった奴国の王が，１世紀半ばに漢に使いを送り，皇帝から金印を授けられたと記されています。❻❼❾福岡県で発見された「漢委奴国王」と刻まれた金印は，このときのものと考えられています。

邪馬台国

３世紀になると，中国では漢がほろび，魏・蜀・呉の三国に分かれて争いました(三国時代)。このころ，倭には**邪馬台国**という国がありました。

中国の歴史書「三国志」魏書には，倭人についての記述があります(魏志倭人伝)❿。そこには，邪馬台国の**卑弥呼**が，女王になって倭の30ほどの国々をまとめていたこと，人々の間に身分の差があったこと，卑弥呼が魏に**朝貢**❹して，皇帝から「親魏倭王」という称号と金印を授けられたほか，銅鏡100枚をおくられたことなどが書かれています。邪馬台国のあった場所については，近畿(奈良盆地)説と九州説とがあります。

p.90

❽「漢書」地理志　(部分要約)

(紀元前1世紀ごろ)楽浪郡の海のかなたに倭人がいて，100以上の国に分かれている。その中には定期的に漢に朝貢する国もある。

❾「後漢書」東夷伝　(部分要約)

建武中元２(57)年に倭の奴国が漢に朝貢したので，光武帝は印綬(印とそれを結びとめるひも)をおくった。…桓帝と霊帝のころ(２世紀)，倭は大いに乱れ，長い間代表者が定まらなかった。

❿魏志倭人伝　(部分要約)

…南に進むと邪馬台国に着く。ここは女王が都を置いている所である。…倭にはもともと男の王がいたが，その後国内が乱れたので一人の女子を王とした。名を卑弥呼といい，成人しているが夫はおらず，一人の弟が国政を補佐している。…卑弥呼が死んだとき，直径が100歩余りもある大きな墓を造った。

❸現在の東京都文京区弥生で初めてこの土器が見つかったため，このように呼びます。
❹中国と正式な関係を結ぶためには，皇帝にみつぎ物をおくり(朝貢)，その国の王であることを認めてもらう必要がありました。中国周辺の国々の王は，皇帝の権力を後ろだてにし，自分の権威を高めようとしました。

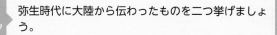

チェック　弥生時代に大陸から伝わったものを二つ挙げましょう。

トライ　弥生時代になって社会はどのように変わったか，大陸の影響に着目して説明しましょう。

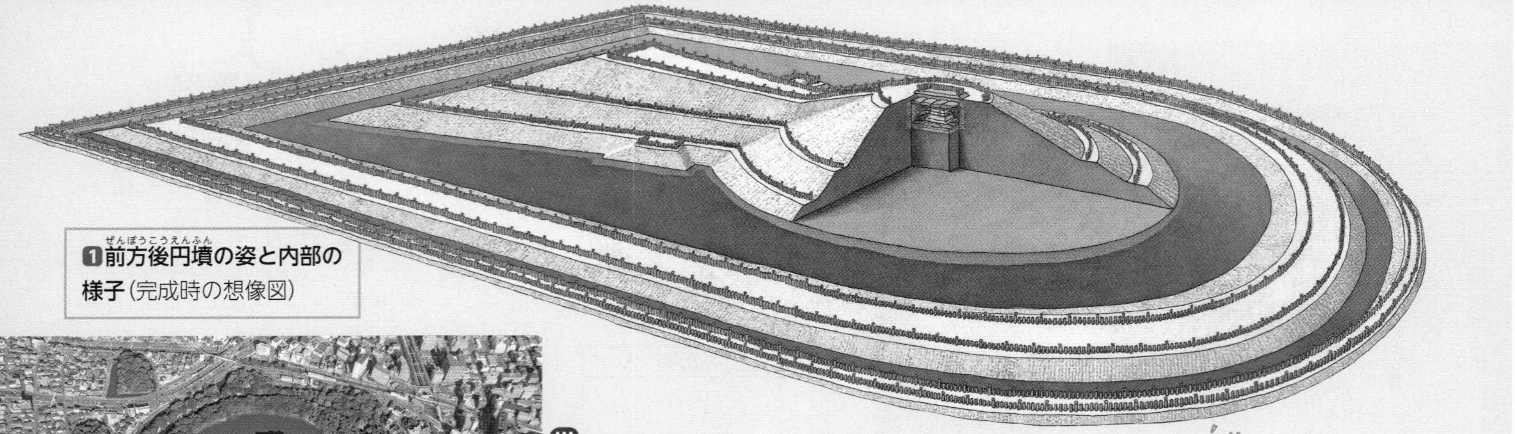

❶前方後円墳の姿と内部の様子（完成時の想像図）

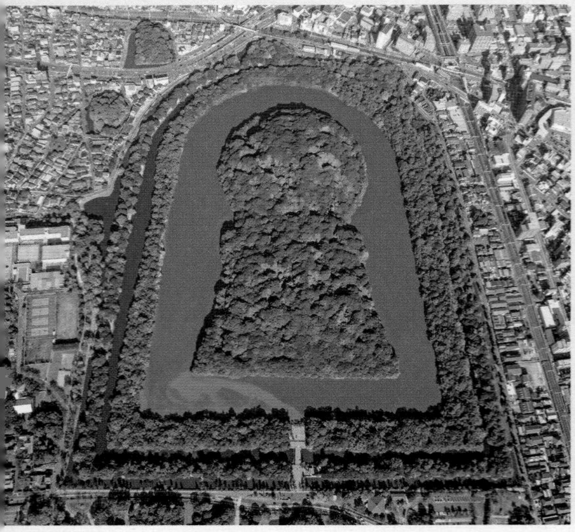

世 ←❷大仙古墳（仁徳陵古墳）（大阪府堺市）
5世紀に造られた，全長が486mある前方後円墳で，世界最大級の墓です。

江田船山古墳
大仙古墳（仁徳陵古墳）
稲荷山古墳
0　200km

❸前方後円墳の分布
主な前方後円墳

3 大王の時代

学習課題 大和政権はどのように勢力を広げ，中国や朝鮮半島とどのような交流をしたのでしょうか。

←❹武人埴輪（群馬県出土　東京国立博物館蔵　高さ130.5cm）　埴輪には，家形，馬形などさまざまな形のものがありました。

宝

❶ある地域で勢力を持つ者を豪族といいます。このころ，弥生時代の王たちは，各地域の豪族になっていきました。

大和政権の発展　3世紀後半になると，奈良盆地を中心とする地域に，強大な力を持つ王と有力な豪族❶たちとから成る勢力（**大和政権**）が現れました。王や豪族の墓として大きな前方後円墳が造られ，この勢力に従った全国の豪族も，前方後円墳などの**古墳**を造るようになりました。❶❷古墳が盛んに造られた6世紀末ごろまでを，**古墳時代**と呼びます。

p.287

前方後円墳の分布❸などから，5世紀後半には，大和政権の王が九州地方から東北地方南部までの有力豪族を従え，**大王**と呼ばれるようになっていたことが分かります。❾

古墳時代の文化　古墳の石室と棺には，初めは銅鏡・玉などの祭りの道具が，後には鉄製の武器や馬具，かんむりなどが納められました。古墳の表面には，多くの場合，石がしきつめられ，その上に埴輪❹が並べられました。❶

このころから人々は，山や大きな岩，高い樹木に神が降りてくると考え，また農業にとって大切な川には水の神がいるもの

みんなでチャレンジ　読み取る

古墳の分布から考えよう

(1)❸から，前方後円墳がどの地域に集中しているか読み取りましょう。

(2)❸と❾から，当時の大和政権の勢力がどこまでおよんでいたと考えられるか，グループで話し合いましょう。

世紀	B.C.	A.D. 1	2	3	4	5	6	7	8	9	10	11	12	13	14	15	16	17	18	19	20	21

縄文　弥生　古墳　飛鳥　奈良　平安　鎌倉　南北朝　室町　戦国　安土桃山　江戸　明治　大正　昭和　平成　令和

高句麗
好太王碑
平城(大同)
北魏(北朝)
百済
新羅
倭
洛陽
建康(南京)
伽耶
(任那)
大和
宋(南朝)
0
1000km

❺5世紀の東アジア

↑❻**古墳から出土した鉄の延べ板**(奈良県出土　宮内庁書陵部蔵)　当時の日本は，朝鮮半島の伽耶地域などから鉄の延べ板を輸入し，これをとかして，さまざまな物を作っていました。

❼倭王武の手紙(部分要約)
(「宋書」倭国伝)
　私の祖先は，自らよろいやかぶとを身に着け，山や川をかけめぐり，東は55国，西は66国，さらに海をわたって95国を平定しました。しかし私の使いが陛下の所に貢ぎ物を持っていくのを，高句麗がじゃまをしています。今度こそ高句麗を破ろうと思いますので，私に高い地位をあたえて激励してください。

重

←❽**須恵器**(鳥取県出土　鳥取県　倉吉博物館蔵)　渡来人が伝えた，高温を出せるかまで作られました。

見方・考え方 現在　この時代に渡来人が伝え，今も日本にあるものを挙げましょう。

宝
宝
獲加多支鹵大王

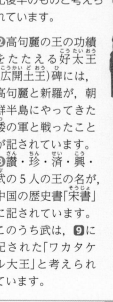

❾ワカタケル大王(武)の名を刻んだ鉄剣(左)**と鉄刀**(右：部分)
(左：埼玉県　稲荷山古墳出土　埼玉県立さきたま史跡の博物館蔵　長さ73.5cm，右：熊本県　江田船山古墳出土　東京国立博物館蔵　長さ90.6cm)　ともに5世紀後半のものと考えられています。

と感じて，これらを祭りました。このほか，大王や有力な豪族は，一族を守る神を信仰するようになりました。

中国・朝鮮半島との交流

5世紀から6世紀にかけて，中国は南朝と北朝とに分かれて対立し(南北朝時代)，朝鮮半島では，**高句麗**・**百済**・**新羅**が勢力を争いました。❺ 大和政権は，朝鮮半島南部の**伽耶地域**(**任那**)の国々や百済と交流が深く，❻ その援軍として，高句麗や新羅と戦うことがありました。❷ 大和政権の王たち(倭の五王)❸は，たびたび中国の南朝に朝貢し，p.33 国内での地位をより確かなものにするとともに，朝鮮半島の国々に対しても有利な立場に立とうとしました。❼

朝鮮半島からは，戦乱の影響もあり，日本列島に一族で移り住む人々(**渡来人**)が増えました。渡来人は，高温で焼いた黒っぽくかたい土器(須恵器)❽を作る技術や，かまどを使う生活文化を伝えました。また，漢字や儒学p.25，さらには6世紀半ばに仏教p.28を伝え，いずれもその後の日本の文化や信仰の一部となっていきました。大和政権は渡来人を盛んに採用し，書類の作成や財政の管理などを担当させました。
p.286

❷高句麗の王の功績をたたえる好太王(広開土王)碑には，高句麗と新羅が，朝鮮半島にやってきた倭の軍と戦ったことが記されています。
❸讃・珍・済・興・武の5人の王の名が，中国の歴史書「宋書」に記されています。このうち武は，❾に記された「ワカタケル大王」と考えられています。

チェック　渡来人が大陸から伝えたものを三つ挙げましょう。

トライ　大和政権と大陸との交流について，次の語句を使って説明しましょう。[朝貢／朝鮮半島]

探究のステップに取り組もう(p.59)

3節 古代国家の歩みと東アジア世界

❶**法隆寺**（奈良県斑鳩町）　法隆寺は，７世紀後半に火災にあい，現在の建物は，８世紀初めまでに再建されたものです。それでも現存する世界最古の木造建築といわれています。

❷**聖徳太子**（574～622）**と伝えられる肖像画**（東京都宮内庁蔵）「聖徳太子」は，後の時代につけられた呼び名であり，古くは「厩戸皇子」などと呼ばれていたことが分かっています。

❸**十七条の憲法**（初めの３条の一部）

一に曰く，和をもって貴しとなし，さからう（争う）ことなきを宗と（第一に）せよ。

二に曰く，あつく三宝を敬え。三宝とは仏・法（仏教の教え）・僧なり。

三に曰く，詔（天皇の命令）をうけたまわりては必ずつつしめ（守りなさい）。

1 聖徳太子の政治改革

学習課題　**聖徳太子や蘇我氏は，どのような国づくりを目指したのでしょうか。**

探究のステップ　東アジアでの交流の中で，なぜ律令国家が成立し，変化していったのでしょうか。

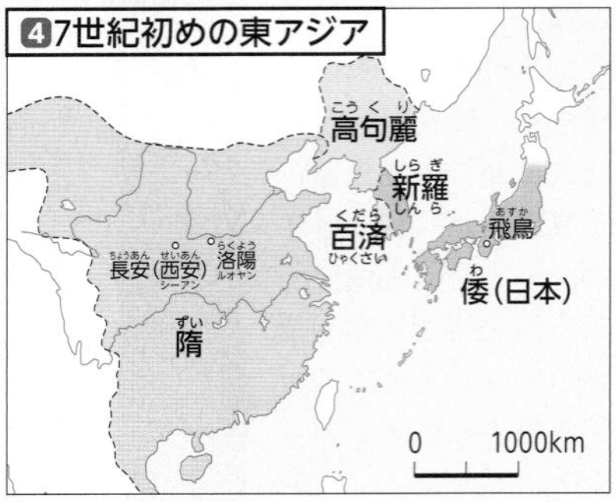

高句麗
新羅
百済
飛鳥
長安（西安）
洛陽
隋
倭（日本）
0　1000km

❹7世紀初めの東アジア

みんなでチャレンジ

聖徳太子の国づくりについて考えよう

聖徳太子たちはどのような国づくりを目指したか，本文や❶❸を参考にしながら，グループで話し合いましょう。

朝鮮半島の動乱と隋の中国統一

６世紀になると，朝鮮半島では，新羅や百済が勢力を強め，特に新羅は，大和政権と深い交流のあった伽耶地域の国々をほろぼしました。❹ p.34 ６世紀末には，中国で**隋**が生まれ，南北朝を統一しました。隋は，**律令**という法律を整え，人々を**戸籍**に登録して，土地を分けあたえて税や兵役を負担させたほか，役人の組織を充実させるなど，支配の仕組みを整えて，強大な帝国を造りあげました。

聖徳太子と蘇我氏

このころ大和政権の中では，有力豪族たちが次の大王をだれにするかをしばしば争っていました。その中で，渡来人と結び付き，新しい知識と技術を活用した**蘇我氏**が，物部氏をほろぼして勢力を強め，６世紀末に女性の推古天皇を即位させました。❺

飛鳥地方（奈良盆地南部）で政治をとった推古天皇の下，おいの**聖徳太子**（**厩戸皇子**）❷と蘇我馬子とが協力し，中国や朝鮮に学びながら，大王（**天皇**）❶を中心とする政治の仕組みを作ろうとしました。なかでも，かんむりの色などで地位を表す**冠位十二階**

❶大王が「天皇」と呼ばれるようになった時期については，推古天皇のころ（７世紀の初め）という説と，天武・持統天皇のころ（７世紀後半 p.39）という説が有力です。

世紀	B.C.	A.D.1	2	3	4	5	6	7	8	9	10	11	12	13	14	15	16	17	18	19	20	21
縄文	弥生			古墳				飛鳥	奈良	平安				鎌倉	南北朝	室町	戦国	安土桃山	江戸	明治	大正・昭和	平成・令和

スキル・アップ 9 読み取る　系図を読み取ろう

❺天皇家と蘇我氏との関係
（青字は天皇，数字は即位順，▒は女性　太字は教科書に出てくる人物）

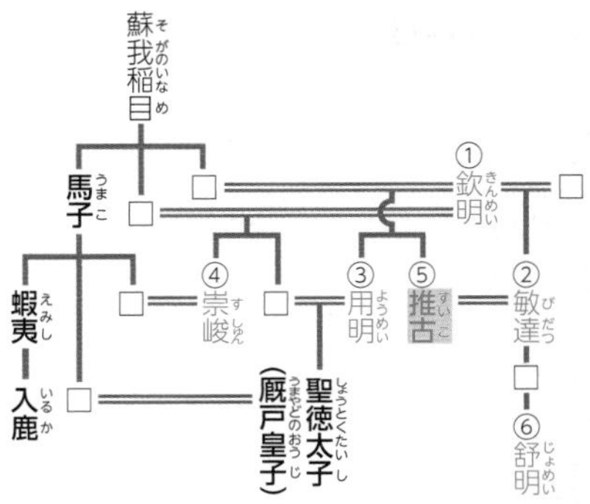

蘇我稲目
馬子
蝦夷
入鹿
①欽明
②敏達
③用明
④崇峻
⑤推古
⑥舒明
聖徳太子
（厩戸皇子）

系図は一般的に，上から下に書かれます。❺のような縦書きの系図では，縦の位置が親子関係，横の位置が兄弟・姉妹関係（通常は右が年上）を表します。また，夫婦関係は二重線で表されます。

天皇（大王）家と蘇我氏との関係は入り組んでおり，また天皇家の内部では，母がちがえば兄弟と姉妹でも結婚していました。

読み取る　❺から次のことを読み取りましょう。
(1)聖徳太子の父親はだれでしょうか。
(2)蘇我馬子と推古天皇とはどのような関係でしょうか。
(3)聖徳太子と蘇我馬子とはどのような関係でしょうか。

❻中国の石仏（左：6世紀前半　竜門石窟 世）と，**法隆寺の釈迦三尊像**（一部）（右：7世紀前半）（左：高さ8.3m，右：高さ134.5cm）

の制度は，家柄にとらわれず，才能や功績のある人物を役人に取り立てようとしたものです。

また，仏教（p.28）や儒学（p.25）の考え方を取り入れた**十七条の憲法**[3]では，天皇の命令に従うべきことなど，役人の心構えを示しました。さらに，隋の進んだ制度や文化を取り入れようと，小野妹子たちを送り[2]，ほかにも何度か隋に使者を送りました（**遣隋使**）[4]。遣隋使には，多くの留学生や僧が同行し，帰国後に活躍しました。

飛鳥文化

6世紀の半ばに朝鮮半島から伝わった仏教は，初めは渡来人や蘇我氏を中心に信仰されていましたが，7世紀に入ると，中国や朝鮮の影響を受けた聖徳太子と蘇我氏が仏教を重んじるようになったため，飛鳥地方とその周辺に寺がいくつも造られるようになりました[3]。こうした日本で最初の仏教文化を**飛鳥文化**といい，**法隆寺**の**釈迦三尊像**などの仏像がその代表です[6][7]。法隆寺の建物も，聖徳太子が建てた当時の姿をよく伝えているとされています[1]。

これらの寺は，主に朝鮮半島からの渡来人（p.35）やその子孫によって造られましたが，南北朝時代（p.35）の中国や，さらに西アジア・インドの文化の影響も見ることができます。

❼韓国の金銅仏（左：7世紀）と**広隆寺**（京都市）の**弥勒菩薩像**（右：7世紀）（左：韓国国立中央博物館蔵　高さ93.5 cm，右：高さ123.3cm）

見方・考え方　比較
(1)❼の二つの仏像を比べて，気付いたことを挙げましょう。
(2) (1)から，飛鳥文化の特色について考えましょう。

❷中国の歴史書には，倭がこの前にも一度，隋に使者を送っていたことが記されています。
❸それまでの古墳（p.34）にかえて，寺を造ることで自分の権力を示そうとする者も現れるようになりました。前方後円墳は，このころを最後に造られなくなりました。

チェック　聖徳太子が蘇我氏と協力して行ったことを挙げましょう。

トライ　聖徳太子や蘇我氏の政治のねらいを，次の語句を使って説明しましょう。［大王（天皇）／中国］

志賀島
博多湾
筑紫館（後の鴻臚館 p.56）
水城
国分寺
大野城
大宰府

❶大野城と水城(想像図)　大野城と水城が造られてから少し後の時代の様子をえがいたものです。

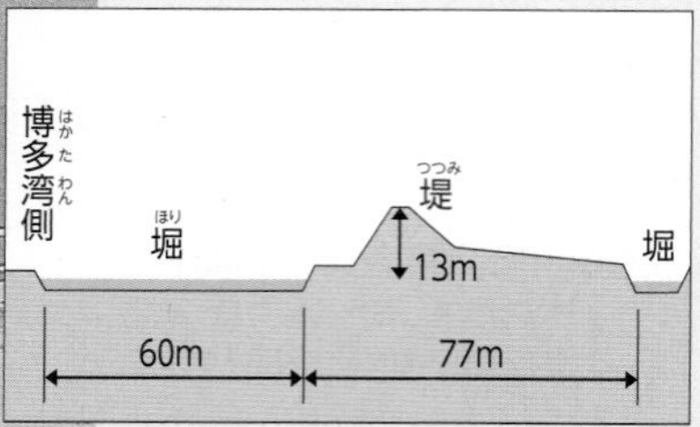

博多湾側
堀
堤
13m
堀
60m
77m

❷水城の断面図　水城や山城は，白村江の戦いの後に日本にわたってきた，百済人たちの知識を基に造られました。

2 東アジアの緊張と律令国家への歩み

学習課題　東アジアの国々との関係の中で，日本はどのような改革を進めていったのでしょうか。

❸天皇家と藤原氏との関係❶

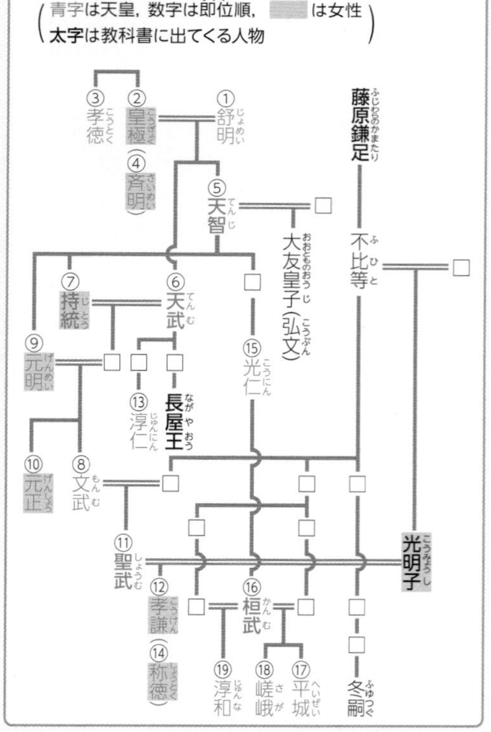

青字は天皇，数字は即位順，　は女性
太字は教科書に出てくる人物
①舒明
②皇極
③孝徳
④斉明
⑤天智
⑥天武
⑦持統
⑧文武
⑨元明
⑩元正
⑪聖武
⑫孝謙
⑬淳仁
⑭称徳
⑮光仁
⑯桓武
⑰平城
⑱嵯峨
⑲淳和
藤原鎌足
不比等
大友皇子(弘文)
長屋王
光明子
冬嗣

❶朝廷とは，君主が政治を行う場所や，その臣下が働く役所のことをいいます。特に日本では，天皇と豪族や貴族とから成る政府のことをいいます。

唐の成立と東アジアの緊張

7世紀初めに隋がほろび，**唐**が中国を統一しました。唐は，律令に基づく支配の仕組みを隋から引きつぎ，強大な帝国p.288となりました。これ以後，倭(日本)はたびたび唐に使者(**遣唐使**)を送りp.40❹，唐の制度や文化を取り入れていきました。7世紀半ばになると，唐が高句麗に攻め入り，百済や新羅，倭では緊張が高まりました。❹

大化の改新

強大な唐を前に，日本では国の力をまとめる必要が出てきましたが，**朝廷**❶では蘇我氏が独断的な政治を行い，不満が高まっていました。

645(大化元)年，**中大兄皇子**は，**中臣鎌足**(後の藤原鎌足)❸らとともに蘇我蝦夷・入鹿の親子をほろぼしp.37❺，天皇の下，鎌足や，中国から帰国した留学生や僧などの協力を得て，新しい支配の仕組みを作る改革を始めました。政治の中心を難波(大阪府)に移し❺，それまで各地の豪族が支配していた土地と人々とを，**公地・公民**として国家が直接支配する方針を示しました。また，朝廷や地方の組織を改め，権力を天皇家に集中させようとしました。これらの改革を，日本で初めての元号とされる「大化」p.8に

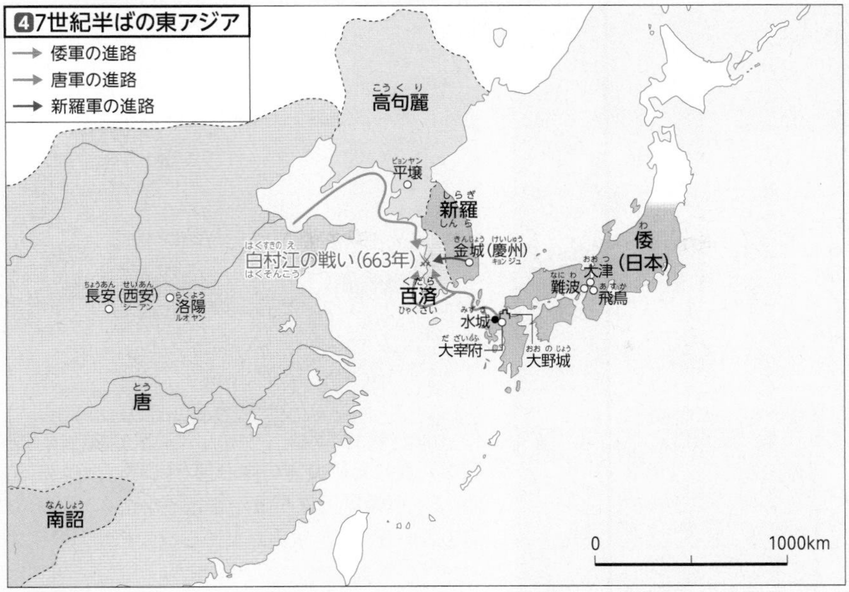
4 7世紀半ばの東アジア
倭軍の進路
唐軍の進路
新羅軍の進路
高句麗
平壌
新羅
金城（慶州）
白村江の戦い（663年）
百済
倭（日本）
大津
難波
飛鳥
水城
大宰府
大野城
長安（西安）
洛陽
唐
南詔
0 1000km

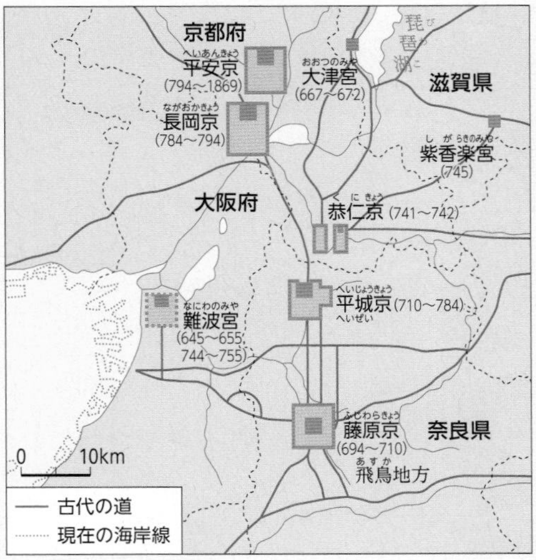
京都府
平安京（794～1869）
大津宮（667～672）
琵琶湖
滋賀県
長岡京（784～794）
紫香楽宮（745）
大阪府
恭仁京（741～742）
平城京（710～784）
難波宮（645～655，744～755）
藤原京（694～710）
奈良県
飛鳥地方
0 10km
古代の道
現在の海岸線

↑5 都の移り変わり

6 天武天皇をたたえた歌（万葉集）

大王は神にしませば水鳥のすだく水沼を都と成しつ
（大王は神でいらっしゃるので，水鳥が群れ集まる沼地を，都に変えてしまいました。）

→壬申の乱を勝ちぬいた天武天皇は，神に例えられることがあるほどに，大きな力を手にしました。

考える 大野城や水城を造った目的を，14や，本文に示された当時の日本の状況に着目して考えましょう。

ちなんで，**大化の改新**といいます。

白村江の戦いと壬申の乱

唐が新羅と手を結んで百済をほろぼすと，663年，中大兄皇子らは，百済の復興を助けようと大軍を送りました。しかし，唐と新羅の連合軍に大敗しました（**白村江の戦い**）[4]。中大兄皇子らは，すぐに西日本の各地に山城を築き，唐や新羅の侵攻に備えました[1 2]。その後，唐と新羅は高句麗もほろぼしましたが，やがて対立していきました。

緊張が高まる中，中大兄皇子は大津（滋賀県）に政治の中心を移し[5]，即位して**天智天皇**となって，初めて全国の戸籍を作るなど，天皇の下に権力を集中するための改革を急いで進めました。

天智天皇の死後，あとつぎをめぐる戦い（**壬申の乱**）p.8に勝って即位した**天武天皇**は，大きな権力をにぎりました[6]。天武天皇は，唐や新羅に負けないための国づくりを目指し[7]，中国にならった律令や都，さらには歴史書を作るように命じました。また，政治の中心を飛鳥地方にもどしました[5]。

天武天皇の死後は，その皇后が持統天皇として即位し，律令の作成を引き続き命じるとともに，日本で最初の本格的な都である藤原京[5 8]を完成させました。「日本」という国号が定められたのも，このころと考えられています。

富本

7 富本銭（奈良県出土　奈良文化財研究所蔵　実物大）　天武天皇の時代に，中国にならって，「富本銭」という，日本で最初の銅銭が造られました。しかし，どのくらい流通したかは分かっていません。

8 藤原京の復元模型（奈良県　橿原市藤原京資料室蔵）　中国の都にならい，碁盤の目のように区画された初めての都です。東西・南北ともに約5kmであったと考えられています。

チェック 大化の改新後に起こった，国外・国内の重要な出来事を，本文から一つずつぬき出しましょう。

トライ (1)天智天皇，(2)天武天皇が行ったことを，それぞれ30字程度で説明しましょう。

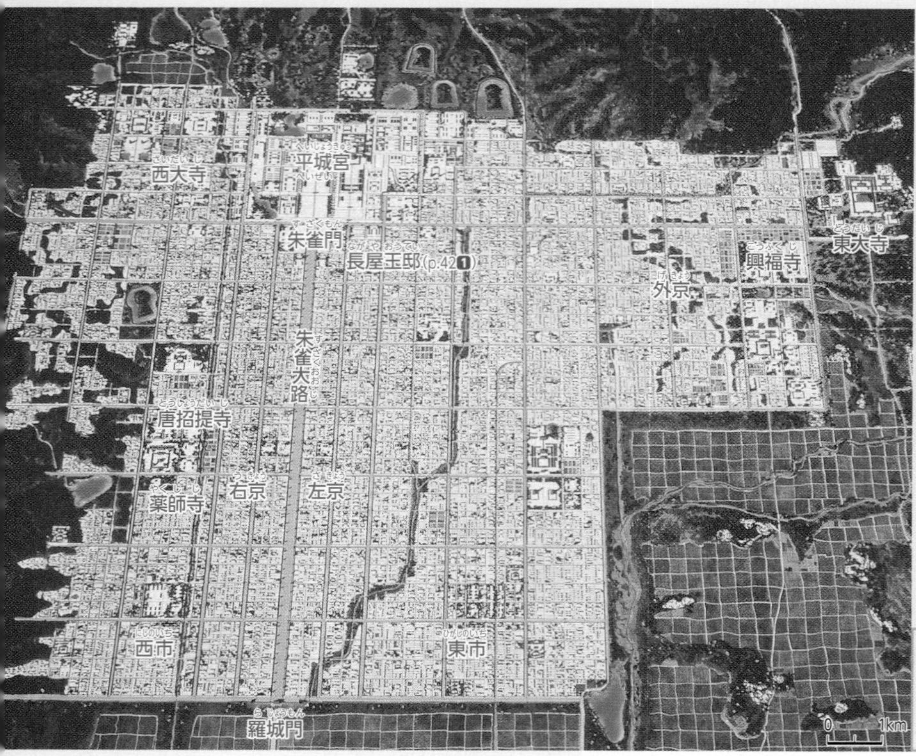

西大寺
平城宮
朱雀門
長屋王邸(p.42❶)
興福寺
東大寺
外京
朱雀大路
唐招提寺
薬師寺
右京
左京
西市
東市
羅城門
0 1km

大極殿(❸)
朱雀門

❷**復元された平城宮の中心部**(奈良県 平城宮跡 世) 大極殿は天皇が政治を行った建物で，その前の広い庭には，役人が集められ，朝廷の儀礼などが行われました。

❶**平城京の復元模型**(奈良市蔵) 平城京は東西約6km，南北約5kmで，中央を南北に通る朱雀大路は，はばが約70mもありました。

3 律令国家の成立と平城京

学習課題 **律令国家はどのようにしてできあがり，その仕組みはどのようなものだったのでしょうか。**

❸**復元された大極殿**(奈良県 平城宮跡 世)

❹**復元された遣唐使船**(広島県呉市) 遣唐使の中には，阿倍仲麻呂のように，唐で位の高い役人になり，そのまま帰国できなかった人もいました。

大宝律令

701(大宝元)年，唐の律令にならった**大宝律令**が完成しました。律は刑罰の決まり，令は政治を行ううえでのさまざまな決まりです。律令に基づいて政治を行う国家を，**律令国家**といいます。

律令国家では，天皇の指示で政治を行う太政官や，さらにその下で実務に当たる八省など，多くの役所が設けられました。❻ 近畿地方の有力な豪族や皇族たちは，天皇から高い位と給料をあたえられて**貴族**となり，役所で働くことになりました。役所では，貴族より身分の低い人たちも役人として働きました。

大宝律令が完成してほどなく，日本は唐に遣唐使❹を送って，唐との関係を修復し，その後も遣唐使を通じて，唐の制度や文化を取り入れていきました。

平城京

710(和銅３)年，律令国家の新しい都として，奈良盆地の北部に，唐の都の長安にならった**平城京**❶が造られました。奈良に平城京が造られてから，京都の平安京(p.39❺)に都を移すまでの80年余りを，**奈良時代**といいます。

p.46

世紀	B.C.	A.D.1	2	3	4	5	6	7	8	9	10	11	12	13	14	15	16	17	18	19	20	21
縄文	弥生			古墳				飛鳥	奈良	平安				鎌倉	南北朝	室町	戦国	安土桃山	江戸	明治	大正 昭和	平成 令和

❺平城宮の中の役所（兵部省）の様子（想像図　奈良文化財研究所蔵）

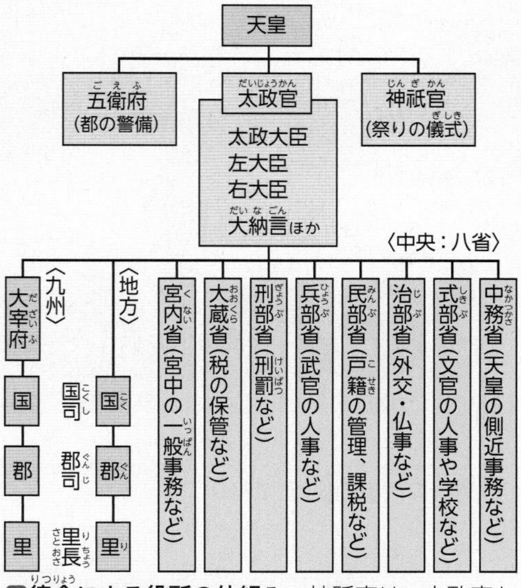

天皇
五衛府（都の警備）
太政官
神祇官（祭りの儀式）
太政大臣
左大臣
右大臣
大納言ほか
〈中央：八省〉
〈九州〉
大宰府
国
郡
里
〈地方〉
国
郡
里
国司
郡司
里長
宮内省（宮中の一般事務など）
大蔵省（税の保管など）
刑部省（刑罰など）
兵部省（武官の人事など）
民部省（戸籍の管理、課税など）
治部省（外交・仏事など）
式部省（文官の人事や学校など）
中務省（天皇の側近事務など）

❻律令による役所の仕組み　神祇官は，太政官と並んで「官」と呼ばれましたが，実際には太政官の命令で動きました。

平城京の北側に置かれた平城宮❷❸には，天皇の住居や役所❺が置かれました。平城京全体の住人は約10万人で，そのうち約１万人が役所に勤めていました。平城京に設けられた市では，各地から送られてきた産物などが売買されました。また，唐にならって，和同開珎❼などの貨幣も発行されました。

地方の仕組み

律令国家では，地方は多くの国に区切られ，国ごとに国府と呼ばれる役所が置かれました。それぞれの国には，都から**国司**が派遣されました。国はさらにいくつかの郡に区切られ，それぞれの郡には，地方の豪族が任命される郡司が置かれました。国司は郡司たちを指揮して人々を治めました。

唐や新羅に近い現在の福岡県には大宰府が置かれ，九州地方全体の政治のほか，外交・防衛に当たりました。p.38❶ p.284 また，支配が十分におよんでいなかった東北地方の政治・軍事に当たらせるため，現在の宮城県に多賀城が置かれました。

地方と都を結ぶ広い道路も整えられ❽，道路には役人が行き来するための駅が設けられて，乗りつぎ用の馬が用意されました。

こうして，天皇を頂点とする，中央に権力を集中させた国家が日本に生まれました。

和
同
開
珎

❼和同開珎（奈良県出土　奈良文化財研究所蔵　実物大）　銀製と銅製の２種類がありました。全国各地で出土しています。

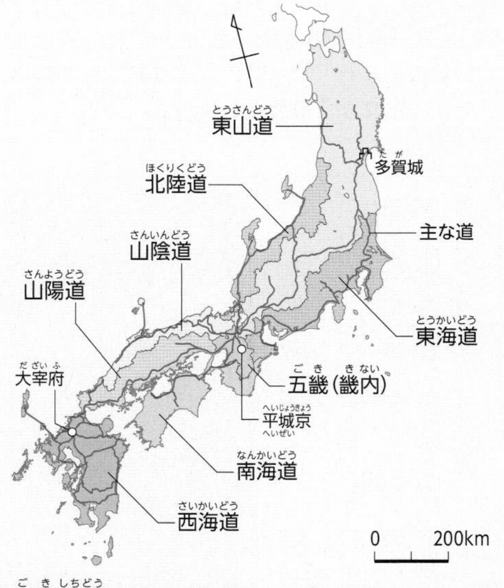

東山道
多賀城
北陸道
主な道
山陰道
山陽道
東海道
大宰府
五畿（畿内）
平城京
南海道
西海道
0　200km

❽五畿七道　都から地方にのびた道路と，その道路沿いの国々のまとまりを「道」といいます。「五畿（畿内）」は，五つの国（大和・山城・河内・摂津・和泉）を指します（巻末３）。

集める　巻末３の旧国名地図を見て，自分が住んでいる地域の旧国名を確認しましょう。

チェック　律令とはどのようなものか，本文からそれぞれぬき出しましょう。

トライ　律令国家が全国を支配した仕組みを，次の語句を使って説明しましょう。［太政官／国・郡］

貴族

❶平城京の貴族の家（長屋王邸　p.40❶）の復元（奈良文化財研究所蔵）

民衆

❷東国の村（千葉県　村上遺跡）の様子の復元（千葉県　国立歴史民俗博物館蔵）

❸貴族の食事の復元（京都府　向日市文化資料館蔵）

❹一般の人々の食事の復元（京都府　向日市文化資料館蔵）

4 奈良時代の人々の暮らし

学習課題 律令国家の下で，人々はどのような暮らしをしていたのでしょうか。

見方・考え方　比較　❶〜❹から，貴族と一般の人々の生活のちがいを読み取りましょう。また，なぜそのようなちがいが生じたか，本文から考えましょう。

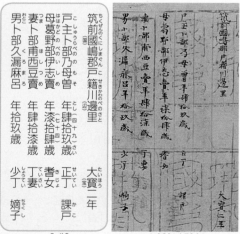

筑前國嶋郡川邊里　大寶二年
戸主卜部乃母曾　年肆拾玖歳　正丁　課戸
母葛野部伊志賣　年漆拾肆歳　耆女
妻卜部甫西豆賣　年肆拾漆歳　丁妻
男卜部久漏麻呂　年拾玖歳　少丁　嫡子

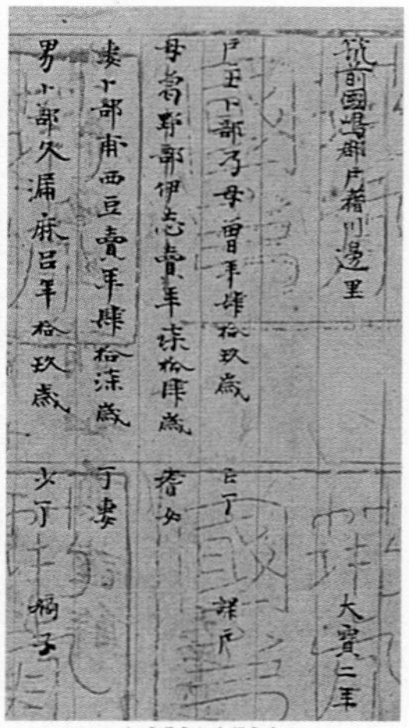

❺古代の戸籍（部分　奈良県　正倉院宝物）　702（大宝2）年のものです。

人々の身分と負担

奈良時代前半の日本の人口は，450万人ほどでした。律令国家ができると，人々は，6年ごとに作られる戸籍❺に，良民と賤民という身分に分けられて登録されました。

戸籍に登録された6歳以上の人々には，性別や身分に応じて**口分田**❶があたえられ，その人が死ぬと国に返すことになっていました（班田収授法）。人々は，男女ともに，口分田の面積に応じて稲を納める**租**を負担しました。さらに一般の成人男子には，租のほか，布や特産物を納める**調**・**庸**などの税や，土木工事などを行う労役，兵士となる兵役の義務などが課されました。❷❹❻

租は，ききんなどに備えて，郡の倉庫などに納められました。調・庸は，人々の手によって都まで運ばれ❼，貴族・役人の給料など，朝廷の運営のために使われました。兵士となった人の中には，唐や新羅から日本を守るための防人に選ばれ，九州北部に送られる者もいました。こうした重い負担からのがれるため，逃亡する人々も現れました。

❶男子には2段（約2300m²），女子にはその3分の2，奴婢には良民の男女のそれぞれ3分の1の口分田があたえられました。

世紀	B.C.	A.D.1	2	3	4	5	6	7	8	9	10	11	12	13	14	15	16	17	18	19	20	21

縄文　弥生　古墳　飛鳥　奈良　平安　鎌倉　南北朝　室町　戦国　安土桃山　江戸　明治　大正　昭和　平成　令和

	6歳以上の男女		
租	稲（収穫量の約3%）		
	正丁（21～60歳の男子）	老丁（61～65歳の男子）	少丁（17～20歳の男子）
調	絹，糸，真綿，布または特産物	正丁の$\frac{1}{2}$	正丁の$\frac{1}{4}$
庸	布（労役10日のかわり）	正丁の$\frac{1}{2}$	なし
雑徭	地方での労役（年間60日まで）	正丁の$\frac{1}{2}$	正丁の$\frac{1}{4}$
兵役	3，4人に一人。食料・武器を自分で負担し訓練を受ける。一部は都1年か防人3年	なし	なし

❻人々の負担　このほか，国司が6歳以上の男女に強制的に稲を貸し付け，高い利息を取る公出挙も行われていました。

Ⓐ

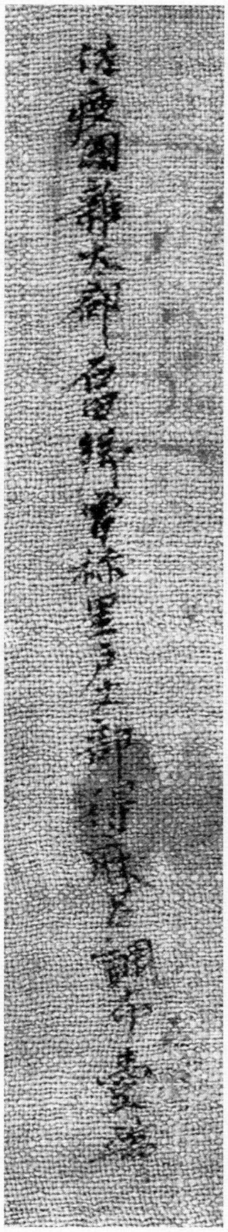

佐渡国雑太郡石田郷曽祢里戸丈部得麻呂調布(一)壹端

Ⓑ

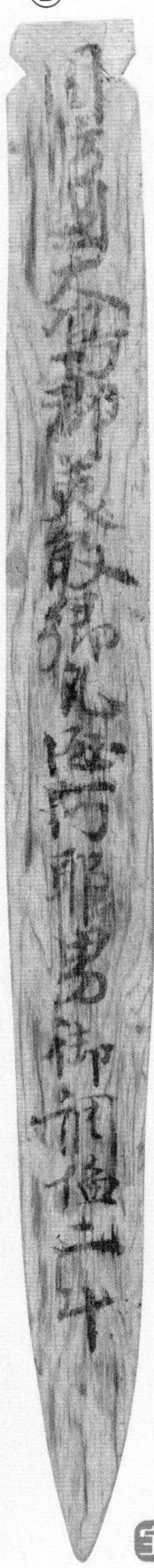

周防国大嶋郡美敢郷凡海阿耶男御調塩二斗

→**❼調の納入の記録**（Ⓐ：調布部分　奈良県　正倉院宝物，Ⓑ：木簡　奈良県出土　奈良文化財研究所蔵　長さ25.5cm）
調や庸を都に運ぶときには，納めた人や品物の名前が，品物の端に書かれました（Ⓐ）。文字が書けない品物の場合は，木簡（Ⓑ）がくくりつけられました。

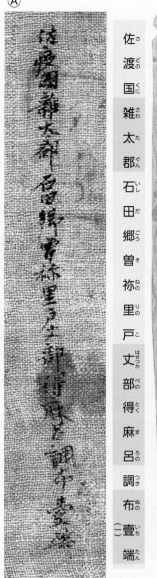

読み取る
(1)❼のⒶⒷはどこから運ばれたか，巻末3を参考に読み取りましょう。
(2)❼のⒶⒷは何のために書かれたか，考えましょう。

200人ほどにすぎない貴族たちは，調・庸や兵役などが免除され，高い給料や多くの土地をあたえられました。[1,3] これらの特権は，その子どもにも引きつがれました。

その一方で，全人口の1割以内と少数ではありましたが，賤民の中でも特に奴婢（奴隷）とされた人々もいました。[2]

p.288

土地の私有と荘園

朝廷は，不足する口分田を補うとともに，租の収入を増やそうと，人々に開墾をすすめました。723（養老7）年には三世一身法を出し，人々が新しく開墾した土地は，租を納めていれば，一定の期間，自由に売ったりゆずったりしてよいことにしました。[3] しかし，開墾があまり進まなかったため，743（天平15）年に**墾田永年私財法**[8]を出し，新しく開墾した土地は，租を納めることと引きかえにいつまでも私有地としてよいことにしました。

貴族や大寺院，郡司などは，現地の農民を使って開墾を行ったり，農民が開墾した土地を買い取ったりして，盛んに私有地を広げました。貴族や寺院のこのような私有地は，やがて**荘園**と呼ばれるようになりました。公地・公民の原則は，こうしてくずれ始めました。

❽墾田永年私財法（「続日本紀」）
天平15（743）年5月27日　次のような詔が出された。
養老7（723）年の規定では，墾田は期限が終われば，ほかの土地と同様に国に収められることになっている。しかし，このために農民は意欲を失い，せっかく土地を開墾しても，またあれてしまう。今後は私有することを認め，期限を設けることなく永久に国に収めなくてもよい。　（部分要約）

❷奴婢は，奴婢以外の人との結婚が禁止され，その子どもも奴婢にされました。また，売買されることもありました。
❸特に，新しく用水路などを造って開墾した場合は，3代にわたっての私有が認められました。

チェック　奈良時代の人々に課された税や負担を，本文からぬき出しましょう。

トライ　墾田永年私財法が制定された背景と結果を，それぞれ30字程度で説明しましょう。

正倉院宝物(❶～❹　宮内庁蔵)　遣唐使が唐から持ち帰り，正倉院に残されていたものの中には，シルクロード(絹の道 p.25)を通って西アジアやインドから伝わったものもあります。

❶日本でえがかれた鳥毛立女屏風(左)と，トルファンの樹下美人図(右)(左：正倉院宝物，右：静岡県　MOA美術館蔵)

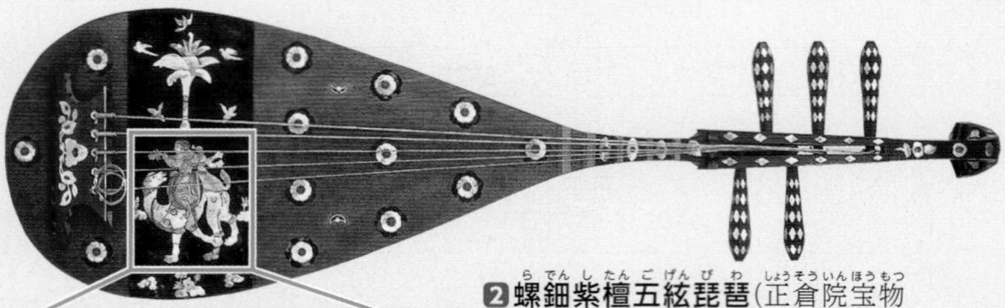

❷螺鈿紫檀五絃琵琶(正倉院宝物　長さ108.1cm)　5弦の琵琶はインドが起源といわれています。

→❸瑠璃坏(正倉院宝物　高さ11.2cm)　ペルシャ付近で作られたガラスに，中国で銀のあしを付けたものと考えられています。

5 天平文化

?学習課題　**奈良時代の文化は，どのような特色を持っていたのでしょうか。**

宝

❼興福寺(奈良県)の阿修羅像(全体の高さ153.4cm)

集める
(1)❶～❹と関係する国や地域，都市を，❻から探しましょう
(2)❶～❹から，天平文化の特色を考えましょう。

天平文化

奈良時代には，遣唐使を通じて唐の文化が伝えられ，その影響を強く受けた文化が，都を中心に栄えました。この文化を，**聖武天皇**のころの元号である「天平」を採って，**天平文化**といいます。唐は，遠く西アジアやインドとの交流が盛んだったため，その影響を受けた天平文化も国際色豊かなものとなりました。❻

東大寺の**正倉院**宝物❶～❺の中には，西アジアやインドから唐にもたらされ，それを遣唐使が持ち帰ったとみられるものが数多くあります。なかには，聖武天皇が使った品々もふくまれています。東大寺・興福寺❼・唐招提寺など，現在の奈良の寺院に残されている建築・仏像・絵画の多くにも，天平文化の特徴がよく表れています。このころは，天皇や貴族の服装も，唐風のものでした。

奈良時代の仏教

聖武天皇と光明皇后は，唐の皇帝にならって，仏教の力により，伝染病や災害などの

世紀	B.C.	A.D.1	2	3	4	5	6	7	8	9	10	11	12	13	14	15	16	17	18	19	20	21
縄文	弥生					古墳		飛鳥	奈良	平安				鎌倉	室町(南北朝)		戦国(安土桃山)	江戸		明治	昭和(大正)	平成(令和)

4正倉院(上)とペルシャ(下)のガラス製の容器(上：白瑠璃碗　正倉院宝物　高さ8.5cm，下：東京都古代オリエント博物館蔵　高さ9.1cm)

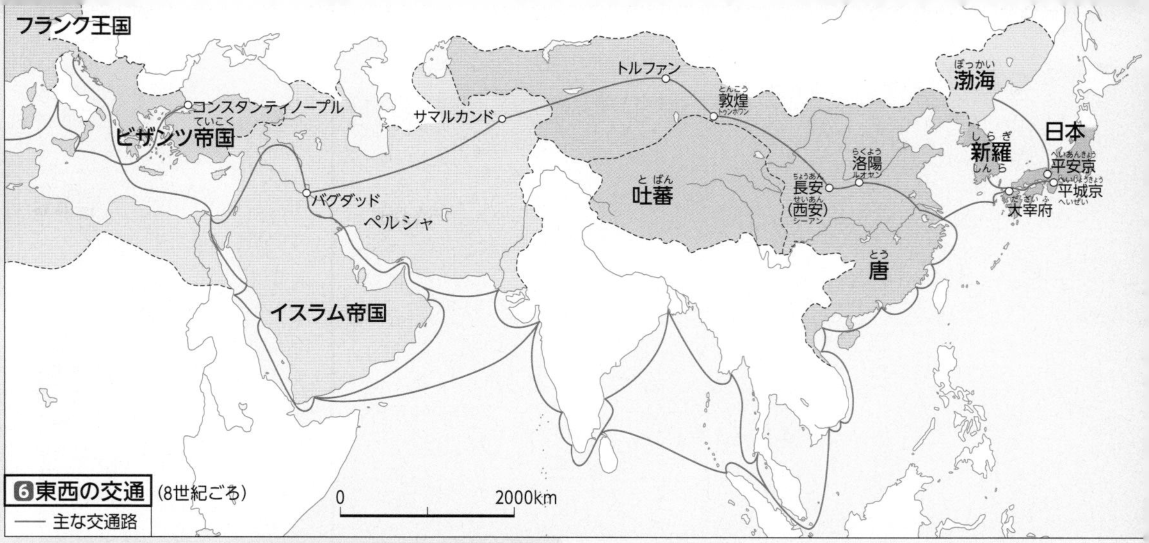

フランク王国
コンスタンティノープル
ビザンツ帝国
サマルカンド
トルファン
敦煌
渤海
日本
新羅
平安京
平城京
大宰府
洛陽
長安(西安)
吐蕃
唐
バグダッド
ペルシャ
イスラム帝国
0
2000km
主な交通路

6東西の交通(8世紀ごろ)

5正倉院(奈良市)　三角形の木材を組んだ校倉造で造られています。　世　宝

8東大寺の大仏(奈良市　高さ14.98m)　大仏は1180年，1567年の2度焼け落ちており，現在のものは1691年に再建されたものですが，台座の一部は奈良時代のまま残っています。　世　宝

不安から国家を守ろうと考えました。そこで，国ごとに国分寺と国分尼寺を建て，都には東大寺を建てて金銅の大仏[8]を造らせました。僧や尼は，国家から保護を受けましたが，そのかわりに国家を仏教の力で守るように命じられました。一方で，行基のように，一般の人々に布教して歩き，人々とともに橋やため池を造る僧も現れました。

またこのころ，唐で尊敬を集めていた僧の鑑真[9]が，日本側の願いに応えて来日し，日本に正式な仏教の教えを伝えました。

9鑑真(688～763)　日本にわたろうとして何度も遭難し，盲目になりましたが，遣唐使にともなわれて来日しました。(奈良県唐招提寺蔵　高さ80.1cm)　宝

歴史書と万葉集

国家の仕組みが整い，国際的な交流が盛んになると，日本の国のおこりや，天皇が国を治めることの由来を説明しようとする動きが朝廷の中で起こりました。そこで，神話や伝承，記録などを基に歴史書の「**古事記**」と「**日本書紀**」が作られました。また，全国に命じて，自然・産物・伝承などを記した「**風土記**」p.54が国ごとに作られました。

このころには，和歌も盛んになりました。8世紀後半に大伴家持がまとめたといわれる「**万葉集**」には，天皇や貴族のほか，防人や農民が作ったとされる歌も収められています[10]。

10防人の歌(「万葉集」)

〈万葉仮名〉
可良己呂武須宗尓等里都伎
奈苦古良乎
意伎弖曽伎怒也意母奈之尓志弖

〈読み方〉
から衣すそに取りつき
泣く子らを
置きてぞ来ぬや母なしにして
(すそに取りついて泣く子どもたちを置いたまま来てしまった。その子の母もいないのに。)

[国語：「万葉集」 ▶D]

チェック　天平文化について，代表的な建築，彫刻，歴史書・文学を一つずつ挙げましょう。

トライ　天平文化の特色を，飛鳥文化との共通点に着目して，20字程度で説明しましょう。

平安宮
東三条殿
(p.48 1)
応天門
(p.52)
右京
左京
朱雀大路
鴨川
羅城門

2 平安京の羅城門（復元模型　京都府京都文化博物館蔵）　平安京の朱雀大路の南端，都の南の正面に建つ巨大な門で，外国の使節をむかえたり，祭りを行ったりしました。

1 平安京の復元模型（京都市歴史資料館蔵）　右京は早くからさびれがちで，左京から鴨川をこえた辺りを中心に発展しました。

6 平安京と律令国家の変化

学習課題　平安京に都が移り，政治や社会はどのように変わったのでしょうか。

見方・考え方　現在　地図帳で現在の京都市中心部の地図を調べ，どのような平安京の名残があるか，探しましょう。

平安京　奈良時代の後半には，天皇が仏教と僧を特に重んじたため，貴族や僧の間で勢力争いが激しくなり，政治が混乱しました。政治を立て直そうとした**桓武天皇**は，784（延暦３）年に都を長岡京（京都府）に移し，次いで794年には**平安京**[1 2]（京都市）に移しました。ここから鎌倉幕府が成立するまでの約400年間を，**平安時代**といいます。

p.39 5
p.68

律令国家の変化　平安時代になると，朝廷は，役所を整理したり国司に対する監督を強めたりするなど，支配の仕組みを立て直そうとしました。また，このころには唐の勢力が弱まり，東アジアで戦争が起こるおそれも小さくなったため，東北地方や九州地方以外では，一般の人々の兵役をやめました。しかし，重い税の負担からのがれようと，戸籍に登録された土地からはなれる人々が各地で多くなり，戸籍にもいつわりが見られるようになると[3]，律令の決まりどおりに税を取り立てることが難しくなって，班田収授法も次第に行われなくなっていきました。

一方，朝廷は，東北地方で支配に従おうとしない人々を古く

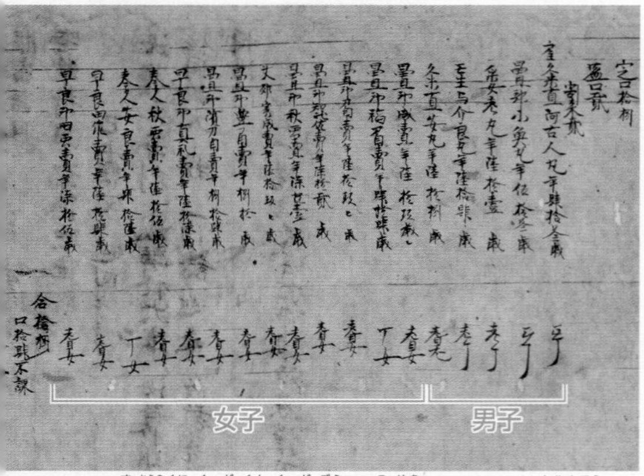

女子
男子

宝 **3 周防国玖珂郡玖珂郷の戸籍**（滋賀県　石山寺蔵）　908（延喜８）年のものです。女子が不自然に多い戸籍が，各地で作られるようになりました。

考える　3のように，戸籍をいつわって，女子を多く記したのはなぜか，p.42の本文を参考に考えましょう。

世紀	B.C.	A.D.1	2	3	4	5	6	7	8	9	10	11	12	13	14	15	16	17	18	19	20	21

縄文　弥生　古墳　飛鳥　奈良　平安　鎌倉　室町（南北朝）　戦国　江戸（安土桃山）　明治　大正　昭和　平成　令和

歴史にアクセス　蝦夷の抵抗

朝廷の東北侵攻に対して，蝦夷と呼ばれた人々は激しく抵抗しました。胆沢地方（岩手県奥州市付近）を中心にした蝦夷の指導者のアテルイは，789年，たくみな作戦で，6000人の朝廷軍をはね返しました。

桓武天皇はその後も，坂上田村麻呂を征夷大将軍（蝦夷を征服するための総司令官）に任じて攻撃を続けました。802年，ついにアテルイは降伏し，捕虜として都に連れていかれました。田村麻呂は，朝廷にアテルイの命を助けるように強く訴えましたが，アテルイは河内（大阪府）で処刑されました。

0　100km
陸奥
秋田城 733
志波城 803
払田柵 802
胆沢城 802
出羽
出羽柵 708
伊治城 767
桃生城 758
磐舟柵 648
多賀城 724
渟足柵 647
越後
朝廷の勢力範囲
朝廷の主な拠点
数字は設置年

❹朝廷の東北地方への進出

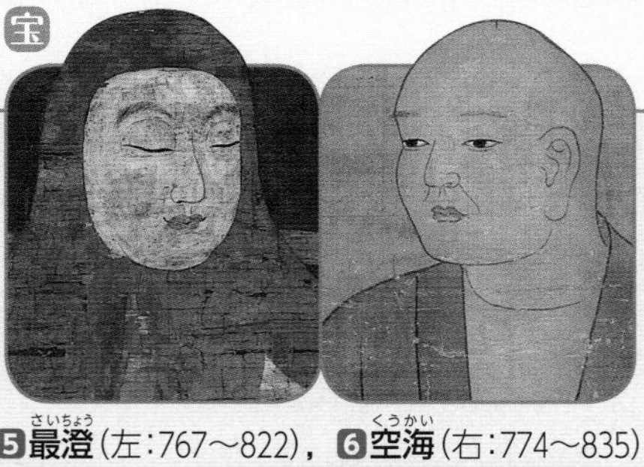

❺最澄（左：767～822），❻空海（右：774～835）

新しい仏教の教えを日本に伝える

最澄は帰国後，奈良時代以来の教えを守る僧たちと論争を行い，かれの開いた比叡山からは多くの優れた僧が育ちました。空海は，帰国後まもなく天皇と親しくなり，その弟子たちも朝廷に取り立てられました。空海は唐風の書の達人でもあったので，「弘法（空海のこと）にも筆の誤り」ということわざが生まれました。（左：兵庫県　一乗寺蔵，右：京都府　東寺蔵）

から蝦夷と呼び，８世紀末から９世紀にかけて，たびたび大軍を送りました。**征夷大将軍**になった坂上田村麻呂の働きもあって，朝廷の勢力のおよぶ範囲は広がりましたが❹，その後も蝦夷たちは，律令国家の支配に抵抗し続けました。

新しい仏教の動き

９世紀の初め，遣唐使に従って唐にわたった**最澄**❺と**空海**❻は，仏教の新しい教えを日本に伝えました。**天台宗**を始めた最澄は，比叡山（滋賀県・京都府）に延暦寺❼を建て，**真言宗**を始めた空海は，高野山（和歌山県）に金剛峯寺を建てました。こうした新しい仏教は，山奥の寺で学問や厳しい修行を行うことを重んじ，貴族の間で広く信仰されるようになっていきました❶。

東アジアの変化

唐は，国内で反乱が続いたため，９世紀になると急速に勢力がおとろえ，また，日本からの遣唐使の派遣も間隔が空くようになりました。しかし，新羅や唐の商人の船が貿易のため日本に来るようになり，これを利用して唐との間を行き来する日本の僧もいました。894年に遣唐使になった**菅原道真**❽は，唐のおとろえと往復の危険とを理由に派遣の延期を訴えて認められ，これ以降，遣唐使の派遣は計画されなくなりました。

❼現在の延暦寺での祈とうの様子（滋賀県大津市）
健康や繁栄が祈られました。

❽菅原道真（845～903）

藤原氏に追放された学者貴族

学問に優れ，出世して右大臣にまでなりましたが，藤原氏（p.48）にはかられて，大宰府へと追放されました。死後，朝廷はたたりをおそれて道真を神として京都の北野天満宮にまつり，後には学問の神（天神）とされました。（巻頭１❹）（京都府　北野天満宮蔵）

❶このころには，一部の寺や神社で，神のためにお経を読んだり，仏像を作ったりするなど，仏教と神への信仰とが混じり合うことも起こりました（神仏習合）。

チェック　桓武天皇が行ったことを，本文からぬき出しましょう。

トライ　平安時代初めに朝廷が行ったことを，次の語句を使って説明しましょう。[律令国家／東北地方]

❶**東三条殿の復元模型**（千葉県　国立歴史民俗博物館蔵）　東三条殿は，藤原道長から頼通にゆずられた寝殿造（p.51）の邸宅で，庭も合わせると東西約120m，南北約250mもありました。内裏（天皇のすまい）が火事になった際は，天皇が仮住まいをすることもありました。

宝

❷**藤原道長**（966～1027）

摂関政治の頂点を極める

　四人の娘を天皇のきさきとし，生まれた孫たちを次々と天皇にして，大きな力をにぎりました。子孫たちも摂政・関白を代々務めました。（紫式部日記絵詞　大阪府　藤田美術館蔵）

7 摂関政治の時代

学習課題　**平安時代の政治は，どのような特色を持っていたのでしょうか。**

考える　藤原氏は，なぜ❶のような邸宅を建てることができたのか，本文から考えましょう。

❸**藤原道長の栄華**（「小右記」）

寛仁２（1018）年10月16日

　今日は威子を皇后に立てる日である。…太閤（道長）が私を呼んでこう言った。「和歌をよもうと思う。ほこらしげな歌ではあるが，あらかじめ準備していたものではない。」

　この世をばわが世とぞ思う
　望月の欠けたることも無しと思えば

（部分要約）

藤原氏と摂関政治

平安時代には，**藤原氏**が娘を天皇のきさきにし，その子を次の天皇に立てることで勢力をのばし，ほかの貴族たちを退けていきました。❺ p.40 そして，９世紀後半には，幼い天皇のかわりに政治を行う**摂政**や，成長した天皇を補佐する**関白**という職に就いて，政治の実権をにぎるようになりました。このように，摂政や関白が中心になった政治を，**摂関政治**といいます。

　摂関政治は，11世紀前半の**藤原道長**❷❸❹と，その子の頼通のころが最も安定し，太政官❶ p.40 の役職の多くを藤原氏が独占しました。かれらはその地位に応じて多くの給料❷をあたえられていました。❶

新しい税と国司の変化

班田収授法が行われなくなると，地方では，多くの田を集めて豊かになり，郡司に逆らう人々も現れました。10世紀になると，朝廷は，租・調・庸という税の取り立てをあきらめ，かわりに，実際に耕している田の面積に応じて，租・調・庸・労役に当たる分の米を納めさせ

❶この時代になると，朝廷の役所のうち，太政官は引き続き役割を果たしていましたが，八省は形だけとなり，政治の実情に合わせて，律令にない新しい役職が作られていました。
❷このころの荘園（p.43）は，まだ規模が小さく，貴族たちは，主に朝廷からの給料で暮らしていました。

世紀	B.C.	A.D.1	2	3	4	5	6	7	8	9	10	11	12	13	14	15	16	17	18	19	20	21
縄文	弥生			古墳			飛鳥	奈良	平安				鎌倉	室町（南北朝）	戦国	安土桃山	江戸		明治	大正	昭和	平成・令和

歴史にアクセス　藤原道長の直筆日記

平安時代の貴族は，その日の出来事や仕事の内容を，次の日の朝，日記に記しました。藤原道長も日記を書いており，「御堂関白記」と呼ばれて，子孫の家に伝わっています。現在，直筆のものが14巻，孫たちが書き写したものが12巻残され，UNESCOの「世界の記憶」に選定されています。道長の日記は，ほかの貴族のものと比べて，誤字・脱字を気にせず，自由に書かれています。

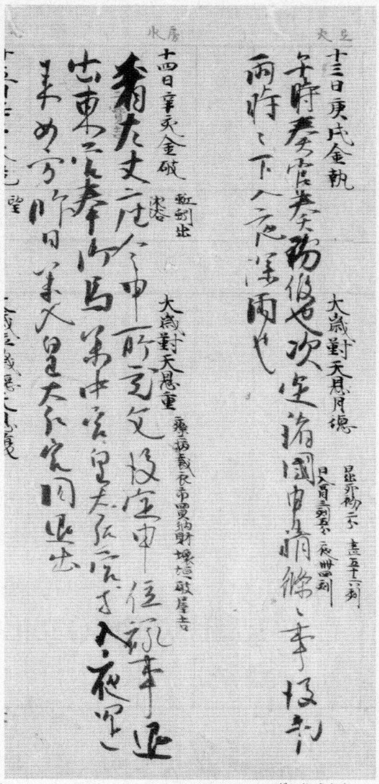

長和元(一〇一二)年四月
十三日　昼十二時ごろ、太政官から天皇に正式な報告を行った。三条天皇になってから初めて報告した。次に、諸国が提出してきたさまざまなお願いごとについて、天皇の指示で貴族会議を開いた。午後一時近くになって雨がときどき降った。夜に入って大雨となった。
十四日　左近衛陣(太政官に勤める貴族たちの仕事場)で、いくつかの事務局の責任者を決めて、天皇に報告した。その後、今年の役人の給料について案を作り、天皇に報告した。仕事場から出て、皇太子(後の後一条天皇)に馬を献上した。それから天皇のきさきと前の天皇のきさきのところに参った。夜になって帰宅した。妻が昨日から前のきさきのところに参っていたので、いっしょに帰ってきた。
(部分要約)

4 御堂関白記(部分：藤原道長自筆　京都府　陽明文庫蔵)　藤原道長が，太政官で最上級の役職である左大臣だったころの記述の部分。　記　宝

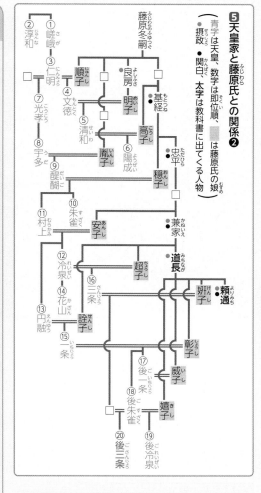

5 天皇家と藤原氏との関係❷
(青字は天皇、数字は即位順、■は藤原氏の娘 ●摂政 ●関白、太字は教科書に出てくる人物)

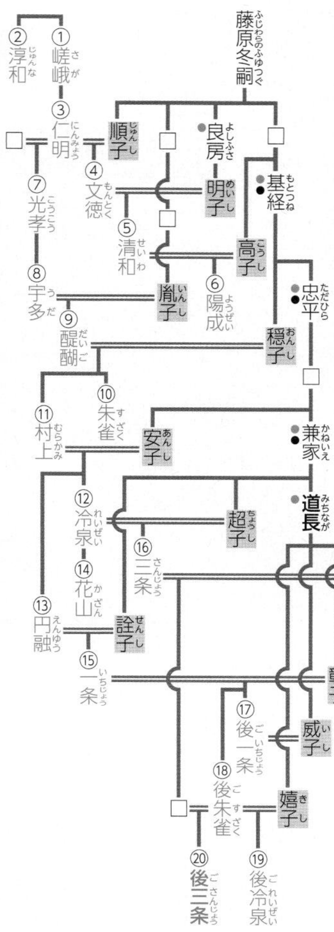

藤原冬嗣
①嵯峨
②淳和
③仁明
順子
良房
基経
④文徳
明子
⑦光孝
⑤清和
高子
⑧宇多
⑥陽成
胤子
忠平
⑨醍醐
穏子
⑩朱雀
⑪村上
安子
兼家
⑫冷泉
超子
道長
⑭花山
⑯三条
妍子
頼通
⑬円融
詮子
⑮一条
彰子
⑰後一条
威子
⑱後朱雀
嬉子
⑳後三条
⑲後冷泉

読み取る　5から次のことを読み取りましょう。
(1) 3の「威子」は，だれの娘で，どの天皇の皇后になったでしょうか。
(2) 4の「天皇のきさき」と「前の天皇のきさき」はだれでしょうか。また，道長とはどのような関係にあるでしょうか。

ることにしました。こうして，人々を戸籍に登録して税を課すという律令国家の仕組みがくずれ，耕している土地に税を課す仕組みに変わりました。p.40

朝廷はまた，地方の政治を立て直すために国司の権限を強め，税の取り立て方などを，ほとんど国司に任せるようになりました。こうした政策により，朝廷にとって必要な最低限の収入が確保され，貴族への給料もここからまかなわれました。

一方で，取り立てた税のうち，一部を朝廷に納め，残りは自らの収入にする国司や，任命された国に代理人を送って，収入を得るだけの国司が多くなり，地方の政治は次第に乱れていきました[6]。国司たちは，国司を任命したり推薦したりする権限を持つ天皇や貴族に，多くのおくり物を届けました。

6 国司の暴政(「尾張国郡司百姓等解」)

尾張国[❶]の国司藤原元命が，この３年間に行った不法な税の取り立てと乱暴について，次の31件のことを裁いてくださるよう，尾張国の郡司・民衆が太政官にお願い申し上げます。

一　定まった税のほか，この３年間で，さらに税12万9374束[❷]あまりを取り立てたこと。

一　元命の配下の者たちが，郡司や民衆から無理やりいろいろな物をうばい取っていること。

(部分要約)

❶現在の愛知県。　❷稲を数える単位。

↑郡司や民衆が，国司の暴政を朝廷に訴えた文書です。翌年，この国司は解任されました。

チェック　摂政・関白とはどのような職か，本文からぬき出しましょう。

トライ　藤原氏がどのようにして政治の実権をにぎったか，説明しましょう。

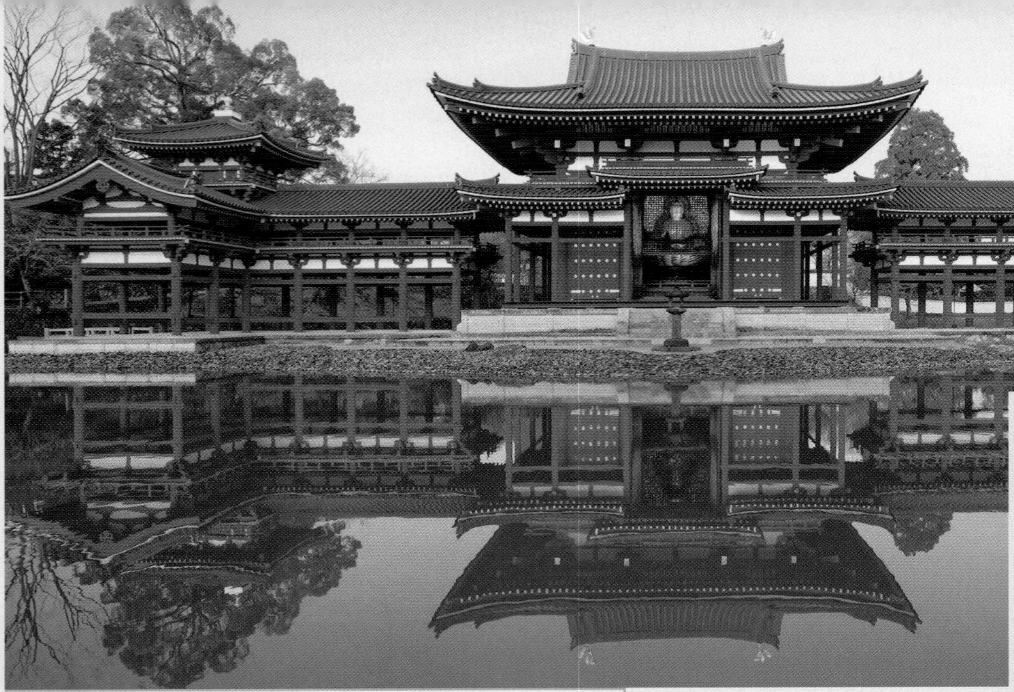

❶平等院鳳凰堂(京都府宇治市)　極楽浄土の姿を表した建物です。なだらかな屋根の形は日本の貴族の好みに合わせたもので，鳳凰がつばさを広げたような形をしていることから，鳳凰堂と呼ばれるようになったといわれています。

❷平等院鳳凰堂の阿弥陀如来像(高さ277.2cm)　中国や朝鮮にはない形をした仏像です。各地でこれを手本とした仏像が作られました。

世 宝 宝

8 国風文化

学習課題　平安時代の貴族の文化は，どのような特色を持っていたのでしょうか。

唐の滅亡と宋の商人

10世紀の初め，日本に大きな影響をあたえてきた唐がほろび，小国に分かれた後，やがて**宋**が中国を統一しました。朝鮮半島では，唐がほろんでまもなく**高麗**がおこり，新羅をほろぼしました。❸日本は宋や高麗と正式な国交を結びませんでしたが，天皇や貴族は，しばしば大宰府p.286にやってくる宋の商人と貿易p.289を行い(日宋貿易)，日本で手に入らない優れた絹織物や香料，薬品などを買いました。

国風文化

平安時代の初め，貴族は引き続き唐風の文化を好み，漢文の詩を盛んに作りました。しかし，唐との関係が変化してくると，唐風の文化を基にしながら，日本の風土や生活，日本人の感情に合った文化を生み出していきました。❶❷❹～❻これを**国風文化**といい，摂関政治のころに最も栄えました。

9世紀には，漢字を変形させて，日本語を書き表せる**仮名文字**❺❻が作られました。そして，とりわけ唐の影響が弱まった9世

❸11世紀の東アジア

西夏
遼(契丹)
高麗
開城
開封
平安京
宋(北宋)
日本
0
1000km

歴史にアクセス　貴族の娘

紫式部も清少納言も，父親は朝廷の役所に勤める中流貴族で，「式部」「少納言」という呼び名は父親の官職にちなんだものでした。天皇やきさきに仕えた女性の多くは，こうした中流貴族の娘たちでした。豊かな教養を身に付けていた彼女らは，和歌や知的な会話の場面で，男性の高級貴族と対等にわたり合いました。

世紀　B.C.　A.D.1　2　3　4　5　6　7　8　9　10　11　12　13　14　15　16　17　18　19　20　21
縄文　弥生　古墳　飛鳥　奈良　平安　鎌倉　室町　南北朝　戦国　安土桃山　江戸　明治　大正　昭和　平成　令和

❹源氏物語絵巻(徳川美術館蔵　愛知県　宝)「源氏物語」の中の名場面をえがいた絵巻物(p.52)です。上の絵は，天皇がふだん生活する清涼殿の場面をえがいています。

❺皿の裏に書かれた仮名文字(京都市考古資料館蔵)　和歌が書かれており，9世紀後半の貴族の邸宅跡から発掘されました。

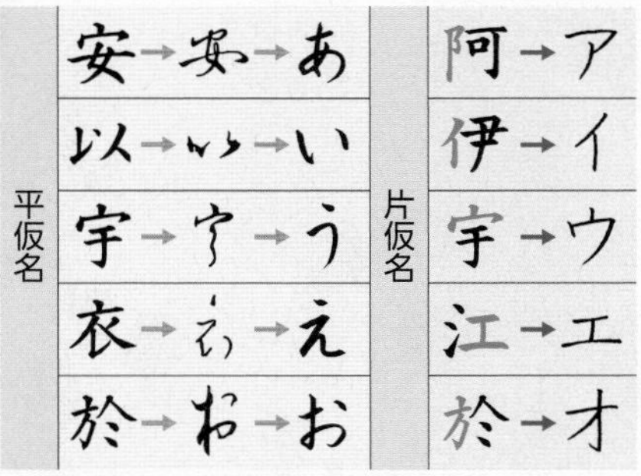

平仮名
安→あ
以→い
宇→う
衣→え
於→お
片仮名
阿→ア
伊→イ
宇→ウ
江→エ
於→オ

❻漢字から仮名文字への変化

読み取る ❹にえがかれている貴族の服装の特徴を，本文を参考に読み取り，まとめましょう。

国語：清少納言「枕草子」「古今和歌集」 ▶D

紀の末ごろから，仮名文字による文学作品が盛んに作られました。「竹取物語」などの物語や，紀貫之らがまとめた「**古今和歌集**」などです。また，藤原氏から出た天皇のきさきたちの周りには，教養や才能のある女性が集められ，**紫式部**の「**源氏物語**」❹や，**清少納言**の随筆「**枕草子**」などが生み出されました。こうした女性による仮名文学が多いことも，国風文化の特徴です❶。

それまで唐風だった天皇や貴族の服装は，省略されたり変形されたりして，ゆったりとした独自のものになりました。貴族の住宅は，一つ一つの建物が廊下で結ばれ，広い庭や池が備えられるようになりました(寝殿造❷)。

浄土信仰

貴族は，この世での幸福や社会の安定を願って，天台宗や真言宗の祈とうなどにたよりました。しかし，社会が変化し，人々の心に不安な気持ちが高まると，10世紀半ばには，念仏を唱えて阿弥陀如来にすがり，死後に極楽浄土へ生まれ変わることを願う**浄土信仰**が都でおこりました。11世紀になると，浄土信仰は地方にも広まりました。藤原頼通が造らせた，宇治(京都府)の**平等院鳳凰堂**❶❷ 巻頭1❷は，このころを代表する阿弥陀堂です。

歴史にアクセス　年中行事　伝統文化

平安時代の人々は，季節ごとにさまざまな行事を行っていました。正月のおとそや鏡もち，七草がゆ，端午の節句，七夕やお盆などは，平安時代から行われていた行事です。この中には，おとそや七夕など，中国から伝わって日本に定着したものも多くありました。

❼祇園御霊会(年中行事絵巻　京都市立芸術大学芸術資料館蔵)

❶男性貴族たちは，引き続き漢文の詩を作りました。和歌は男女ともによみました。
❷室内のふすまや屏風には，中国の風景だけでなく，日本の風景も盛んにえがかれるようになりました(大和絵)。

チェック　国風文化の具体例を，本文からぬき出しましょう。

トライ　国風文化の特色を，天平文化と比べて，30字程度で説明しましょう。

探究のステップに取り組もう(p.59)

資料から発見！ 絵巻物から古代の人々の姿をとらえよう

絵巻物とは？

　絵巻物は，のりで紙をはりつないだ巻物で，文字（詞書）と絵とが交互にかかれています。巻物は，全部を同時に見ることができないため，一部分だけを広げて，右から左へと巻きながら見ます。天皇や貴族が娯楽のために作らせたのが，絵巻物の始まりです。

「伴大納言絵巻」とは？

　12世紀後半に作られた絵巻物で，866年に起こった応天門の変という事件を題材としています。大納言の伴善男が，政治上のライバルである源信の失脚をねらって平安宮にある応天門を炎上させ，源信が放火の犯人であると訴えたものの，p.46❶ばれてしまい流刑になった，という話です。実際の事件も伴善男を真犯人として決着していますが，不明な点も多く，真相はいまだなぞに包まれています。

みんなでチャレンジ　読み取る

(1) ❶の，色の付いた服を着ている人と白い服を着ている人とのちがいを考えましょう。

(2) ❶から，次の人たちを見つけましょう。
［扇を持っている人／弓矢を持っている人／女の人／子ども］

(3) ❹の①～④はどのような順番で起こったか，スキル・アップの説明を参考にして，並べましょう。

(4) ❶❸❹から，このころの人々の様子について分かることを，グループで話し合いましょう。

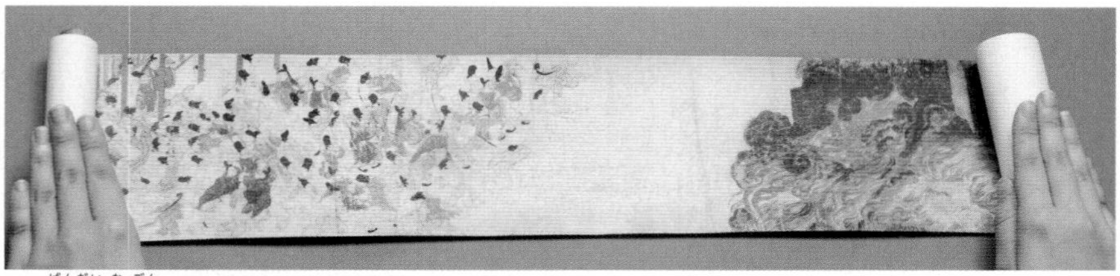

❷「伴大納言絵巻」の複製

「伴大納言絵巻」(東京都　出光美術館蔵)宝

❶炎上する応天門を見ている人たち

スキル・アップ 10　読み取る
絵巻物を読み取ろう

絵巻物は，次のようなさまざまな技法を使ってえがかれています。

●屋内の表現(p.51❹)

屋内の状況が分かりやすいように，屋根と天井が省略され，ななめ上方から見下ろすように表現されています。

●場面転換の表現

物語の場面が変わるところには，❸のように雲がえがかれています。

●時間の流れの表現

時間の流れを示すために，異なる時間に起こった出来事が，同じ画面に次々と表現されることがあります。「伴大納言絵巻」では，❹の子どものけんかの場面が，この方法でえがかれています。

後の場面
前の場面

↑❸あるじの源信がつかまって，なみだに明け暮れる女性たち

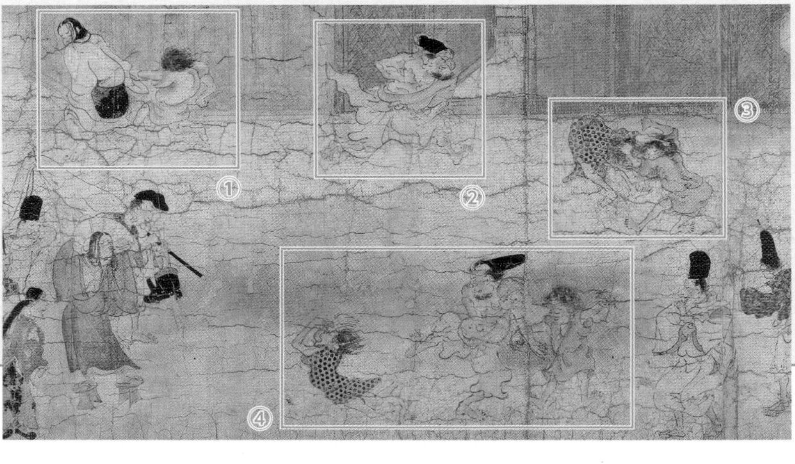
①
②
③
④

❹けんかをする子ども

伝統 文化

関連するページ p.45

現代に生きる神話

古事記や日本書紀の神話や，それを取り入れた神楽を見てみましょう。

宝

↑❶出雲大社本殿(島根県出雲市)　出雲大社は，オオクニヌシが，アマテラスの子孫に国を治める権利をゆずりわたすかわりに建てさせたと伝えられる神社です。現在でもオオクニヌシ(大国主大神)をまつっています。

重

❷出雲大社の境内から発掘された心御柱　13世紀半ばのもので，3本一組で本殿を支えていたと考えられています。

「記紀神話」の成立

神々のふるまいや，神々と英雄との関わりを伝える物語を神話と呼びます。神話は，もともとは口で伝えられ，発展してきたものですが，やがて文字に記されるようになります。

日本では，8世紀になって，それまで伝えられてきた神話が，朝廷によって古事記や日本書紀(まとめて記紀と呼びます)p.45にまとめられることによって，現在まで伝わってきました。また，土地がせまいため「国引き」をしたという話がのっている出雲国風土記や，浦島子伝説・天羽衣伝説で有名な丹後国風土記など，風土記p.45にも記紀とは異なる神話や伝説が収められています。

「記紀神話」の展開

記紀には，神々が誕生する様子や，日本列島ができる様子，神々が日本を治めている様子などが記されています。神話に登場する神々のうち，出雲(島根県)を中心に日本を治めていたオオクニヌシ❶❷は，太陽神アマテラス❸の子孫に，日本を治める権利をゆずりわたしたと伝えられています。その後，アマテ

島根県と神話

出雲(島根県)を舞台にした記紀の神話は「出雲神話」と呼ばれ，その中にはよく知られている話が多くあります。

隠岐島から出雲にわたろうと考えて，わに(さめ)をだました素うさぎが，皮をむかれて苦しんでいたのを，オオクニヌシが助けるという，有名な「因幡の素うさぎ」の物語も，この「出雲神話」にふくまれます。

同じく有名な「大蛇(おろち)退治」も「出雲神話」の一つです。アマテラスの弟であるスサノオは，神々が集まる高天原で乱暴を働いたことで追放され，出雲にやってきます。出雲に着いたスサノオは，泣いている老夫婦を見つけます。事情を聞くと，老夫婦には8人の子がいたにもかかわらず，毎年一人ずつヤマタノオロチという大蛇に食べられてしまい，残りは一人だけになり，もうすぐまたヤマタノオロチがやってくるとのこと。そこで，スサノオは残った娘との結婚を条件に，ヤマタノオロチを酒でよわせて退治したと伝えられています。

この神話は，国の重要無形民俗文化財に指定され，UNESCOの無形文化遺産にも登録されている「佐陀神能」をはじめ，今では各地で神楽の題材に取り入れられています。

無

❺「大蛇(おろち)退治」を題材にした「佐陀神能」(島根県松江市　佐太神社)

ラスの孫のニニギが日向(宮崎県)の高千穂に降り(天孫降臨)，さらにその子孫がヤマトに入り(神武東征)，初代の天皇として即位したと伝えられています。このように記紀には，天皇が太陽神アマテラスの子孫であることや，日本を治めるようになった経緯を記しており，古代には，貴族たちが神話を学んでいました。

また，記紀には，このような日本の成り立ちについて書かれた内容のほかにも，有名な大蛇(おろち)退治，因幡の素うさぎ，海幸彦や山幸彦の物語なども収められ，現在では，神楽などの伝統的な芸能の題材にもなっています。

日本の神話と世界の神話

アマテラスの孫が高千穂に降りた物語のように，王の祖先が太陽であったり，天から降りてきたりという神話は，東北アジア一帯に広がっており，漁が得意な海幸彦と，狩りが得意な山幸彦の兄弟の物語は，南太平洋のポリネシアに広がる神話とよく似ています。[4] また，「見るな」と言われたのに，ふり返って死後の妻イザナミを見たために，二度と会えなくなったイザナギ(アマテラスの親)の話は，ギリシャ神話の，亡くなった妻を冥界から連れもどそうとしたp.26オルフェウスの物語とよく似ています。このように記紀の神話は，世界の神話と似た部分を数多く持っており，古代の人々の考え方を知ることのできる興味深いものです。

3伊勢神宮の内宮(皇大神宮)(三重県伊勢市)　伊勢神宮の内宮ではアマテラス(天照大御神)をまつっています。

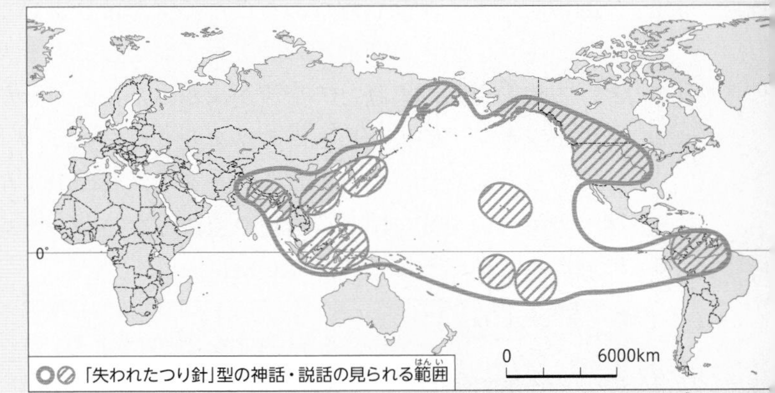
0°
0
6000km
「失われたつり針」型の神話・説話の見られる範囲

4「失われたつり針」型の物語の分布(大林太良「日本神話の起源」)　英雄がつり針などの漁や猟の道具を失ってしまい，それを探して海中や地中などへおもむき，生還するという型の神話や説話の分布を示しています。日本では，記紀に，山幸彦が海幸彦から借りてなくしてしまったつり針を探しに，海をつかさどる綿津見神の宮殿におもむく，という神話が見られます。

宮崎県と神話

宮崎県も，神話とゆかりの深い県です。宮崎県高千穂町は，鹿児島県との境にある高千穂峰と並んで，アマテラスの孫のニニギが降り立ったと伝えられる，神話の舞台として知られています。高千穂町には，神々が集まる高天原の伝承地もあり，神話を題材にした神楽が盛んです。なかでも，「岩戸がくれ」の神話は有名です。アマテラスは，高天原でのスサノオの乱暴にいかり，天岩戸にかくれてしまいます。太陽神が洞窟にかくれたことで，高天原はやみに包まれ，さまざまな災いが起こります。

神々は集まって相談し，何とかアマテラスを外に出そうとしますが，うまくいきません。そこで，アメノウズメという女神が天岩戸の前でこっけいなおどりを始め，神々はそれを見て一斉に笑い出しました。自分がいないにもかかわらず，外で神々が笑っていることを不思議に思ったアマテラスは，岩戸を少し開けて外を見ます。そのすきに，怪力で知られるアメノタヂカラオがアマテラスを外に引き出したと伝えられています。

この「岩戸がくれ」の神話は，今では，高千穂町にある高千穂神社をはじめとする県内各地の夜神楽の題材に取り入れられています。

6「岩戸がくれ」を題材にした神楽
(宮崎県高千穂町　高千穂神社)

読み取る　4から「失われたつり針」型の物語がどの地域に分布しているか読み取りましょう。

見方・考え方　現在　身近な地域に神話や，それを題材にした芸能や行事が残っていないか調べましょう。

地域の歴史を調べよう－1

大陸への玄関口・福岡

福岡県福岡市

p.14～17も参照しながら，特にテーマの設定の段階を中心に見ていきましょう。

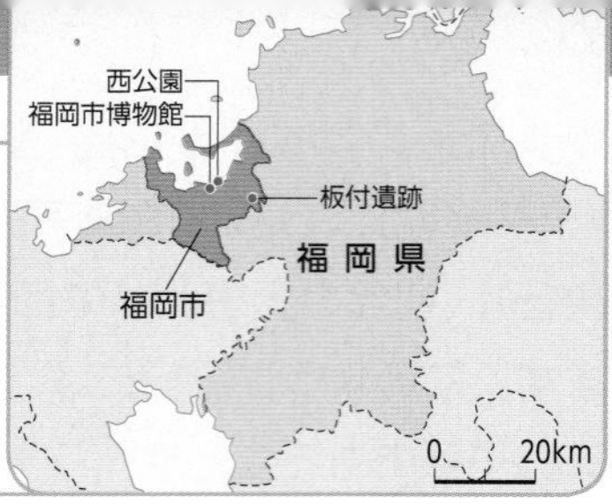
西公園
福岡市博物館
板付遺跡
福岡県
福岡市
0
20km

テーマの設定

1　学校周辺の石碑から

私たちの学校に，福岡市の姉妹都市である韓国の釜山から，中学生が来ることになりました。そこで，福岡がどのような場所かを英語で発表して，交流することになりました。

発表内容を考えていると，毎日通っている通学路や，学校の近くの公園に，さまざまな石碑があることに気が付きました。その一つについて，ボランティアで地元の歴史ガイドをしている人にたずねてみると，古代の福岡は大陸との交流が深かったことが分かりました。

ボランティアの人から石碑の話を聞くうちに，「大陸との交流」についてもっと知りたくなりました。そこで，石碑のほかにも，古代の福岡と大陸との交流に関わる遺物や遺跡がないか，いくつかのグループに分かれて調べることにしました。

1 西公園の石碑についての，ボランティアガイドの人からの聞き取り

スキル・アップ 11　集める　調べるテーマを見つけよう

調べるテーマを見つけるために，学校の近くの次のようなものに着目して，疑問に思ったことを「なぜ…」や「どのような（に）…」などの形で書き出しましょう。

地名，寺・神社，石碑，街中の解説板，都道府県や市（区）町村が作成した歴史マップ，博物館・郷土資料館の展示物　など

●石碑にほられたのは「万葉集」に収められた歌で，当時の福岡から大陸へ向かう人を見送る際によまれたと考えられている。
●古代には，石碑が建っている所は海の近くで，そばには筑紫館という施設があり，大陸から来た人々が訪れていた。筑紫館は，後に鴻臚館という名前になった。

2 石碑の碑文

神さぶる荒津の崎に寄する波
間無くや妹に恋ひ渡りなむ
（神々しい荒津の崎に寄せる波のように
絶え間なく妻を恋い続けることだろう。）

学習課題　福岡は大陸とどのような交流があったのだろう。

調査

2　博物館や遺跡での調査

私たちのグループは，金印が展示されている福岡市博物館を訪ねました。金印の実物を見たり，説明員の人に話を聞いたりして，大陸との交流について調べました。

●57年，中国の漢（後漢）の皇帝が奴国の王に金印をあたえた。漢は金や銅でできた印をあたえることで，周辺の王の支配を認め，皇帝中心の体制に組みこんだ。

3 福岡市博物館での金印の見学

調査

別のグループは，板付遺跡を調べました。さらに，板付遺跡の近くにある板付遺跡弥生館を訪ね，出土したさまざまな資料を見学し，大陸から伝わった稲作について調べました。

●板付遺跡は，大陸から伝わった稲作が日本に広がり始め，縄文時代から弥生時代へと移り変わるころの生活の様子を知ることができる，貴重な遺跡である。

❹板付遺跡での聞き取り

3 年表を使った共有と考察

時期・場所・関連・現在

考察

調査した内容を右のような年表にまとめて，クラスで共有しました。年表を基に，歴史的な見方・考え方をふまえながら，学習課題について話し合いました。話し合いでは，次のような発言がありました。

「福岡には，ずいぶん古くから大陸とのつながりがあったんだね。」

「地図帳を見ると，福岡は大陸にとても近い県だね。」

「大陸から伝わってきた米は，今では私たちの生活に欠かせないものになっているね。」

「ほかにも，大陸との交流で，当時の最新の文化や技術の多くが福岡に伝わってきたよ。」

「現在では，アジアから多くの観光客が福岡を訪れているね。」

話し合いの結果，福岡は古代の日本の「玄関口」であり，大陸のさまざまな文物が福岡を通して日本に伝わったことが分かりました。そして，そのような背景があるから，現在も福岡は国際都市であり続けているのではないかと考えました。

時代	西暦	福岡に関係する主な出来事	日本や世界の主な出来事
弥生	前4世紀ごろ	板付遺跡の周辺で稲作が始まる	日本に稲作が伝わる
	57	倭の奴国の王が、漢(後漢)の光武帝から金印を授かる	
古墳(飛鳥)	618		唐がおこる
	630	博多湾から遣唐使が出発し、帰国する	第1回遣唐使を送る
	663		白村江の戦いで倭が唐・新羅の連合軍に敗れる
	664～665	水城や大野城を造って、新羅や唐からの攻撃に備える	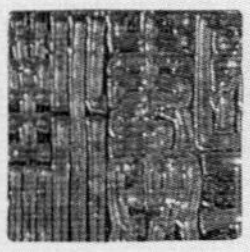 ←志賀島で発見された金印
	688	耽羅(今の韓国の済州島)の使者を筑紫館(後の鴻臚館)でもてなす	
奈良			
平安	838	鴻臚館で唐の人と詩をよみ合う(福岡の鴻臚館が史料に初めて登場する)	
	894		遣唐使派遣の延期が提案される

❺作成した年表

4 ポスターセッションでの発表

まとめ

発表のテーマを「大陸への玄関口・福岡」として，ポスターセッションの形式で発表することにしました。小学校や中学校での英語の学習を生かしつつ，ALTの先生にも手伝ってもらって，一部を英語で表現したポスターを作りました。

［英語：英語での町紹介］

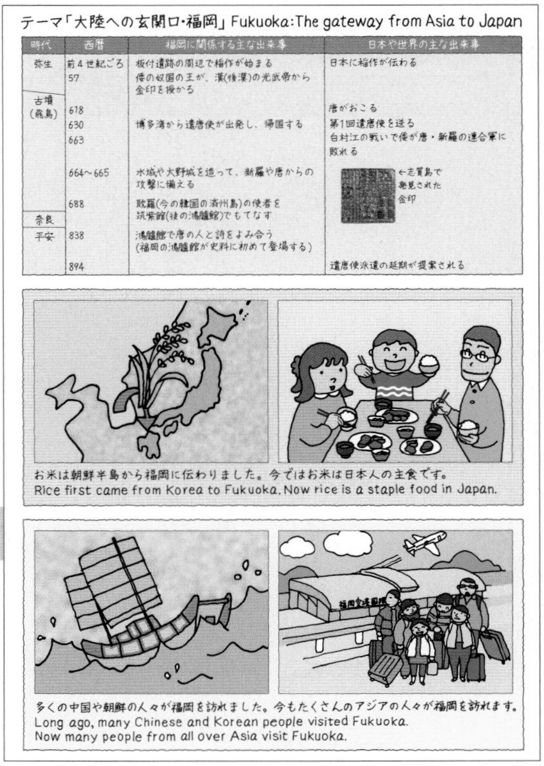
テーマ「大陸への玄関口・福岡」Fukuoka:The gateway from Asia to Japan
お米は朝鮮半島から福岡に伝わりました。今ではお米は日本人の主食です。
Rice first came from Korea to Fukuoka. Now rice is a staple food in Japan.
多くの中国や朝鮮の人々が福岡を訪れました。今もたくさんのアジアの人々が福岡を訪れます。
Long ago, many Chinese and Korean people visited Fukuoka.
Now many people from all over Asia visit Fukuoka.
❻ポスターセッション用のポスター

プラス
●福岡のほかの遺跡を調べて，その出土品から大陸とのつながりを探ってみましょう。
●神社やお寺に行って，大陸とのつながりや，由来を聞いてみましょう。

基礎・基本のまとめ　古代までの学習をふり返ろう

1

次の語句は，この章で学習したものです。どのような意味の語句か，自分の言葉でそれぞれ説明しましょう。うまく説明できない場合は，掲載(けいさい)されていたページにもどって確認(かくにん)しましょう。

❶シルクロード p.25□　❷ギリシャ・ローマの文明 p.26□　❸大和政権 p.34□　❹渡来人 p.35□　❺遣唐使 p.38□
❻大化の改新 p.39□　❼大宝律令 p.40□　❽墾田永年私財法 p.43□　❾摂関政治 p.48□　❿国風文化 p.50□

2

下の年表の空欄(くうらん)［A］から［E］に当てはまる語句を，次からそれぞれ選びましょう。

新羅　　浄土信仰　　稲作　　ローマ帝国　　天平文化

3

下の年表について，次の問いに答えましょう。

(1)「邪馬台国(やまたいこく)」と「魏(ぎ)」とが矢印で結ばれている理由を説明しましょう。
(2)「聖徳太子(しょうとくたいし)の政治」と「飛鳥(あすか)文化」「遣隋使(けんずいし)」との関係を説明しましょう。
(3)古墳(こふん)時代の「大陸文化の伝来」について，年表中に書かれているもの以外の，伝来した大陸文化の例を挙げましょう。

4

右ページ上の二つの資料について，次の問いに答えましょう。

(1)左の図は，律令(りつりょう)によって定められた役所の仕組みを示したものです。空欄［ア］から［エ］に当てはまる語句をそれぞれ答えましょう。
(2)左の図のような仕組みに基(もと)づいて政治を行う国家を何というか，答えましょう。
(3)右の地図は，7世紀半ばの東アジアを示したものです。空欄［オ］と［カ］に当てはまる国名と，［キ］に当てはまる地名をそれぞれ答えましょう。

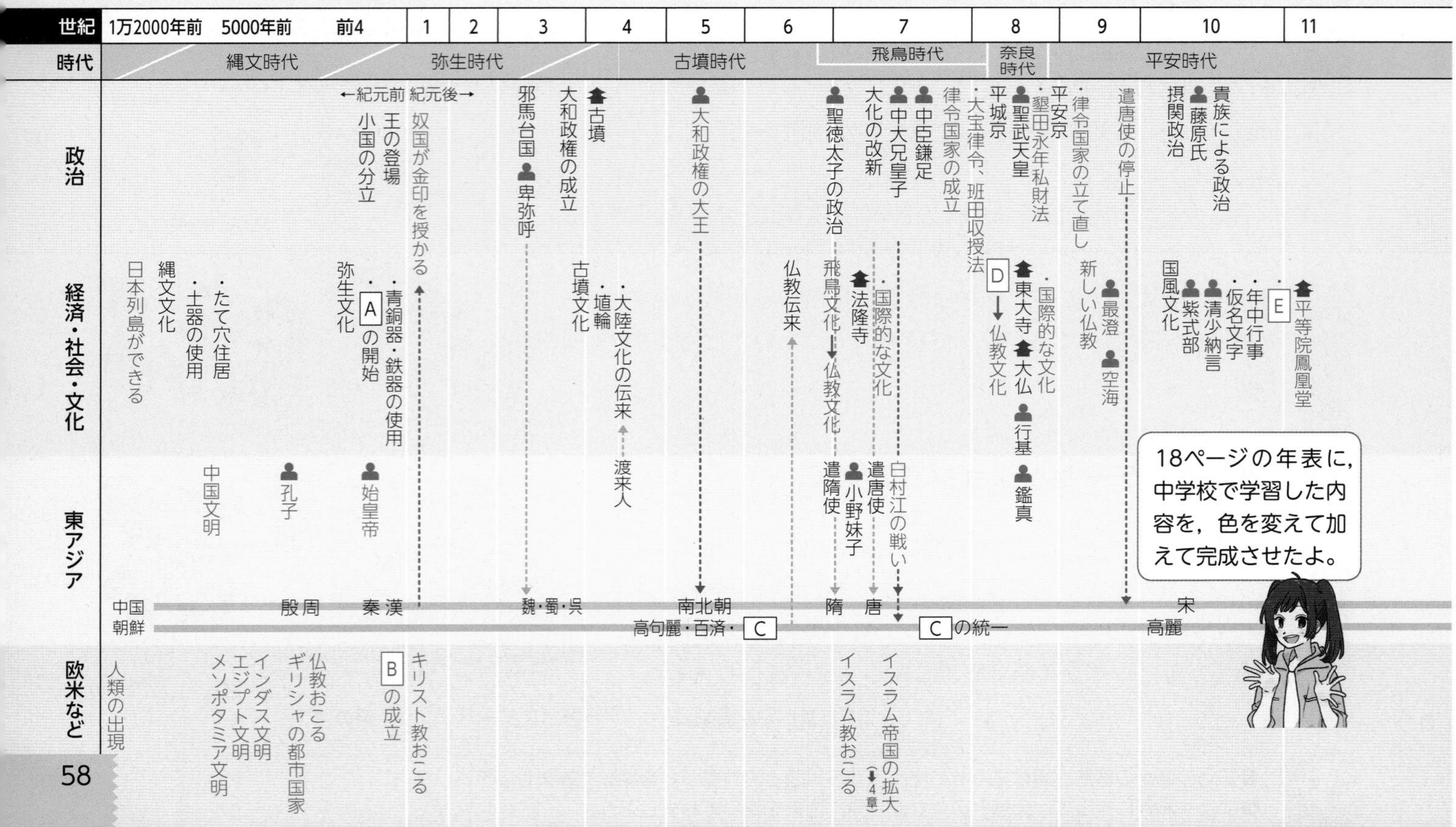

世紀
1万2000年前
5000年前
前4
1
2
3
4
5
6
7
8
9
10
11
時代
縄文時代
弥生時代
古墳時代
飛鳥時代
奈良時代
平安時代
政治
経済・社会・文化
東アジア
欧米など
日本列島ができる
縄文文化
・土器の使用
・たて穴住居
中国文明
孔子
←紀元前 紀元後→
小国の分立
王の登場
弥生文化
・A の開始
・青銅器・鉄器の使用
始皇帝
B の成立
キリスト教おこる
人類の出現
メソポタミア文明
エジプト文明
インダス文明
ギリシャの都市国家
仏教おこる
奴国が金印を授かる
邪馬台国
卑弥呼
大和政権の成立
古墳
古墳文化
・埴輪
・大陸文化の伝来
渡来人
大和政権の大王
仏教伝来
聖徳太子の政治
飛鳥文化
仏教文化
法隆寺
・国際的な文化
大化の改新
中大兄皇子
中臣鎌足
律令国家の成立
・大宝律令、班田収授法
平城京
聖武天皇
・墾田永年私財法
平安京
D
仏教文化
東大寺
大仏
・国際的な文化
行基
鑑真
遣隋使
小野妹子
遣唐使
白村江の戦い
イスラム教おこる
イスラム帝国の拡大（➡4章）
・律令国家の立て直し
新しい仏教
最澄
空海
遣唐使の停止
摂関政治
藤原氏
貴族による政治
国風文化
紫式部
清少納言
・仮名文字
・年中行事
・E
平等院鳳凰堂
中国
朝鮮
殷 周
秦 漢
魏・蜀・呉
南北朝
高句麗・百済・C
隋
唐
C の統一
宋
高麗
18ページの年表に，中学校で学習した内容を，色を変えて加えて完成させたよ。

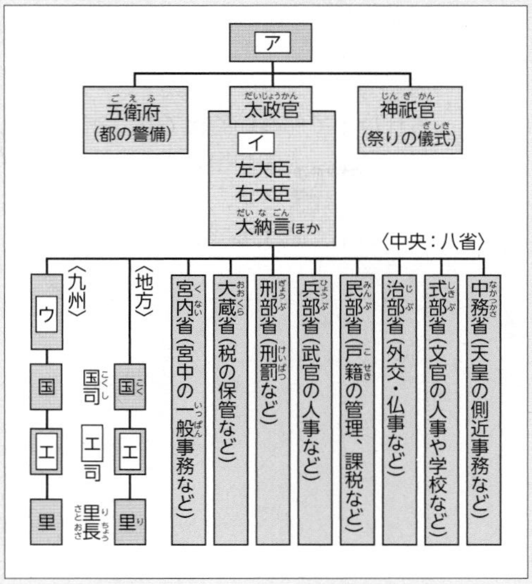
ア
五衛府（都の警備）
太政官
神祇官（祭りの儀式）
イ
左大臣
右大臣
大納言ほか
〈中央：八省〉
中務省（天皇の側近事務など）
式部省（文官の人事や学校など）
治部省（外交・仏事など）
民部省（戸籍の管理、課税など）
兵部省（武官の人事など）
刑部省（刑罰など）
大蔵省（税の保管など）
宮内省（宮中の一般事務など）
〈地方〉
国
エ
里
〈九州〉
ウ
国
エ
里
国司
エ司
里長

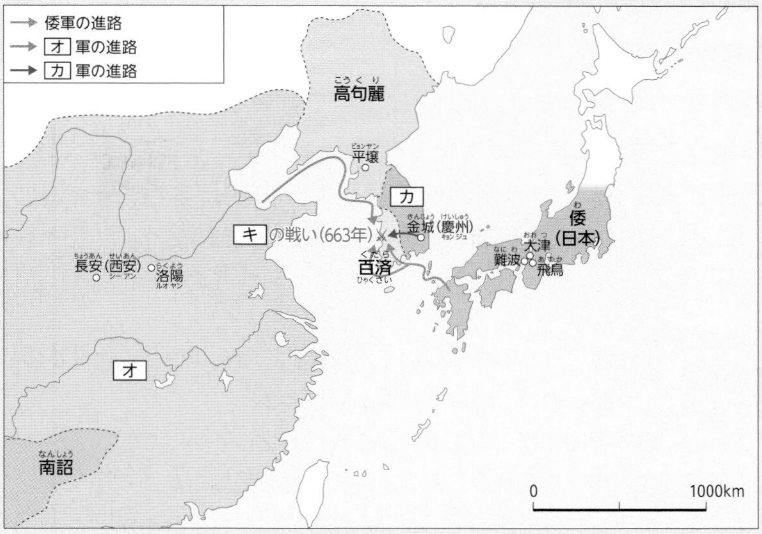
倭軍の進路
オ軍の進路
カ軍の進路
高句麗
平壌
カ
キの戦い（663年）
金城（慶州）
百済
倭（日本）
大津
難波
飛鳥
長安（西安）
洛陽
オ
南詔
0
1000km

探究のステップ

節の課題を解決しよう（各節の学習の最後に取り組みましょう）

① 世界の古代文明や宗教は，どのような地域や環境の下でおこったのでしょうか。

古代文明や宗教には，さまざまな共通点があったね。

それぞれの古代文明や宗教には，どのような特徴があったかな。

➡

② 日本の社会は，大陸とのつながりの下で，どのように変化したのでしょうか。

稲作や鉄器などが伝わったことで，日本の社会は大きく変わったね。

古墳が造られるようになったのはどうしてかな。

➡

③ 東アジアでの交流の中で，なぜ律令国家が成立し，変化していったのでしょうか。

中国や朝鮮半島の制度や文化を取り入れながら，日本の国の形や文化が次第に作られていったね。

律令国家には，どのような仕組みが見られたかな。

➡

⬇

古代の探究課題を解決しよう

探究課題 古代の日本では，どのように国家が形成されたのでしょうか。 ➡

小学校では「天皇中心の国づくり」を学習したけれど，中学校ではその具体的な仕組みや移り変わりについて学習したね。

時期によって，政治を担った人がちがったね。それらの人たちは何を目指したのかな。

中国や朝鮮半島などの影響は，文化の面でも見られたね。

日本の動きだけでなく，東アジアの国々との関係にも着目する必要がありそうですね。

まとめの活動

古代日本のキーパーソンはだれだろう

関連

この章では「古代までの日本」について学習してきました。古代とはどのような特色を持つ時代だったでしょうか。ここでは，「政治」「国際関係」「文化」の三つの側面に着目して，古代日本のキーパーソンを選ぶことを通じて，この時代の特色をまとめましょう。

古代はとても長い時代です。ここでは，人物や出来事がたくさん出てきた，飛鳥時代から平安時代までにしぼって考えましょう。

みんなでチャレンジ

(1)次の三つの点について，具体的にどのようなことを学習したか，p.58の年表などを参考にして，グループで話し合い，簡単に整理しましょう。

①政治：日本で国家がどのように造られ，変化していったか。

②国際関係：中国や朝鮮からどのような影響を受けたか。

③文化：東アジアの影響の下，どのような文化が育まれたか。

(2) ①～③において，どのような人物が重要な役割を果たしたか，各自で考え，最も重要だと思う人物を一人ずつ挙げましょう。そして，その人物名と選んだ理由を「くらげチャート」の頭の部分に，選んだ根拠を足の部分に書きこみましょう。

●この時代の主な人物

推古天皇，聖徳太子，蘇我馬子，小野妹子，中大兄皇子(天智天皇)，中臣(藤原)鎌足，天武天皇，持統天皇，聖武天皇，行基，鑑真，大伴家持，桓武天皇，坂上田村麻呂，最澄，空海，菅原道真，藤原道長，藤原頼通，紀貫之，清少納言，紫式部

(3)作成した「くらげチャート」をグループ内で見せ合い，意見を交換しましょう。

(4) (3)で発表した人物の中から，古代日本の「キーパーソン」だと思う人物を，グループで一人選びましょう。そして，その人物の「くらげチャート」を，意見交換などをふまえて，色のちがうペンで修正しましょう。

(5)グループで作った「くらげチャート」を，クラスで発表しましょう。

(6)個人やグループで作った「くらげチャート」や，ほかのグループの発表を基に，古代がどのような時代かまとめましょう。

くらげチャートとは？

くらげチャートを使うことで，主張を整理することができます。

まず，くらげの頭の部分に，自分の主張したい結論を記入します。続いて足の部分に，その根拠を記入します。

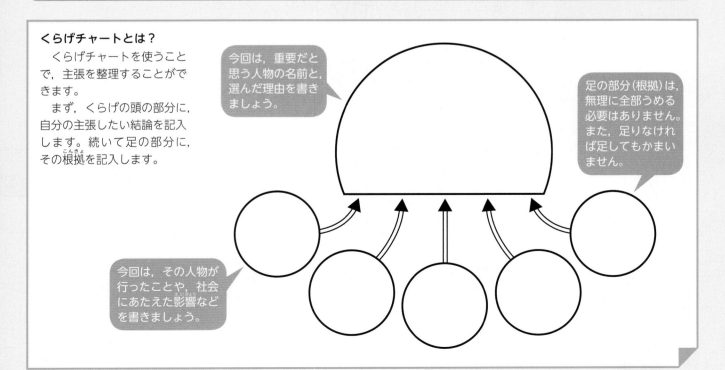

今回は，重要だと思う人物の名前と，選んだ理由を書きましょう。

足の部分(根拠)は，無理に全部うめる必要はありません。また，足りなければ足してもかまいません。

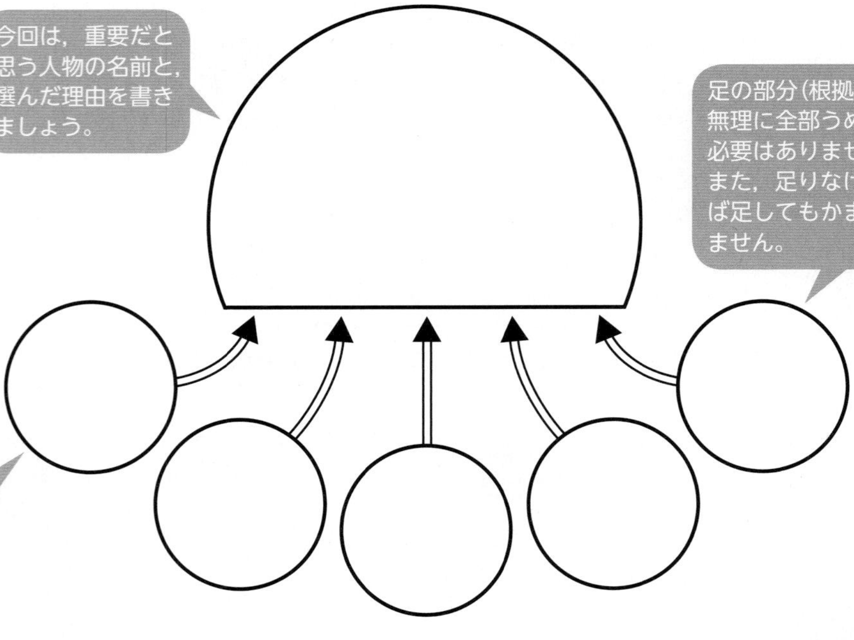

今回は，その人物が行ったことや，社会にあたえた影響などを書きましょう。

りこさんのグループが(4)で作ったくらげチャート

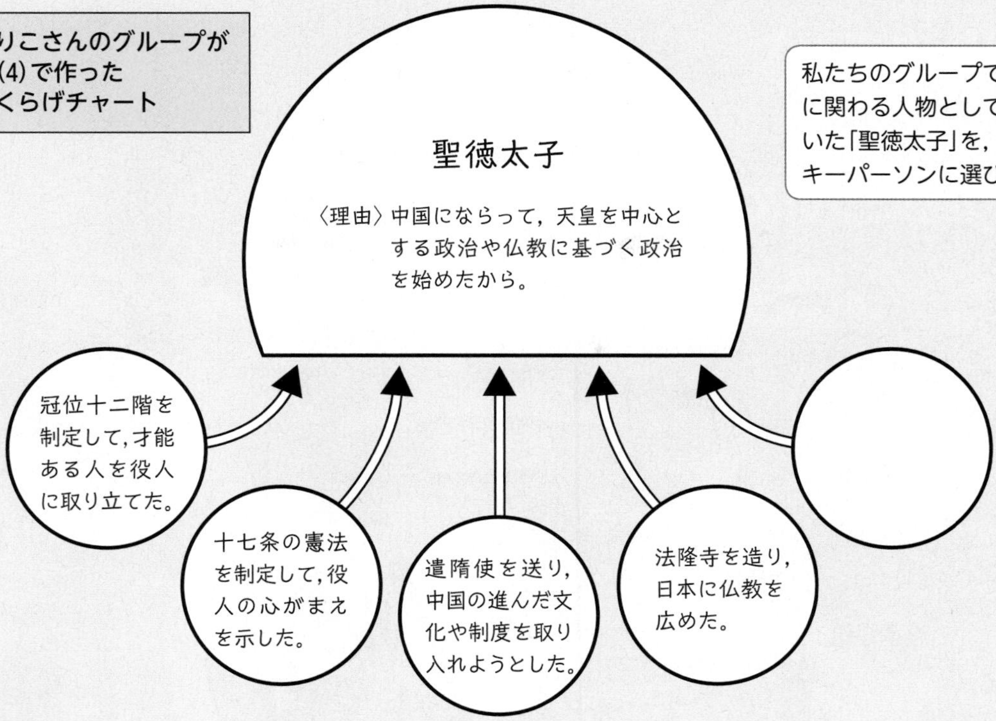
聖徳太子
〈理由〉中国にならって，天皇を中心とする政治や仏教に基づく政治を始めたから。
冠位十二階を制定して，才能ある人を役人に取り立てた。
十七条の憲法を制定して，役人の心がまえを示した。
遣隋使を送り，中国の進んだ文化や制度を取り入れようとした。
法隆寺を造り，日本に仏教を広めた。

私たちのグループでは，「政治」に関わる人物として挙げられていた「聖徳太子」を，古代日本のキーパーソンに選びました。

「政治」だけでなく，遣隋使を派遣したという「国際関係」の側面と，仏教を広めたという「文化」の側面にも着目して考えました。

ゆうまさんのグループが(4)で作ったくらげチャート

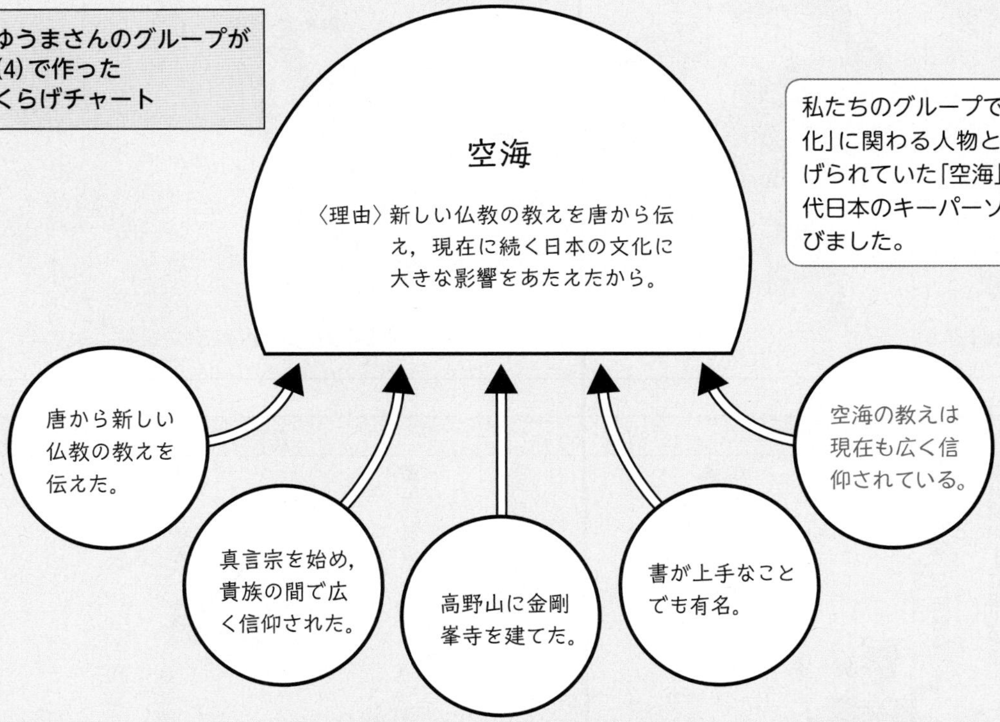
空海
〈理由〉新しい仏教の教えを唐から伝え，現在に続く日本の文化に大きな影響をあたえたから。
唐から新しい仏教の教えを伝えた。
真言宗を始め，貴族の間で広く信仰された。
高野山に金剛峯寺を建てた。
書が上手なことでも有名。
空海の教えは現在も広く信仰されている。

私たちのグループでは，「文化」に関わる人物として挙げられていた「空海」を，古代日本のキーパーソンに選びました。

グループでの意見交換をふまえて，空海の教えが現在の社会にも影響をあたえていることを書き足しました。

この時代の特色をまとめましょう。

古代は

時代です。

第3章　中世の日本

導入の活動　武士の館について探ろう

D

小

❶武士の館（やかた）の様子（想像図）

世紀	11	12	13	14	15
時代	平安時代	平安時代／鎌倉時代	鎌倉時代	鎌倉時代／南北朝時代／室町時代	室町時代／戦国時代
政治	**武士団**の形成 **武士**の成長	平氏の政権 源平の合戦 平清盛 源義経 源頼朝→**征夷大将軍** 守護・地頭　鎌倉幕府	執権政治　北条氏 **御恩と奉公**　**一所懸命** 北条時宗 モンゴルの襲来（元寇）	室町幕府 足利義満	足利義政
経済・社会・文化				室町文化 金閣 ・**能**・**狂言**	銀閣・**書院造** 雪舟 **水墨画**
東アジア・欧米など					日明貿易
中国	宋		元	明	
朝鮮	高麗				朝鮮

太字	小学校の社会で習ったことば

この章では，平安時代の終わりから室町時代の中ごろまでの時代について学習します。小学校では，武士の暮らしや室町時代の文化を中心に学習しました。ここでは，小学校で学習した武士の館の様子を中心に，中世p.287の武士の様子をとらえましょう。

みんなでチャレンジ

(1) ❶は，地方の武士の館をえがいた想像図です。❶を見て，気づいたことや疑問に思ったことを挙げましょう。

(2) ❶で武士の館の特徴をよく表しているところはどこか，グループで話し合いながら探しましょう。

(3) ❷と❸は，どのような人がどのようなことをしている様子か，グループで話し合いましょう。

(4) 資料や年表から，この時代について，知りたいことや疑問に思うことを出し合いましょう。

❷田植えの風景（東京国立博物館蔵）　小

❸祇園祭（山形県　米沢市上杉博物館蔵）

第3章の探究課題は？

武士はどうして常に戦いに備えなければならなかったのかな。

どうして武士が世の中を動かすようになったのかな。

武士が中心の世の中になって，貴族や一般の人々はどうなったのかな。

この章では，武士の時代になってどのような政治が行われ変化したのか，❷や❸のような武士以外の人たちや，東アジアの国々との関わりなどに着目しながら追究していきましょう。また，まとめでは，中世と古代とを比べることを通じて，時代の特色をとらえましょう。

探究課題　中世では，どのような勢力の成長や対立が起こったのでしょうか。

探究のステップ　各節の学習では，次の課題を追究していきましょう。

① なぜ武士は政権を立て，社会を動かすほどの力を持つようになったのでしょうか。

② 東アジアでの交流が進み，産業や文化が発達する中で，日本ではなぜ多くの戦乱が起こったのでしょうか。

1節 武士の政権の成立

Ⓐ

Ⓑ

読み取る
(1) ❶のⒶとⒷのどちらが都の武士で，どちらが地方の武士か考えましょう。
(2) ❶のⒶとⒷの武士は，それぞれどのような仕事をしているか読み取りましょう。

宝
宝

❶都の武士と地方の武士（Ⓐ粉河寺縁起絵巻　和歌山県　粉河寺蔵・京都国立博物館，Ⓑ平治物語絵巻　東京国立博物館蔵）

1 武士の成長

学習課題 武士はどのように成長したのでしょうか。

探究のステップ
なぜ武士は政権を立て、社会を動かすほどの力を持つようになったのでしょうか。

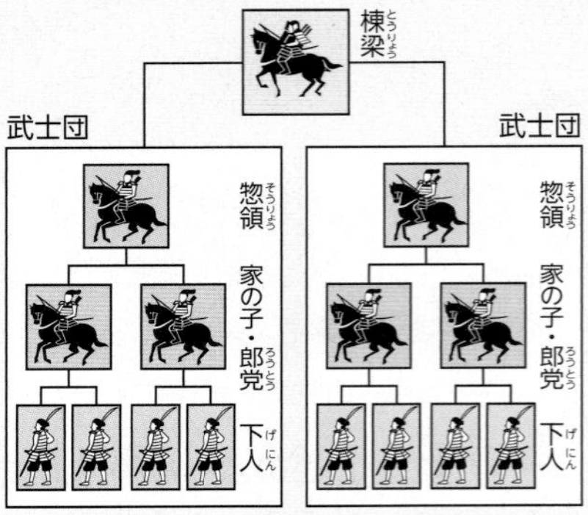
棟梁
武士団
武士団
惣領
家の子・郎党
下人
惣領
家の子・郎党
下人

惣領
下人

❷武士団（下：前九年合戦絵巻　模本　東京国立博物館蔵）　棟梁も，ほかの惣領と同様に独自の武士団を率いていました。

❶武官は，天皇の住まいの警備に当たった役人で，位は高くありませんでした。

武士の登場

平安時代の10世紀ごろから，都や地方では**武士**が成長し始めました。❶ 武士は，もともとは弓矢や馬などの戦いの技術に優れた都の武官❶や地方の豪族たちで，朝廷や国府の役人になって，天皇の住まいや役所の警備，犯罪の取りしまりなどを担当するようになりました。p.41

都では，藤原氏などの貴族に仕えて屋敷を警備する武士もいました。都の武士が地方の役職に就いてそのまま住みついたり，地方の武士が都に上って朝廷に仕えたりすることもありました。

このように武士は，都と地方とを行き来しながら，社会の中での地位を高めていきました。

武士団の形成

やがて地方の武士は，一族や家来を従えて**武士団**❷を作るほどに成長していきました。❺

力をつけた武士の中には，朝廷の役人と対立する者も現れました。10世紀の中ごろ，北関東では平将門が，瀬戸内地方では藤原純友が，それぞれ周辺の武士団を率いて大きな反乱を起

世紀	B.C.	A.D.1	2	3	4	5	6	7	8	9	10	11	12	13	14	15	16	17	18	19	20	21

縄文　弥生　古墳　飛鳥　奈良　平安　鎌倉　南北朝　室町　戦国　安土桃山　江戸　明治　大正　昭和　平成　令和

❸**中尊寺金色堂**(岩手県平泉町　中央の仏像は高さ62cm)　奥州藤原氏は，金や馬などの産物と北方との交易(p.285)によって栄えました。 世 宝

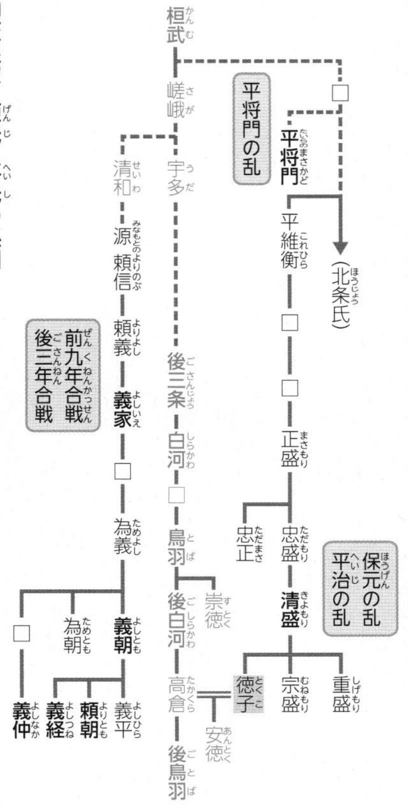
桓武
嵯峨
宇多
清和
源頼信
頼義
義家
為義
義朝
為朝
義平
頼朝
義経
義仲
後三条
白河
鳥羽
崇徳
後白河
高倉
安徳
後鳥羽
平将門の乱
平将門
平維衡
正盛
忠盛
忠正
清盛
徳子
宗盛
重盛
(北条氏)
前九年合戦
後三年合戦
保元の乱
平治の乱

❹**天皇家・源氏・平氏の系図**
(青字は天皇、■は女性、┅は省略部分、太字は教科書に出てくる人物)

こしました。別の武士団の力によってこの反乱をしずめることができたため，朝廷も武士の力を認めるようになりました。

武士団の中でも，天皇の子孫である**源氏**と**平氏**が有力でした。❹ 11世紀後半には，東北地方の武士どうしの争いをきっかけとして，大きな戦乱(前九年合戦・後三年合戦)が起こりました。この争いをしずめた源氏の源義家が東日本に勢力を広げました。また，東北地方では平泉(岩手県)を拠点に成長した**奥州藤原氏**が力を持ちました。❸ 12世紀前半には，瀬戸内海の海賊をしずめた平氏が西日本に勢力をのばしました。

荘園・公領での武士の役割

11世紀ごろから，地方の役人や僧，武士などが土地(荘園 p.43)の開発を進め，皇族や貴族，寺社(寺や神社)などの有力者が持ち主(領主)となり，朝廷への税を免除されました(p.289)。土地の開発者は，荘園の農民から**年貢**❷を集めて領主に納めるかわりに，荘園を支配する権利を認めてもらいました。❻ 国司(p.41)が支配する土地(公領)でも，武士などが犯罪の取りしまりや年貢の取り立てを任されるようになりました。

このような中，11世紀の後半には特に武士が力をつけ，荘園や公領に館を築いて，地方の社会の中心になっていきました。

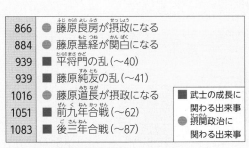

866	●	藤原良房が摂政になる
884	●	藤原基経が関白になる
939	■	平将門の乱(～40)
939	■	藤原純友の乱(～41)
1016	●	藤原道長が摂政になる
1051	■	前九年合戦(～62)
1083	■	後三年合戦(～87)

■ 武士の成長に関わる出来事
● 摂関政治に関わる出来事

❺**武士の成長と摂関政治**

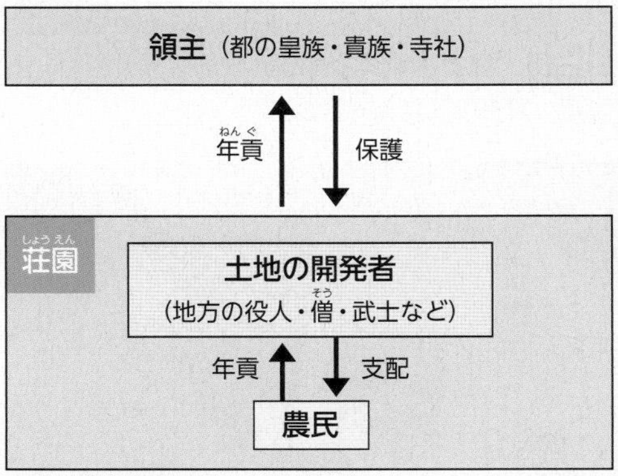
領主(都の皇族・貴族・寺社)
年貢
保護
荘園
土地の開発者
(地方の役人・僧・武士など)
年貢
支配
農民

❻**荘園の仕組み**

❷農民が領主に毎年納めたもので，米や布などが中心でした。耕作する土地の広さによって，納める量が決められていました。

チェック　武士が関わった戦いを，本文からぬき出しましょう。

トライ　武士はどのように成長していったか，きっかけとなる出来事に着目して説明しましょう。

❶平治の乱（平治物語絵巻　アメリカ　ボストン美術館蔵）

2 院政から武士の政権へ

学習課題 武士はどのようにして政治の実権をにぎったのでしょうか。

宝 ❷白河上皇と警備する武官（春日権現験記絵　東京都　宮内庁三の丸尚蔵館蔵）

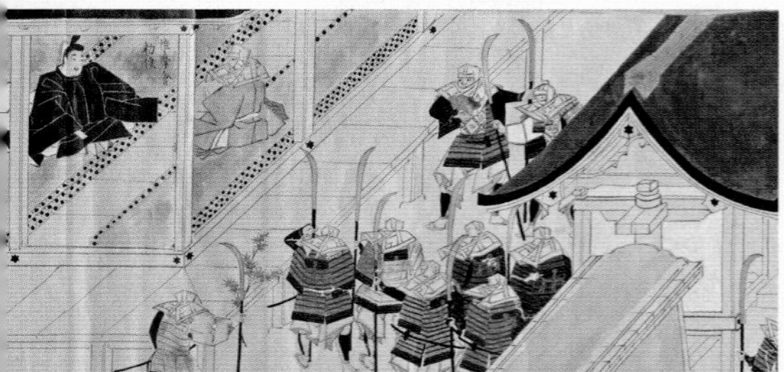

❸僧兵（天狗草紙絵巻　模本　東京国立博物館蔵）
神仏の権威を利用して，集団で訴え（強訴）を行いました。

院政と武士

11世紀後半には，藤原氏などの貴族の荘園が増加していました。藤原氏との関係がうすい後三条天皇は，荘園の増加をおさえ，政治改革を行いました。次の白河天皇は，自分の子孫を確実に天皇の位に就けるため，位をゆずって**上皇**になり，その後も政治を動かしました。このように上皇が中心となって行う政治を，**院政**といいます。

白河上皇や次の鳥羽上皇は，摂政や関白の力をおさえ，かわりに身分の低い貴族や武士にも活躍の場をあたえました[2]。また，上皇は荘園の領主となり，多くの荘園が上皇の下に集まりました。上皇は寺社を厚く保護したので，寺社も多くの荘園を持ち，武装した僧（僧兵）[3]を出動させ，勢力を広げました。

鳥羽上皇の死後，天皇と上皇との対立や貴族の間の対立が激しくなり，都で**保元の乱**と**平治の乱**[1]という二つの内乱が起こりました[7]。保元の乱では，後白河天皇に味方した**平清盛**[4]と源義朝が勝利しました。平治の乱では，平清盛が源義朝を破って勢力を広げました。この二つの内乱では，朝廷内の対立が武士ど

世紀	B.C.	A.D.1	2	3	4	5	6	7	8	9	10	11	12	13	14	15	16	17	18	19	20	21
縄文	弥生			古墳			飛鳥	奈良	平安					鎌倉	南北朝	室町	戦国	安土桃山	江戸	明治	大正・昭和	平成・令和

④平清盛(1118～81)

初めて武士の政権を立てた平氏の棟梁

朝廷の実力者となった清盛は，やがて太政大臣を辞め，病気により出家しましたが，回復した後は出家したまま政治の実権をにぎりました。（京都府　六波羅蜜寺蔵　高さ76.7cm）重

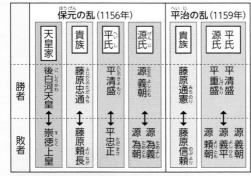

⑥厳島神社(広島県廿日市市)　日宋貿易で大きな利益を得た平氏は，厳島神社の建物を整備し，航海の安全を祈りました。世 宝

⑤平氏の栄華(「平家物語」p.72)　(部分要約)

六波羅殿❶の一族のご子息たちといえば，たとえ華族❷や英雄❸といった家柄の高い貴族でも肩を並べることや，顔を合わせることもできなかったのです。また入道相国❹の小舅❺の平大納言時忠卿は，「平氏の一族でない者は，人ではない」とまでおっしゃいました。

❶❹平清盛のこと。　❷❸摂関家に次いで位の高い貴族。
❺結婚相手の兄弟。

みんなでチャレンジ　政治の変化をとらえよう　比較

摂関政治と比べて，院政や平清盛の政治にはどのような特徴があるか，グループで話し合いましょう。

うしの戦いによって解決されたことから，武士が政治のうえで大きな力を持つようになりました。

平清盛の政権

平清盛は，後白河上皇の院政を助け，武士として初めて太政大臣になりました。巻頭3③ p.41⑥清盛の一族も高い地位に就き，多くの荘園や公領を支配しました。また清盛は，日宋貿易の利益に着目し，航路や兵庫(兵庫県神戸市)の港を整備しましたp.50⑥。清盛は，娘を天皇のきさきにして権力を強め，朝廷の政治の実権をにぎりました。こうして12世紀後半に，日本で初めての武士の政権が成立しました。p.287⑤

平氏が朝廷の政治を思いどおりに動かしたため，貴族や寺社は反発し，地方の武士の中にも，平氏のやり方に不満を持つ者が増えました。さらに，清盛が後白河上皇を別荘に閉じこめ，多くの貴族を解任すると，伊豆(静岡県)の**源頼朝**p.68③や木曽(長野県)の源義仲などをはじめとする各地の武士は，平氏に対抗して兵を挙げました⑧。

頼朝は，鎌倉(神奈川県)を本拠地にし，関東地方を支配すると，弟の源義経などに命令して平氏を攻めさせました。義経は平氏を追いつめ，壇ノ浦(山口県)でほろぼしました。

	保元の乱(1156年)				平治の乱(1159年)	
	天皇家	貴族	平氏	源氏	貴族	源氏 平氏
勝者	後白河天皇	藤原忠通	平清盛	源義朝	藤原通憲	平清盛 平重盛
	↕	↕	↕	↕	↕	↕
敗者	崇徳上皇	藤原頼長	平忠正	源為義 源為朝	藤原信頼	源義朝 源義平 源頼朝

↑⑦保元の乱と平治の乱の対立関係

天皇家のあとつぎをめぐる上皇と天皇の対立に，藤原氏や源氏，平氏の内部での対立がからみ，大きな内乱に発展しました。

⑧源平の争乱

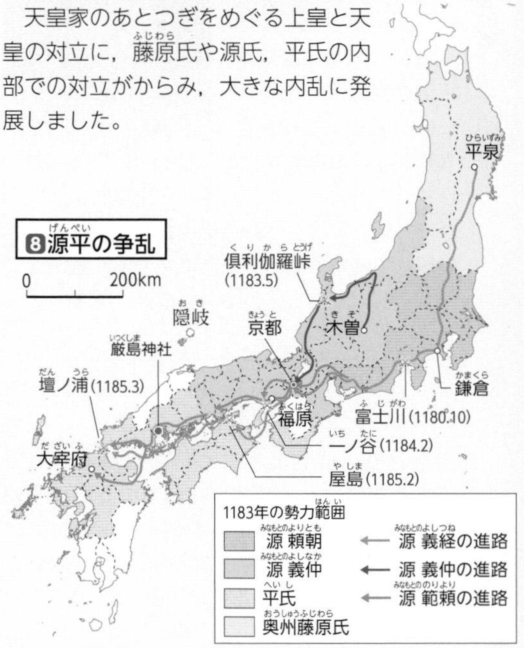
平泉
倶利伽羅峠(1183.5)
0　200km
隠岐
京都
木曽
厳島神社
壇ノ浦(1185.3)
鎌倉
富士川(1180.10)
福原
一ノ谷(1184.2)
大宰府
屋島(1185.2)
1183年の勢力範囲
源頼朝
源義仲
平氏
奥州藤原氏
源義経の進路
源義仲の進路
源範頼の進路

チェック　平清盛が行ったことを，本文からぬき出しましょう。

トライ　平氏の政治の特徴について，摂関政治と共通する点と異なる点をそれぞれ説明しましょう。

◇円覚寺
◇建長寺
③
①
②
④
朝比奈切通し

❶現在の鎌倉（神奈川県鎌倉市）

幕府跡（❶1185～1225年　❷1226～1333年）　❸鶴岡八幡宮
❹大仏　◆鎌倉五山（禅宗 p.73 の主要寺院）

❷朝比奈切通し（神奈川県鎌倉市・横浜市）

3 鎌倉幕府の成立と執権政治

学習課題 **鎌倉を中心とした武士の政権は，どのような特色を持っていたのでしょうか。**

読み取る ❶と❷から，鎌倉がどのような地形か，読み取りましょう。

❸ 源 頼朝（1147～99）

幕府を開き，武士の頂点に立った苦労人

頼朝は，父の義朝が平治の乱で敗れたため（p.66），幼いころに伊豆（静岡県）に流されました。1180年に平氏に対して反乱を起こしましたが，一度は戦いに敗れて，船で安房（千葉県）にのがれました。その後，南関東の武士を味方につけて，幕府を開くことに成功しました。（山梨県　甲斐善光寺蔵）

鎌倉幕府の始まり

平氏の滅亡後，源義経が源頼朝❸と対立すると，頼朝は，義経をとらえることを口実に朝廷に強くせまり，1185年に，国ごとに軍事・警察を担当する**守護**を，荘園や公領ごとに現地を管理・支配する**地頭**を置くことを認めさせました。こうして頼朝は，本格的な武士の政権である**鎌倉幕府**を開きました❶。これ以後，鎌倉❶❷に幕府が置かれた時代を**鎌倉時代**といいます。さらに頼朝は，義経が平泉の奥州藤原氏の下にのがれると，義経と奥州藤原氏も攻めほろぼし，東日本を支配下に置きました。

頼朝は1192年に征夷大将軍に任命されると，役所などの政治の仕組みを整備しました❹ p.47。将軍と配下の武士は主従関係によって結ばれ，将軍は，武士に対して，以前から所有していた領地を保護したり，新しい領地をあたえたりしました（**御恩**）❷。一方，将軍に忠誠をちかった武士は**御家人**と呼ばれ，京都の天皇の住まいや鎌倉の幕府を警備し，戦いが起こったときには命をかけて戦いました（**奉公**）。

❶鎌倉幕府の成立時期については諸説あり，1185年のほかにも，頼朝が東日本の支配権を朝廷に認められた1183年や，頼朝が征夷大将軍に任命された1192年などを考える説があります。
❷武士が，生活を支える領地を命がけで守ったことから「一所懸命」という言葉が生まれました。

世紀	B.C.	A.D. 1	2	3	4	5	6	7	8	9	10	11	12	13	14	15	16	17	18	19	20	21

縄文　弥生　古墳　飛鳥　奈良　平安　鎌倉　室町（南北朝）　戦国　（安土桃山）　江戸　明治　大正　昭和　平成　令和

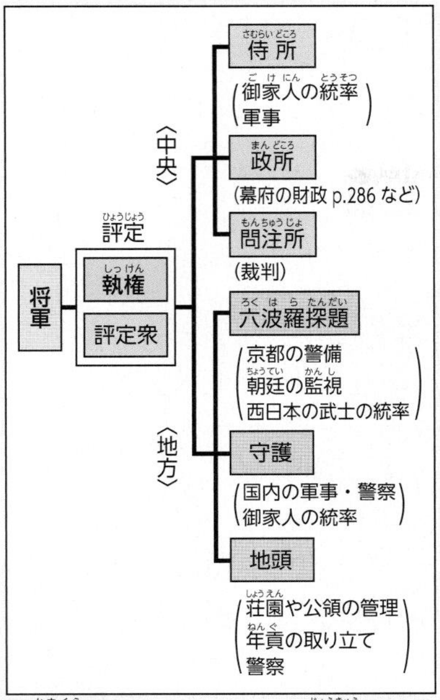

将軍
評定
執権
評定衆
〈中央〉
侍所
(御家人の統率 軍事)
政所
(幕府の財政 p.286 など)
問注所
(裁判)
〈地方〉
六波羅探題
(京都の警備 朝廷の監視 西日本の武士の統率)
守護
(国内の軍事・警察 御家人の統率)
地頭
(荘園や公領の管理 年貢の取り立て 警察)

4鎌倉幕府の仕組み　図は承久の乱後のものです。執権と，有力御家人から選ばれる評定衆との話し合い(評定)で物事が決定されました。

5源氏と北条氏の系図

(❶は将軍，①は執権になった順序，□は女性，太字は教科書に出てくる人物)

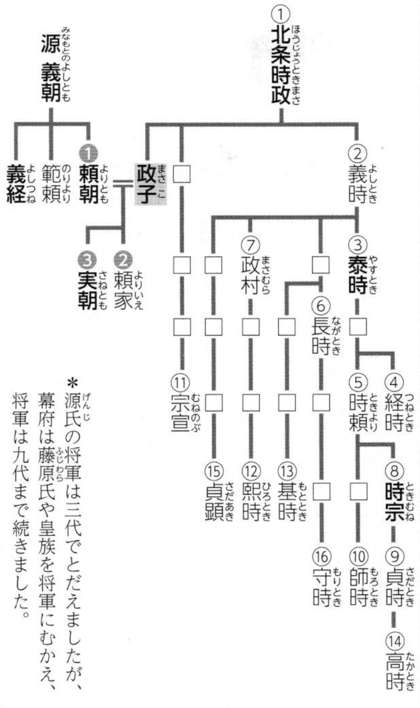

源義朝
義経
範頼
❶頼朝
政子
❷頼家
❸実朝
①北条時政
②義時
③泰時
⑦政村
⑥長時
④経時
⑤時頼
⑧時宗
⑨貞時
⑭高時
⑩師時
⑯守時
⑬基時
⑫煕時
⑮貞顕
⑪宗宣

＊源氏の将軍は三代でとだえましたが，幕府は藤原氏や皇族を将軍にむかえ，将軍は九代まで続きました。

6承久の乱とその後の動き

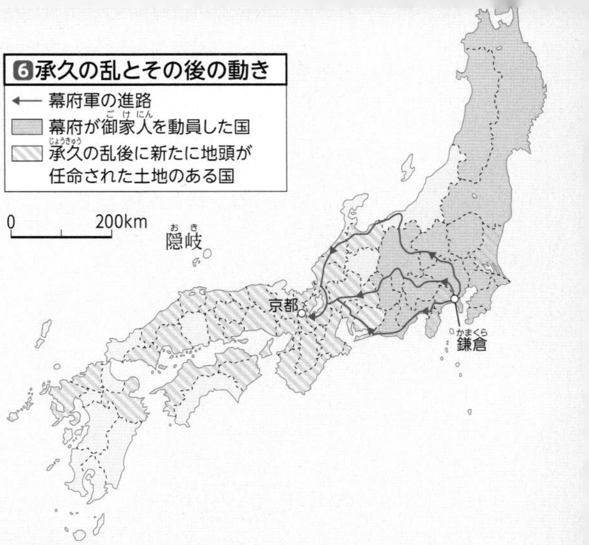

← 幕府軍の進路
幕府が御家人を動員した国
承久の乱後に新たに地頭が任命された土地のある国
0
200km
隠岐
京都
鎌倉

読み取る

(1) 6から，承久の乱後に守護が交代したり，新たに地頭が任命されたりした国がどこに多く分布しているか，読み取りましょう。

(2) (1)から，承久の乱後に幕府の勢力はどうなったか，考えましょう。

執権政治

頼朝の死後，幕府の実権は，有力な御家人をまとめた北条時政がにぎりました。5 北条氏は将軍の力を弱めて**執権**という地位に就き，代々その地位を独占しました。幕府の政治は，鎌倉時代の半ばごろまで，執権を中心とする有力な御家人の話し合いによって行われました(**執権政治**)。

朝廷の勢力を回復しようとしていた後鳥羽上皇は，朝廷に協力的だった第3代将軍源実朝が暗殺されると，1221(承久3)年，幕府をたおそうと兵を挙げました。7 しかし幕府は大軍を送って上皇の軍を破り(**承久の乱**)，後鳥羽上皇を隠岐(島根県)に流し，3 京都に**六波羅探題**を置いて朝廷を監視しました。また，上皇に味方した貴族や西日本の武士の領地を取り上げ，その場所の地頭には東日本の武士を任命し，幕府の支配を固めました。6

1232(貞永元)年，執権の北条泰時は政治の判断の基準となる**御成敗式目**(貞永式目)8 を定めました。御成敗式目は，武士の社会で行われていた慣習に基づいていました。朝廷の律令p.40とは別に独自の法を制定したことで，武士は自信を持ち，御成敗式目は武士の法律の見本になりました。

7北条政子の訴え(「吾妻鏡」)

みなの者，よく聞きなさい。これが最後の言葉です。頼朝公が朝廷の敵をたおし，幕府を開いてからは，官職といい，土地といい，みながいただいた恩は山より高く，海より深いものです。みながそれに報いたいという志はきっと浅くないはずです。名誉を大事にする者は，ただちに逆臣をうち取り，幕府を守りなさい。　(部分要約)

↑源頼朝の妻の政子は，後鳥羽上皇が兵を挙げると，頼朝の御恩を説いて，御家人たちに結束を訴えました。

8御成敗式目(1232年)　(部分要約)

一　諸国の守護の職務は，頼朝公の時代に定められたように，京都の御所の警備❶と，謀反や殺人などの犯罪人の取りしまりに限る。

一　武士が20年の間，実際に土地を支配しているならば，その権利を認める。

一　女性が養子をとることは，律令では許されていないが，頼朝公のとき以来現在に至るまで，子どものない女性が土地を養子にゆずりあたえる事例は，武士の慣習として数え切れない。

❶御家人を引率して，天皇の住まいを守ること。

3罪の重い者を，都から遠い場所や島へ追放するばつがありました。

チェック　4とp.41 6とを比べて，異なる点を挙げましょう。

トライ　律令国家と比べた鎌倉幕府の政治の仕組みの特徴を説明しましょう。

❶武士の館（一遍聖絵　神奈川県　清浄光寺［遊行寺］蔵）宝

見方・考え方 比較
(1)❶とp.48❶とを比べて，ちがいを読み取りましょう。
(2)❶では，戦いに備えてどのような工夫がされているか，読み取りましょう。

4 武士と民衆の生活

学習課題 鎌倉時代の武士や民衆は，どのような暮らしをしていたのでしょうか。

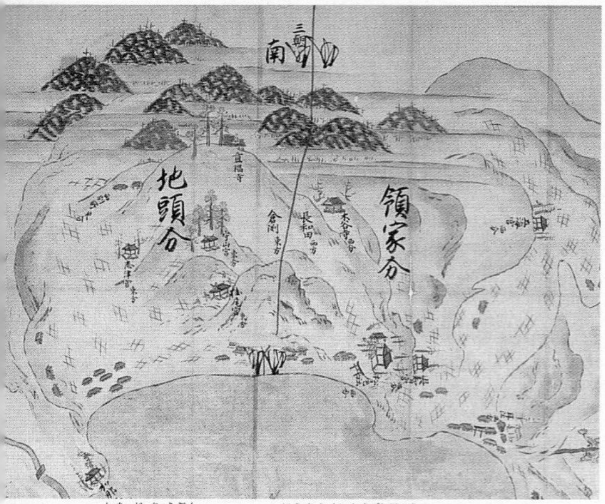

南
地頭分
領家分

❷下地中分の絵図（伯耆国東郷荘下地中分絵図　模本　東京大学史料編纂所蔵）

地頭の支配

全国の荘園や公領の地頭に任命された武士は，板ぶきの住まい❶で，質素な生活を送っていました。しかし，なかには幕府や天皇の住まいの警備などで鎌倉や京都に行き，めずらしい品物や新しい文化を持ち帰り，はなやかな生活を送る武士も生まれてきました。

農民は，年貢p.65を荘園や公領の領主に納めていましたが，地頭が領主に断りなく土地や農民を勝手に支配することが多く，地頭と領主との間でしばしば争いが起こりました。この争いは幕府によって裁かれ，土地の半分が地頭にあたえられることもありました（下地中分❷）。こうして地頭は，荘園や公領で領主と同じくらい強い力を持つようになっていきました。

武士の生活

武士は，常に馬や弓矢の武芸❸によって心身をきたえていました。武士の住まいでは馬が飼われ，乗馬の訓練が行われました。このような中で，「弓馬の道」や「武士の道」などと呼ばれる，名誉を重んじ恥をきらう態度や，武士らしい心構えが育っていきました。

歴史にアクセス　武士の妻

鎌倉時代の女性は，財産や使用人の管理など，家の中を取り仕切る重要な役目を果たしていました。特に御家人の妻は，夫の死後に地頭の職や遺産を受けついだり，あとつぎを決めたりしていました。

世紀	B.C.	A.D.1	2	3	4	5	6	7	8	9	10	11	12	13	14	15	16	17	18	19	20	21
縄文	弥生				古墳			飛鳥	奈良		平安			鎌倉	室町（南北朝）		戦国（安土桃山）	江戸		明治	大正　昭和	平成　令和

重

❸**武芸の訓練**(男衾三郎絵詞　東京国立博物館蔵)　武士は，日ごろから絵のような笠懸や，流鏑馬，犬追物などの訓練にはげんでいました。

❹**建築現場で働く手工業者**(春日権現験記絵　東京都　宮内庁三の丸尚蔵館蔵)　宝

❺**定期市の様子**(一遍聖絵　神奈川県　清浄光寺[遊行寺]蔵)　備前の福岡(岡山県瀬戸内市)で開かれていた市の様子です。市は月に三度，決まった日に開かれました。　宝

武士の一族は，長である惣領を中心にまとまり，団結していました。惣領が亡くなったり引退したりしたときには，あとつぎ以外の子にも土地の一部をゆずる分割相続が行われました。女子にも分けあたえられたので，女性の地頭も多くいました。

農業と商業の発達

鎌倉時代の初めごろまでは，役人や武士，僧が中心になって土地を開発し，農作物の収穫が増えました。農作業には牛や馬が利用され，鉄製の農具が広まり，草や木を焼いた灰が肥料として使われるようになりました。同じ田畑で米と麦を交互に作る**二毛作**も始まりました。

村には，農具を造る鍛冶屋や，衣服の染物を行う紺屋などの手工業者[4]が住み着きました。寺社の門前や交通の便利な所には**定期市**[5]が開かれ，人々が集まって町が生まれました。各地の港や主な道にも，旅人が泊まるための宿屋や，商人・手工業者の家ができて，町が生まれてきました。一部の荘園では，宋p.50から輸入した銭(宋銭)で年貢を納めるようになりました[1]。

農業用の池や用水路などの工事は，次第に村の農民が中心になって行うようになりました。こうして村を中心に民衆の団結が強まりました[6]。

歴史にアクセス　地頭を訴えた農民たち

紀伊(和歌山県)にあった阿氏河荘は，京都の寂楽寺を領主とする荘園で，鎌倉時代に御家人の湯浅氏が地頭として入ってきました。湯浅氏は，これまでの荘園の慣習を無視し，武力を使って農民にさまざまな新しい負担を強制しようとしました。

これに対して，農民たちは団結し，集団で村をはなれるなどして抵抗しました。❻は，地頭のひどい行いを領主に訴えるため，農民たちが作った訴状です。

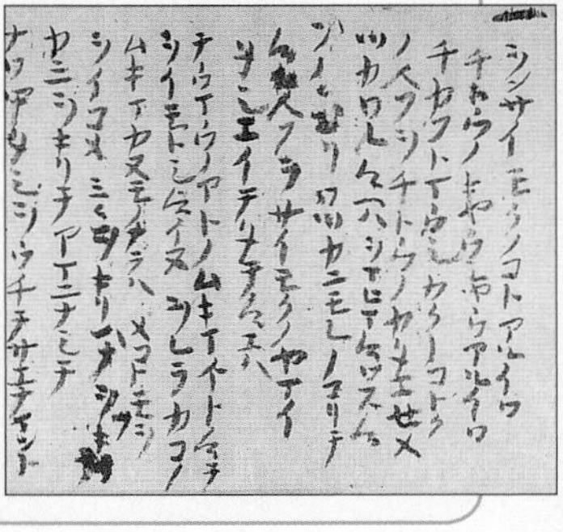

宝

❻**阿氏河荘の農民たちの訴状**(和歌山県　高野山霊宝館蔵)

❶日本と宋は鎌倉時代にも正式な国交(p.286)を結びませんでしたが，民間では貿易が続けられていました。

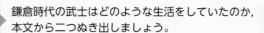

チェック　鎌倉時代の武士はどのような生活をしていたのか，本文から二つぬき出しましょう。

トライ　鎌倉時代の民衆の生活について，次の語句を使って説明しましょう。[二毛作／定期市]

阿形

吽形

❶**東大寺南大門**(奈良市)と**金剛力士像**(左：阿形　高さ836.3cm，右：吽形　高さ842.3cm)　東大寺の再建には，貴族や武士だけでなく民衆の力も結集され，新しい技術が取り入れられました。

見方・考え方　比較　❶の金剛力士像とp.50❷とを比べて，ちがいを読み取りましょう。

5 鎌倉時代の文化と宗教

学習課題　**鎌倉時代の文化や宗教は，どのような特色を持っていたのでしょうか。**

❷**重源**(1121～1206)(奈良県　東大寺蔵　高さ81.8cm)　後白河上皇(p.67)の命令で東大寺の再興を図り，大仏殿や南大門などを再建しました。

❸平家物語

祇園精舎の鐘の声，
諸行無常の響きあり。
娑羅双樹の花の色，
盛者必衰のことわりをあらわす。
おごれる人も久しからず，
只春の夜の夢のごとし。
たけき者も遂にはほろびぬ，
ひとえに風の前の塵に同じ。
(冒頭の部分)

→❹**琵琶法師**(職人尽歌合　模本　東京国立博物館蔵)

鎌倉文化

鎌倉時代には，平安時代の文化を受けつぎつつ，宋の文化や武士の好みを反映した，写実的で力強い文化が生まれました。鎌倉文化の主な担い手は貴族でしたが，次第に武士にも広がり，鎌倉が京都と並ぶ文化の中心となりました。

p.50

源氏と平氏の争いの中で焼けた東大寺南大門は，宋の新しい建築様式を取り入れて再建され，**運慶**らが作った力強い**金剛力士像**が収められました。❶❷宋の文化の影響を受けて，写実的な肖像画(似絵)もえがかれました。京都では，後鳥羽上皇の命令で，平安時代の伝統を受けつぐ「**新古今和歌集**」が編集され，**藤原定家**や西行などの和歌が収められました。また，人生のはかなさを記す鴨長明の随筆「方丈記」が書かれました。

p.67

一方で，武士の戦いをえがいた「**平家物語**」❸❹などの文学や，「平治物語絵巻」などの絵巻物も作られました。鎌倉では，貴族の影響を受けて和歌集が作られたり，大仏が新たに造られたりしました。鎌倉での体験や民衆の姿を伝える兼好法師の随筆

p.64❶・66❶　巻頭1❸❹・p.52

世紀	B.C.	A.D. 1	2	3	4	5	6	7	8	9	10	11	12	13	14	15	16	17	18	19	20	21
縄文		弥生				古墳		飛鳥	奈良		平安			鎌倉	南北朝	室町	戦国 / 安土桃山		江戸	明治	大正 / 昭和	平成 / 令和

❺説教をする法然（法然上人絵伝　京都府　知恩院蔵）宝

	浄土宗	浄土真宗	時宗	日蓮宗	臨済宗	曹洞宗
開祖	法然（1133～1212）	親鸞（1173～1262）	一遍（1239～89）	日蓮（1222～82）	栄西（1141～1215）	道元（1200～53）
主な寺院	知恩院（京都府）	本願寺（京都府）	清浄光寺（神奈川県）	久遠寺（山梨県）	建仁寺（京都府）	永平寺（福井県）
主な信者	貴族・武士 民衆	民衆 地方の武士	民衆 地方の武士	関東の武士 商工業者	貴族 幕府の有力者	北陸を中心とする地方の武士

❻鎌倉時代の新しい仏教

「徒然草」も生まれました。

鎌倉仏教

鎌倉時代には，たくましく成長した民衆や，戦いの中を生き延びた武士の心のよりどころとして，新しい仏教がおこりました❻。それらは分かりやすく，難しい修行が不要だったので，多くの人々の心をとらえました。

法然❺は，一心に「南無阿弥陀仏」と念仏を唱えれば，だれでも極楽浄土に生まれ変われると説いて**浄土宗**を開き，その教えは武士や民衆に広がりました。法然の弟子の**親鸞**は，阿弥陀如来の救いを信じる心を強調した**浄土真宗**を，農村に広めました。**一遍**❼は念仏の札を配って教えを広め，**時宗**を開きました。

また，**日蓮**は，法華経の題目（南無妙法蓮華経）を唱えれば人も国も救われると説き，**日蓮宗**（法華宗）を開きました。**栄西**や**道元**は，座禅❽によって自分の力でさとりを開こうとする**禅宗**を宋から伝え，臨済宗や曹洞宗を開きました。禅宗は武士に気に入られ，幕府は中国から僧を招いて禅宗を保護しました。

一方，天台宗や真言宗（p.47）などの力もまだ強く，朝廷や幕府のために祈とうを行い，教えの見直しも行われました。神仏習合❾（p.47）の考えが広がっていく中，新たに神道も形成されていきました。

❼一遍の踊念仏（一遍聖絵　東京国立博物館蔵）宝
一遍は念仏を広めるために，おどりを取り入れたり念仏を書いた念仏札を配ったりしました。

見方・考え方　比較
(1)❺や❼で，説教を聞いたりおどりを見たりしているのはどのような人たちか，読み取りましょう。
(2)なぜ鎌倉仏教の教えが急速に広まったのか，平安時代の仏教とのちがいに着目して考えましょう。

❽座禅の様子（神奈川県鎌倉市　建長寺 p.68❶）

❾熊野本宮大社（和歌山県田辺市）　熊野本宮大社をふくむ，熊野三山と呼ばれる三つの神社では，まつられている神が阿弥陀如来などと結び付けられて信仰されました。世 重

国語：「新古今和歌集」▶　兼好法師「徒然草」▶　D

チェック　鎌倉文化の中心地を，本文から二つ挙げましょう。

トライ　鎌倉時代の文化の特色を20字程度で説明しましょう。

探究のステップに取り組もう（p.95）

2節 ユーラシアの動きと武士の政治の展開

探究のステップ
東アジアでの交流が進み、産業や文化が発達する中で、日本ではなぜ多くの戦乱が起こったのでしょうか。

❶**モンゴル軍の騎兵**（ラシード・アッディーン「集史」） モンゴル軍は，馬に乗って高速で移動する能力に優れていました。乗馬に合った軽装で，武器は主に弓を使いました。絵はモンゴル帝国の歴史を記した本のさし絵で，ペルシャ風の筆づかいでえがかれています。

❷**現在のモンゴル高原の様子**

1 モンゴル帝国とユーラシア世界

学習課題 モンゴル帝国の拡大によって，ユーラシア全体にどのような変化が見られたのでしょうか。

❸**中国に進出した遊牧民の像**（6世紀 中国 陝西省考古学研究院蔵 高さ23cm）

遊牧民の生活

古代から，アジア内陸部の草原地帯では，遊牧民が水やえさとなる草を求めて移動しながら，羊や馬の飼育や狩りをして暮らしていました。[2]遊牧民の人たちは，幼少のころから馬や弓の訓練を受けるため，高い移動力と軍事力を持ち，しばしば中国などの平地の農耕地帯へ進出しました。[3]しかし，多くの部族に分かれていたため，複数の部族が協力して国を造ったり，もとの部族に分裂したりをくり返していました。

p.25

モンゴル帝国の拡大

13世紀の初め，**チンギス・ハン**[4]は，分かれていたモンゴル高原の遊牧民の勢力を統一して**モンゴル帝国**を建設し，初代のハン（皇帝）になりました。

チンギス・ハンやその子孫は，さらに中国西部や西アジア，東ヨーロッパへ領土を広げ，[1]ユーラシア大陸の東西にまたがる大帝国を築きました。[5]第5代皇帝となった孫の**フビライ・ハン**[8]は，13世紀半ばにモンゴルから中国にかけての地域に**元**という中国風の国名をつけ，高麗を従えた後，宋をほろぼしました。

p.50 p.50

❹**チンギス・ハン**（1162〜1227）**の即位**（ラシード・アッディーン「集史」）

世紀	B.C.	A.D.1	2	3	4	5	6	7	8	9	10	11	12	13	14	15	16	17	18	19	20	21

縄文　弥生　古墳　飛鳥　奈良　平安　鎌倉　南北朝　室町　戦国　安土桃山　江戸　明治　大正　昭和　平成　令和

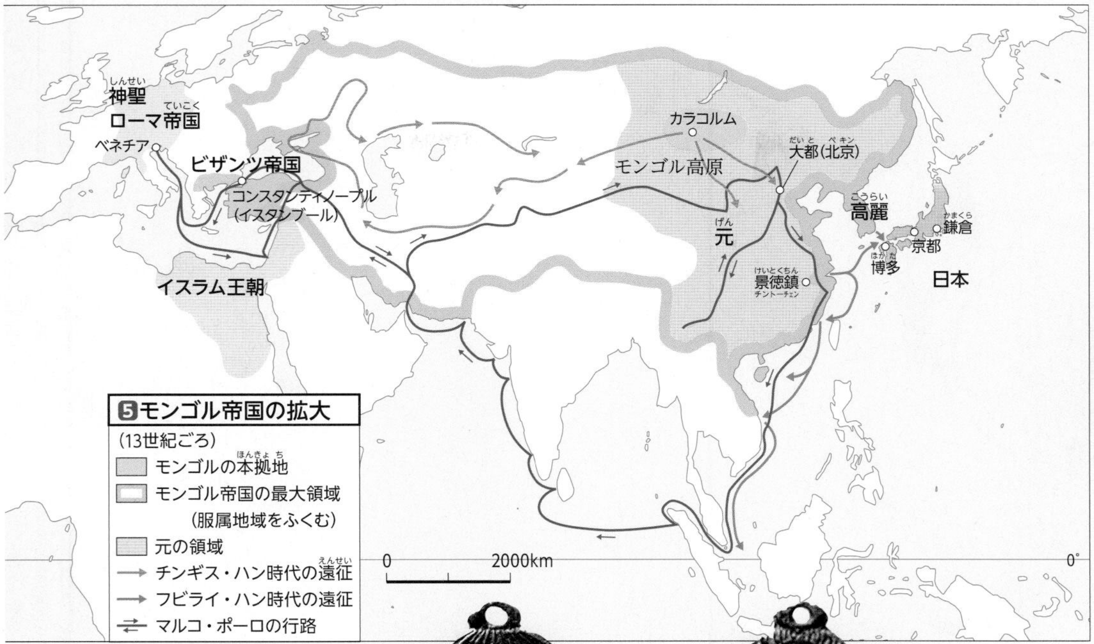
神聖ローマ帝国
ベネチア
ビザンツ帝国
コンスタンティノープル（イスタンブール）
イスラム王朝
カラコルム
モンゴル高原
大都(北京)
元
景徳鎮
高麗
鎌倉
京都
博多
日本
0　2000km
0°

5モンゴル帝国の拡大
(13世紀ごろ)
モンゴルの本拠地
モンゴル帝国の最大領域（服属地域をふくむ）
元の領域
チンギス・ハン時代の遠征
フビライ・ハン時代の遠征
マルコ・ポーロの行路

集める 5と地図帳を基に，モンゴル帝国の最大領域の範囲内にある，現在の国を挙げましょう。

6元から西方にもたらされた陶器
(トルコ　トプカプ宮殿博物館蔵)
元の景徳鎮などで作られた陶磁器は，西アジアやヨーロッパで人気があり，多く輸出されました。

7モンゴル帝国の通行証
(中国　首都博物館蔵　縦10.9cm)　左が表面で漢字，右が裏面で左からペルシャ，モンゴル，ウイグル(中央アジアの遊牧民)の文字が書かれています。

8フビライ・ハン
(1215～94)
中国風の王朝を作ったモンゴル帝国の皇帝
フビライは，大都(現在の北京)に都を置いて，中国風の「元」という国名をつけ，中国の地方支配の制度を取り入れました。一方で，チベット仏教を信仰したり，モンゴル語の文字を作らせたりもしました。

ユーラシア世界の形成

モンゴル帝国は，各地の他民族の宗教や言語を認め，陸上だけでなく海上の交通路も整え，広く交流を進めました。7 そのため，西アジアの天文学が元に伝えられたり，元の陶磁器6や火薬がヨーロッパに伝えられたりしました。ヨーロッパの商人や，キリスト教を布教する宣教師，中央アジアで活動していたムスリム(イスラム教徒)の商人なども元を訪れました。元から禅宗の僧が日本へ来たり，日本の僧が元へわたったりすることもしばしば見られました。高麗では，中国の新しい技術を積極的に取り入れて，綿の栽培や金属の活字を使った書物の印刷が始められました。

p.289　p.101　p.73　巻末1 11

このようにして，ユーラシア世界が一つにまとまるようになりました。フビライ・ハンに仕えたイタリア人のマルコ・ポーロが，「世界の記述」という書物の中で，日本を「黄金の国ジパング」としてヨーロッパに紹介したことも，9 ユーラシアという大きな世界が生まれたことを物語っています。

9マルコ・ポーロが記した日本

ジパングは東方の島で，大洋の中にある。大陸から1500マイルはなれた大きな島で，住民は肌の色が白く礼儀正しい。また，偶像崇拝者❶である。島では，金が見つかるので，かれらは限りなく金を所有している。しかし大陸からあまりにはなれているので，この島に向かう商人はほとんどおらず，そのため法外の量の金であふれている。
(「東方見聞録」月村辰雄ほか訳)
❶神などを絵や像として表現し，信仰の対象とすること。

↑マルコ・ポーロの「世界の記述」は，「東方見聞録」という名前でも知られています。伝聞に基づいて書かれたため，誤りも多く，当時の日本では金はあまり産出しませんでした。

チェック モンゴル帝国がユーラシアの各地を支配するために行ったことを，本文からぬき出しましょう。

トライ モンゴル帝国とユーラシア世界の関係を，次の語句を使って説明しましょう。[交通路／東西の貿易]

2 モンゴルの襲来

学習課題 モンゴルの襲来はどのようなもので，日本にどのような影響をあたえたのでしょうか。

❺フビライの国書　（部分要約）

…高麗は私の東方の属国である。日本は高麗に近く，ときどき中国に使いを送ってきたが，私の時代になってからは一人の使いもよこさない。…今後はたがいに訪問し友好を結ぼうではないか。…武力を使いたくはないのでよく考えてほしい。

❻北条時宗(1251～84)

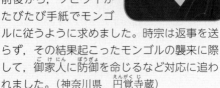

モンゴルの襲来に対応した幕府の執権

時宗が執権になった前後から，フビライがたびたび手紙でモンゴルに従うように求めました。時宗は返事を送らず，その結果起こったモンゴルの襲来に際して，御家人に防御を命じるなど対応に追われました。（神奈川県　円覚寺蔵）

二度の襲来

フビライ・ハンは高麗を従えた後，さらにp.74日本を従えようと，使者を送ってきました。[5]執権の**北条時宗**[6]がこれを無視したため，元は高麗の軍勢も合わp.69[5]せて攻めてきました[4]。1274(文永11)年には，対馬・壱岐をおそった後に九州北部の博多湾岸(福岡市)に上陸し，集団戦法と火薬を使った武器[2]で幕府軍を苦しめました。しかし，短期間で力を見せつける目的だったことや，元と高麗との対立もあって，引きあげました(**文永の役**[1])。

さらに，元は宋をほろぼした後，1281(弘安４)年に，再び日p.74本に攻めてきました。しかし，幕府が海岸に築いた石の防壁[3]や，御家人の活躍で，元軍は上陸できず，暴風雨にあって大きな損害を受け，引きあげました(**弘安の役**[1])。この二度の襲来(**元寇**)の後も，元は日本への遠征を計画しましたが，実施されませんでした[1]。

このように戦いはありましたが，元と日本との民間の貿易や文化の交流は行われていました。

❶中国や高麗でフビライへの反乱が起こり，ベトナムでも元に反抗する動きが強まっていました。

世紀	B.C.	A.D. 1	2	3	4	5	6	7	8	9	10	11	12	13	14	15	16	17	18	19	20	21
縄文	弥生				古墳			飛鳥	奈良	平安				鎌倉	南北朝・室町		戦国	安土桃山・江戸		明治	大正・昭和	平成・令和

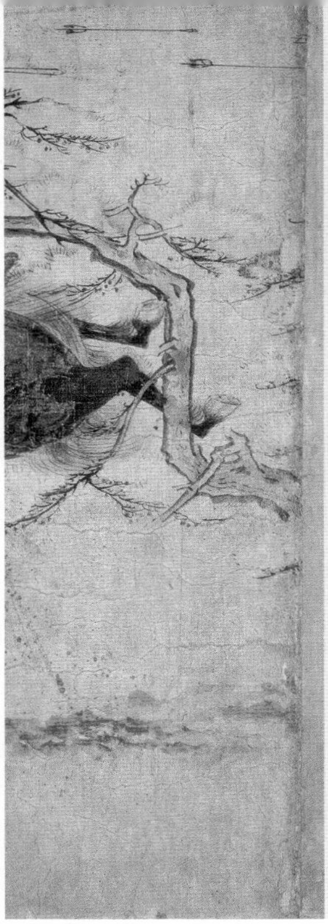

❶元軍との戦い(蒙古襲来絵詞　東京都宮内庁三の丸尚蔵館蔵)　左が文永の役，上が弘安の役をえがいたものです。

宝

❷元軍の武器「てつはう」(長崎県　松浦市立埋蔵文化財センター蔵)　鷹島沖で見つかった元軍の沈没船から発見されました。

❸復元された防壁(福岡市　高さ約2.5m)　博多湾岸に約20kmにわたって造られました。

読み取る　❶から，元軍と御家人の服装や武器，戦い方にどのようなちがいがあるか，読み取りましょう。

❹モンゴルの襲来

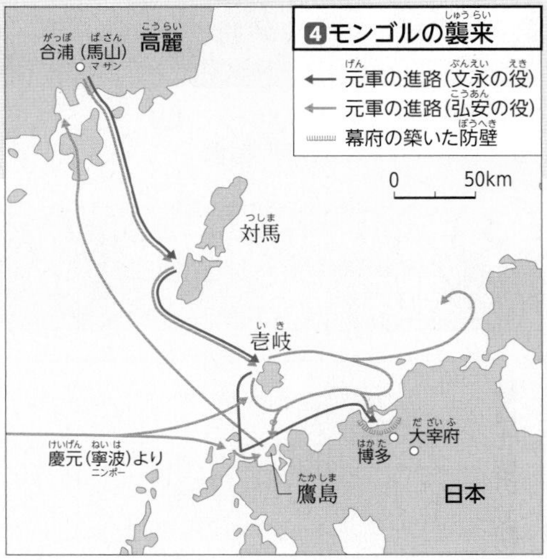

元軍の進路(文永の役)
元軍の進路(弘安の役)
幕府の築いた防壁
0
50km
合浦(馬山)
高麗
対馬
壱岐
慶元(寧波)より
大宰府
博多
鷹島
日本

鎌倉幕府の滅亡

幕府の政治を支えていた御家人は，領地の分割相続がくり返されることによって次第に土地が減り，生活が苦しくなっていました。なかには，借金を重ねて土地を手放す者も出てきました。幕府は，御家人の借金を取り消し，手放した土地を取り返させる**徳政令**❼を出して救おうとしましたが，効果は一時的でした。さらに，幕府が元の襲来に備えるために北条氏の一族に権力を集中させるようになると，御家人の幕府に対する反感が強まりました。

一方，鎌倉時代の終わりごろに全国で交通が活発になると，物資が集まる港や町を支配して豊かになる武士が現れました。経済が発展した近畿地方を中心に，荘園の領主や幕府の命令に従わず，武力を使って年貢をうばう武士も現れ，悪党と呼ばれました。p.285

こうした中，**後醍醐天皇**p.78❶は政治の実権を朝廷に取りもどすため，幕府をたおそうとしました。天皇は，一度は隠岐(島根県)に流されましたが，隠岐を脱出し，楠木正成などの新しく成長した武士や悪党，有力御家人の**足利尊氏**p.79❻や新田義貞などを味方につけ，1333年に幕府をほろぼしました。

❼永仁の徳政令(1297年)　(部分要約)

領地の質入れや売買は，御家人の生活が苦しくなるもとなので，今後は禁止する。

…御家人以外の武士や庶民が御家人から買った土地については，売買後の年数に関わりなく，返さなければならない。

みんなでチャレンジ　関連

鎌倉幕府滅亡の原因を考えよう

(1)鎌倉幕府がほろびた背景にある出来事や社会の動きを，本文から書き出しましょう。

(2)鎌倉幕府はなぜほろびたのか，幕府や社会の仕組みに着目して，グループで話し合いましょう。

チェック　モンゴルの襲来が成功しなかった理由を，本文から二つぬき出しましょう。

トライ　鎌倉時代後期の御家人と幕府との関係の変化を，次の語句を使って説明しましょう。[徳政令／北条氏]

❶後醍醐天皇（1288～1339）　重
（神奈川県　清浄光寺［遊行寺］蔵）

❷二条河原落書（部分要約）

此比都ニハヤル物
夜討強盗謀綸旨
召人早馬虚騒動
生頸還俗自由出家
俄大名迷者
安堵恩賞虚軍
本領ハナルヽ訴訟人
文書入タル細葛
追従讒人禅律僧

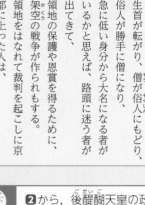

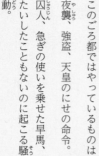

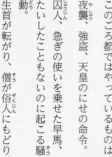

このごろ都ではやっているものは、
夜襲、強盗、天皇のにせの命令。
囚人、急ぎの使いを乗せた早馬、たいしたこともないのに起こる騒動。
生首が転がり、僧が俗人にもどり、俗人が勝手に僧になり、
急に低い身分から大名になる者がいるかと思えば、路頭に迷う者が出てきて、
領地の保護や恩賞を得るために、架空の戦争が作られもする。
領地をはなれて裁判を起こしに京都に上った人は、証拠の文書を入れた小さなつづらを背負って、
こびへつらい、人の悪口を言い、禅宗や律宗の僧❶に仲介をたのむ。

❶奈良時代に鑑真が伝えた、仏教の宗派。

考える　❷から，後醍醐天皇の政治が当時の人々にどのように受け取られたか，考えましょう。

3 南北朝の動乱と室町幕府

学習課題　**鎌倉幕府がほろんだ後，政治や社会はどのように変化していったのでしょうか。**

❸南北朝の分裂（数字は即位順、太字は教科書に出てくる人物）

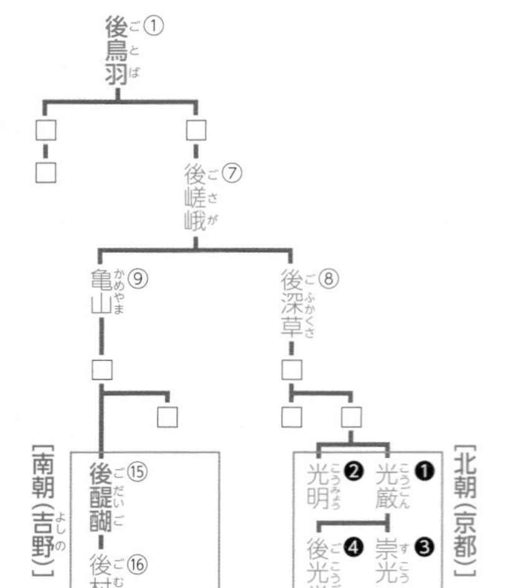

後鳥羽①
後嵯峨⑦
亀山⑨
後深草⑧
南朝（吉野）
北朝（京都）
後醍醐⑮
後村上⑯
後亀山⑱
長慶⑰
光明❷
光厳❶
後光厳❹
崇光❸
後円融❺
後小松❻⑲
1392年 南北朝の統一

南北二つの朝廷

鎌倉幕府をたおした後醍醐天皇❶は，天皇中心の新しい政治を始め（**建武の新政**），武士の政治を否定し，貴族を重視する政策を採りました。このため，武士の不満が高まり❷，足利尊氏❻が武士の政治の復活を呼びかけ兵を挙げると，後醍醐天皇の政権は2年ほどでたおれました。

尊氏は京都に新たに天皇を立てましたが，後醍醐天皇も吉野（奈良県）にのがれて正統な天皇であると主張したので，二つの朝廷が生まれ❸，それぞれが全国の武士に呼びかけて戦いました。京都の朝廷を北朝，吉野の朝廷を南朝と呼び，二つの朝廷の争いが続いた約60年を**南北朝時代**といいます。

尊氏は，1338年に北朝から征夷大将軍に任命されて，京都に**室町幕府**❶を開きました。京都に足利氏❹p.47の将軍を中心とする幕府が置かれた時代を，**室町時代**といいます。

守護大名と地方の動き

地方では，守護が軍事費を取り立てるなどの強い権限を幕府からあたえられ，自分の領地を拡大したり，多くの武士を自分の家来にしたりしました。

❶尊氏が開いた幕府は，第3代将軍の足利義満が京都の室町に足利将軍家の御所（❺）を建てたことから，室町幕府と呼ばれます。

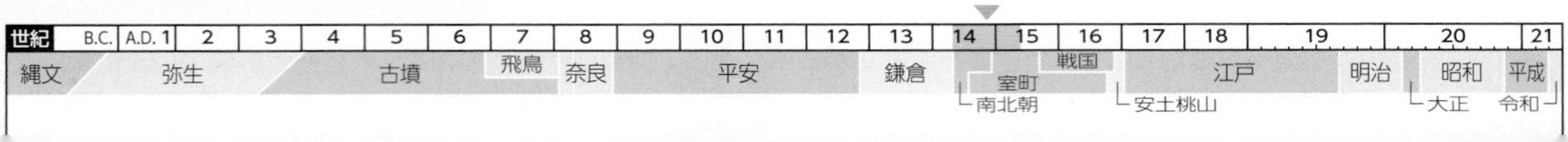

世紀 B.C. A.D.1 2 3 4 5 6 7 8 9 10 11 12 13 14 15 16 17 18 19 20 21
縄文 弥生 古墳 飛鳥 奈良 平安 鎌倉 室町 戦国 南北朝 安土桃山 江戸 明治 大正 昭和 平成 令和

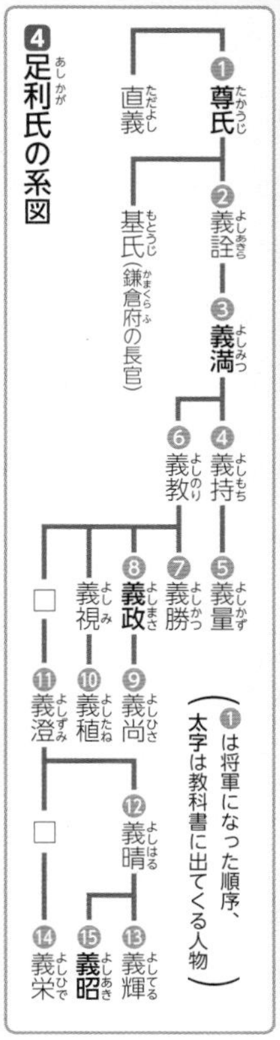

❶尊氏
直義
❷義詮
基氏（鎌倉府の長官）
❸義満
❹義持
❻義教
❺義量
❼義勝
❽義政
義視
□
❾義尚
❿義稙
⓫義澄
□
⓬義晴
⓭義輝
⓮義栄
⓯義昭
（❶は将軍になった順序，太字は教科書に出てくる人物）

4 足利氏の系図

↑5 花の御所（狩野永徳筆　上杉本洛中洛外図屏風 p.88　山形県　米沢市上杉博物館蔵）　戦国時代(p.85)に想像でえがかれたものです。花の御所は足利義満が京都に完成させた足利将軍家の邸宅で，天皇の御所より大規模でした。

←6 足利尊氏（1305〜58）（京都府　等持院蔵）　足利氏は源氏の流れをくむ一族で，尊氏も鎌倉幕府の有力御家人でしたが，幕府への反乱を宣言して，京都の六波羅探題(p.69)をほろぼしました。

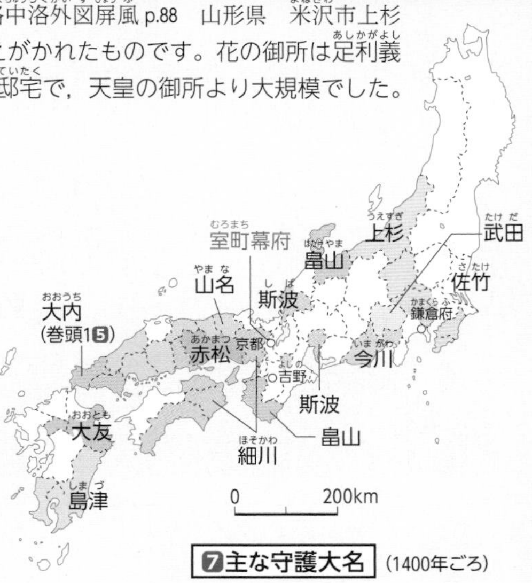

室町幕府
武田
上杉
畠山
佐竹
山名
斯波
鎌倉府
大内
(巻頭1 5)
赤松
京都
今川
吉野
斯波
大友
畠山
細川
島津
0
200km

7 主な守護大名（1400年ごろ）

このように，国内の武士をまとめて力を持つようになった守護を，**守護大名**と呼びます[7]。しかし，武士の中には，南北朝の動乱を通じて城や館を築いて領地の支配を強め，将軍に直接仕えて守護大名に対抗する者もいました。

鎌倉には地方機関として鎌倉府[8]が置かれ，足利氏の一族が鎌倉公方になって関東を支配しました。鎌倉公方は，次第に独立した勢いを示すようになり，京都の幕府と対立していきました。

室町幕府の支配の確立

尊氏の孫の**足利義満**[5 9]が第3代将軍になるころ，南北朝の動乱が次第に収まり，1392年には南北朝が統一されました。

室町幕府は，朝廷が持っていた政治的，経済的な権限を次第に吸収し，全国を支配する唯一の政権になりました。将軍の補佐役として**管領**[8]が置かれ，細川氏p.84などの有力な守護大名が任命されました。幕府の政治を担当する有力な守護大名は，担当の国の支配を代理の家来に任せ，常に京都にいるようになりました。幕府は，京都でお金の貸し付けなどを行っていた**土倉**や酒屋を保護するかわりに税を取り立てたり，関所を設けて通行税を取ったりして，収入を得ました。

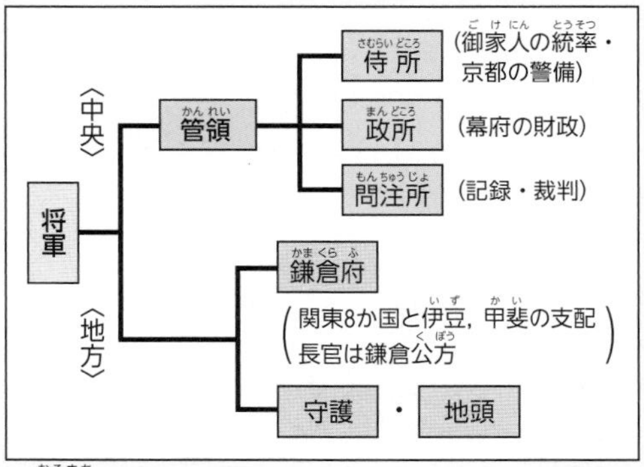

将軍
〈中央〉
管領
侍所（御家人の統率・京都の警備）
政所（幕府の財政）
問注所（記録・裁判）
〈地方〉
鎌倉府
（関東8か国と伊豆，甲斐の支配　長官は鎌倉公方）
守護・地頭

8 室町幕府の仕組み

9 足利義満（1358〜1408）
南北朝を統一し朝廷に力をおよぼした将軍

義満は，南北朝の動乱をしずめて統一を実現させました。朝廷の内部にも勢力を広げて，太政大臣となって権力をにぎりました。（京都府　鹿苑寺蔵）

チェック　8とp.69 4とを比べて，共通点や異なる点を挙げましょう。

トライ　鎌倉幕府と比べた室町幕府の仕組みの特徴を，40字程度で説明しましょう。

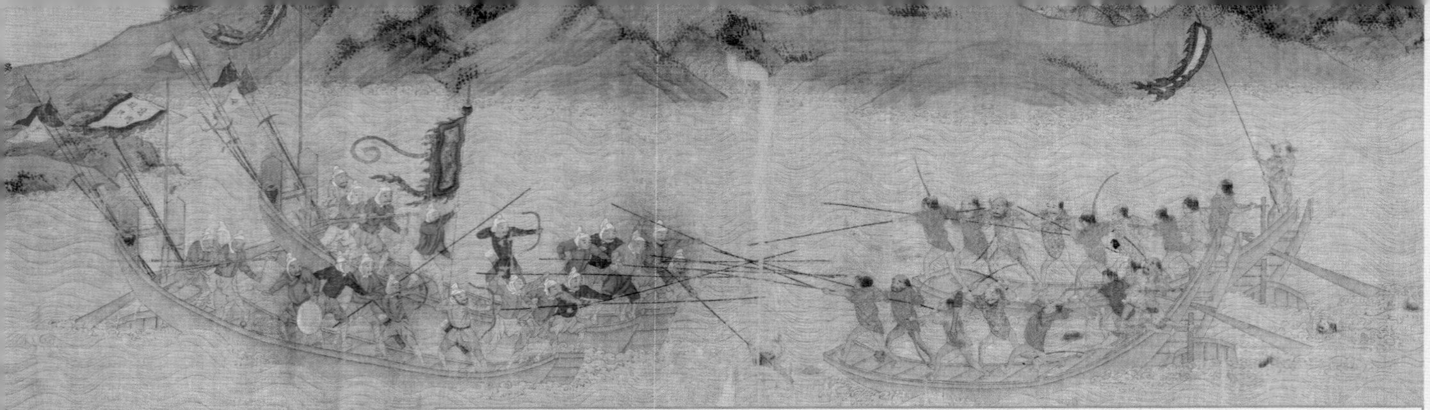

❶倭寇と明軍の戦い（倭寇図巻　東京大学史料編纂所蔵）　16世紀の倭寇の様子がえがかれています。

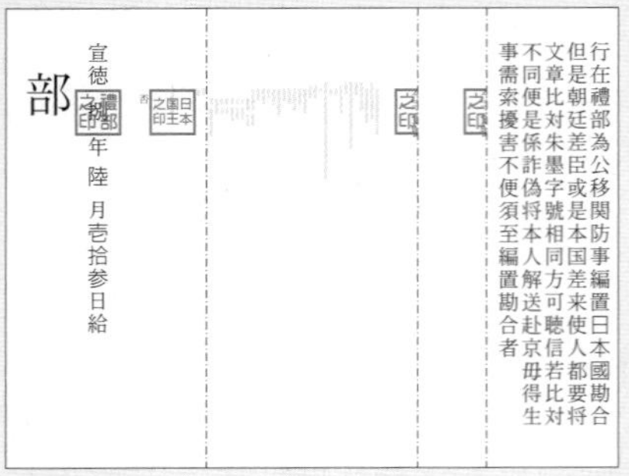

行在禮部為公移関防事編置日本國勘合
但是朝廷差臣或是本国差来使人都要将
文章比対朱墨字號相同方可聴信若比対
不同便是係詐偽将本人解送赴京毋得生
事需索擾害不便須至編置勘合者

日本国王之印

宣徳　年陸　月壱拾参日給

禮部之印

部

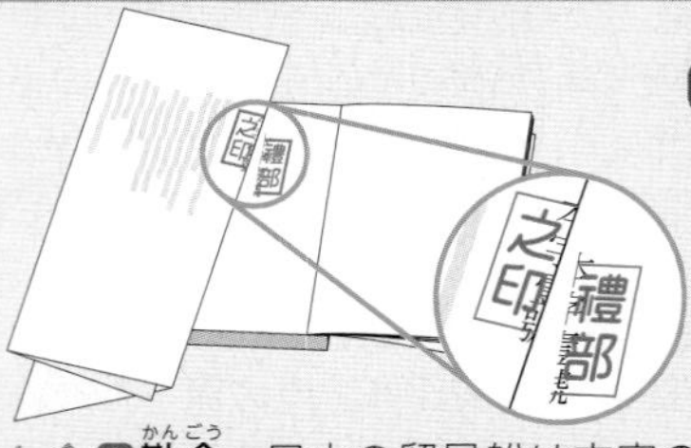

←↑❷勘合　日本の貿易船は文字の左半分がある書類（左）を持ち，明の原簿にある右半分の文字と照合しました（上）。

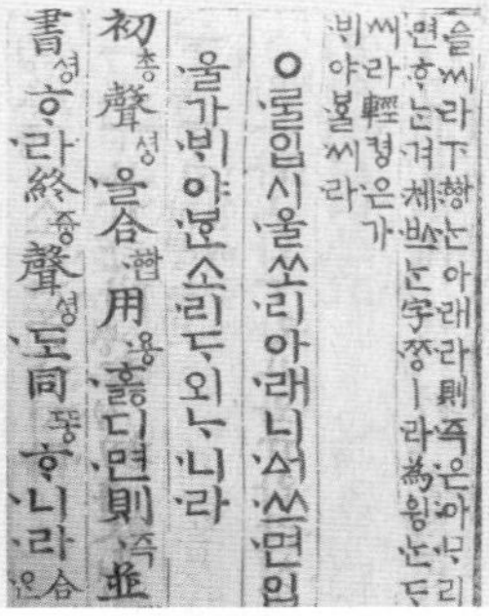

❸ハングル（訓民正音）　朝鮮語を表す固有の文字として15世紀に作られ，漢字にかわって広まりました。

読み取る　❶のどちらが倭寇で，どちらが明軍か，考えましょう。

4　東アジアとの交流

学習課題　明や朝鮮との交流は，日本にどのような影響をあたえたのでしょうか。

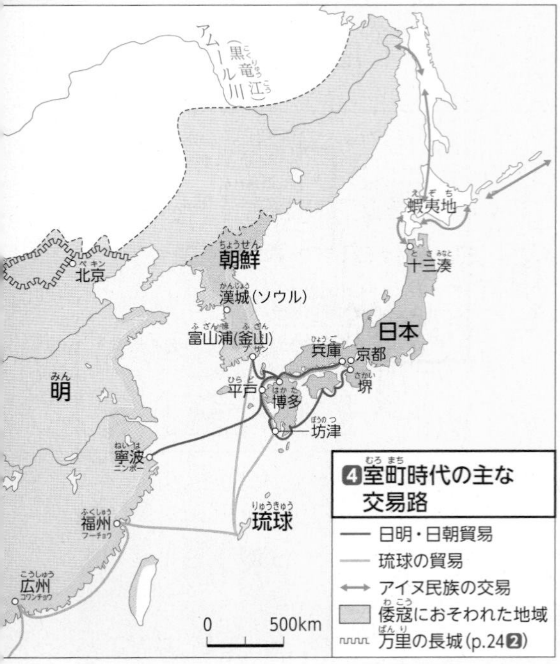

アムール川（黒竜江）
蝦夷地
十三湊
朝鮮
北京
漢城（ソウル）
日本
富山浦（釜山）
兵庫
京都
堺
明
平戸
博多
坊津
寧波
福州
琉球
広州
0　500km

❹室町時代の主な交易路
日明・日朝貿易
琉球の貿易
アイヌ民族の交易
倭寇におそわれた地域
万里の長城（p.24❷）

日明貿易

14世紀になると，中国では漢民族が**明**を建国し，モンゴル民族を北に退けました。同じころ，西日本の武士や商人，漁民の中に，集団で船をおそい，大陸沿岸をあらして品物をうばう者が現れ，**倭寇**[1][4][❶]と呼ばれました。明は，倭寇をおさえるためもあって，外国との貿易を制限し，公式の朝貢による交易のみを許可しました。p.90

足利義満は，明の求めに応じて倭寇を禁じる一方，正式な貿易船に，明からあたえられた勘合[2]という証明書を持たせ，朝貢の形の**日明貿易（勘合貿易）**を始めました[4]。日本は刀・銅・硫黄・漆器などを輸出し，かわりに銅銭・生糸・絹織物・書画・陶磁器などを大量に輸入しました。

朝鮮との貿易

朝鮮半島では，14世紀末，李成桂が高麗をほろぼして**朝鮮国**を建てました。朝鮮ではハングル[3]という文字を作るなど，独自の文化が発展しました。

朝鮮は，日本に倭寇の取りしまりを求める一方で，日本とも国交を結び，民間の貿易も行いました[4]。幕府や各地の守護大名p.79

❶倭寇の中には，日本だけでなく朝鮮や中国の人もいました。いったん収まった倭寇の活動は，16世紀になって再び活発になりましたが，明の軍によってしずめられました。

世紀	B.C.	A.D.1	2	3	4	5	6	7	8	9	10	11	12	13	14	15	16	17	18	19	20	21

縄文　弥生　古墳　飛鳥　奈良　平安　鎌倉　南北朝　室町　戦国　安土桃山　江戸　明治　大正　昭和　平成　令和

世

5中城城跡(沖縄県中城村)

6首里城正殿(沖縄県那覇市 2014年) 首里城は琉球王国の中心となる城で，正殿は国王が政治を行う場でした。外港である那覇港は，貿易で栄えました。

今帰仁
名護
山北(北山)
座喜味
勝連
浦添
中山
首里
中城
豊見城
山南(南山)
0
20km

7琉球の勢力

重

琉球国は南海の景勝の地にあり，朝鮮の優れた文化を集め，中国や日本とは親密な関係にある。この二つの国の間にあってわき出る理想の島である。船をもって万国のかけ橋となり，外国の産物や宝物が至る所に満ちている。(部分要約)

←**8「万国津梁の鐘」とその銘文**(沖縄県立博物館・美術館蔵 高さ154.5cm) 15世紀に尚氏が造らせ，首里城正殿にかけられていました。

考える 琉球の文化はどのような特色を持っているか，5～8から考えましょう。

重

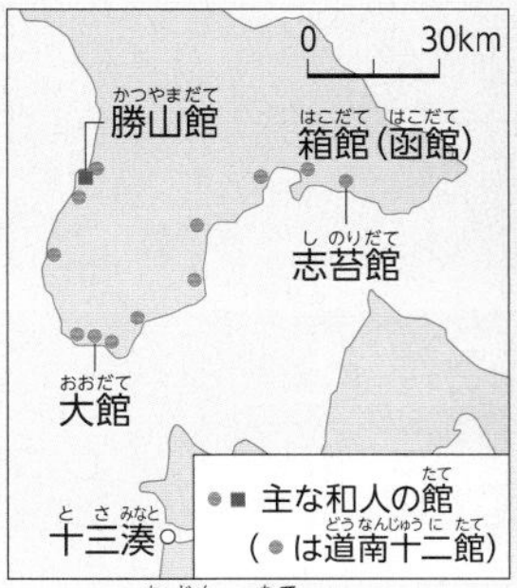

0
30km
勝山館
箱館(函館)
志苔館
大館
十三湊
主な和人の館
(●は道南十二館)

9主な和人の館(左)**と，志苔館跡近くから発掘された宋銭**(右：北海道 函館市立函館博物館蔵) 当時の和人の勢力範囲は，館の周辺に限られていました。発掘された大量の宋銭から，活発な交易がうかがえます。

が朝鮮に貿易船を送って綿織物や仏教の経典などを輸入し，日本からは銅や硫黄などを輸出しました。

琉球王国の成立

琉球(沖縄県)では，12世紀に本格的に農耕が始まり，やがて城(グスク)[5]を根拠地にして，按司と呼ばれる豪族たちが現れました。14世紀になると，豪族たちは山北(北山)・中山・山南(南山)の三つの勢力[7]にまとまり，それぞれが明と朝貢貿易を始めました。

15世紀初めに，中山の王になった尚氏は，山北・山南の勢力をほろぼして沖縄島を統一し，首里[6]を都とする**琉球王国**を建てました。琉球王国は，日本や中国，朝鮮半島，遠く東南アジアにも船を送り，産物をやりとりする**中継貿易**[4]で栄えました[8]。

アイヌ民族の交易活動

蝦夷地(北海道)では，**アイヌ民族**p.91が狩りや漁，本州・樺太(サハリン)・ユーラシア大陸との交易を行っていました[4]。14世紀になるとアイヌ民族は津軽(青森県)の十三湊の安藤氏p.140とも交易を行うようになりました。

15世紀に，蝦夷地南部に本州の人々(和人)が移住して館[9][10]を築くと，交易をめぐって衝突が起こりました。アイヌの人々は，15世紀半ばに，首長のコシャマインを中心に戦いを起こし，一時は和人の館をほとんど攻め落としましたが，敗れました。

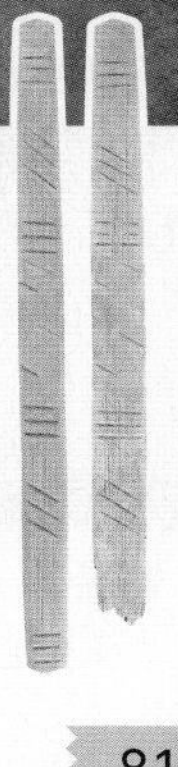

10勝山館の復元模型(上)**と，勝山館跡近くから発掘されたアイヌ民族の祭具**(右)(北海道 勝山館跡ガイダンス施設・上ノ国町教育委員会蔵) 館の跡の近くからアイヌ民族の祭具が発掘されたことなどから，和人とアイヌ民族がともに生活していたと考えられています。

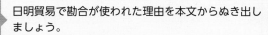

チェック 日明貿易で勘合が使われた理由を本文からぬき出しましょう。

トライ 明や朝鮮と日本との交流について，輸出入品に着目して，それぞれ30字程度で説明しましょう。

❶田植えの風景（左：月次風俗図屏風　東京国立博物館蔵）　上は現在も行われている田植えの祭り（壬生の花田植：広島県北広島町）の様子です。

読み取る
(1)❶で，男性と女性はそれぞれどのような仕事をしているでしょうか。
(2)❶で，田植え以外にどのようなことをしている人がいるでしょうか。また，それは何のためか，考えましょう。

5 産業の発達と民衆の生活

学習課題　室町時代の産業はどのように発達し，民衆の生活にどのような変化をもたらしたのでしょうか。

❷明銭（東京都　日本銀行金融研究所貨幣博物館蔵　実物大）　明の「洪武通宝」と「永楽通宝」。日明貿易で大量に日本に入ってきました。

❸馬借（石山寺縁起絵巻　模本　東京国立博物館蔵）　年貢をはじめ，多くの物資を運びました。

農業の改良と手工業の発展

南北朝の動乱が終わり社会が安定したことや，明・朝鮮との貿易により，各地で産業が盛んになりました。農業では，二毛作p.80が広がり，かんがい用の水車や，牛馬のふんの堆肥p.71が使われるようになり，収穫が増えました。また，麻・桑・藍・茶の栽培が広がりました。巻末1 ❶❷❻❽

15世紀は地球規模での寒冷期に当たり，日本でも何度もききんが起こりました。これに対して村の団結が強まり❶，ききんに強い農作物や新たな品種の栽培が進むなど，農業などで新しい技術が広く取り入れられるようになりました。

手工業では，西陣（京都市）や博多（福岡市）の絹織物をはじめ，陶器・紙・酒・油などの特産物が各地で生産され，刀や農具を造る鍛冶・鋳物業なども盛んになりました。金・銀・砂鉄などの採掘も進みました。

商業の発展と都市の成長

商業では，定期市が各地に生まれ，開かれる日数も増えました。その取り引きには宋や明から輸入された銭（宋銭・明銭❷）が使用されることが多くな

世紀	B.C.	A.D. 1	2	3	4	5	6	7	8	9	10	11	12	13	14	15	16	17	18	19	20	21

縄文　弥生　古墳　飛鳥　奈良　平安　鎌倉　南北朝　室町　戦国　安土桃山　江戸　明治　大正　昭和　平成　令和

↑❹のこぎりを引く大工（三十二番職人歌合絵巻　東京都　サントリー美術館蔵）

→↑❺**中世**（右）と**現在**（上）の**祇園祭**（右：狩野永徳筆　上杉本洛中洛外図屏風 p.88　山形県　米沢市上杉博物館蔵）　応仁の乱（p.84）で一度とだえましたが，町衆の祭りとして復興され，現在も続いています。

←❻**魚売り**（左）と**傘張り**（右）（職人尽歌合　模本　東京国立博物館蔵）　手工業にたずさわる人々は，職人と呼ばれました。

❼村のおきて　（部分要約）

一　寄合[1]があることを知らせて，二度出席しなかった者は，五十文のばつをあたえる。
一　森林の苗木を切った者は，五百文のばつをあたえる。
一　若木の葉をとったり，桑の木を切ったりした者は，百文のばつをあたえる。

❶人々の集まり。　（今堀日吉神社文書）

正長元年ヨリ
サキ者、カンヘ四カン
カウニヲヰメアル
ヘカラス
（一四二八年以前の借金は神戸四か郷では帳消しにする。）

❽**正長の土一揆の碑文**（奈良市）　土一揆の宣言が刻まれています。

りました。交通の盛んな所では，物資を運ぶ**馬借**[3]や，**問**と呼ばれる運送業をかねた倉庫業者が活動しました。

土倉や酒屋（p.79），商人や手工業者[4][6]などは，同業者ごとに**座**と呼ばれる団体を作り，武士や貴族，寺社にお金などで税を納めて保護を受け，営業を独占する権利を認められました。こうした商業の発展で，各地の港や寺社の門前では都市が発達しました。なかでも，京都では，町衆と呼ばれる裕福な商工業者によって都市の政治が行われ，祇園祭[5]も盛大にもよおされました。また，明や朝鮮との貿易で栄えた博多や堺（p.85）でも，自治が行われました。

村の自治

村では，有力な農民を中心に**惣**と呼ばれる自治組織が作られ，農業用水路の建設や管理，燃料や飼料を取る森林の利用や管理などについて，村のおきて[7]を定めました。

団結を固めた農民は，荘園領主や守護大名（p.79）にも抵抗するようになり，多くの村が結び付き，年貢を減らす交渉などをしました。また，15世紀になると，土倉や酒屋などをおそって借金の帳消しなどを求める**土一揆**[8][1]が起こるようになり，近畿地方を中心に広がりました。

❶神や仏にちかって一致団結して行動することを一揆といい，武士や僧から始まり，農民にも広がっていきました。

チェック　室町時代になって農業と商業はどのように発達したか，具体例を一つずつ挙げましょう。

トライ　産業の発達にともなう村の変化について，次の語句を使って説明しましょう。［惣／自治／土一揆］

見方・考え方 比較

重 ❶応仁の乱（真如堂縁起絵巻　京都府　真正極楽寺蔵）　この戦乱には足軽という雇い兵が動員され，京都の多くの寺社や貴族の屋敷が焼かれました。

見方・考え方　比較　❶と，p.66❶やp.76❶とを比べて，戦い方のちがいを読み取りましょう。

6 応仁の乱と戦国大名

学習課題　応仁の乱によって，社会はどのように変化していったのでしょうか。

	西軍（山名方）	東軍（細川方）
将軍のあとつぎ問題	日野富子＝足利義政 義尚	（養子） 義視
守護大名の対立	山名持豊（宗全） （元侍所長官）	細川勝元 （管領）

❷応仁の乱開始時の対立関係

進者往生極楽
退者无間地獄

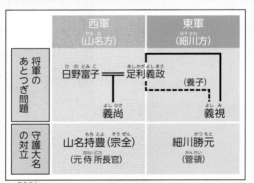

❸一向一揆の旗（広島県　長善寺蔵　縦88cm）「進めば往生極楽，退けば無間地獄」と書かれています。

応仁の乱

第8代将軍**足利義政**のときに，将軍のあとつぎ問題をめぐって有力な守護大名の細川氏と山名氏が対立すると，1467（応仁元）年に**応仁の乱**❶❷ p.79が起こりました。乱は，いくつかの守護大名の相続争いもからんで，11年の間続きました。東軍と西軍に分かれたこの戦乱は京都から全国に広がり，各地でそれまでの支配の仕組みを変える新たな動きが起こりました。

社会の変化と戦国大名の登場

応仁の乱後，山城（京都府）の南部では，武士と農民とが一体になって山城国一揆を起こし，守護大名を追いはらって自治を行いました。また，浄土真宗（一向宗）の信仰で結び付いた武士や農民たちが各地で**一向一揆**p.73❸を起こし，加賀（石川県）では，守護大名をたおして約100年にわたって自治を行いました。

応仁の乱で権力を失った将軍は，京都を中心とするわずかな地域を支配するだけになり，天皇や貴族，寺社の領地は各地の武士にうばわれました。家来が主人に打ち勝つ**下剋上**の状況も

世紀　B.C.　A.D. 1　2　3　4　5　6　7　8　9　10　11　12　13　14　15　16　17　18　19　20　21
縄文　弥生　古墳　飛鳥　奈良　平安　鎌倉　室町　南北朝　戦国　安土桃山　江戸　明治　大正　昭和　平成　令和

4 主な戦国大名（1560年ごろ）

0　200km
秋田
南部
最上
伊達
上杉
武田
佐竹
北条
今川
浅井
朝倉
山名
尼子
石見銀山
京都
堺
毛利
龍造寺
織田
長宗我部
三好
大友
島津
重

↑毛利元就（山口県　毛利博物館蔵）

↑上杉謙信（山形県　米沢市上杉博物館蔵）

↑武田信玄（和歌山県　高野山霊宝館蔵）

→島津貴久（鹿児島県　尚古集成館蔵）

↑今川義元（静岡県　臨済寺蔵）

歴史にアクセス　堺の自治

堺は大阪湾に面した港町で，南北朝時代から都市の建設が始まりました。中世には中国（明）や琉球との貿易で栄え，近世の初めには東南アジアとの朱印船貿易の基地としてもにぎわいました。堺の町では，会合衆と呼ばれる有力商人たちを中心に，住民が自ら町を治める「自治」が行われました。戦国時代に日本に来たイエズス会の宣教師ガスパル・ヴィレラも，「ベネチアのように自治が行われている」と記しています。

読み取る

(1) 4のうちp.79 7にのっていない戦国大名は，家来から主君の地位に変わった者です。それに当てはまる戦国大名を挙げましょう。

(2) 5の分国法の各条文は何のために定められたか，考えましょう。

広がりました。やがて，守護大名の家来が大名の地位をうばったり，守護大名が幕府から独立したりして，国を統一して支配する**戦国大名**が各地に登場しました。[4] 応仁の乱以後，幕府が力を失い，各地で戦国大名が活躍した時代を**戦国時代**といいます。

戦国大名の支配の在り方

戦国大名は，近くの大名との戦争に備えて，国内の武士をまとめ，強力な軍隊を作りました。それまで山に築いていた城を，交通に便利な平地に築くようにして，城の周辺に家来を集め，商工業者を呼び寄せて，**城下町**を造りました。また，独自の**分国法**[5]を定めて武士や民衆の行動を取りしまり，荘園領主の支配を認めず，国全体を支配する新しい政治を行いました。

さらに戦国大名は，大規模な用水路の建設などによって農業を盛んにし，鉱山の開発や交通路の整備に力を注ぎました。また，座の廃止や市場の整備を行って商工業を保護し，国を豊かにしていきました。p.83 例えば，石見銀山（島根県）は，戦国大名が保護をあたえた博多の商人によって開発されました。産出された大量の銀は中国に輸出されて世界で流通し，世界の経済に影響をあたえました。[6] p.285

5 分国法の例（部分要約）

朝倉氏（「朝倉孝景条々」p.92）

一　本拠である朝倉館のほか，国内に城を構えてはならない。全ての有力な家臣は，一乗谷に引っ越し，村には代官を置くようにしなさい。

武田氏（「甲州法度之次第」）

一　けんかをした者は，いかなる理由による者でも処罰する。

一　許可を得ないで他国へおくり物や手紙を送ることは一切禁止する。

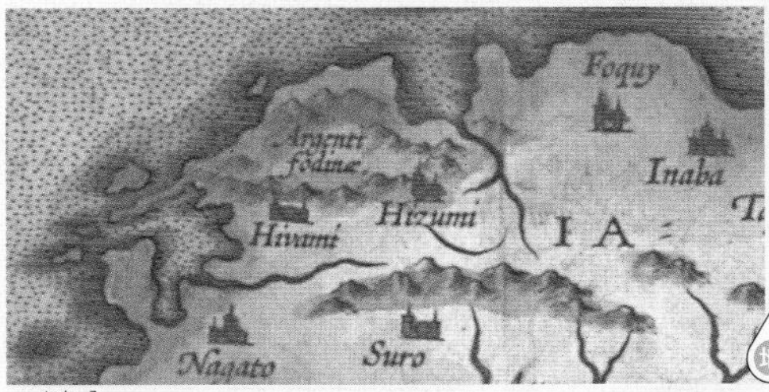
Foquy
Argenti fodinæ
Inaba
Hiuami
Hizumi
I A
Nagato
Suro

6 石見銀山がのったヨーロッパの地図（上）と，採掘された銀で造られたお金（右）（上：テイセラ／オルテリウス「日本島図」：部分　大阪府　堺市博物館蔵，右：島根県立古代出雲歴史博物館蔵　長さ16cm）　石見銀山では，新たな技術によって銀の産出量が増加し，ヨーロッパでも知られるようになりました。（石見銀山遺跡 世）

チェック　応仁の乱の後，社会はどのように変化したか，本文からぬき出しましょう。

トライ　戦国大名はどのように国を支配したか，次の語句を使って説明しましょう。［城下町／分国法］

世 ❶鹿苑寺の金閣（京都市） 第3代将軍足利義満が別荘として造った，3層の建物です。

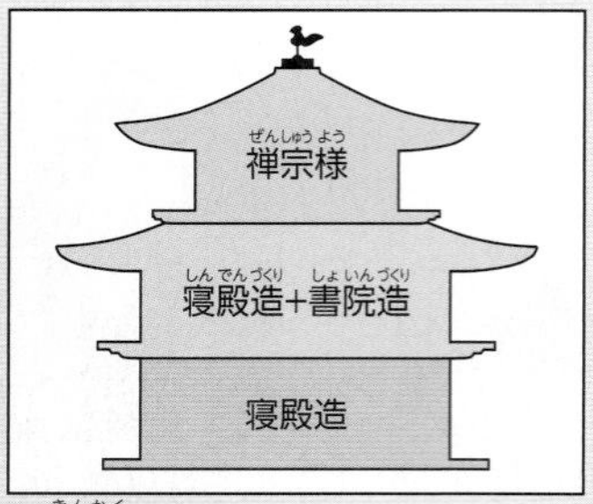

禅宗様
寝殿造+書院造
寝殿造

❷金閣の建築の様式

見方・考え方 現在 ❺や❻の部屋から，現在の私たちの生活にも見られるものを挙げましょう。

❸慈照寺の銀閣（京都市） 世 宝

7 室町文化とその広がり

学習課題 室町時代の文化は，どのような特色を持っていたのでしょうか。

重 無 ❹室町時代の能（上：洛中洛外図屏風歴博甲本 千葉県 国立歴史民俗博物館蔵）と現代の能（下：東京都渋谷区）

❶足利義満のころの，金閣に代表される文化を，北山文化ともいいます。

室町文化

室町時代には，貴族の文化と，禅宗（p.73）の影響を受けた武士の文化が混じり合った，**室町文化**が現れました。足利義満が京都の北山の別荘に建てた**金閣**[❶❷]は，室町文化の特色をよく示しています。[❶]

宋から禅宗とともに伝わった茶の習慣は，茶の湯として流行しました（巻末1❽）。貴族の文化であった和歌からは，複数の人が歌をつないでいく**連歌**が生まれ，武士にも広がりました。茶の湯や連歌の会[❻]では，花が美しくかざられ，豪華な食事が並び，貴族・武士・僧が集まって，それぞれの文化が混じり合う場となりました。

貴族や武士は，猿楽や田楽などの芸能を楽しみましたが，観阿弥・世阿弥の親子は，猿楽にほかの芸能の要素を取り入れて革新し，幕府の保護を受け，現在まで続く**能**[❹]を大成しました。

15世紀後半からは，より質素で落ち着いた文化が発展しました。寺から武士へ広がった**書院造**[❺]の住宅では，床の間が設けら

世紀	B.C.	A.D.1	2	3	4	5	6	7	8	9	10	11	12	13	14	15	16	17	18	19	20	21

縄文 弥生 古墳 飛鳥 奈良 平安 鎌倉 室町（南北朝・戦国） 安土桃山 江戸 明治 大正 昭和 平成 令和

5 東求堂同仁斎（京都市）　東求堂は，銀閣と同じ敷地にある建物です。その中の同仁斎と呼ばれる部屋は，代表的な書院造で，足利義政の書斎でした。

世 宝

歴史にアクセス　河原者たちの優れた技術　人権 平和

中世では，自然の状態を変えたり，死や出血などの通常と異なる事態に関わったりすることを，ケガレと呼んでおそれました。

河原者と呼ばれた人々は，死んだ牛馬の皮を河原でなめしたり，河原の石を利用して井戸ほりや庭園造りに従事したりして，ケガレにふれると見なされていました。皮のなめしは，塩と菜種油（巻末1 3）を使って皮をやわらかくする，優れた技術でした。また，庭園造りにおいても，「天下第一」とたたえられた善阿弥が登場し，厳しい差別の中で，将軍足利義政に重く用いられました。

6 連歌の歌会の様子（慕帰絵詞　京都府　西本願寺蔵）重

世

↑**7 龍安寺の石庭**（京都市）　水を使わずに山水の風景を表現する庭園を枯山水といい，特に禅宗の寺に多く造られました。

れ，書・絵画や花がかざられました[6]。絵画では，墨一色で自然を表現する**水墨画**[8]がえがかれました。禅宗の僧である雪舟は，明（p.80）にわたって水墨画を学び，帰国後は日本の風景をえがいた優れた絵画を残しました。また，京都の龍安寺など禅宗の寺では，石や木をたくみに配置した庭園[7]が，河原者と呼ばれる人々によって造られました。この時期の文化は，足利義政が京都の東山の別荘に建てた**銀閣**[3]に特色がよく表れています[2]（p.84）。

民衆への文化の広がり

民衆が経済的に成長するにつれて，民衆にも文化が広がりました。都で行われた能には，多くの民衆が見物におし寄せました。能は各地の農村の祭りでも楽しまれ，能の合間には，民衆の生活や感情をよく表した**狂言**も演じられました。風流おどり[9]と呼ばれる，仮装のおどりも流行しました。

地方の武士や都市の有力者は，寺で子どもに教育を受けさせ，「一寸法師」などの**御伽草子**と呼ばれる絵入りの物語が盛んに読まれました。守護大名の上杉氏（p.85 4）に保護されてきた足利学校（栃木県）には，広く国内から人材が集まり，儒学（p.25）を学びました。

雪舟

宝

→**8 雪舟の水墨画**（秋冬山水図　東京国立博物館蔵）　秋と冬の2幅があるうちの，冬景の絵です。

9 風流おどり（狩野永徳筆　上杉本洛中洛外図屏風 p.88　山形県　米沢市上杉博物館蔵）宝

2 足利義政のころの，銀閣に代表される文化を，東山文化ともいいます。

チェック　室町文化の中から，現代に伝わるものを挙げましょう。

トライ　1 2 と 4 9 から分かる室町文化の特色を，それぞれ20字程度で説明しましょう。

探究のステップに取り組もう（p.95）

資料から発見!

屏風絵から中世の人々の生活をとらえよう

狩野永徳筆「上杉本洛中洛外図屏風」

（山形県　米沢市上杉博物館蔵）宝

❶上杉本洛中洛外図屏風・右隻第四扇（部分）

屏風絵とは？

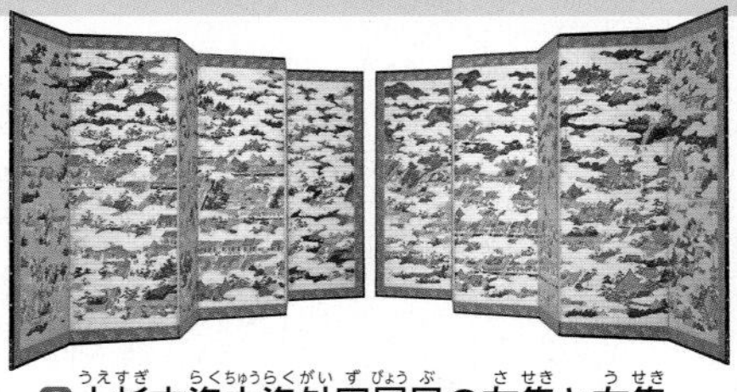

❷上杉本洛中洛外図屏風の左隻と右隻

屏風は，室内で風を防いだり，仕切りをしたりするための道具で，折りたたんで運び，波型に広げて使うことが特徴です。長方形のパネル（「扇」という単位で数えます）を何枚かつなげて一つの屏風（「隻」という単位で数えます）ができます。二隻の屏風で一組になる場合は，左側に立てるほうを「左隻」，右側に立てるほうを「右隻」と呼びます。この屏風の表面にえがかれた絵を，屏風絵と呼びます。

「洛中洛外図屏風」とは？

戦国時代から江戸時代にかけて，京都の中心部（洛中）と郊外（洛外）の風景をえがいた屏風絵が流行しました。屏風絵は，貴族や大名などの上流階級のおくり物にもされました。ここで取り上げる上杉本は，戦国時代に狩野永徳(p.112)という有名な画家がえがいた作品で，織田信長(p.108)から上杉謙信(p.85❹)におくられたと伝えられています

みんなでチャレンジ　読み取る

(1) ❶から次の人を探しましょう。
①頭の上に物を乗せて運ぶ人　②屋根をふきかえる人
③商売をする女性　④髪結床（床屋）　⑤米屋と馬借

(2) ❶から次の物を探しましょう。
①たたみ　②のれん　③商店のたな
④小袖（女性の日常的な着物）

(3) ❶から，このころの人々の生活について分かることを，グループで話し合いましょう。

スキル・アップ 12　読み取る　屏風絵を読み取ろう

屏風絵は，次のようなさまざまな技法を使ってえがかれています。

●画面を切りかえる金の雲

画面いっぱいに広がる金の雲は，距離や建物を省略したり，絵の主題を切りかえたりするために使われています。

●絵の正確さ

建物や道路の位置や方角はほぼ正確にえがかれていますが，地図ではないので，実際より距離が短くなったり，建物や人が大きくなったりしています。

●季節のえがき方

絵としてのおもしろさを優先させているため，場所ごとにちがう季節の風景がえがかれています。

もっと歴史

伝統・文化　関連するページ p.32～41，80～81，122

東アジア世界の国々の交流と琉球文化

朝貢や琉球王国の文化とはどのようなものだったか，考えてみましょう。

❶唐を訪れる外国の使節をえがいた壁画（中国　陝西省歴史博物館蔵）　左の３人は唐の役人で，右には３人の外国からの使節をえがいています。外国からの使節は，右から靺鞨（中国東北部の民族），高句麗，ビザンツ帝国（p.100）の使節と考えられています。

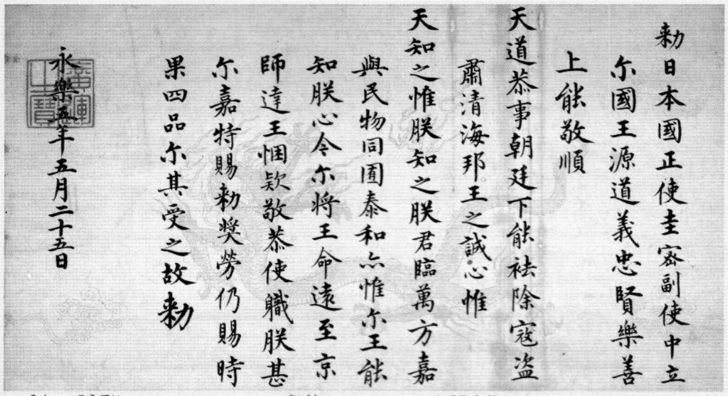

勅日本國正使圭密副使中立
尓國王源道義忠賢樂善
上能敬順
天道恭事朝廷下能袪除寇盗
肅清海邦王之誠心惟
天知之惟朕知之朕君臨萬方嘉
與民物同囿泰和亦惟尓王能
知朕心令尓將王命遠至京
師達王悃款敬恭使職朕甚
尓嘉特賜勅奬勞仍賜時
果四品尓其受之故勅
永樂五年五月二十五日

重

❷明の皇帝から届けられた勅書（京都府　相国寺蔵）　明の皇帝が1407年に足利義満の使者にあてた勅書で，「国王源道義」（「源道義」とは足利義満のこと）の記述が見られます。

宝

❸琉球王の王冠（沖縄県　那覇市歴史博物館蔵）　18～19世紀のもので，金・銀・さんご・水晶などの玉が288もあしらわれています。国王の即位の儀式や正月の儀式などの際に用いられました。

朝貢って何だろう？

朝貢とは，周辺諸国の支配者が中国に使節を送り，皇帝にみつぎ物を差し出すことです。中国では，周辺の国が皇帝（p.285）にみつぎ物をおくるのは，文明の進んだ中国（p.33）が尊敬されている証拠だと考えられていました。中国周辺の国々は，朝貢によって支配者としての地位を皇帝から認めてもらったり，みつぎ物のお返しに絹や銅銭などをもらったりしていました。❶

東アジア世界の形成

４世紀から６世紀にかけて，東アジアでは新しい国が次々に生まれ，日本の大和政権のほか，朝鮮半島でも高句麗・百済・新羅などが勢力を争いながら，中国の王朝に盛んに朝貢を行いました。朝貢関係を通じて，漢字や仏教などが東アジア（p.35）に広まり，共通の文化を持つ東アジア世界が形成されました。唐の時代には，日本や新羅などの周辺諸国は，唐に使節を送って律令などを取り入れ，中国を手本にした国家体制を整えました。

明と室町幕府

唐がほろびた後，宋や元の時代には，民間の貿易や文化交流は盛んでしたが，正式な朝貢関係はあまり結ばれませんでした。しかし，14世紀に建国した明（p.50・75）は，東アジア諸国に，伝統的な朝貢を広く求めました。これを知った足利義満は，使者を派遣して国交（p.80）を開きましたが，その際に義満は「日本国王」と呼ばれ（p.286）ました。❷

日明貿易（勘合貿易）では，日本から刀剣・扇子や屏風・銅・硫黄などが輸出され，明から銅銭や生糸，高級な織物，書画などの唐物が輸入されました。

東アジアを行き来する琉球の船

琉球では，14世紀になると，山北（北山）・中山・山南（南山）という三つの勢力が分立し，それぞれが明との朝貢関係に入りました。やがて15世紀初めに，

世紀	B.C.	A.D. 1	2	3	4	5	6	7	8	9	10	11	12	13	14	15	16	17	18	19	20	21

縄文　弥生　古墳　飛鳥　奈良　平安　鎌倉　室町（南北朝）　戦国　安土桃山　江戸　明治　大正　昭和　平成　令和

中山王の尚氏が琉球を統一して琉球王国を建て，本格的に貿易を進めていきました。❸ p.81

琉球の船は東南アジアのジャワ島，スマトラ島やインドシナ半島にまで行動範囲を広げ，その産物を明や日本，朝鮮にもたらす中継貿易を行って，琉球王国の都である首里やその外港の那覇を中心に大きく繁栄しました。

明が中国人の海外渡航を禁じ，日本の貿易船を10年に一度と制限したのに対して，ほぼ毎年の貿易船を認められた琉球は，その立場を利用して利益を得ました。琉球からの輸出品は主に馬と硫黄でした。明がほろび，清の時代になっても，朝鮮や琉球，ベトナム，タイなどとの間に朝貢関係が結ばれました。p.121

一方で，1609年に，琉球王国は江戸幕府の許可を得た薩摩藩によって征服され，薩摩藩の支配下に入るとともに，奄美群島を手放しました。しかし，薩摩藩は形のうえで琉球王国を存続させるとともに，p.122 明や清に対して薩摩藩の支配下にあることをかくしました。そのため，琉球はその後も変わらず明や清との貿易を続けました。

琉球の文化とは？

琉球では，中継貿易を通じて中国などのさまざまな土地の文化の影響を受けながら，独自の文化が育まれました。琉球の各地では，石組みの壁で囲まれた，グスクと呼ばれる城が築かれました。また，そこで活躍した英雄や神々をたたえる「おもろ」❹という歌謡がうたわれていましたが，王国の発展とともに，それらを編集した「おもろさうし（そう）」が作られました。古代の「万葉集」p.45に匹敵するといわれ，その総数は1554首にもおよびます。17世紀になると，おもろにかわって，8・8・8・6音の定型詩に節をつけた琉歌❺が広まりました。

芸能では，中国から伝わった三線という弦楽器なp.113❻ ❻ どによる音楽やおどりが発達しました。18世紀には，玉城朝薫によって，能や狂言，歌舞伎，中国の京劇などの影響を受けた，組踊という歌舞劇が成立しました。工芸では，久米島紬や芭蕉布といった織物，紅型❼と呼ばれるあざやかな染物，上等な漆器などが作られました。

❹おもろ(部分)

しより　おわる　てたこか
うきしまは　けらへて、
たう　なはん　よりやう　なは　とまり
又　くすく　おわる　てたこか

首里に君臨する太陽の子(国王)が
浮島を造られて、
中国船、南蛮船が寄せくる那覇港となさった
首里城に君臨する太陽の子が

❺琉歌

恩納松下に　禁止の碑たちゆす
恋しのぶまでの　禁止やないさめ

恩納番所❶の松の木の下に禁止の立て札が立っていますが、
恋をするなというまでの禁止はないでしょう。
(恩納ナビー)

❶地方の役所のこと。

❻琉球のおどりと演奏(宮川長春筆　琉球人舞楽之図　沖縄県立博物館・美術館蔵)　江戸に上った琉球の楽士たちの様子で，18世紀の前半にえがかれたものです。

宝
公
地
歴

❼紅型(沖縄県　那覇市歴史博物館蔵　丈91cm)　紅型は沖縄独自の染色法です。

読み取る　❻から，琉球の人たちがどのような楽器を演奏しているか読み取りましょう。

見方・考え方　現在　現代に伝わっている琉球の文化にはどのようなものがあるか，調べましょう。

地域の歴史を調べよう－2

戦国時代の城下町・一乗谷

福井県福井市

p.14～17も参照しながら，特に調査の段階を中心に見ていきましょう。

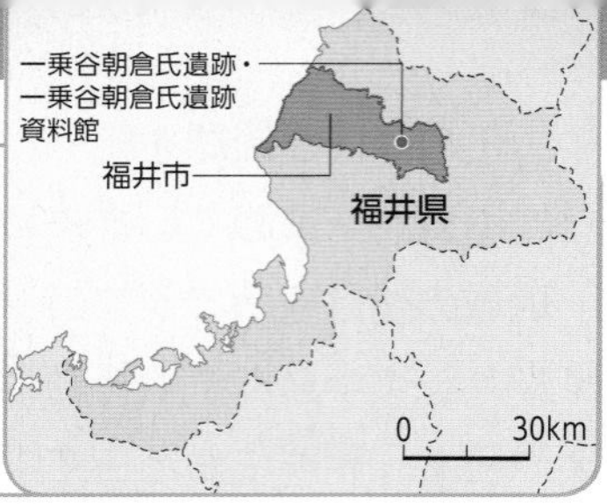

一乗谷朝倉氏遺跡・一乗谷朝倉氏遺跡資料館
福井市
福井県
0
30km

テーマの設定

1　400年を経てよみがえった城下町

中世の学習で，私たちの暮らす福井市の一乗谷に戦国大名の朝倉氏の城下町があったことや，朝倉氏の分国法「朝倉孝景条々」(p.85❺)に城下町に関する記述があることを学習し，一乗谷に興味を持ちました。インターネットで調べてみると，一乗谷朝倉氏遺跡として保存・復元されていることが分かりました。私たちは，実際に遺跡を訪れ，城下町の工夫について調べることにしました。

❶インターネットによる事前調査

学習課題　戦国時代の城下町にはどのような工夫が見られるのだろう。

- 戦国大名の朝倉氏は，一乗谷に5代・103年にわたって城下町を置き，越前を支配した。
- 一乗谷の城下町は1573年に織田信長によって焼きはらわれ，再建されなかった。その後，1967年に発掘が始まるまで，武家屋敷・町屋などの建物跡や道路などの町並みが，ほぼ完全な姿で土の下に保存されていた。

調査

2　一乗谷朝倉氏遺跡資料館の見学

遺跡を訪れる前に，遺跡の近くにある福井県立一乗谷朝倉氏遺跡資料館を訪れました。資料館には，遺跡から発掘された陶磁器や石製品，木製品，金属製品などの歴史資料や，一乗谷の地形模型などが展示されていました。展示から城下町に住む人々の生活について学び，学芸員の人に遺跡の概要や遺跡を見学するポイントをたずねました。

❷一乗谷の地形模型

- 一乗谷は東・西・南を山に囲まれ，北には三国湊へと通じる足羽川が流れている。
- 戦国時代の城下町としては最大規模の1万人ほどの人々が住み，繁栄した。
- 応仁の乱で荒廃した京都から，貴族や医師，学者などが多数やってきて，茶の湯や生け花などのはなやかな文化が発達し，「小京都」と呼ばれた。

❸発掘された化粧道具

❹中世の一乗谷の想像図

調査

3　一乗谷朝倉氏遺跡での現地調査

資料館の学芸員の人に教わった遺跡見学のポイントに着目しながら，一乗谷朝倉氏遺跡を見学しました。朝倉氏の館は堀や土塁に囲まれ，台所や蔵もありました。また，城下町の出入り口部分には城門として上城戸・下城戸が築かれ，復元された町並みには武家屋敷や寺院，職人屋敷などが立ち並んでいました。

5 朝倉氏の館跡（唐門）

6 下城戸

7 復元された紺屋

スキル・アップ 13　集める　現地調査をしよう

- 調査で得た情報は，メモや写真に記録しましょう。
  - ・見つけたこと，分かったこと，気付いたこと
  - ・感じたこと，疑問に思ったこと
  - ・設置されている説明板の内容
- 写真を撮影するときは，大きさの目安となるもの（人や定規など）といっしょにとりましょう。
- 記録したメモや写真は，相互に関連付けて考察し，まとめましょう。

考察

4　城下町の工夫についての考察

場所・関連

資料館や遺跡で記録した内容について，グループ内で整理して共有しました。記録した内容を分類すると，城下町の，当時の環境や時代背景に合わせた，さまざまな工夫に気付くことができました。

- 軍事面での工夫：山に囲まれた地形，上城戸・下城戸，堀・土塁，一乗谷城（山城）
- 交通面での工夫：足羽川の水運
- 文化面での工夫：庭園，接客施設，陶磁器類，石製品，木製品，金属製品
- 衛生面での工夫：井戸の設置，便所の設置
- 町並みの工夫　：100尺（約30m）を基準とした町割り，整然と並んだ家

まとめ

5　郷土新聞の作成

校内の掲示で，地域の新聞社が郷土新聞コンクールを行っていることを知りました。そこで，調べて考察した内容を新聞の形にまとめ，コンクールに応募しました。作成する際には，見出しやリード文を工夫して，一目で分かりやすいようにしました。

一乗谷新聞

発行者
福井市〇〇中学校
〇〇〇〇

【城下町の工夫】
当時の時代背景に合ったたくさんの工夫を発見
◆軍事面
◆交通面
◆文化面
◆衛生面
◆設計上の工夫

戦国時代を代表する城下町

一乗谷朝倉氏遺跡に見る城下町の工夫

四五〇年前の城下町が，現代によみがえった。福井市にある一乗谷朝倉氏遺跡だ。織田信長にほろぼされ，田畑の下にうもれていた城下町が，完全な姿で発掘された。そこでは，戦国時代を代表する城下町の工夫を数多く見つけることができる。

歴史の学習で，福井市に戦国大名の朝倉氏の城下町があったことや，朝倉氏の分国法「朝倉孝景条々」に城下町に関する記述があることを学習し，朝倉氏とその城下町に興味を持った。インターネットで調べると，城下町の跡地では発掘調査が進んでおり，武家屋敷から寺院，町屋，職人屋敷，道路に至るまで，町並みがほぼ完全な姿で見つかったこと，現在では一乗谷朝倉氏遺跡として国の特別史跡に指定され，保存・復元されていることが分かった。そこで，私たちは，実際に遺跡を訪れ，城下町の工夫を調べることにした。資料館での調査や，遺跡での現地調査を通じて，軍事面や交通面，文化面などで城下町の工夫を数多く見つけることができた。

↑一乗谷朝倉氏遺跡の下城戸

軍事面での配慮が満載

天然の要塞

遺跡の近くにある一乗谷朝倉氏遺跡資料館を訪れると，一乗谷の地形模型が展示されていた。一乗谷は東・西・南を山に囲まれ，北には足羽川が流れる「天然の要塞」であることが分かった。城下町には，朝倉氏が居住した朝倉館（武家屋敷）をはじめ，侍屋敷，寺院，職人や商人の町屋が，計画的に整備された道路の両側に立ち並んでいた。朝倉館の周りには，堀や土塁が設けられ，城は，一乗谷の山の上に造られた山城となっていた。

城下町の南北の入口部分には，防御のために土塁が築かれ，城門が設けられていた。北側の城門は下城戸，南側は上城戸と呼ばれている。

下城戸は，東西の山がせばまった谷の入り口に設けられた。現在は幅十八メートル，高さ五メートル，長さ二〇メートルの土塁が残っている。

門の跡には重さが一〇トンをこえる石が積み上げられており，なかには四〇トンをこえる巨石もある。また，城戸の外側には，幅一〇メートル，深さ三メートルの堀があり，かつては一乗谷川と直接つながっていたと考えられている。

上城戸は，現在，幅十三メートル，高さ五メートル，長さ五〇メートルの土塁が残っているが，巨石は残っていない。外堀も設けられていた。

↑一乗谷の復元イラスト（資料館パンフレットより）

8 作成した郷土新聞（部分）

プラス

- 同じ時代のほかの遺跡や歴史的建造物などを訪ね，当時の人々の工夫を調べてみましょう。
- 当時のまちづくりの工夫から，現在に生かせる点はないか考えてみましょう。

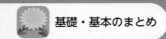

中世の学習をふり返ろう

1

次の語句は，この章で学習した語句です。どのような意味の用語か，自分の言葉でそれぞれ説明しましょう。うまく説明できない場合は，掲載(けいさい)されていたページにもどって確認(かくにん)しましょう。

❶院政□(p.66)　❷守護・地頭□(p.68)　❸御成敗式目□(p.69)　❹定期市□(p.71)　❺モンゴル帝国□(p.74)
❻南北朝時代□(p.78)　❼日明貿易（勘合貿易）□(p.80)　❽琉球王国□(p.81)　❾惣□(p.83)　❿戦国大名□(p.85)

2

下の年表の空欄(くうらん)[A]から[E]に当てはまる語句を，次からそれぞれ選びましょう。

建武の新政　　二毛作　　一向一揆　　応仁の乱　　承久の乱

3

下の年表について，次の問いに答えましょう。

(1)「中継(なかつぎ)貿易」の矢印が「日本」と「中国」とを結んでいますが，これはどのようなことを意味しているか，説明しましょう。
(2)「日本」と「中国」，「朝鮮」とを結ぶ矢印を，「友好」と「対立」の二つに分類しましょう。
(3)「鎌倉(かまくら)文化」と「室町(むろまち)文化」のそれぞれの事項(じこう)のうち，中国と関係の深いものを，「中国」と矢印で結びましょう。

4

右ページ上の二つの資料について，次の問いに答えましょう。

(1)左の図は，鎌倉幕府の仕組みを示したものです。空欄[ア]から[エ]に当てはまる語句をそれぞれ答えましょう。
(2)左の図のような[ア]を中心とする政治の仕組みを何というか，答えましょう。
(3)右の地図は，1400年ごろの主な守護大名と，1560年ごろの主な戦国大名を示したものです。二つの地図を比べて，変化した背景にどのような状況(じょうきょう)の変化があったか，説明しましょう。

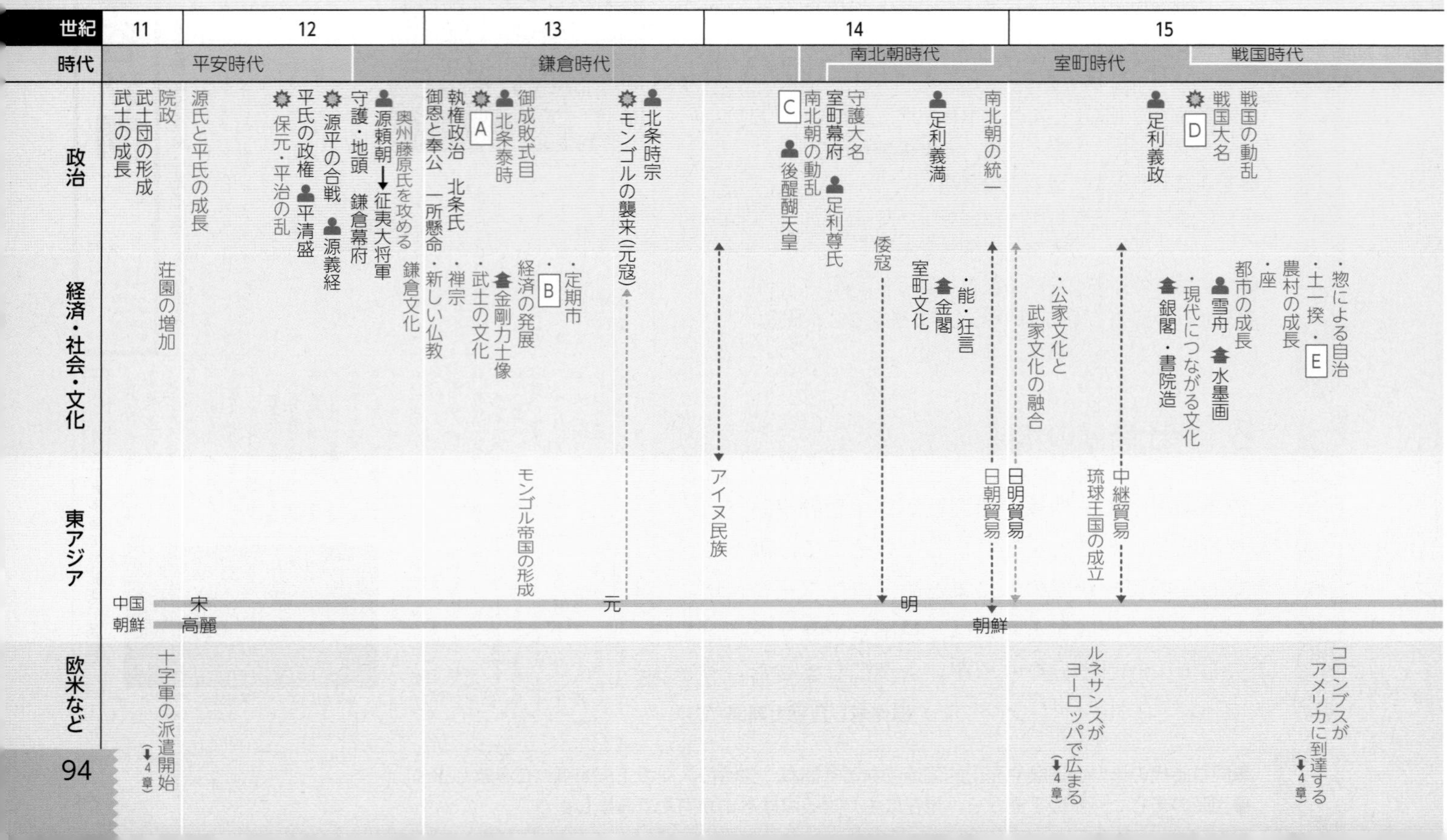

世紀
11
12
13
14
15
時代
平安時代
鎌倉時代
南北朝時代
室町時代
戦国時代
政治
経済・社会・文化
東アジア
欧米など
武士の成長
武士団の形成
院政
荘園の増加
源氏と平氏の成長
保元・平治の乱
平氏の政権
平清盛
源平の合戦
源義経
守護・地頭
鎌倉幕府
源頼朝→征夷大将軍
奥州藤原氏を攻める
御恩と奉公
執権政治
一所懸命
北条氏
A
北条泰時
御成敗式目
鎌倉文化
・新しい仏教
・禅宗
・武士の文化
金剛力士像
・経済の発展
・B
・定期市
北条時宗
モンゴルの襲来（元寇）
C
南北朝の動乱
後醍醐天皇
室町幕府
足利尊氏
守護大名
倭寇
室町文化
足利義満
金閣
・能・狂言
南北朝の統一
・公家文化と武家文化の融合
足利義政
D
戦国大名
戦国の動乱
銀閣・書院造
雪舟
水墨画
・現代につながる文化
都市の成長
・座
農村の成長
・土一揆・E
・惣による自治
モンゴル帝国の形成
アイヌ民族
日朝貿易
日明貿易
琉球王国の成立
中継貿易
中国
宋
元
明
朝鮮
高麗
朝鮮
十字軍の派遣開始（➡4章）
ルネサンスがヨーロッパで広まる（➡4章）
コロンブスがアメリカに到達する（➡4章）

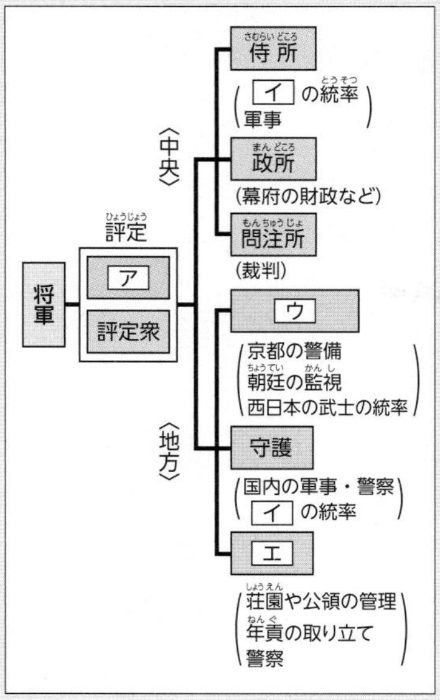

将軍
評定
ア
評定衆
〈中央〉
侍所
イ の統率
軍事
政所
(幕府の財政など)
問注所
(裁判)
〈地方〉
ウ
京都の警備
朝廷の監視
西日本の武士の統率
守護
国内の軍事・警察
イ の統率
エ
荘園や公領の管理
年貢の取り立て
警察

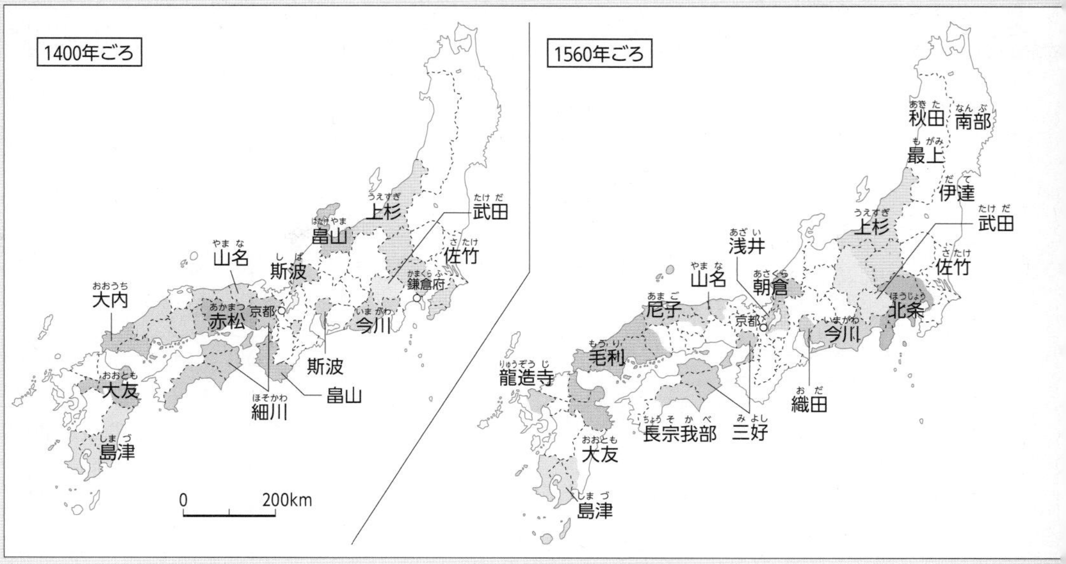

1400年ごろ
上杉
武田
畠山
山名
斯波
佐竹
鎌倉府
大内
赤松
京都
今川
斯波
畠山
大友
細川
島津
0
200km
1560年ごろ
秋田
南部
最上
伊達
上杉
武田
浅井
佐竹
山名
朝倉
尼子
京都
北条
今川
毛利
龍造寺
織田
長宗我部
三好
大友
島津

探究のステップ

節の課題を解決しよう(各節の学習の最後に取り組みましょう)

① なぜ武士は政権を立て，社会を動かすほどの力を持つようになったのでしょうか。

武士が政権をにぎって，幕府を開くまでの間に，さまざまな戦いが行われたね。

鎌倉幕府の政治は，古代の貴族による政治と，どのような点が異なったかな。

➡

② 東アジアでの交流が進み，産業や文化が発達する中で，日本ではなぜ多くの戦乱が起こったのでしょうか。

この時代に起こった戦いでは，それぞれどのような勢力が対立したかな。

室町文化には，鎌倉文化と比べてどのような特徴があったかな。

➡

中世の探究課題を解決しよう

探究課題

中世では，どのような勢力の成長や対立が起こったのでしょうか。 ➡

「武士による政治」を中心に学習したけれど，時期によってさまざまな人物が活躍したね。

この時代には，武士だけでなく，民衆も成長したね。

古代と同じように，東アジアの国々とさまざまな交流があったね。

武士だけでなく，東アジアの国々との関係や民衆の動きにも着目する必要がありそうですね。

まとめの活動

古代との比較から中世の特色を探ろう

比較

この章では「中世の日本」について学習してきました。中世とはどのような特色を持つ時代だったでしょうか。ここでは，「政治」「国際関係」「社会・経済」「文化」の四つの側面に着目して，「古代までの日本」と比べることを通じて，この時代の特色をまとめましょう。

みんなでチャレンジ

(1)p.58・94の年表などを参考にして，古代と中世のさまざまな出来事や社会の動きを，次の四つの視点から，それぞれ「Xチャート」にまとめましょう。

①政治：政治の動き
②国際関係：東アジアにおける交流
③社会・経済：農業・商工業の発達
④文化：文化の特色

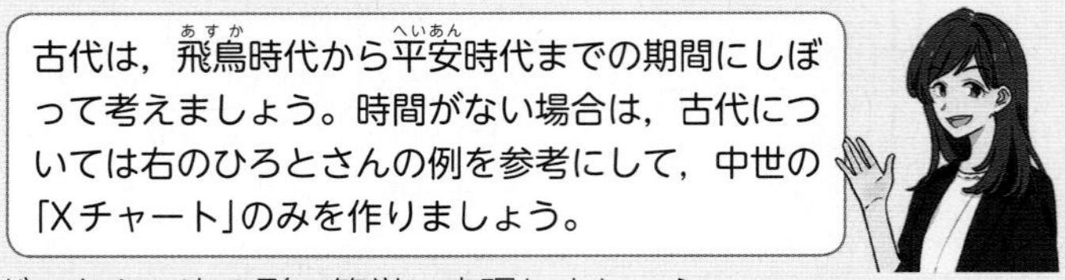
古代は，飛鳥時代から平安時代までの期間にしぼって考えましょう。時間がない場合は，古代については右のひろとさんの例を参考にして，中世の「Xチャート」のみを作りましょう。

(2)作成した「Xチャート」を基に，中世がどのような時代だったか，次の形で簡単に表現しましょう。

中世は　　　　　　　　　　　　時代です。

(3)作成した「Xチャート」や中世の特色をグループ内で発表し合い，意見を交換しましょう。

(4) (3)での発表や意見交換をふまえて，「Xチャート」を，色のちがうペンで修正しましょう。

(5)修正した「Xチャート」や，グループでの意見交換を基に，中世がどのような時代か，改めてまとめましょう。(2)から考えが変わった場合は，その理由も書きましょう。

Xチャートとは？

Xチャートを使うことで，物事を多面的・多角的にとらえることができます。

まず，Xの字に線を引き，それぞれの線の間に，合計四つの視点を示します。そして，線の間にそれぞれの視点に当てはまる事項を書きこんで整理します。視点が三つの場合はYチャート，五つの場合はWチャートを使います。

Xチャート

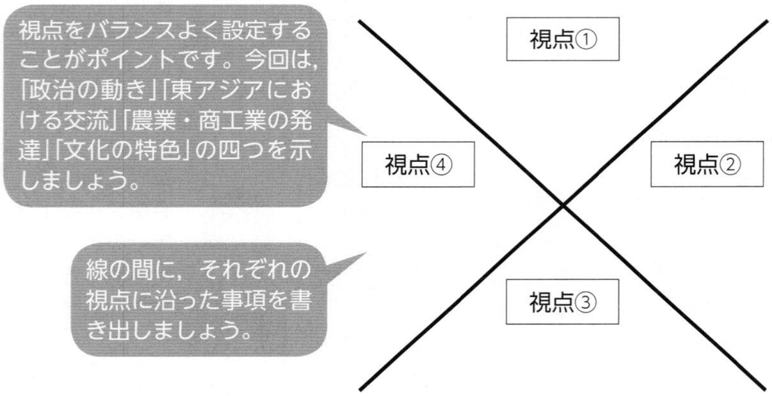
視点をバランスよく設定することがポイントです。今回は，「政治の動き」「東アジアにおける交流」「農業・商工業の発達」「文化の特色」の四つを示しましょう。
線の間に，それぞれの視点に沿った事項を書き出しましょう。
視点①
視点②
視点③
視点④

Yチャート

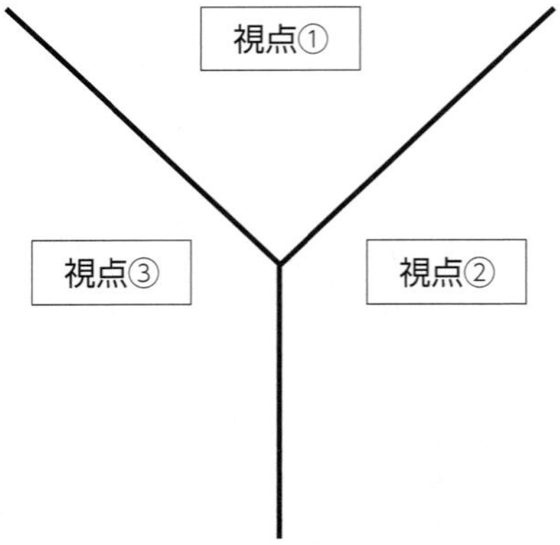
視点①
視点③
視点②

Wチャート

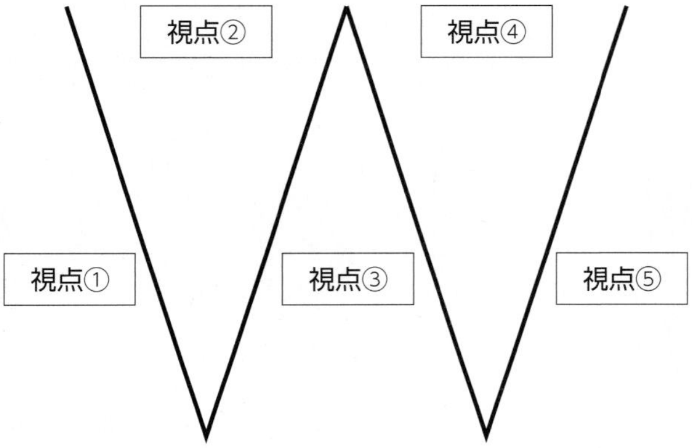
視点②
視点④
視点①
視点③
視点⑤

ひろとさんが(4)で作った古代のXチャート

古代

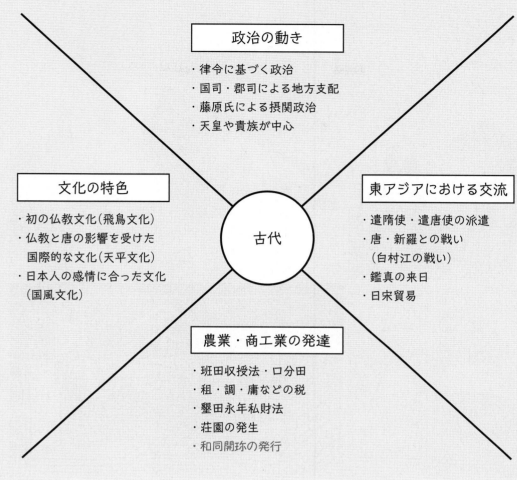

政治の動き
- 律令に基づく政治
- 国司・郡司による地方支配
- 藤原氏による摂関政治
- 天皇や貴族が中心

文化の特色
- 初の仏教文化(飛鳥文化)
- 仏教と唐の影響を受けた国際的な文化(天平文化)
- 日本人の感情に合った文化(国風文化)

東アジアにおける交流
- 遣隋使・遣唐使の派遣
- 唐・新羅との戦い(白村江の戦い)
- 鑑真の来日
- 日宋貿易

農業・商工業の発達
- 班田収授法・口分田
- 租・調・庸などの税
- 墾田永年私財法
- 荘園の発生
- 和同開珎の発行

スペースが限られているので，主な内容に限定して，できるだけ短い言葉で表現するようにしました。

この古代のXチャートと，中世のXチャートとを比べて，何が変わり，何が変わらなかったかを整理すれば，中世の特色が分かるね。

グループで「古代でもお金が使われていた」という意見が出たので，和同開珎(わどうかいちん)について書き足しました。

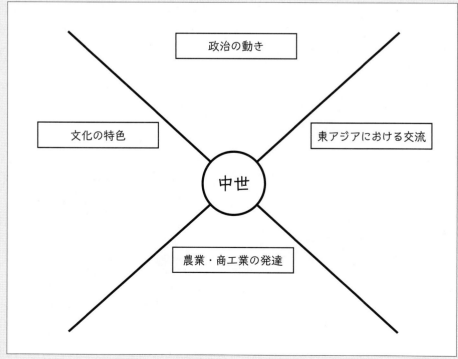

中世

政治の動き

文化の特色

東アジアにおける交流

農業・商工業の発達

この時代の特色をまとめましょう。

中世は

時代です。

第4章 近世の日本

導入の活動　近世の人々の様子をとらえよう

D

1さまざまな身分の人たち（ⒶⒹドイツ　ベルリン国立アジア美術館蔵，Ⓑ石川県立図書館蔵，Ⓒ千葉県　国立歴史民俗博物館蔵）

小

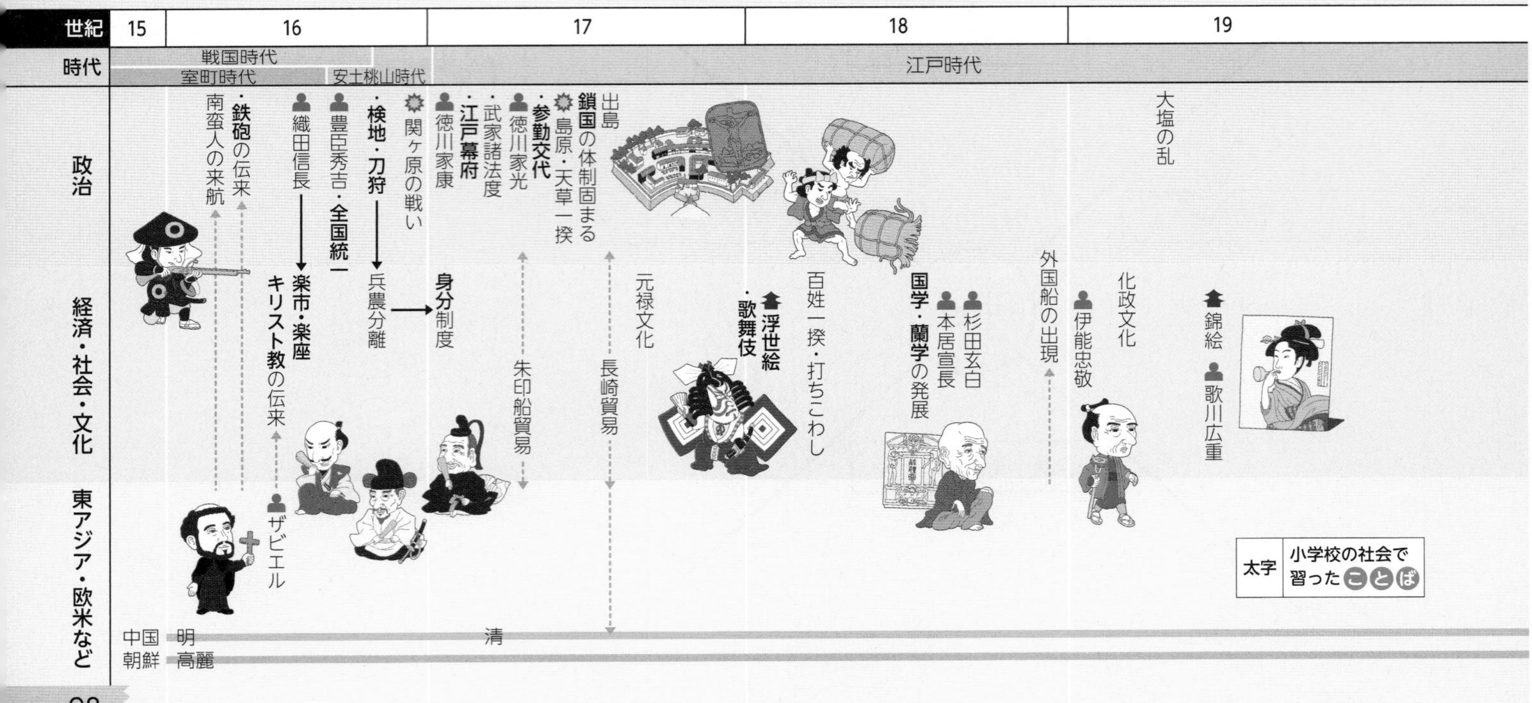

世紀
15
16
17
18
19
時代
戦国時代
室町時代
安土桃山時代
江戸時代
政治
経済・社会・文化
東アジア・欧米など
南蛮人の来航
・鉄砲の伝来
織田信長
豊臣秀吉・全国統一
・検地・刀狩
関ケ原の戦い
徳川家康
・江戸幕府
・武家諸法度
徳川家光
・参勤交代
島原・天草一揆
鎖国の体制固まる
出島
大塩の乱
楽市・楽座
キリスト教の伝来
兵農分離
身分制度
朱印船貿易
長崎貿易
元禄文化
浮世絵
・歌舞伎
百姓一揆・打ちこわし
国学・蘭学の発展
本居宣長
杉田玄白
外国船の出現
伊能忠敬
化政文化
錦絵
歌川広重
ザビエル
中国　明　清
朝鮮　高麗
太字　小学校の社会で習ったことば

この章では，室町時代の終わりから，江戸時代の後半までの時代について学習します。小学校では，織田信長や豊臣秀吉，徳川家康による統一政権の成立や，江戸幕府の支配の仕組み，浮世絵などの町人の文化を中心に学習しました。近世p.284では，どのような人々がどのような活動をしていたのでしょうか。小学校で学習した内容をふり返りながら考えましょう。

みんなでチャレンジ

(1) **1**のⒶ～Ⓓにえがかれているのはどの身分の人たちか，またどのような様子がえがかれているか，それぞれ読み取りましょう。

(2) **2**～**4**は，それぞれどの身分の人たちに関係するものか考えましょう。

(3) **1**～**4**から，それぞれの身分の人たちの暮らしについてどのようなことが分かるか，グループで話し合いましょう。

(4)資料や年表から，この時代について，知りたいことや疑問に思うことを出し合いましょう。

2参勤交代(石川県立歴史博物館蔵) 小

3新しい農具(東京大学史料編纂所蔵)

4歌舞伎(18世紀半ば)(東京都　平木浮世絵財団蔵) 小

第4章の探究課題は？

この時代になると，年表にヨーロッパとの関わりが書かれているね。ヨーロッパの動きは日本にどのような影響をあたえたのかな。

江戸時代は約260年も続いたんだね。江戸時代は，なぜそんなに長く続いたのかな。

江戸時代が安定していたのは，武士だけの力なのかな。ほかの身分の人たちは，社会の安定とどのように関わっていたのかな。

この章では，どのようにして**2**～**4**に見られるように社会が安定したのか，**1**に見られるさまざまな身分の人たちの動きなどに着目しながら追究していきましょう。まとめでは，近世で活躍した身分について考えることを通じて，時代の特色をとらえましょう。

探究課題 近世では，どのようにして社会が安定したのでしょうか。

探究のステップ 各節の学習では，次の課題を追究していきましょう。

① ヨーロッパ人との出会いを経て，なぜ戦乱の世が終わりをむかえたのでしょうか。

② なぜ江戸幕府の支配は約260年も続いたのでしょうか。

③ 産業や文化が発達し，都市が繁栄する中で，なぜ幕府は改革をせまられたのでしょうか。

1節 ヨーロッパ人との出会いと全国統一

探究のステップ ヨーロッパ人との出会いを経て、なぜ戦乱の世が終わりをむかえたのでしょうか。

1イスタンブール(トルコ)の天文台(16世紀) 当時のイスタンブールは，イスラム教の国であるオスマン帝国の首都でした。

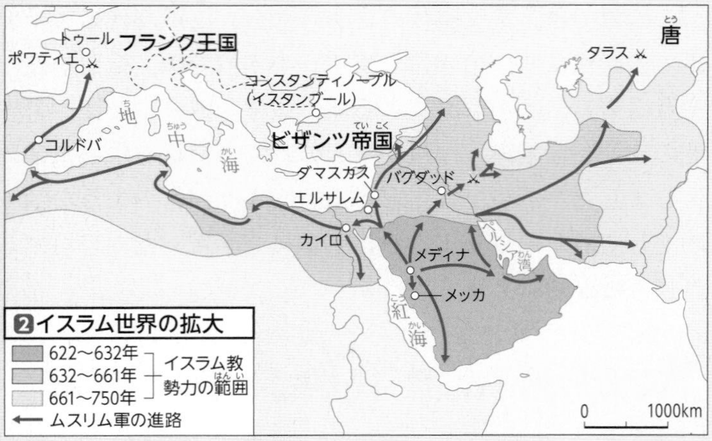

トゥール
フランク王国
ポワティエ
唐
タラス
コンスタンティノープル(イスタンブール)
地
中
海
コルドバ
ビザンツ帝国
ダマスカス
バグダッド
エルサレム
カイロ
ペルシア湾
メディナ
メッカ
紅海
622〜632年
632〜661年
661〜750年
イスラム教勢力の範囲
ムスリム軍の進路
0
1000km

2イスラム世界の拡大

見方・考え方 現在 (1)1や5から，現在の私たちの身の回りに見られるものを探しましょう。(2)9のムスリム商人の交易範囲と，地理の教科書や地図帳の宗教分布図とを比べて，気付いたことを挙げましょう。

1 中世ヨーロッパとイスラム世界

学習課題 中世のヨーロッパとイスラム世界は，どのような社会だったのでしょうか。

3アヤ・ソフィア大聖堂(トルコ：イスタンブール) 6世紀に正教会の教会として造られましたが，15世紀にオスマン帝国によってイスラム教のモスクとされて，四つの塔が加わりました。

4サン・ピエトロ大聖堂(バチカン市国) カトリック教会の総本山です。 公 地 歴

中世のヨーロッパ

古代のローマ帝国p.27は，4世紀に東西に分かれました。東ローマ帝国(ビザンツ帝国)は15世紀まで続きますが，西ローマ帝国は5世紀にほろぼされ，西ヨーロッパでは諸国が分立してたがいに争う時代に入りました。この時代を，ヨーロッパでは中世と呼びます。

中世のヨーロッパではキリスト教p.287が広まり，人々の考えや生活に大きな影響p.29をあたえていました。キリスト教は，ビザンツ帝国と結び付いた**正教会**[3]と，西ヨーロッパの**カトリック教会**[4]とに分かれていました。カトリック教会では，頂点に立つ**ローマ教皇**が，人々の信仰を指導していました。教皇は大きな権威を持ち，諸国の王を服従させることもありました。

イスラム世界の拡大

ビザンツ帝国の東方では，7世紀にアラビア半島に成立した**イスラム帝国**が急速に力をのばし，東はペルシャ(現在のイラン)，西は北アフリカやイベリア半島に至る地域を支配しました。イスラム帝国はさらに現在のフランスにも進出しようとしましたが，8世紀の戦いで敗れ，イスラム世界の西ヨーロッパへの拡大は止まりました。[2]

世紀	B.C.	A.D.1	2	3	4	5	6	7	8	9	10	11	12	13	14	15	16	17	18	19	20	21

縄文　弥生　古墳　飛鳥　奈良　平安　鎌倉　室町（南北朝）　戦国　安土桃山　江戸　明治　大正　昭和　平成　令和

数学	・アラビア数字が作られる ・ゼロ(インドが起源)や小数を使用する
科学	・ろ過・蒸留の方法を発明する ・フラスコが作られる ・光の屈折の法則が発見される ・精密な太陰暦が作られる
医学	・医学書が作られる ・麻酔を使用し，手術が行われる ・病院制度が作られる ・伝染病対策が考え出される
文学	・「千夜一夜物語(アラビアン・ナイト)」などの物語が作られる
美術	・細密画・アラベスクがえがかれる ・じゅうたん・ガラスが作られる
その他	・紙・火薬・羅針盤・トランプ・チェスなどを中国やインドから取り入れる ・コーヒーを飲んだり，砂糖を使ったりする

5 イスラム世界で発展した学問や文化

→**6 アズハル・モスク**(エジプト) 10世紀に造られました。イスラム世界最古の大学が置かれ，現在まで続いています。 世

↓**7 イスラム世界のガラス工芸** (フランス　ジャックマール・アンドレ美術館蔵　高さ35cm)

8 イスラム世界のコーヒーハウス　コーヒーは，飲酒を禁じるイスラム世界で広く親しまれました。コーヒーを提供する店も，イスラム世界で生まれました。

イスラム世界は，13世紀にモンゴル帝国の支配を受けましたが，15世紀に**オスマン帝国**がビザンツ帝国を征服し，16世紀にインドにムガル帝国が成立するなど，再び勢力を広げました。

また，ムスリム(イスラム教徒)の商人は東地中海からアフリカ東岸，インド，東南アジアで活動し，インド洋の交易の主な担い手となりました。この結果，ムスリム商人は，豊かなアジアの物産をヨーロッパに持ちこむ役割も担うようになりました。[9]

p.29

イスラム世界は，ビザンツ帝国から古代ギリシャの学問を受けついで発展させ，数学や科学，医学などで当時の世界最高水準に達していました。[1][5][6] また美術や工芸，建築などで独自の豊かな文化を生み出しました。[5][7][8]

p.27

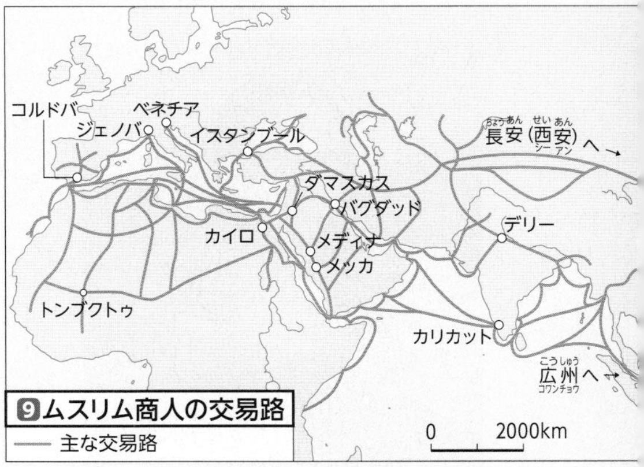

コルドバ
ベネチア
ジェノバ
イスタンブール
長安(西安)へ
ダマスカス
バグダッド
デリー
カイロ
メディナ
メッカ
トンブクトゥ
カリカット
広州へ
主な交易路
0　2000km

9 ムスリム商人の交易路

十字軍

11世紀にイスラム教の国が聖地エルサレム[1]を占領すると，キリスト教世界には危機感が高まりました。ローマ教皇の呼びかけに応じた西ヨーロッパ諸国の王や貴族は，**十字軍**を組織して，エルサレムを目指しました。[10] 十字軍は13世紀まで何度も派遣されましたが，結局エルサレムの奪回には失敗しました。この一方で，中国の紙と火薬，東南アジアの砂糖，イスラム世界の学問といった新しい文化や産物がヨーロッパに伝えられました。

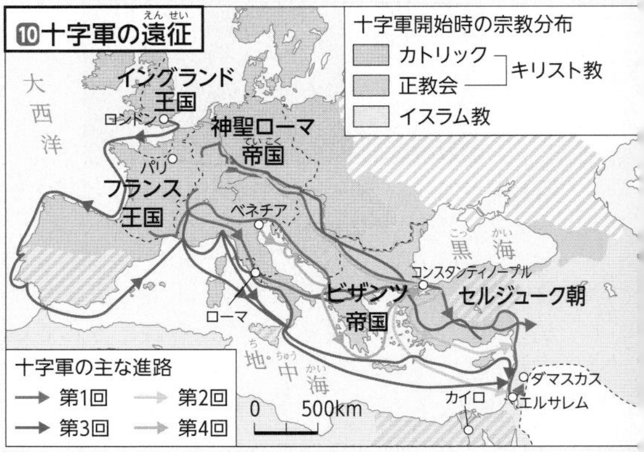

十字軍開始時の宗教分布
カトリック
正教会
キリスト教
イスラム教
大西洋
イングランド王国
ロンドン
神聖ローマ帝国
パリ
フランス王国
ベネチア
黒海
コンスタンティノープル
ビザンツ帝国
セルジューク朝
ローマ
地中海
ダマスカス
エルサレム
カイロ
十字軍の主な進路
第1回
第2回
第3回
第4回
0　500km

10 十字軍の遠征

1 エルサレムは，キリスト教・イスラム教・ユダヤ教の聖地でした(p.29 7)。

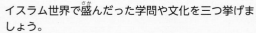

チェック　イスラム世界で盛んだった学問や文化を三つ挙げましょう。

トライ　中世のヨーロッパとイスラム世界とのちがいを，宗教や学問，文化の面から説明しましょう。

古代

中世

三美神
ルネサンス

❶ギリシャ・ローマ神話の三美神をえがいた絵(古代：イタリア　ナポリ国立考古学博物館蔵，中世：イギリス　大英図書館蔵，ルネサンス：ボッティチェリ筆「春」　イタリア　ウフィツィ美術館蔵)

見方・考え方　比較　❶の三つの絵の三美神を比べて，共通点と異なる点を挙げましょう。

2 ルネサンスと宗教改革

学習課題　**イスラム世界と接したヨーロッパ社会は，どのように変化したのでしょうか。**

ルネサンス

ヨーロッパでは，14世紀にペスト(黒死病(こくしびょう))が大流行して，人口の3分の1近くが失われました。このため，その復興期に人々は，人の命や生きることの意味について，新しい考えを持ち始めました[1]。その手がかりとなったのが，イスラム世界から伝えられた，キリスト教以前の古代ギリシャ(p.26)の文化でした[2・1・4]。またレオナルド・ダ・ビンチ[2]やミケランジェロ[3]の作品に見られるような，生身の人間を主題とする文学や美術の作品が作られました。

こうして，人間そのものに価値を認め，人のいきいきとした姿を表現する**ルネサンス**(文芸復興)が花開きました。ルネサンスの動きは，14世紀から16世紀にかけてイタリアから西ヨーロッパ各地に広がりました。

宗教改革

このころ西ヨーロッパでは，キリスト教にも新しい動きがありました。16世紀にローマ教皇が，大聖堂建築のための資金を集めようとして免罪符(めんざいふ)を売り出すと[5]，これを批判して，ドイツではルター[6]が，スイスで

❷レオナルド・ダ・ビンチの「モナ・リザ」(フランス　ルーブル美術館蔵)

❶中世までのキリスト教では，人間は生まれながらにして罪を背負った無力な存在とされていました。
❷古代の文化は，キリスト教との関係が弱かったため，中世の西ヨーロッパでは忘れられており，ビザンツ帝国(ていこく)やイスラム世界で受けつがれていました。

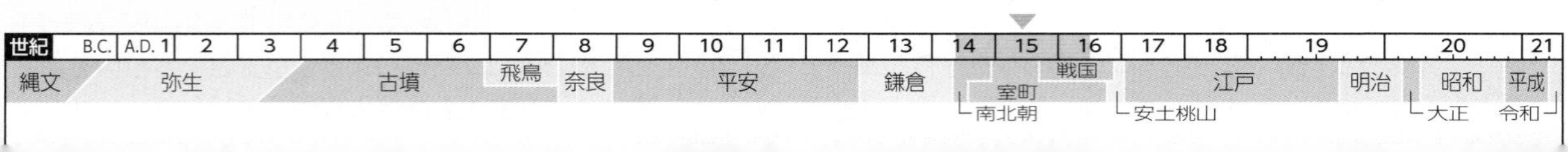
世紀
B.C.
A.D. 1
2
3
4
5
6
7
8
9
10
11
12
13
14
15
16
17
18
19
20
21
縄文
弥生
古墳
飛鳥
奈良
平安
鎌倉
室町
戦国
南北朝
安土桃山
江戸
明治
昭和
平成
大正
令和

❸ミケランジェロの「ダビデ」(イタリア　アカデミア美術館蔵　高さ434cm)

❹ラファエロの「アテネの学堂」(バチカン宮殿蔵)　古代ギリシャ(p.26)の有名な学者たちをえがいています。

❺免罪符の販売　免罪符を買うと全ての罪が許される，との宣伝文句が用いられていました。

読み取る
(1)❽で，現在の世界地図と比べて正確にえがかれている地域と，正確でない地域をそれぞれ挙げましょう。
(2)(1)のちがいがなぜ生じたのか，考えましょう。

❻マルティン・ルター(左：1483～1546)
❼ジャン・カルバン(右：1509～64)

はカルバン❼が，**宗教改革**を始めました。かれらは，教会の指導に従うのではなく，聖書を自分で読んで理解することに信仰の中心を置きました。中世のカトリック教会には務めを果たさない聖職者もいたため，この教えを受け入れた人たちも多く，かれらは**プロテスタント**(抗議する者)と呼ばれました。

諸国の王の中には，教皇の権威からのがれるために宗教改革を支援する者もいました。西ヨーロッパのキリスト教は，カトリックとプロテスタントの二つに分かれて対立し，宗教戦争も起こりました。

カトリック教会も，プロテスタントに対抗して改革を始めました。その中心になった**イエズス会**は，ザビエルp.107❺などの宣教師を派遣してアジアやアメリカ大陸への布教も行いました。

近世への移り変わり

当時のヨーロッパでは，羅針盤❾p.106が実用化され，航海術も進歩し，不完全ながら世界地図❽も作られ始めました。このためヨーロッパ人は，大西洋の沿岸や地中海だけでなく，遠洋にも乗り出すことができるようになり，15世紀に大航海時代p.104が始まりました。

ルネサンスと宗教改革，さらに大航海時代の始まりによって，ヨーロッパは近世p.284と呼ばれる時代に入りました。

宗教改革を中心になって進める

ルターとカルバンは，聖職者を特別な存在とは見なさず，教会の組織を改革しました。かれらの教えは，イギリスやフランス，オランダ，北ヨーロッパ，後のアメリカ合衆国にも広まりました。

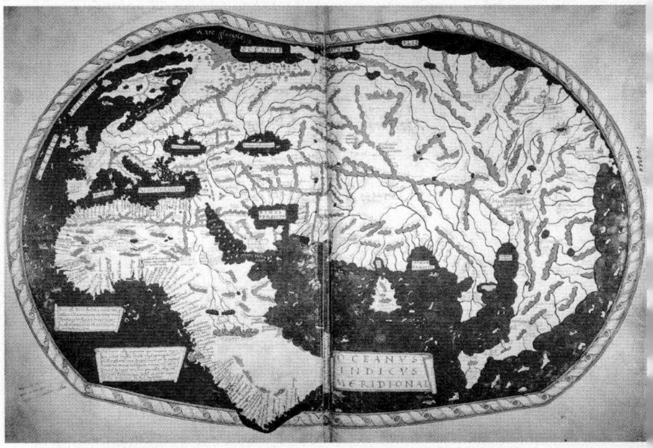

↑❽1490年にドイツで作られた世界地図(イギリス　大英図書館蔵)

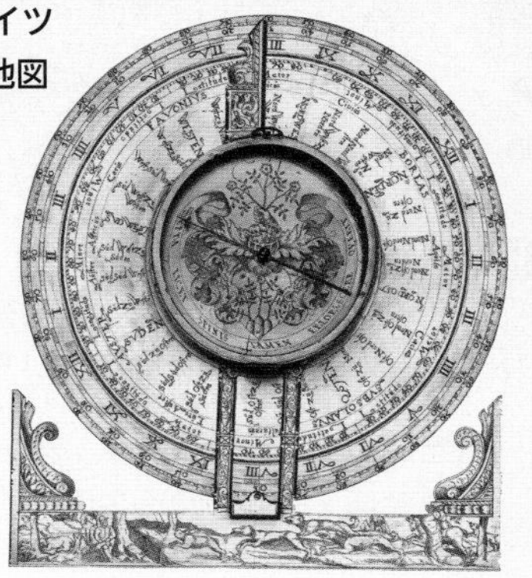

→❾羅針盤　方位磁石のことで，中国で発明され，遠洋航海には欠かせないものでした。

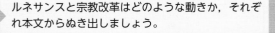

チェック　ルネサンスと宗教改革はどのような動きか，それぞれ本文からぬき出しましょう。

トライ　ルネサンスと宗教改革によるヨーロッパ社会の変化を，キリスト教の影響の面から説明しましょう。

ロシア
大西洋
コロンブス
第1回（1492～93）
オスマン帝国
ムガル帝国
明
日本
種子島
西インド諸島
カリブ海
アステカ王国
ゴア
カリカット
マカオ
フィリピン
0°
マチュピチュ
インカ帝国
バスコ・ダ・ガマ
（1497～99）
インド洋
太平洋
マゼラン船隊
（1519～22）
喜望峰
（1529年）
ポルトガル領
スペイン領
0　2000km
（1494年）
ポルトガルとその植民地
スペインとその植民地など
ポルトガル・スペインの植民地の境界線

❶16世紀ごろの世界

❷クリストファー・コロンブス（上：1451?～1506）
❸バスコ・ダ・ガマ（中：1469?～1524）
❹フェルディナンド・マゼラン（下：1480?～1521）

3 ヨーロッパ世界の拡大

学習課題 ヨーロッパ人の海外進出によって，世界はどのように変化したのでしょうか。

❺**香辛料** 左から，こしょう，クローブ，ナツメグ。調味料や薬として使われ，非常に高価でした。

世 ❻**マチュピチュ遺跡**（ペルー） 南アメリカには，太陽神を信仰し，高度な石造建築技術を持つ，広大なインカ帝国が栄えていました。
公 地 歴

❶当時のヨーロッパ人は，現在のインド以東の地域全体を「インド（インディアス）」と呼んでいました。

大航海時代

大航海時代p.103の先がけとなったのは，カトリック国のポルトガルとスペインでした。❶両国の主な目的は，キリスト教を広めることと，アジアの香辛料❺などの富を手に入れることでした。

ポルトガルは1488年にアフリカ南端に到達し，1498年には**バスコ・ダ・ガマ**❸がインドに到達して，ヨーロッパとインドが海路で直接つながりました。ポルトガルは，ムスリム商人の下で栄えていたインド洋や東南アジア海域に進出して中継貿易p.101を行うようになり，さらに中国p.289や日本とも貿易を始めました。p.107

ポルトガルと競っていたスペインは，大西洋を横断してアジアに向かおうとする**コロンブス**❷の計画を支援しました。コロンブスは1492年にカリブ海の島に到達し，そこを「インド」❶だと考えました。❼ところが，その近くにはアメリカ大陸が広がり，古代から続く独自の文明が栄えていました。❻p.289

アメリカ大陸の植民地化

アメリカ大陸にわたったスペイン人は，先住民の支配者を武力でたおした後，先住民を労働させて銀の鉱山を開発し，❽農園（プランテーション）を開

世紀	B.C.	A.D.1	2	3	4	5	6	7	8	9	10	11	12	13	14	15	16	17	18	19	20	21

縄文　弥生　古墳　飛鳥　奈良　平安　鎌倉　室町（南北朝）　戦国　江戸（安土桃山）　明治　大正　昭和　平成　令和

❼**上陸するコロンブス**(17世紀の版画)　先住民は，当時のヨーロッパ人の偏見を反映したえがかれ方をしています。

❽**銀の採掘場で働かされる先住民**　アメリカ大陸では先住民の過酷な労働で膨大な銀が採掘され，日本の銀(p.85❻)と同様に世界各地で使われました。

見方・考え方　現在

(1)大航海時代にアメリカ大陸からもたらされ，私たちの生活に身近になったものを挙げましょう。

(2)❶のヨーロッパ人の進出した地域と，地理の教科書や地図帳の宗教分布図とを比べて，気付いたことを挙げましょう。

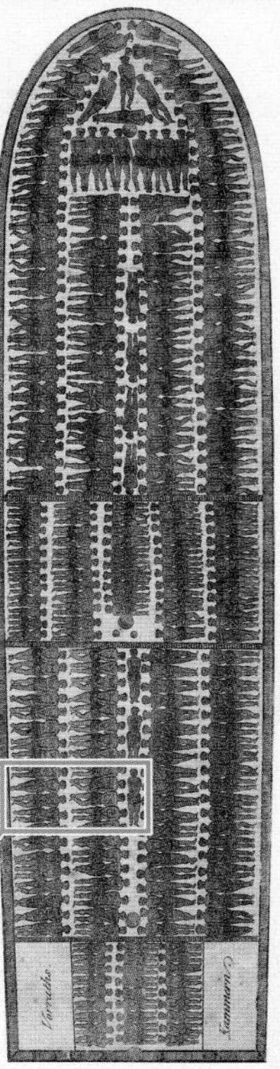

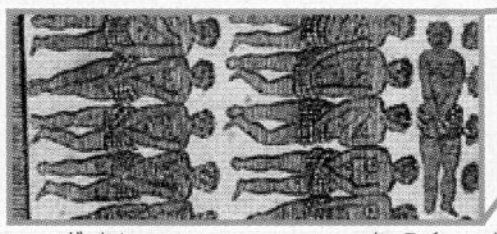

❾**奴隷船の内部**　過酷な環境で，航海中に死亡する奴隷もたくさんいました。

いて，さとうきびなどを持ちこんで栽培しました。銀はヨーロッパに運ばれた後，茶や綿織物などを輸入するためにアジアにも持ち出されました。巻末1❼ 巻末1❽砂糖のほかにジャガイモやとうもろこし，トマト，かぼちゃ，とうがらし，カカオ，ピーナッツ，タバコなども伝えられ，ヨーロッパ人の生活は大きく変わりました。❷

その一方で，先住民の人口はヨーロッパ人が持ちこんだ伝染病や厳しい労働で激減しました。労働力が足りなくなると，ヨーロッパ人は大西洋の三角貿易❿を始め，アフリカの人々を奴隷p.288としてアメリカ大陸に連れていきました。❾

こうしてアメリカ大陸は，ヨーロッパの**植民地**になりました。

オランダの台頭

16世紀には，スペインの後援を受けた**マゼラン**❹の船隊が初めて世界一周を成しとげました。スペインは，アメリカ大陸やアジアに植民地を広げ，一時は「日のしずむことのない帝国」p.288と呼ばれました。アメリカ大陸から運ばれる大量の銀も，スペインを後おししました。

16世紀末にはプロテスタントp.103の多いオランダがスペイン領から独立しました。オランダは17世紀に東インド会社を設立してアジアに進出し❸，日本とも貿易しました⓫。貿易から富を得たオランダは，ヨーロッパの商業や金融p.285の中心として栄えました。

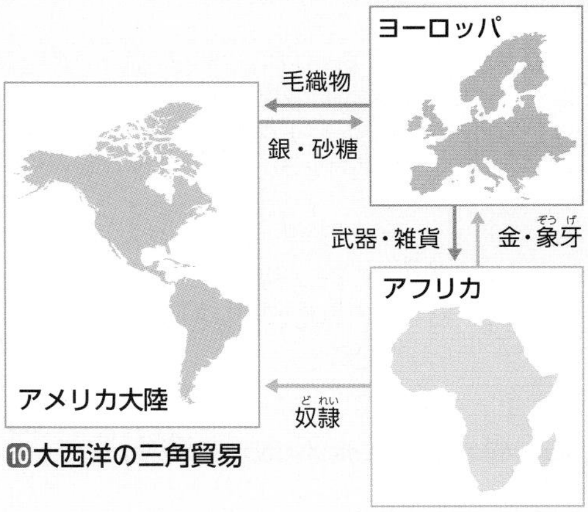
ヨーロッパ
毛織物
銀・砂糖
武器・雑貨
金・象牙
アフリカ
アメリカ大陸
奴隷

❿**大西洋の三角貿易**

⓫**オランダ東インド会社のマークが入った有田焼**(p.111)**の皿**(兵庫県　神戸市立博物館蔵)　オランダ東インド会社はバタビア(ジャカルタ)を本拠地にして，アジアで貿易を行いました。

❷このほかに，さつまいもやいんげん豆もヨーロッパに持ちこまれ，とうもろこしやかぼちゃなどとともに日本にも伝えられました。

❸ポルトガルは，アジアでオランダとの争いに敗れた結果，スペインに少し後れて進出していたアメリカ大陸で，ブラジルを植民地として開発することに力を注ぐようになりました。

チェック　大航海時代にヨーロッパ人はどこに進出したか，本文や資料からぬき出しましょう。

トライ　大航海時代のヨーロッパとアメリカ大陸の関係を，次の語句を使って説明しましょう。[先住民／植民地]

4 ヨーロッパ人との出会い

学習課題 ヨーロッパ人との出会いによって，日本の社会はどのように変化したのでしょうか。

見方・考え方 比較 ❶にえがかれている南蛮人について，服装や身長などに着目して，日本人とのちがいを挙げましょう。

鉄砲の伝来

1543年❶，ポルトガル人を乗せた中国人倭寇p.80の船が種子島(鹿児島県)に流れ着きました。このポルトガル人によって日本に**鉄砲**❷が伝えられました。鉄砲は戦国大名に注目され，各地に広まりました。堺p.85(大阪府)や国友(滋賀県)p.85などでは，刀鍛冶によって鉄砲が造られるようになりました。鉄砲が広まると，戦い方や武具，城の造りなどが変化し，全国統一の動きが加速しました。p.109❹ ❷

キリスト教の伝来と広まり

1549年には，インドや東南アジアで布教していたイエズス会の宣教師**ザビエル**❺が，キリスト教を伝えるため日本にやって来ました。p.103ザビエルは，鹿児島・平戸(長崎県)・山口・京都・豊後府内(大分県)などを訪れ，天皇・将軍・領主などに布教のための働きかけをしました。p.289

その後，ザビエルに続き，多くのイエズス会の宣教師が来日しました。かれらは，長崎や豊後(大分県)，京都などの各地に，教会のほか学校・病院・孤児院などを建設し，布教だけでなく，慈善事業も行いました。このため，民衆の間にもキリスト教の

重

❷**鉄砲(火縄銃)**(上)**と鉄砲鍛冶**(下)(上：静岡県 久能山東照宮博物館蔵 長さ140.5cm，下：和泉名所図会 東京都 国立公文書館蔵) 絵は，江戸時代にえがかれた堺の様子です。

❶1542年という説もあります。

世紀	B.C.	A.D. 1	2	3	4	5	6	7	8	9	10	11	12	13	14	15	16	17	18	19	20	21
縄文	弥生			古墳			飛鳥	奈良	平安					鎌倉	南北朝	室町	戦国	安土桃山	江戸		明治	大正 昭和 平成 令和

❶南蛮人の来航(狩野内膳筆　南蛮人渡来図屏風　兵庫県　神戸市立博物館蔵) 重

→❸16世紀に作られた地球儀(奈良県　天理大学附属天理図書館蔵　球の直径28cm)

重 ←❹南蛮人がもたらした時計(静岡県　久能山東照宮博物館蔵　高さ21.5cm) スペイン国王から徳川家康(p.114)におくられたものです。

❺フランシスコ・ザビエル(1506〜52) 重 (兵庫県　神戸市立博物館蔵)　アジアでの布教中にアンジロウという日本人と話したことから，日本への布教を決心し，いっしょに鹿児島に上陸しました。

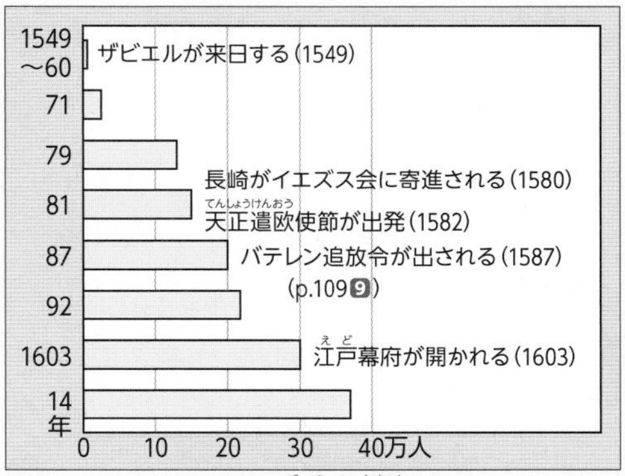

1549
~60
71
79
81
87
92
1603
14
年
0
10
20
30
40万人
ザビエルが来日する(1549)
長崎がイエズス会に寄進される(1580)
天正遣欧使節が出発(1582)
バテレン追放令が出される(1587)
(p.109❾)
江戸幕府が開かれる(1603)

❻キリシタンの推移(五野井隆史「日本キリスト教史」)

信仰が広まり，17世紀の初めには，キリスト教信者(キリシタン)が30万人をこえたといわれています❻。

南蛮貿易とキリシタン大名

この当時，貿易や布教のため日本にやって来たポルトガル人やスペイン人のことを**南蛮人**❶と呼んだので，かれらとの貿易を**南蛮貿易**といいます。当時は，倭寇の活動のため，明との貿易が難しい状態にありましたが，南蛮貿易によって，明から生糸や絹織物がもたらされることになりました。そのほかにも，東南アジアからは香料などが，ヨーロッパからは鉄砲❷・火薬・ガラス製品・時計などがもたらされ❸❹，日本からは大量の銀が持ち出されました。

p.80
p.85

ポルトガル船は，布教を許可した領主の港にやってきたので，貿易の利益に着目した九州の戦国大名の中には，キリシタンになる者も現れました(キリシタン大名)。肥前(長崎県)の大名，大村氏などは，キリシタンになるだけでなく，領地の長崎をイエズス会に寄進しました。こうして，長崎は平戸・豊後府内とならび，南蛮貿易の中心地となりました。また，1582年には，大友宗麟などのキリシタン大名が，キリスト教信者の少年四人をローマ教皇のもとへ派遣しました(天正遣欧使節)❼。

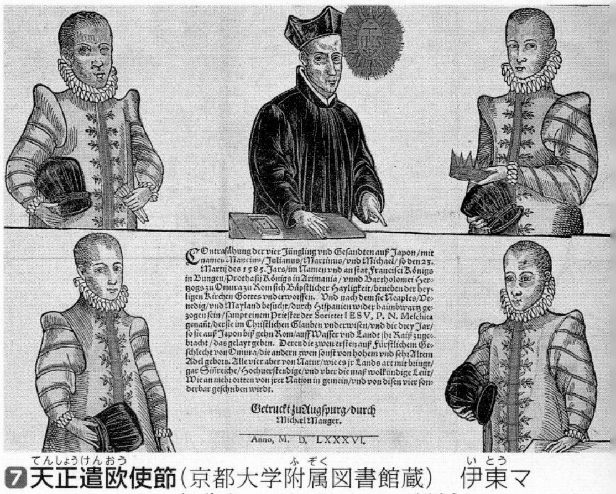

❼天正遣欧使節(京都大学附属図書館蔵)　伊東マンショ(右上)，千々石ミゲル(右下)，中浦ジュリアン(左上)，原マルチノ(左下)と，四人を引率したイエズス会のメスキータ(中央上)。四人は1590年に日本に帰国しましたが，すでにキリスト教の布教は禁止されていました。

❷鉄砲はその後，早くから国産化が進みました。

チェック　ヨーロッパ人によって日本にもたらされたものを三つ挙げましょう。

トライ　ヨーロッパ人の来航による日本社会の変化を説明しましょう。

❶**長篠の戦い**(1575年)(長篠合戦図屛風　愛知県　徳川美術館蔵)　左側が織田・徳川の連合軍，右側が武田軍です。

5 織田信長・豊臣秀吉による統一事業

学習課題 **織田信長と豊臣秀吉は，どのように全国統一を進めたのでしょうか。**

読み取る ❶から，織田・徳川連合軍と武田軍の戦い方のちがいを読み取りましょう。

織田信長の統一事業

尾張(愛知県)の小さな戦国大名だった**織田信長**❷は，駿河(静岡県)の大名今川義元を桶狭間の戦い(愛知県)で破って勢力を広げ，足利義昭p.79❹を援助して京都に上りました。信長は，朝廷に働きかけて義昭を室町幕府の第15代将軍にし，政治の実権をにぎりました。しかし，二人は間もなく対立するようになり，1573年，信長は義昭を京都から追放しました(室町幕府の滅亡)。

信長は，大名だけでなく，比叡山延暦寺p.47や一向一揆p.84などの仏教勢力も，敵対すれば武力で従わせました。長篠の戦い❶(愛知県)では鉄砲を有効に使って，甲斐(山梨県)の大名武田勝頼を破り，翌年から，巨大な天守を持つ城を安土❻(滋賀県)に築きました。信長は，城下町や領地の経済的発展を図るため，商工業者に自由な活動を行わせようとしました。安土では市での税を免除し，特権的な座p.83を廃止しました(**楽市・楽座**❸)。また，通行料を取り流通のさまたげとなっていた関所p.79も廃止しました。

豊臣秀吉の全国統一

全国統一を目前にした信長は，1582年，家臣の明智光秀に背かれて本能寺(京都府)で

重

❷**織田信長**(1534～82)

全国統一を目指した尾張の戦国大名

これまで，革新的で，古い権威を否定した人物と考えられてきましたが，最近では，そうした人物像が見直されています。(狩野元秀筆　愛知県　長興寺蔵)

❸**楽市令**(1577年)　(部分要約)

安土城下の町中に対する定め

一　この安土の町は楽市としたので，いろいろな座は廃止し，さまざまな税は免除する。

一　街道を行き来する商人は中山道を素通りせず，この町に宿を取るようにせよ。

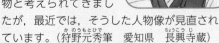

↑安土の新城下町建設に当たって出された法令です。織田信長の最初の楽市令は，1567年に加納(現在の岐阜市)で出されました。また，ほかの戦国大名たちも楽市・楽座を政策としていました。

世紀	B.C.	A.D.1	2	3	4	5	6	7	8	9	10	11	12	13	14	15	16	17	18	19	20	21

縄文　弥生　古墳　飛鳥　奈良　平安　鎌倉　南北朝　室町　戦国　安土桃山　江戸　明治　大正　昭和　平成　令和

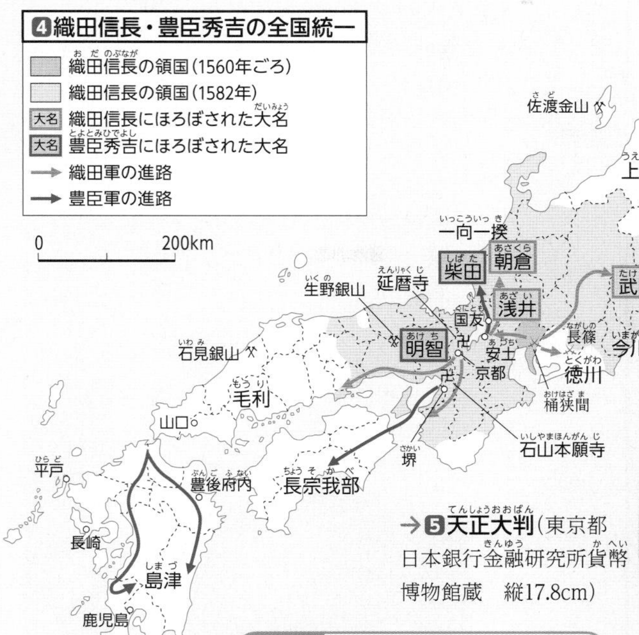
4 織田信長・豊臣秀吉の全国統一
織田信長の領国(1560年ごろ)
織田信長の領国(1582年)
大名 織田信長にほろぼされた大名
大名 豊臣秀吉にほろぼされた大名
織田軍の進路
豊臣軍の進路
0
200km
伊達
佐渡金山
上杉
一向一揆
朝倉
柴田
延暦寺
生野銀山
浅井
国友
武田
北条
明智
安土
長篠
今川
石見銀山
京都
徳川
桶狭間
毛利
山口
石山本願寺
平戸
堺
豊後府内
長宗我部
長崎
島津
鹿児島

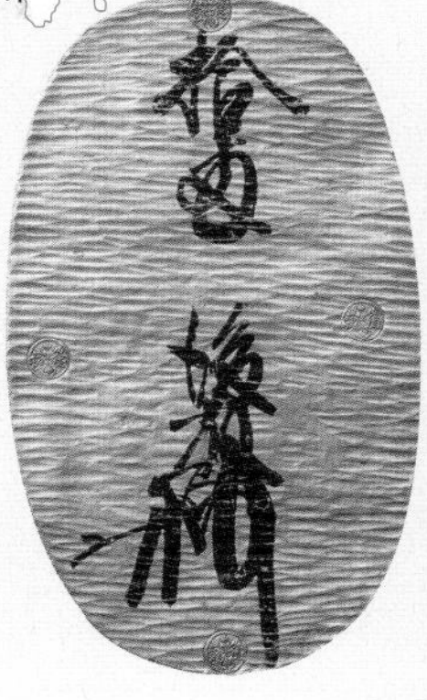

→5 **天正大判**(東京都　日本銀行金融研究所貨幣博物館蔵　縦17.8cm)

まとめる　信長と秀吉の統一事業を，年表にまとめましょう。

→6 **安土城**(滋賀県　安土城郭資料館蔵　内藤昌復元©)　天守は５層７階(約32m)あり，日本で初めての本格的な天守を持つ城でした。

7 **大阪城**(大坂城図屏風　大阪城天守閣蔵)

自害しました。光秀をたおした信長の家臣の羽柴秀吉(後の**豊臣秀吉**)[8]は，信長の後継者争いに勝利し，大阪城[7]を築いて本拠地にしました。天皇から関白p.48に任命された秀吉は，全国に停戦を命じ，1587年，その命に従わない九州の島津氏を降伏させました。次いで1590年に関東の北条氏をほろぼすと，東北の大名たちも秀吉に従い，全国統一が完成しました[4]。信長と秀吉の時代を，それぞれの城にちなみ，**安土桃山時代**といいます[❶]。

秀吉は，約200万石p.110の領地のほか，大阪・京都・堺など，経済的に重要な都市を直接支配しました。さらに，各地の金山・銀山も直接支配して開発を進め，統一的な金貨[5]を発行しました。

宣教師の追放

信長は，仏教勢力には厳しい態度をとる一方，キリスト教は優遇しました。それに対し秀吉は，九州の大名を従えた際，長崎がイエズス会に寄進されているp.103ことを知り，日本は「神国」であるとして宣教師の国外追放を命じました(バテレン追放令[9])。キリスト教の布教と，スペインやポルトガルの軍事力とが結び付いていることを危険視したためです。しかし，一部の宣教師は日本にとどまり，キリスト教と強く結び付いていた南蛮貿易p.107も禁止されなかったため，政策は不徹底でした。

8 **豊臣秀吉**(1537〜98)

平民から天下人になった「戦国一の出世頭」

関白を辞めた後も太閤と呼ばれ，権力をにぎりつづけました。茶の湯や能などの芸能も好み，自ら行って楽しみました。(愛知県　妙興寺蔵・一宮市博物館)

9 バテレン追放令(1587年)(部分要約)

- 一　日本は神国であるから，キリスト教国が邪教(キリスト教)を伝え広めるのは，けしからぬことである。
- 一　土地の人々をキリスト教徒にし，神社や寺を破壊するのは，もってのほかである。
- 一　バテレン(宣教師)を日本に置いておくことはできない。今日から20日以内に準備して帰国するように。
- 一　ポルトガル船は，商売のために来ているので，バテレン追放とは別である。今後も商売をしに来るように。

❶「桃山」は現在の京都市南部の地名で，秀吉が後に住まいとした伏見城がありました。

チェック　織田信長と豊臣秀吉の，戦い以外の政策を，それぞれ三つ挙げましょう。

トライ　織田信長や豊臣秀吉が大きな力を持つことができた理由を，経済の面から説明しましょう。

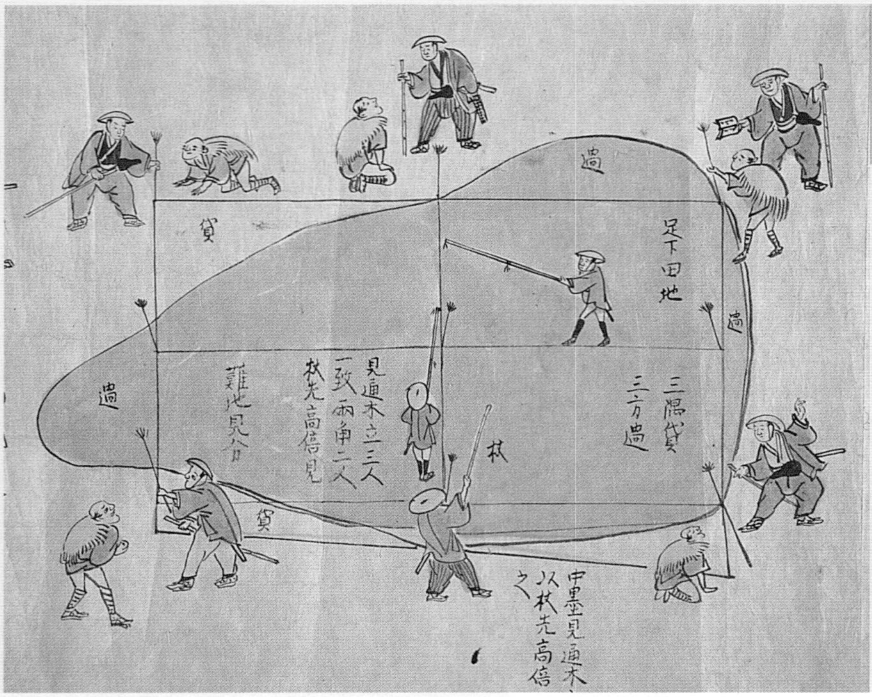

❶検地(秋田県　玄福寺蔵)　江戸時代の検地の様子をえがいたものですが，太閤検地もこれと同じように行われたと考えられています。

❷検地尺(鹿児島県　尚古集成館蔵)　×印の間がちょうど１尺(約30.3cm)です。

❸京ます(芥田家蔵　内側の一辺約15.5cm)　１杯分がちょうど１升で，100升が１石に当たります。

重

6 兵農分離と秀吉の対外政策

学習課題　**豊臣秀吉の政策で，日本の社会はどのように変化したのでしょうか。**

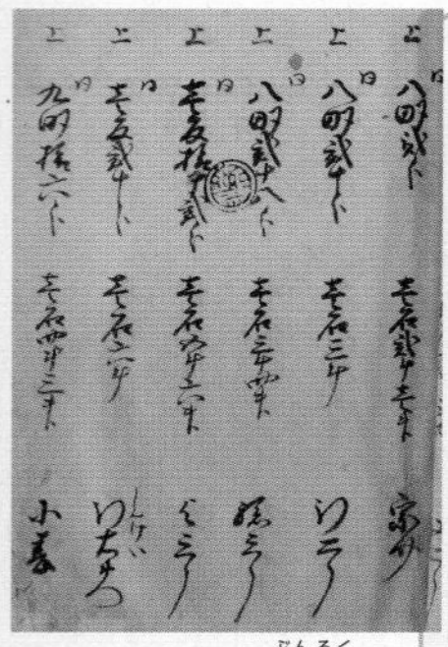

上	上	上	上	上	上
同 八畝弐歩	同 八畝弐十歩	同 八畝弐十八歩	同 壱反拾十弐歩	同 壱反弐十歩	同 九畝拾六歩
壱石弐斗壱升	壱石三斗	壱石三斗四升	壱石五斗六升	壱石六斗	壱石四斗三升
宗介	新二郎	孫三郎	与三郎	新右衛門	小春

❹検地帳(文禄三年富田村検地帳　大阪府　高槻市立しろあと歴史館蔵)

❺刀狩令(1588年)　(部分要約)

一　諸国の百姓が刀やわきざし，弓，やり，鉄砲，そのほかの武具などを持つことは，固く禁止する。不必要な武具をたくわえ，年貢を納めず，一揆をくわだてたりして，領主に対してよからぬ行為をする者がいれば，もちろん処罰するが，そうなると田畑が耕作されず無駄になるので，百姓から武具を取り上げることにせよ。

太閤検地と刀狩

豊臣秀吉は，地域によってばらばらだったものさしやますを統一しました❷❸。そして，田畑の面積や土地のよしあしを調べ，予想される収穫量を，米の体積である**石高**❶で表しました。これを**太閤検地**❶といいます。この政策によって，全国の土地が石高という統一的な基準で表されるようになりました。

検地では，実際に耕作している百姓が検地帳❹に登録されました。百姓は，土地を耕す権利を保障され，石高に基づく年貢p.65を納めることが義務付けられました。武士は，石高で示された領地をあたえられ，石高に応じた軍役を果たしました。一方，公家❷や寺社などの荘園p.43領主は，それまで持っていた土地に対する権利を失いました。

秀吉はまた，一揆を防ぐため，百姓や寺社から刀・弓・やり・鉄砲などの武器を取り上げました(**刀狩**❺)。太閤検地に始まるこれらの政策により，武士と農民との身分の区別が明確になりました。これを**兵農分離**といいます。こうして，武士・百姓・町人などの身分に対応した職業で生活するという，近世の社会のp.284

❶米１石は，重さでは約150kg。
❷朝廷で天皇に仕える貴族のこと。

世紀	B.C.	A.D. 1	2	3	4	5	6	7	8	9	10	11	12	13	14	15	16	17	18	19	20	21

縄文　弥生　古墳　飛鳥　奈良　平安　鎌倉　室町（南北朝）　戦国　安土桃山　江戸　明治　大正　昭和　平成　令和

歴史にアクセス　朝鮮人陶工と日本の陶磁器文化　伝統文化

文禄・慶長の役で朝鮮に出兵した大名の中には，朝鮮人の陶工をとらえ，連れ帰る者もいました。その陶工によって優れた技術が伝えられ，有田焼(佐賀県)や薩摩焼(鹿児島県)，萩焼(山口県)など，各地で新しい陶器や磁器が作られるようになり，江戸時代になると各地の特産物になりました。特に有田焼は，ヨーロッパにも輸出され，日本を代表する焼き物になりました。

❻17世紀前半に作られた薩摩焼の茶碗(鹿児島市立美術館蔵　高さ9.8cm)

みんなでチャレンジ　戦乱の世を終わらせたものは何だろう　関連

(1)p.108～111から織田信長と豊臣秀吉の政策を挙げましょう。

(2)(1)から，戦乱の世を終わらせるうえで最も重要だと思うものを一つ選び，理由をまとめましょう。一つにしぼれない場合は複数でもかまいません。

(3)グループ内でそれぞれの考えを発表し，話し合いましょう。

(4)(3)をふまえて，自分の考えと理由を再度まとめましょう。

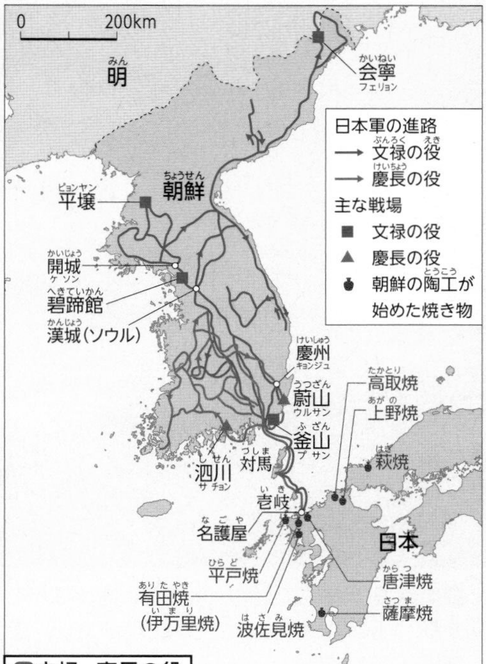
0　200km
明
会寧
フェリョン
日本軍の進路
文禄の役
慶長の役
主な戦場
文禄の役
慶長の役
朝鮮の陶工が始めた焼き物
朝鮮
平壌
ピョンヤン
開城
ケソン
碧蹄館
漢城(ソウル)
慶州
キョンジュ
蔚山
ウルサン
釜山
プサン
泗川
サチョン
対馬
壱岐
名護屋
高取焼
上野焼
萩焼
日本
平戸焼
有田焼
(伊万里焼)
波佐見焼
唐津焼
薩摩焼

❼文禄・慶長の役

仕組みが固まりました。

朝鮮侵略

秀吉は，キリスト教に対しては警戒をしましたが，海外との貿易には強い関心を持ちました。商人が東南アジアへ渡航することをすすめ，倭寇などp.80の海賊を取りしまる命令を出して貿易船の安全を図りました。朝鮮p.80・高山国(台湾)・ルソン(フィリピン)などには手紙を送り，服属を求めました。

1592(文禄元)年には，明の征服を目指し，約15万人の大軍を朝鮮に派遣しました(**文禄の役**)❼❽。軍勢は，首都漢城(ソウル)を占領して朝鮮北部まで進みましたが，明の援軍におしもどされました。また，各地で朝鮮の民衆による抵抗運動が起こり，海戦でも苦戦しました❾。

そこで，明との間で講和交渉が始まり，明の使節が来日しました。しかし，講和は成立せず，1597(慶長２)年に再び戦いが始まりました(**慶長の役**)❼❽。日本の軍勢は苦戦し，1598年に秀吉が病死したのをきっかけに，全軍が引きあげました。７年にわたる戦いで，戦場になった朝鮮は荒廃し，日本に連行される者もいました。日本の武士や農民も重い負担に苦しみ，大名の間の対立をもたらして，豊臣氏が没落する原因となりました。

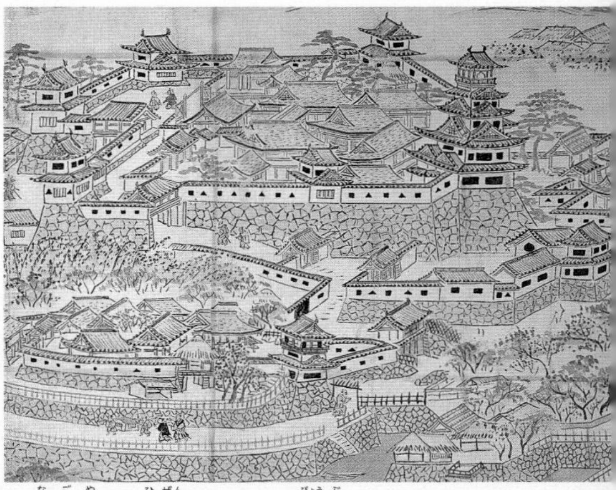

❽名護屋城(肥前名護屋城図屏風　佐賀県立名護屋城博物館蔵)　秀吉が文禄・慶長の役の拠点として築いたものです。

龜

❾亀甲船(復元　韓国　顕忠祠蔵)　甲板が鉄板でおおわれた朝鮮の水軍の船で，李舜臣が率いて，日本の水軍を苦しめました。

チェック　太閤検地と刀狩はどのような政策か，それぞれ本文からぬき出しましょう。

トライ　太閤検地や刀狩による社会の変化を説明しましょう。

❶**姫路城**(兵庫県姫路市)(大天守の高さ46.4m)　美しい白壁から，白鷺城とも呼ばれ，５層の大天守と，三つの小天守が結ばれています。　宝　世

❷**唐獅子図屛風**(東京都　宮内庁三の丸尚蔵館蔵)　狩野永徳の代表作で，おすとめすの唐獅子が歩く姿をえがいています。　宝

読み取る　❺の観客の服装や行っていることなどから，南蛮文化に当たるものを探しましょう。

7 桃山文化

学習課題　**安土桃山時代の文化は，どのような特色を持っていたのでしょうか。**

重

❸**千利休**(1522〜91)

天下人に仕えたわび茶の完成者

堺の商人で，茶の湯に優れ，織田信長や豊臣秀吉に仕えました。特に秀吉からは重く用いられましたが，秀吉のいかりを買って自害を命じられました。(長谷川等伯筆　京都府　表千家不審菴蔵)

宝　❹**妙喜庵待庵**(京都府大山崎町)　千利休が造った茶室で，写真の右手前には，「にじり口」という小さな入り口があります。

天下統一と豪壮な文化

織田信長や豊臣秀吉によって全国の統一が進められ，強大な中央政権が成立すると，社会は安定し，活気がみなぎるようになりました。商業や南蛮貿易が盛んになり，金・銀の産出も増加しました。大名や豪商たちはp.107，その権力や富を背景に豪華な生活を送りました。このころ栄えた文化を，**桃山文化**と呼びます。

桃山文化を代表するのは，安土城p.109❼や大阪城p.109❻などの壮大な城❶巻頭1❻〜❾です。これらの城には，高くそびえる天守と巨大な石垣が築かれ，支配者の強大な権力と富が示されました。城の建物の内部を見ると，欄間には豪華な彫刻がほどこされ，ふすまや屛風，天井には，**狩野永徳**などの画家によって，金銀やあざやかな色を使ったきらびやかな絵(濃絵)❷がえがかれました。

この時期，大名や豪商の間で交際の手段として流行したのが，**茶の湯**でした。中国から渡来した茶道具で評価の高いものは，大名の領地と同じくらいの価値を持ちましたp.86。信長・秀吉に仕えた**千利休**❸は，質素な風情を工夫して楽しむ，わび茶と呼ばれる芸能を完成させました❹。

世紀	B.C.	A.D. 1	2	3	4	5	6	7	8	9	10	11	12	13	14	15	16	17	18	19	20	21
縄文	弥生			古墳			飛鳥	奈良		平安			鎌倉	室町（南北朝）	戦国		安土桃山・江戸			明治	大正・昭和	平成・令和

重

❺かぶきおどり（歌舞伎図巻　愛知県　徳川美術館蔵）

見方・考え方 関連　❻の三つの楽器が似ているのはなぜか，p.81の琉球王国の貿易の特色に着目して考えましょう。

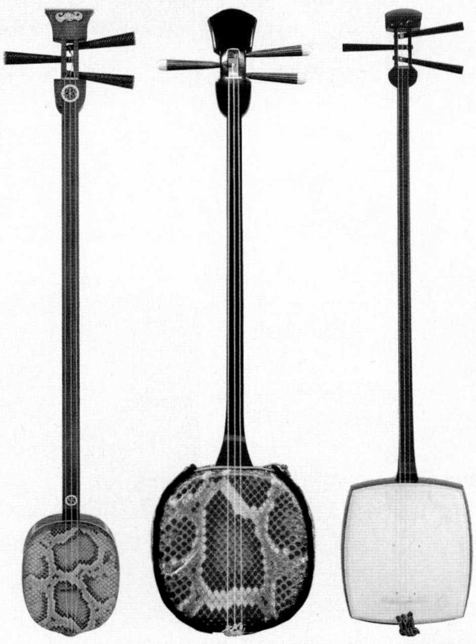

❻**中国の三弦**（左）**と琉球の三線**（中），**三味線**（右）（三弦：アメリカ　メトロポリタン美術館蔵　長さ123cm，三線：沖縄県立博物館・美術館蔵　長さ76.6cm，三味線：東京都　武蔵野音楽大学楽器博物館蔵　長さ96cm）

芸能と生活文化の展開

戦乱が遠のき社会が安定すると，人々の間に平和な世の中を積極的に楽しむ風潮が広まり，芸能や生活文化に新しい動きが見られるようになりました。恋愛を題材にした小歌や，三味線❻に合わせて語る浄瑠璃が，人々にもてはやされました。17世紀初め，出雲の阿国という女性が始めたかぶきおどり❺❶も，京都で人気を集めました。

衣服では，麻にかわって木綿巻末1❷が庶民の衣料として一般化し巻末1⓫始め，色あざやかな小袖が日常的に着られるようになりました。

南蛮文化

戦国時代から安土桃山時代にかけて，キリスト教の宣教師や商人など多くのヨーロッパ人が来航し，パン・カステラ・カルタ・時計などをもたらしました。金のくさりやボタン，帽子，ヨーロッパ風の衣服を身に着けることが流行しました。

天文学・医学・航海術など，新しい学問や技術も伝えられ，ヨーロッパ風の絵画もえがかれました。活版印刷術も伝えられ，「平家物語」p.72などの日本の書物が，ローマ字で印刷されました❼。こうしたヨーロッパの文化から影響を受けて成立した芸術や風俗などを，**南蛮文化**といいます。

NIFON NO
COTOBA TO
Historia uo narai xiran to
FOSSVRV FITO NO TAME-
NI XEVA-NI YAVA RAGVETA-
RV FEIQE NO MONOGATARI.

IESVS NO COMPANHIA NO
Collegio Amacusa ni voite Superiores no go men-
qio to xite core uo fan ni qizamu mono nari.
Go xuxxe yori M. D. L. XXXXII.

→❼**ローマ字で書かれた「平家物語」**（熊本県　天草市立天草キリシタン館蔵）　16世紀末に天草（熊本県）で，外国人宣教師の日本語学習のために作られ，天正遣欧使節（p.107❼）が持ち帰った金属活版印刷機で印刷されました。

❶異様な服装をしたり行動したりすることを，「かぶき」といいました。

チェック　桃山文化を担ったのはどのような人か，本文からぬき出しましょう。

トライ　桃山文化の特色を，具体例を挙げて説明しましょう。

探究のステップに取り組もう（p.145）

2節

江戸幕府の成立と対外政策

❶江戸城(江戸図屏風　千葉県　国立歴史民俗博物館蔵)　第３代将軍徳川家光のころの様子です。

1 江戸幕府の成立と支配の仕組み

学習課題　江戸幕府は，どのように全国を支配したのでしょうか。

探究のステップ　なぜ江戸幕府の支配は約二六〇年も続いたのでしょうか。

❷徳川家康
(1542〜1616)
江戸幕府のいしずえを築く
三河(愛知県)の戦国大名で，織田信長や豊臣秀吉と結んで力をつけました。秀吉からは，最も有力な大名として重んじられました。(栃木県　日光東照宮宝物館蔵)

❸日光東照宮(栃木県日光市)　徳川家康をまつるために，家光が造りました。

世 宝

❶将軍の家臣には，将軍に直接会える旗本と，会えない御家人がいました。18世紀前半には，旗本が約5000人，御家人が約１万7000人いました。

江戸幕府の成立

豊臣秀吉p.109の死後に政治的な力をのばしたのは，関東を領地とする**徳川家康**❷でした。1600年，豊臣氏の政権を守ろうとした石田三成は大名に呼びかけ，家康を討つために兵を挙げました。家康も三成に反発する大名を味方につけ，関ヶ原(岐阜県)で戦いました(関ヶ原の戦い)。これに勝利した家康は，全国支配の実権をにぎりました。1603年，家康は朝廷から征夷大将軍p.47に任命され，江戸(東京都)に幕府を開きました❶。**江戸幕府**が全国を支配した時代を，**江戸時代**といいます。家康は，1614，15年の二度にわたる大阪の陣で豊臣氏をほろぼし，幕府の基礎を固めました。

幕藩体制の確立

幕府の直接の支配地(**幕領**)は約400万石で，将軍の家臣❶の領地を合わせると，全国の石高p.110のおよそ４分の１(約700万石)をしめました❹。さらに，京都・大阪・奈良・長崎などの経済的に重要な都市や，佐渡金山(新潟県)p.125❼・石見銀山(島根県)p.85などの主要な鉱山を直接支配し，貨幣を発行する権利も独占しました。

　全国には大名が配置され，各地の支配を任されました。大名

世紀	B.C.	A.D.1	2	3	4	5	6	7	8	9	10	11	12	13	14	15	16	17	18	19	20	21

縄文　弥生　古墳　飛鳥　奈良　平安　鎌倉　室町（南北朝）　戦国　江戸（安土桃山）　明治　昭和（大正）　平成（令和）

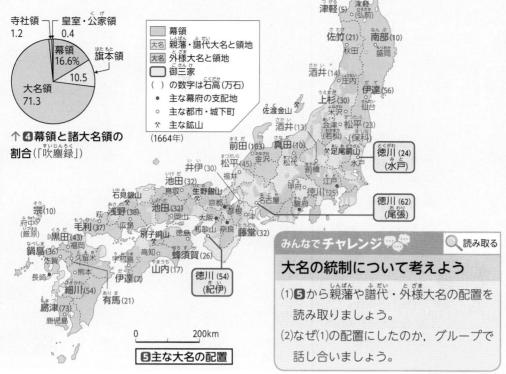

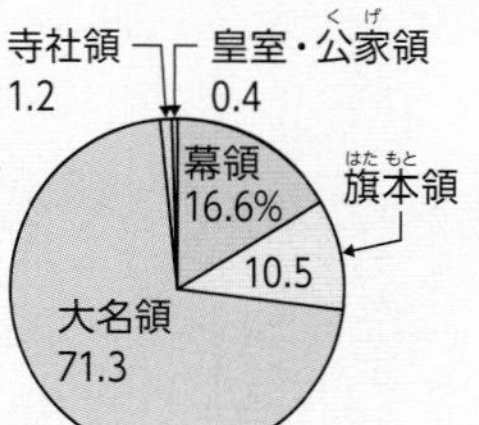
寺社領 1.2
皇室・公家領 0.4
幕領 16.6%
旗本領
10.5
大名領 71.3
↑ **4幕領と諸大名領の割合**（「吹塵録」）

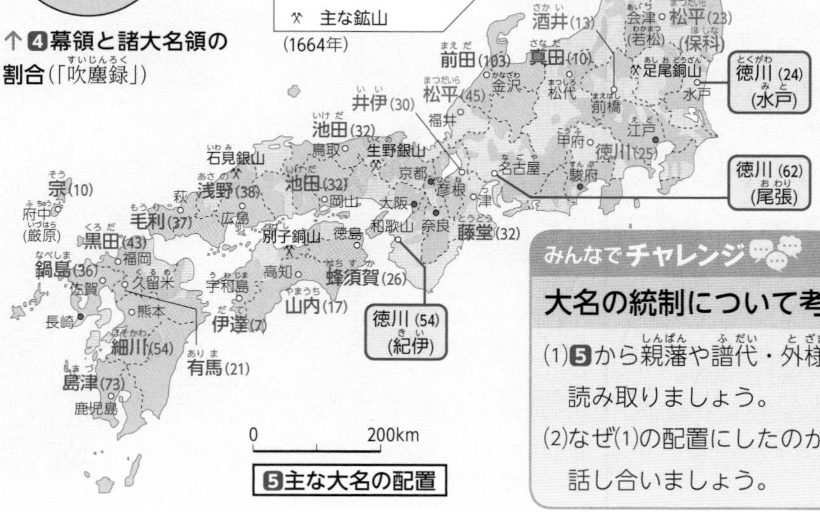
幕領
大名 親藩・譜代大名と領地
大名 外様大名と領地
御三家
（　）の数字は石高（万石）
主な幕府の支配地
主な都市・城下町
主な鉱山
（1664年）
津軽(5)
津軽（弘前）
佐竹(21)
南部(10)
秋田
盛岡
酒井(14)
庄内
伊達(56)
上杉(30)
米沢
仙台
佐渡金山
酒井(13)
会津
松平(23)
（若松）
（保科）
前田(103)
真田(10)
足尾銅山
徳川(24)（水戸）
金沢
松代
前橋
水戸
井伊(30)
松平(45)
福井
江戸
池田(32)
鳥取
甲府
徳川(25)
石見銀山
生野銀山
京都
名古屋
宗(10)
府中（厳原）
浅野(38)
萩
池田(32)
彦根
駿府
徳川(62)（尾張）
毛利(37)
広島
岡山
大阪
津
別子銅山
徳島
和歌山
奈良
藤堂(32)
黒田(43)
福岡
鍋島(36)
佐賀
久留米
宇和島
高知
蜂須賀(26)
長崎
熊本
伊達(7)
山内(17)
徳川(54)（紀伊）
細川(54)
有馬(21)
島津(73)
鹿児島
0　200km
5主な大名の配置

みんなでチャレンジ　読み取る

大名の統制について考えよう

(1)5から親藩や譜代・外様大名の配置を読み取りましょう。

(2)なぜ(1)の配置にしたのか，グループで話し合いましょう。

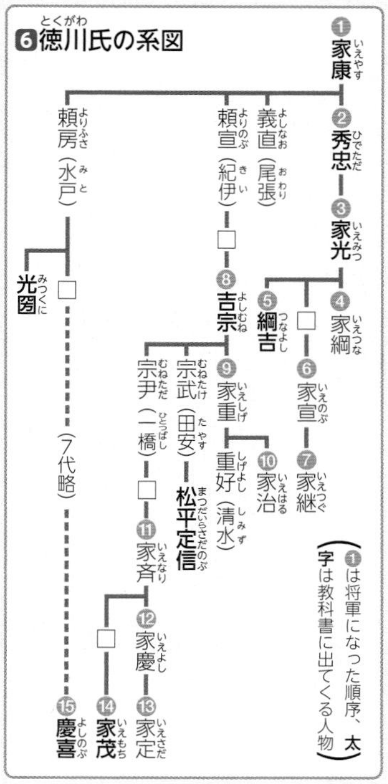
1家康
2秀忠
3家光
4家綱
5綱吉
6家宣
7家継
8吉宗
9家重
10家治
11家斉
12家慶
13家定
14家茂
15慶喜
義直（尾張）
頼宣（紀伊）
頼房（水戸）
光圀
（7代略）
宗武（田安）
宗尹（一橋）
松平定信
重好（清水）
（1は将軍になった順序，太字は教科書に出てくる人物）
6徳川氏の系図

とは将軍から1万石以上の領地をあたえられた武士のことで，大名の領地とそれを支配する組織のことを**藩**といいます。大名は，徳川家の一族である親藩，古くから徳川家の家臣であった譜代大名，関ヶ原の戦いのころから従うようになった外様大名に区別されました。このように，将軍を中心として，幕府と藩が全国の土地と民衆を支配する仕組みを，**幕藩体制**といいます。

幕府は，藩を取りつぶしたり，領地を変えたりする力を持っており，大名の配置にも工夫をしました。5 幕府の政治は，将軍が任命した老中が行い，若年寄が補佐しました。老中や若年寄のほかにも，寺社奉行・町奉行・勘定奉行など多くの役職が置かれ，譜代大名や旗本が任命されました。7

大名・朝廷の統制

幕府は，**武家諸法度** 8 という法律を定め，大名が許可なく城を修理したり，無断で縁組をしたりすることを禁止しました。第3代将軍**徳川家光** 3 6 は，**参勤交代** 2 を制度として定めました。これ以後，大名は原則，1年おきに領地と江戸とを往復することが義務付けられました。p.99 2

また幕府は，京都所司代を置いて朝廷を監視しました。そして，禁中並公家中諸法度 9 という法律で，天皇の役割や，朝廷の運営方針などを定めました。

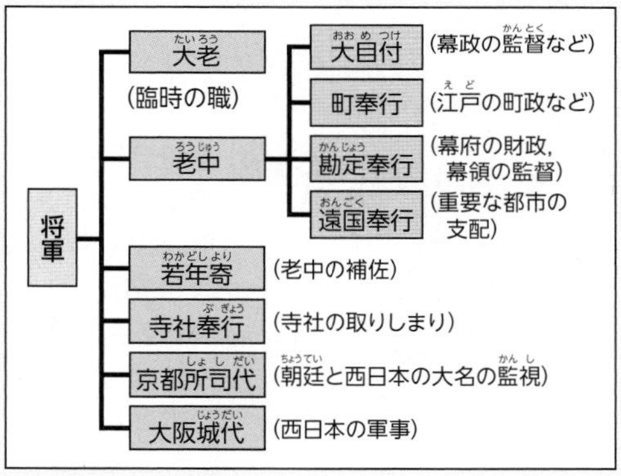
将軍
大老
（臨時の職）
老中
若年寄
寺社奉行
京都所司代
大阪城代
大目付
町奉行
勘定奉行
遠国奉行
（幕政の監督など）
（江戸の町政など）
（幕府の財政，幕領の監督）
（重要な都市の支配）
（老中の補佐）
（寺社の取りしまり）
（朝廷と西日本の大名の監視）
（西日本の軍事）
7江戸幕府の仕組み

8武家諸法度（1615年）　（部分要約）

一　学問と武芸にひたすら精を出すようにしなさい。

一　諸国の城は，修理する場合であっても，必ず幕府に申し出ること。新しい城を造ることは厳しく禁止する。

一　幕府の許可なく，結婚をしてはならない。

9禁中並公家中諸法度（1615年）（部分要約）

一　天皇は，帝王としての教養と，伝統文化である和歌を学ばなければならない。

一　武家の官位は，公家の官位と別枠にする。

一　関白の命令に従わない者は，流罪とする。

2参勤交代には，大名が江戸に来て将軍にあいさつし，主従関係を確認するという，重要な意味がありました。

チェック　幕藩体制とはどのような仕組みか，本文からぬき出しましょう。

トライ　江戸幕府は大名をどのように統制したか，次の語句を使って説明しましょう。[配置／法律]

大福帳

❶江戸の町の様子（熈代勝覧　ドイツ　ベルリン国立アジア美術館蔵）　江戸で最もにぎわった日本橋近くの，十軒店の様子です。

2 さまざまな身分と暮らし

学習課題 **江戸幕府は，どのように人々を支配したのでしょうか。**

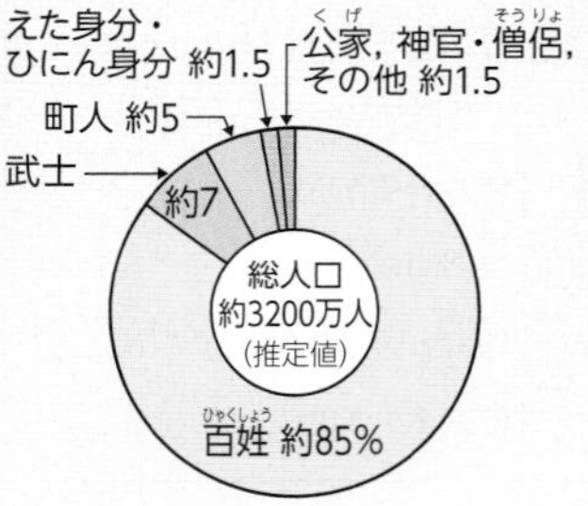

えた身分・ひにん身分 約1.5
公家，神官・僧侶，その他 約1.5
町人 約5
武士 約7
総人口 約3200万人（推定値）
百姓 約85%

❷身分別の人口の割合（関山直太郎「近世日本の人口構造」）　江戸時代後期の推定ですが，中期から大きくは変化しませんでした。

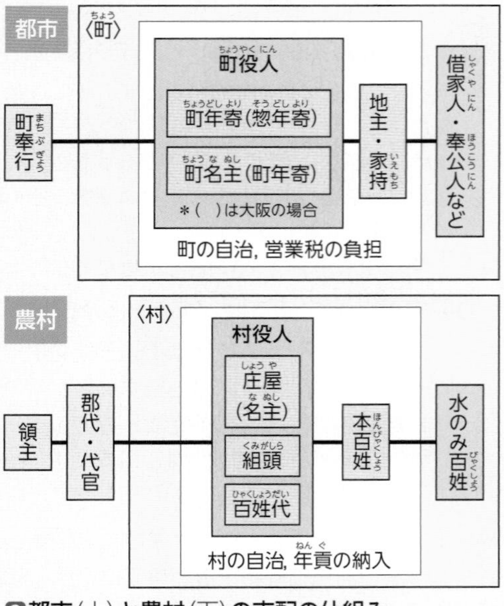

都市
〈町〉
町奉行
町役人
町年寄（惣年寄）
町名主（町年寄）
＊（ ）は大阪の場合
地主・家持
借家人・奉公人など
町の自治，営業税の負担
農村
〈村〉
領主
郡代・代官
村役人
庄屋（名主）
組頭
百姓代
本百姓
水のみ百姓
村の自治，年貢の納入

❸都市（上）と農村（下）の支配の仕組み

武士と町人

豊臣秀吉の時代にできあがった身分は，江戸時代になるとさらに整えられました。p.109 p.110 身分は，**武士**と**百姓**，**町人**とに大きく分かれ，江戸や大名の城下町には，武士と町人が集められました。❶ p.85

武士は主君から，領地や，米で支給される俸禄を代々あたえられ，軍事的な義務を果たしました。支配身分である武士は政治を行い，名字を公に名乗ることや，刀を日常的に差すこと（帯刀）などの特権を持っていました。

町人は，幕府や藩に営業税を納め，町ごとに選ばれた名主などの町役人が自治を行いました。❸ 町の運営に参加できるのは，地主や家持に限られていました。町に住む多くの人々は借家人で，日雇いや行商などで生活しました。商家で働いたり職人の弟子となったりする者もおり，幼いときから主人の家に住みこんで仕事を覚え，独立を目指しました。

村と百姓

百姓は，全人口の約85%をしめ，❷ 村に住んで自給自足に近い生活をしました。百姓には，土地を持つ本百姓と，p.286 土地を持たずに小作を行う水のみ百 p.285

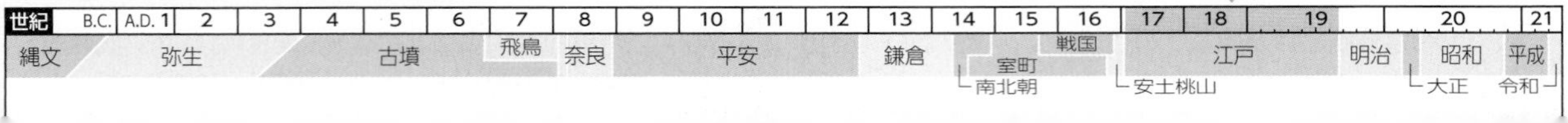

世紀
B.C. A.D. 1 2 3 4 5 6 7 8 9 10 11 12 13 14 15 16 17 18 19 20 21
縄文 弥生 古墳 飛鳥 奈良 平安 鎌倉 室町 南北朝 戦国 安土桃山 江戸 明治 大正 昭和 平成 令和

重 ❹年貢納め（円山応挙筆　七難七福図巻　京都府　相国寺蔵）

一　衣類は，模様のないものを着ること。
一　雑穀を食べ，米はむやみに食べないようにせよ。
一　田畑をよく手入れし，草も念を入れて取るようにせよ。不届きな百姓は，取り調べて処罰する。
一　独身の百姓が病気になったら，五人組や村全体で助け合って田畑を耕作し，年貢を納めるようにせよ。（部分要約）

←❺百姓支配の方針　1643年に，幕府がききんに対応するため，関東地方に出した触書です。江戸時代の百姓支配の基本となる内容が示されています。

姓とがありました。有力な本百姓は，庄屋（名主）や組頭，百姓代などの村役人となり，村の自治を行いました。❸年貢は村ごとにかけられ，主に米で納められました。❹❶ p.65 年貢の率は，四公六民（40％）や五公五民（50％）などの重いものでした。

年貢は，村の自治を利用して取り立てられ，武士の生活を支えました。幕府は，年貢を安定的に取り立てるため，土地の売買を禁止しました。また，**五人組**の制度を作り，年貢の納入や犯罪の防止に連帯責任を負わせました。❺百姓は林野や用水路を共同で利用し，田植えなども助け合って行いました。

差別された人々

百姓や町人などの身分とは別に，えた身分やひにん身分の人々がいました。えた身分の人々は，農業を行って年貢を納めたほか，死んだ牛馬の解体や皮革業などで生活しました。❻また，犯罪者をとらえることや牢番など，役人の下働きも務めました。ひにん身分の人々も，役人の下働きや芸能などで生活しました。 p.87

かれらは，ほかの身分の人々から厳しく差別され，村の運営や祭りにも参加できませんでした。幕府や藩は，かれらの住む場所や職業を制限し，服装などの規制を行いました。そのため，かれらに対する差別意識が強まりました。

読み取る　❶や❹には，どのような身分の人がえがかれているか，読み取りましょう。

歴史にアクセス　女性への教え

江戸時代の寺子屋（p.135）で教科書として広く使われた「女大学」には，女性の務めとして，結婚したら夫やその親に従うことなどが教訓として書かれていました。女性は子を産み，家を守ることだけが期待されていたのです。こうした教えはありましたが，実際には，農村では女性は重要な働き手で，都市でも，武家屋敷や商家に勤め，自立する女性もいました。

❻雪駄作り（大阪人権博物館蔵）　人気のはき物だった雪駄は，材料に牛や馬の革が使われ，主に，差別された人たちによって作られていました。

❶畑の年貢は，お金や収穫物で納められることもありました。

チェック　町や村はどのように運営されていたか，❸を参考にしながら，本文からそれぞれぬき出しましょう。

トライ　江戸幕府は百姓をどのように支配したか，次の語句を使って説明しましょう。［年貢／五人組］

奉掛
御寶前
諸願
成就

❶朱印船(清水寺末次船絵馬下絵　長崎歴史文化博物館蔵)

読み取る　❸に書かれている地名を，❷から探しましょう。

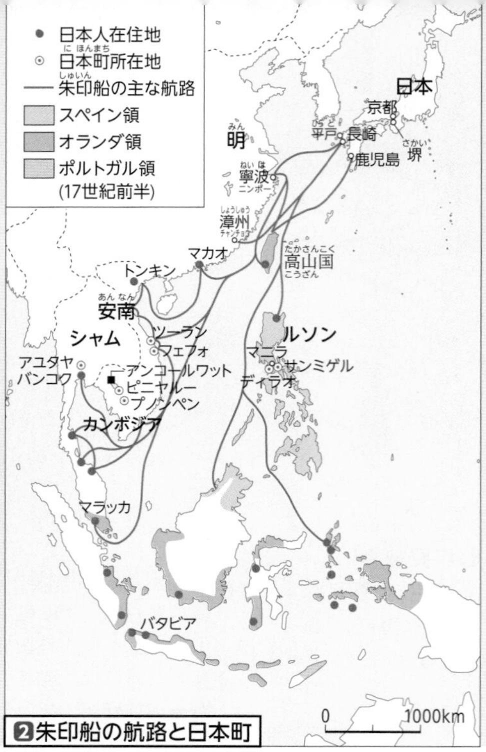
日本人在住地
日本町所在地
朱印船の主な航路
スペイン領
オランダ領
ポルトガル領
(17世紀前半)
日本
京都
平戸
長崎
堺
鹿児島
明
寧波
漳州
マカオ
高山国
トンキン
安南
シャム
ツーラン
フェフォ
アユタヤ
バンコク
アンコールワット
ピニャルー
プノンペン
カンボジア
ルソン
マニラ
サンミゲル
ディラオ
マラッカ
バタビア
0　1000km

❷朱印船の航路と日本町

3 貿易の振興から鎖国へ

学習課題　江戸幕府の対外政策は，どのように変化していったのでしょうか。

自日本到
安南国商船也
右
慶長拾壹年丙午八月六日

❸朱印状(東京都　前田育徳会蔵)

❹アンコールワット(カンボジア)の壁に書かれた日本語　1632年に平戸藩士の森本一房が書いたものです。右下に「日本」の文字が見えます。　世

積極的な貿易政策

徳川家康も豊臣秀吉と同様，貿易に積極的でした。p.114家康は，貿易を望む大名や豪商に，東南アジアへの渡航を許可する**朱印状**❸を発行しました。そして，ルソン(フィリピン)・安南(ベトナム)・カンボジア・シャム(タイ)などには，朱印状を持った船(朱印船❶)の保護を依頼しました。これを**朱印船貿易**といいます。多くの日本人が東南アジアへ移住して生活するようになり❹，各地に**日本町**❷ができました。

また家康は，新しく来航したオランダとイギリスにも貿易を許可し，両国の商館が平戸(長崎県)に置かれました。輸入品は，中国産の生糸や絹織物が中心で，東南アジア産の染料や象牙などもありました。日本からは銀を中心に，刀や工芸品を輸出しました。

禁教と貿易統制の強化

家康は初め，貿易の利益を重視してキリスト教の布教を黙認したため，キリスト教信者が増加しました。しかし家康は，領主への忠義よりも神への信仰を重んじるキリスト教の教えを危険視するようになりました。そのため，1612年，幕領でキリスト教が禁止され(禁教令)，

p.114

世紀　B.C.　A.D.1　2　3　4　5　6　7　8　9　10　11　12　13　14　15　16　17　18　19　20　21
縄文　弥生　古墳　飛鳥　奈良　平安　鎌倉　南北朝　室町　戦国　安土桃山　江戸　明治　大正　昭和　平成　令和

(原城跡世)

LOWVAD. SEIAO SACTISSIM. SACRAMENTO

↑**5天草四郎の陣中旗**(熊本県　天草市立天草キリシタン館蔵　縦108.6cm)

←**6島原・天草一揆**(嶋原陣図御屏風　福岡県　朝倉市秋月博物館蔵)　原城(長崎県)での戦いの様子です。幕府は12万人余りの大軍を送りましたが，約3万7000人の一揆軍の抵抗に苦しみ，しずめるのに4か月かかりました。

来航期間	政権	年	出来事
	秀吉	1587	バテレン追放令を出す
1600	家康・秀忠	1612	幕領にキリスト教禁止令を出す
		1613	全国にキリスト教禁止令を出す
		1616	ヨーロッパ船の来航地を長崎・平戸に制限
1620		1623	イギリスが平戸の商館を閉じる
イギリス　スペイン	家光	1624	スペイン船の来航を禁止
		1633	特定の船以外の海外渡航を禁止
		1635	日本人の海外渡航・帰国を禁止　外国船の来航・貿易地を長崎・平戸に制限
		1637	島原・天草一揆が起こる
1640		1639	ポルトガル船の来航を禁止
ポルトガル　オランダ		1641	平戸のオランダ商館を長崎の出島に移す

7鎖国への歩み

翌年には全国へと拡大されました。第2代将軍徳川秀忠は，禁教令を強化し，宣教師や多くの信者を処刑しました。p.115 6

1635年，第3代将軍徳川家光は，日本人の出国と帰国を全て禁止し，朱印船貿易は終わりをむかえました。p.115そして翌年には，長崎に**出島**を築き，ポルトガル人を集めて住まわせ，日本人と自由に交流ができないようにしました。中国船が長崎以外の港に来ることも禁じました。

島原・天草一揆と鎖国

1637年，領主によるキリスト教信者への迫害や厳しい年貢の取り立てに苦しんだ，島原(長崎県)や天草(熊本県)の人々は，天草四郎(益田時貞)を大将にして一揆を起こしました(**島原・天草一揆**)56。これを鎮圧した幕府は，1639年にポルトガル船の来航を禁止し，1641年にはオランダ商館を出島に移しました。こうして，キリスト教の布教を行わない中国とオランダだけが，長崎で貿易を許されることになりました。この幕府による禁教・貿易統制・外交独占を政策とする体制を，**鎖国**❶と呼びます。7

幕府は，かくれているキリスト教信者を発見するために絵踏8を行いました。また，宗門改を行い，人々が仏教徒であることを寺に証明させ，9葬式も寺で行われるようになりました。

宗
七九五

8踏絵(東京国立博物館蔵　縦18.8cm)　長崎では，役人の前でキリストや聖母マリアの像をふむ絵踏が，毎年正月の行事として，江戸時代末期まで行われていました。

一、人数五人内 男三人 女弐人　広右衛門

此訳

広右衛門　歳五拾弐　真宗宝円寺旦那

女房　うり　歳四拾七　同寺旦那

伜　元五郎　歳弐拾弐　同寺旦那

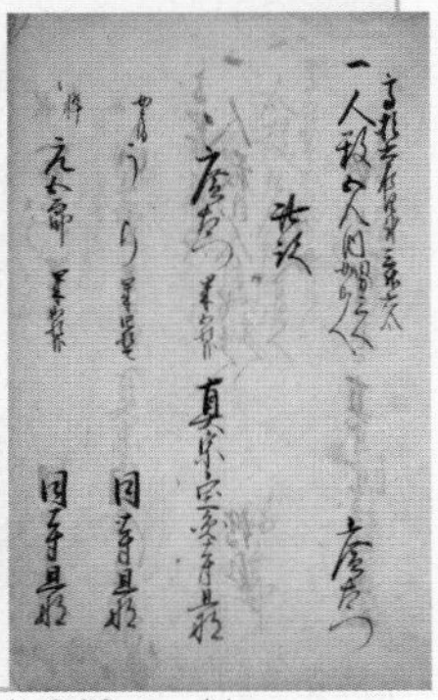

9宗門改帳(豊後国直入郡釘小野村宗門御改帳　大分県立先哲史料館蔵)　幕府や領主は，家族と使用人の宗旨と旦那寺などを記した帳簿を作らせました。

❶「鎖国」という言葉が使われるようになったのは，19世紀初めになってからのことです。

チェック　江戸幕府がキリスト教を禁止した理由を，本文からぬき出しましょう。

トライ　江戸幕府が鎖国をした理由を，次の語句を使って説明しましょう。[貿易／キリスト教]

1長崎の出島（寛文長崎図屏風　長崎歴史文化博物館蔵）
出島は，面積が約１万3000m²の人工の島です。出島に入れるのは，役人や出入りの商人など，ごく限られた人たちだけでした。

読み取る
(1)1にえがかれた船はそれぞれどの国のものか，考えましょう。
(2)4の武士たちは何をしているか，読み取りましょう。

4 鎖国下の対外関係

学習課題 江戸時代の日本は，世界とどのように結ばれていたのでしょうか。

2鎖国下の窓口

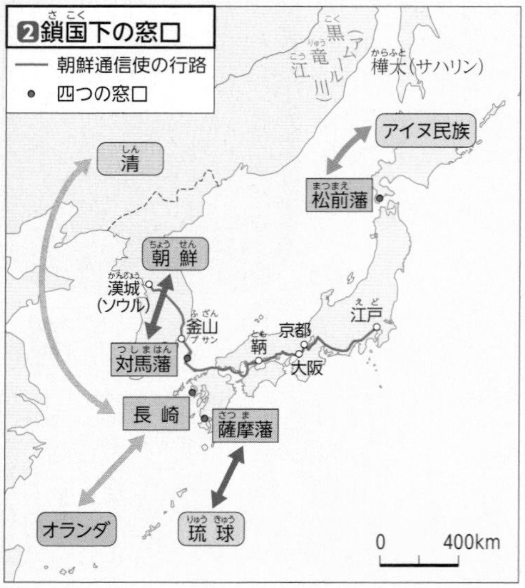

―― 朝鮮通信使の行路
● 四つの窓口
黒竜江
アムール川
樺太(サハリン)
アイヌ民族
清
松前藩
朝鮮
漢城(ソウル)
釜山
対馬藩
鞆
京都
江戸
大阪
長崎
薩摩藩
オランダ
琉球
0　400km

D

3俵物の中身（復元　岩手県立博物館蔵）　いりこ(上：なまこを煮て乾燥させたもの)・干しあわび(左下)・ふかひれ(右下)などを，俵につめて輸出しました。

四つの窓口

江戸幕府の外交政策は「鎖国」と呼ばれていますが，国を完全に閉ざしたわけではありませんでした。日本人が海外に出ることは厳しく禁止されましたが，長崎・対馬藩(長崎県)・薩摩藩(鹿児島県)・松前藩(北海道)の４か所を窓口として，日本は異国や異民族とゆるやかにつながり，自国を中心とする国際関係を作り出しました。2

オランダ・中国との貿易

オランダ・中国とは，国交は結びませんでしたが，長崎で引き続き貿易が行われました。p.286 幕府は長崎に奉行所を置き，オランダ・中国との貿易を管理しました。長崎の貿易では，生糸・絹織物・薬・香木などが輸入され，銀・銅・俵物3などが輸出されました。キリスト教の影響を防ぐため，ヨーロッパの書物は輸入が禁止されました。

オランダとの貿易は，商館のある出島1p.119で行われ，オランダ人は出島から出ることが許されませんでした。幕府は商館長に，ヨーロッパやアジアの情勢を報告するよう義務付け(オランダ風説書)，海外の情報を独占しました。また，商館長は毎年，将軍にあいさつをするため江戸へ出向きました。6 江戸滞在中は

世紀：B.C.｜A.D.1｜2｜3｜4｜5｜6｜7｜8｜9｜10｜11｜12｜13｜14｜15｜16｜17｜18｜19｜20｜21
縄文｜弥生｜古墳｜飛鳥｜奈良｜平安｜鎌倉｜南北朝｜室町｜戦国｜安土桃山｜江戸｜明治｜大正｜昭和｜平成｜令和

❹唐人屋敷の入口（渡辺秀詮筆　長崎唐館交易図巻　兵庫県　神戸市立博物館蔵）　唐人屋敷は，幕府が造り，1689年に完成した，中国人の居住地区です。3万1000m²ほどの広さで，周囲は堀に囲まれ，人や商品の出入りは厳しく監視されていました。

歴史にアクセス　朝鮮通信使が訪れた対潮楼

朝鮮通信使は，日本に着くと，対馬藩主に案内され，江戸に向かいました。道中に当たる途中の各藩には，通信使の接待や荷物の運搬の手配などが，幕府から命じられました。そうした藩の一つである福山藩は，鞆の浦の海が一望できる福禅寺を通信使の宿所にしました。客殿からの景色はすばらしく，通信使は「日東第一形勝」（朝鮮より東でいちばん美しい景色の場所）とほめたたえました。文化交流の場でもあったこの客殿は，後の通信使によって「対潮楼」と名付けられました。

日東第一形勝

❺対潮楼からの景色（広島県福山市　額字原文 記）

日本の学者などが訪れ，西洋の知識を吸収しました。

中国では，17世紀前半に女真族（満州族）が**清**を建国し，明がほろびました。p.80 清になってからも，中国からは民間の商船が長崎に来港し，貿易が行われました。中国人は長崎の町で生活をしていましたが，密貿易を防ぐため，17世紀後半から，出島の近くに造られた唐人屋敷❹に住まわされました。幕府は，中国船からもさまざまな情報を聞き取り，風説書を作りました。

朝鮮との交際

豊臣秀吉の文禄・慶長の役により，日本と朝鮮との交流は途絶えました。p.111 しかし，江戸幕府の成立後，対馬藩の努力で朝鮮との国交が回復し，将軍の代がわりなどに，祝いの使節（**朝鮮通信使**❼）が日本に派遣されるようになりました❶。およそ300人から500人におよぶ通信使の一行の中には，一流の学者や芸術家もおり，各地で日本の学者などと交流しました❺。

対馬藩は，朝鮮との交渉の窓口を務め，貿易を独占することを幕府から認められました。対馬藩は，朝鮮の釜山（プサン）に設けられた倭館という居留地に役人を派遣し，朝鮮との連絡や貿易を行いました。輸入品は生糸・絹織物・朝鮮にんじんなどで，輸出品は銀や銅などでした。

❻江戸に滞在するオランダ人と，のぞき見る人々（葛飾北斎筆　長崎屋図　東京都　国立国会図書館蔵）

❼江戸を訪れる朝鮮通信使（狩野益信筆　朝鮮通信使歓待図屏風　京都府　泉涌寺蔵）記

❶朝鮮は，日本を警戒し，幕府や対馬藩の使節が首都の漢城（ソウル）まで来るのを認めず，日本人が倭館の外へ出るのも禁止しました。

チェック　オランダ・中国・朝鮮に対する江戸幕府の「窓口」はどこか，それぞれ挙げましょう。

トライ　江戸幕府の，オランダ・中国との関係と，朝鮮との関係のちがいを説明しましょう。

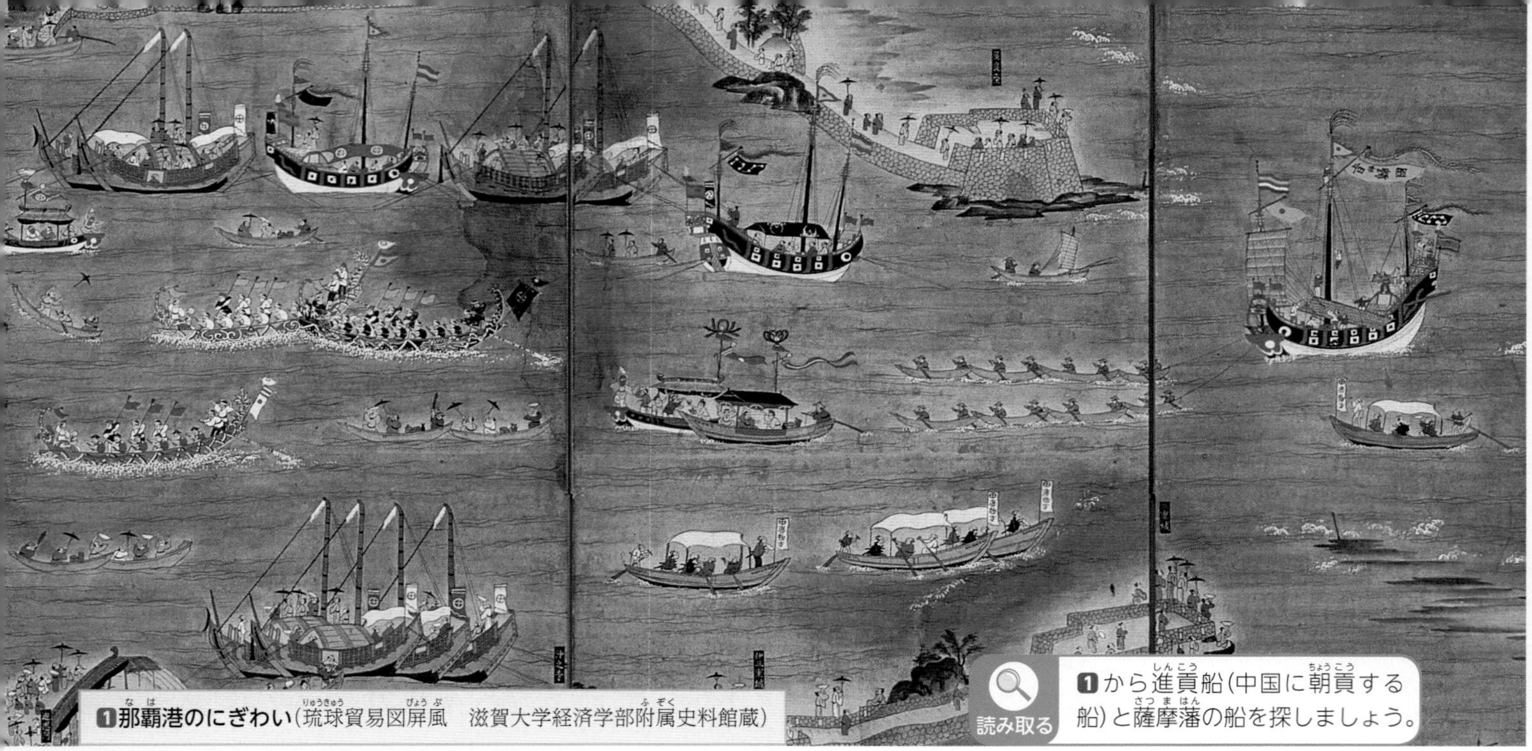

❶那覇港のにぎわい(琉球貿易図屏風　滋賀大学経済学部附属史料館蔵)

読み取る　❶から進貢船(中国に朝貢する船)と薩摩藩の船を探しましょう。

5 琉球王国やアイヌ民族との関係

学習課題　江戸幕府は，琉球王国やアイヌ民族とどのような関係を持ったのでしょうか。

❷掟十五条(1611年)　(部分要約)

- 一　薩摩の許可した品物以外のものを，中国に注文してはならない。
- 一　薩摩の許可書がない商人を入れてはならない。
- 一　年貢その他の貢物は薩摩の奉行の決めたとおりに納めること。
- 一　琉球からほかの藩へ貿易船を出してはならない。

↑薩摩藩が琉球支配のために定めたものです。

❸**琉球使節**(琉球中山王両使者登城行列　東京都国立公文書館蔵)　琉球使節は幕末(江戸時代の末期)までに18回，江戸を訪れました。

琉球の支配

❶ p.81

1609年，独自の文化を育んできた琉球王国(沖縄県)p.90は，江戸幕府の許可を得た薩摩藩(鹿児島県)に征服されました。幕府は，薩摩藩に琉球の支配を認めましたが，王国はそのまま残すよう命じました。琉球は異国として位置付けられ，薩摩藩はその窓口となりました。❷明や清に対しては，薩摩藩の支配はかくされ，朝貢貿易も続けられました。そのため，琉球の人々は，髪型や衣服，名前など，独特の生活文化を変えぬよう命じられました。

薩摩藩は，琉球から奄美群島を取り上げて直接支配し，特産物である砂糖や布を納めさせました。琉球は，中国から生糸と薬を輸入し，銀や海産物を輸出する中継貿易を行っていましたが，薩摩藩は琉球国王のいる首里(那覇市)p.81に役人を派遣し，中継貿易を管理下に置き，大きな利益を得ました。また薩摩藩は，将軍や琉球国王に代がわりがあると，琉球王国から，中国風の衣装を着た使節を江戸に連れていき，将軍にあいさつをさせました(**琉球使節**❸)。使節の行列を見た人々は，将軍の権威が異国にまでおよんでいると考えました。

世紀	B.C.	A.D.1	2	3	4	5	6	7	8	9	10	11	12	13	14	15	16	17	18	19	20	21
縄文	弥生					古墳		飛鳥	奈良	平安				鎌倉	室町(南北朝)		戦国(安土桃山)	江戸		明治	昭和(大正)	平成(令和)

❹にしん漁でにぎわう江差の港(松前檜山屏風　北海道　函館市中央図書館蔵)

アイヌ民族との交易

蝦夷地(北海道)のアイヌ民族は，アイヌ語や，自然や動物に対する信仰など独自の文化を持ち，漁業や狩猟などで生活をしていました。そして，和人(本州から来た人々)だけでなく，千島列島や樺太(サハリン)，中国東北部の人々とも，海産物や毛皮などの交易を行いました。

p.81　p.140　p.81

幕府は1604年，蝦夷地の南部を支配する松前藩に，アイヌ民族との交易の独占を認めました。松前藩が支配する地域は和人地と呼ばれ，アイヌの人々が住む地域とは区別されました。松前藩は，交易を通じてアイヌ民族との窓口となりました。❶

p.285

松前藩は家臣に，土地のかわりに，アイヌの人々と交易する権利を分けあたえました。藩主や家臣は，米や日用品と，さけ・にしん❹・こんぶ❺などの海産物とを交換し，大きな利益を得ました。しかし，その交換の比率は不公平で，和人に有利なものでした。そのため，17世紀後半，不満を持ったアイヌの人々は，指導者の一人であるシャクシャインを中心として，松前藩に対する戦いを起こしましたが，敗れました。18世紀前半には，交易が和人の商人に任されるようになり，アイヌの人々への経済的な支配はさらに厳しいものになりました。❻

❺こんぶ漁の様子(平沢屏山筆　蝦夷人昆布採取図　北海道　国立アイヌ民族博物館蔵)　とれたこんぶは，中国への重要な輸出品となりました。

❻オムシャ(日高アイヌ・オムシャ之図　北海道　函館市中央図書館蔵)　オムシャはもともと交易に訪れた人をもてなす，アイヌ民族のあいさつの儀礼でした。しかし，松前藩の支配強化とともに，アイヌ民族への支配の手段となりました。

❶本州の津軽半島や下北半島(青森県)などにもアイヌの人々が住んでおり，弘前藩(青森県)や南部藩(岩手県・青森県)の支配を受けました。

チェック　琉球王国・アイヌ民族に対する江戸幕府の「窓口」はどこか，それぞれ挙げましょう。

トライ　江戸幕府の，琉球王国との関係と，アイヌ民族との関係とのちがいを説明しましょう。

探究のステップに取り組もう(p.145)

❶新しい農具(老農夜話　東京大学史料編纂所蔵)　収穫した稲からもみをとる脱穀の作業の様子です。

❷備中ぐわ(左)と平くわ(右)

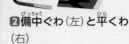

読み取る　❷の備中ぐわには，平くわと比べてどのような利点があるか，形のちがいに着目して考えましょう。

1 農業や諸産業の発展

学習課題　江戸時代には，どのような産業が発達したのでしょうか。

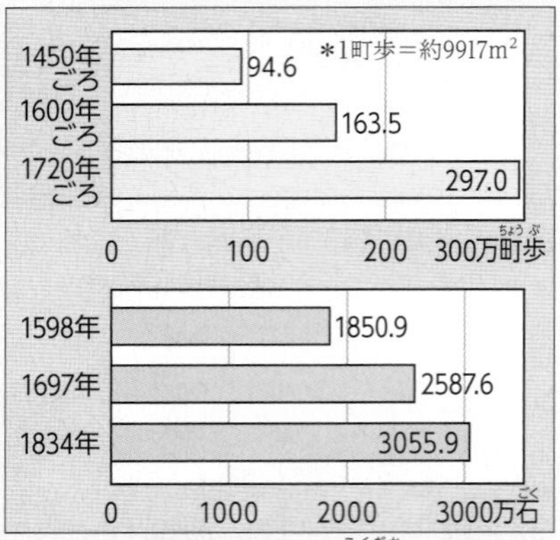

*1町歩＝約9917m²
1450年ごろ 94.6
1600年ごろ 163.5
1720年ごろ 297.0
0 100 200 300万町歩
1598年 1850.9
1697年 2587.6
1834年 3055.9
0 1000 2000 3000万石

❸全国の耕地面積(上)と石高(下)の移り変わり(北島正元編「土地制度史Ⅱ」ほか)

❹九十九里浜の地引き網漁(昇亭北寿筆　上総九十九里地引網大漁猟正写之図　兵庫県　神戸市立博物館蔵)

探究のステップ　産業や文化が発達し、都市が繁栄する中で、なぜ幕府は改革をせまられたのでしょうか。

農業の発展

幕府や藩は，年貢を増やすため，用水路を造ったり，海や広い沼地を干拓したりして大規模な**新田開発**を進めるなど，農業の発展に力を入れました。また，農民も少しずつ荒地を開墾したため，18世紀初めには豊臣秀吉(p.109)のころと比べ，農地の面積が約2倍に増えました。❸

17世紀末には，先進的な農業の知識や技術が記された書物が出版されるようになりました。また，鉄製で深く耕すことができる備中ぐわ❷や，脱穀を効率的に行える千歯こきなど，新しい農具も開発されました。❶いわしを原料とする干鰯など，効果の高い肥料を購入して使うようにもなりました。こうして，農業の生産力が，目覚ましく向上していきました。

生産力が高まって余裕が生まれると，農村では年貢となる米以外にも，木綿(巻末1⓫)や菜種(巻末1❸)などの**商品作物**(p.286)を栽培し，城下町などの都市に売って，貨幣を得るようになりました。こうした商品作物の中には，地域の特産物となるものも出てきました。❻

諸産業の発展

農業以外の産業も発展しました。都市が発展し建築用の木材が大量に必要となったこ

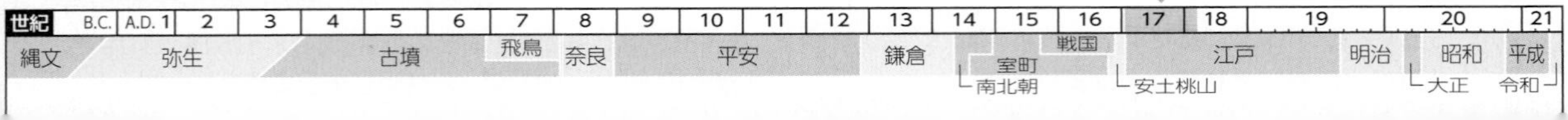

世紀 B.C. A.D.1 2 3 4 5 6 7 8 9 10 11 12 13 14 15 16 17 18 19 20 21
縄文 弥生 古墳 飛鳥 奈良 平安 鎌倉 室町 戦国 南北朝 江戸 安土桃山 明治 大正 昭和 平成 令和

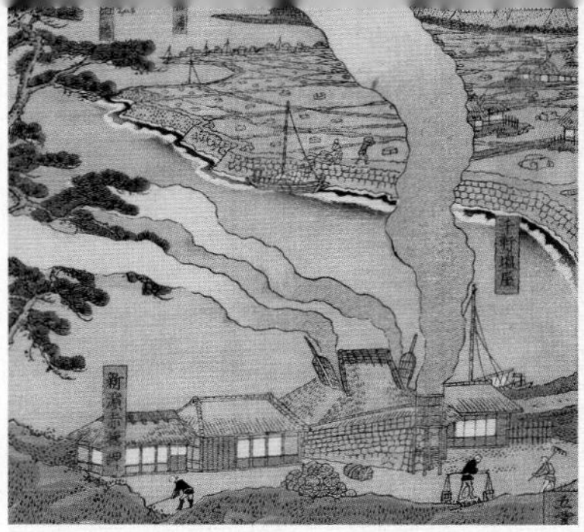

←❺赤穂(兵庫県)の塩田(五雲亭貞秀筆　西国名所之内 赤穂千軒塩屋　東京都　たばこと塩の博物館蔵)　潮の干満を利用した入浜式の塩田です。

こんぶ
さけ
にしん
すぎ
ひば
馬
銅
鋳物
鉄
紅花
まぐろ
佐渡金山
絹織物
漆器
生糸
漆器
足尾銅山
ます
薬
絹織物
絹織物
生野銀山
磁器
紙
紙
石見銀山
ひのき
酒
しょうゆ
鉄
塩
京都
馬
水晶
江戸
いわし
紙
しょうゆ
酒
陶磁器
茶
たい
たい
ろう
紙
畳表
大阪
かつお
塩
みかん
紙
藍
すぎ
磁器
石炭
ろう
綿織物
かつお
くじら
馬
すぎ
別子銅山
馬
たばこ
砂糖
0
200km

❻近世の特産物
(藍・紅花・漆器：巻末1❶❺❿)

集める　❻を参考に，身近な地域の特産物とその歴史を調べましょう。

❼佐渡金山(佐渡鉱山金銀採製全図　福岡県　九州大学総合研究博物館蔵)

とから，林業が発展しました。木曽(長野県)のひのき，秋田のすぎなどが有名になりました。

水産業では，網を使った漁が全国に広まり，九十九里浜(千葉県)では地引き網による大規模ないわし漁が行われるようになりました。❹ いわしは干鰯に加工され，各地に売られました。また，紀伊(和歌山県)や土佐(高知県)では捕鯨やかつお漁，蝦夷地(北海道)ではにしん漁p.123❹やこんぶ漁p.123❺が盛んになりました。17世紀末からは，蝦夷地の俵物p.120❸が輸出品となりました。瀬戸内海沿岸では塩田が発達し，塩の生産量が増加しました。❺

鉱山でも，採掘や精錬の技術が発達しました。佐渡金山❼(新潟県)や石見銀山p.85(島根県)，別子(愛媛県)や足尾(栃木県)の銅山などが開発されました。特に金・銀は，17世紀初めに世界有数の産出量となりました。幕府は，江戸や京都に設けた金座や銀座で，小判などの金貨や，丁銀・豆板銀などの銀貨を造りました。また，**寛永通宝**という銅銭も造り，全国に流通させたため，明銭p.82❷などは使われなくなりました。❽ 金・銀・銅は，長崎貿易での輸出品にもなりました。

ほかにも，酒やしょうゆなどの醸造業や，織物❾・磁器・漆器p.142・巻末1❺・鋳物❿・製紙などの諸産業が発展し，各地の特産物となっていきました。❻

❽江戸時代に使われた貨幣(東京都　日本銀行金融研究所貨幣博物館蔵　実物大)　左が慶長小判，右は上から慶長一分金，慶長豆板銀，寛永通宝。

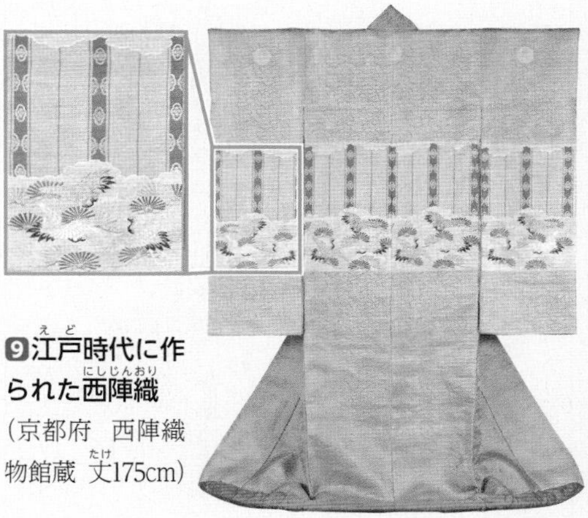

❾江戸時代に作られた西陣織(京都府　西陣織物館蔵　丈175cm)

❿江戸時代に作られた南部鉄器の鉄瓶(岩手県　南部鉄器協同組合蔵)　南部鉄器は，17世紀後半に盛岡藩が生産をすすめて特産物となり，現在では国の伝統的工芸品に指定されています。

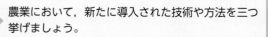

チェック　農業において，新たに導入された技術や方法を三つ挙げましょう。

トライ　農業や諸産業はどのように発達したか，次の語句を使って説明しましょう。[商品作物／特産品]

❶菱垣廻船の出帆（含粋亭芳豊筆　菱垣新綿番船川口出帆之図　大阪城天守閣蔵）その年に上方でとれた綿(新綿)を江戸に送る船は，大阪の安治川河口から神奈川の浦賀まで，一番乗りを競いました。

2 都市の繁栄と交通路の整備

学習課題 江戸時代には，どのような交通路や都市が発達したのでしょうか。

護国寺
中山道
寛永寺
浅草寺
伝通院
赤門
神田上水
後楽園
神田明神
昌平坂学問所
浅草
日光
中
駿河台
本所
内藤新宿
甲州道中
四谷
大手門
金座
両国橋
麹町
日本橋
江戸城
北町奉行所
桜田門
南町奉行所
赤坂
銀座
0
2km
東海道
増上寺
麻布
江戸湾
現在の海岸線
武家地
町人地
寺社地
淀屋橋
肥後橋
大江橋
天満
天満青物市場
堂島米市場
京橋
難波橋
天神橋
天満橋
大阪城
川魚市場
北船場
北御堂
南御堂
雑喉場魚市場
四ツ橋
南船場
堀江
道頓堀川
日本橋
心斎橋
武家地
町人地
寺社地
蔵屋敷
0
2km
四天王寺

❷近世の江戸（上：江戸時代末期）**と大阪**（下）

見方・考え方　比較　❷の江戸と大阪とを比べて，共通する点や異なる点を挙げましょう。

三都の繁栄　17世紀後半には，江戸・大阪・京都の三つの都市(**三都**)が目覚ましく発展しました。

江戸は「将軍のおひざもと」といわれました。旗本・御家人のほか，大名の江戸屋敷には諸藩の武士が数多く住んでいました。その生活を支える商人や職人も増加し，18世紀の初めには，人口が約100万人を数える世界最大級の大都市となりました。❷

大阪は全国の商業の中心地で，諸国の産物が集まったことから，「天下の台所」としての役割を果たしました。諸藩が**蔵屋敷**を置き，年貢米や特産物を売りさばきました。❶❷ p.130❶

京都は，朝廷や大きな寺社のある古くからの都で，学問や文化の中心でもありました。手工業も盛んで，西陣織や京焼など，p.125❾ 高い技術で優れた工芸品を生産しました。

三都や城下町では，商人が同業者ごとに**株仲間**という組合を作りました。株仲間は，幕府や藩に税を納めるかわりに，営業を独占する特権を認められ，大きな利益を得ました。

貨幣は，東日本では金，西日本では銀が主に流通しました。両替商が金銀の交換を行い，金貸しもして経済力をつけました。p.285

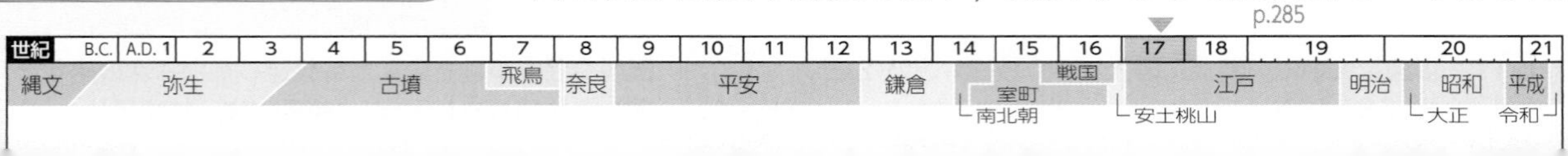

世紀 B.C. A.D.1 2 3 4 5 6 7 8 9 10 11 12 13 14 15 16 17 18 19 20 21
縄文 弥生 古墳 飛鳥 奈良 平安 鎌倉 室町 戦国 南北朝 安土桃山 江戸 明治 大正 昭和 平成 令和

定
現金かけねなし
呉服物品々
ゑちごや本店

考える　左の「現金かけねなし」とはどのような意味か，考えましょう。

❸**駿河町越後屋の店前**（東京都　三越伊勢丹蔵）　伊勢（三重県）出身の三井高利が江戸に開いた越後屋呉服店は，商品に付けた正札の値段で，つけではなく現金で売る新しい商法で，庶民へと客層を広げ，大繁盛しました。

❹**西廻り航路を行き来した北前船**（復元　福井県小浜市）

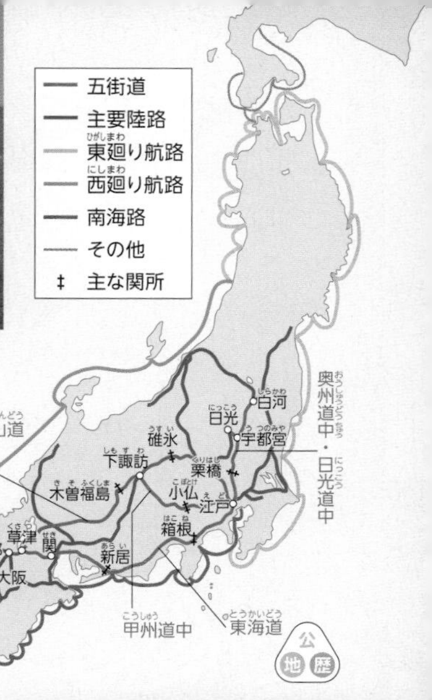
五街道
主要陸路
東廻り航路
西廻り航路
南海路
その他
主な関所
中山道
奥州道中・日光道中
白河
日光
宇都宮
碓氷
栗橋
下諏訪
木曽福島
小仏
江戸
箱根
草津
関
京都
大阪
新居
甲州道中
東海道
0　200km
❺**近世の交通**

❻**宿場の町並み**（関宿：三重県亀山市）

江戸の三井家❸や大阪の鴻池家のような有力商人は，金を貸し付けた藩の財政にも関わりました。

街道の整備

幕府は，全国支配のため，江戸と京都・大阪とを結ぶ東海道や中山道❼などの**五街道**をはじめ，主要な道路を整備しました❺。東海道の箱根や中山道の碓氷などには，江戸を守るために関所が置かれ，人々の通行などを監視しました。

街道には橋や一里塚，宿場❻が整備されました。宿場には運送用の人や馬を置くことが義務付けられ，幕府や大名が利用しました。また，参勤交代の大名が宿泊する本陣や，庶民の旅行者が利用する旅籠が設けられました。手紙や荷物を運ぶ飛脚❽が盛んに行き来するようになり，寺社の周辺にある門前町も参詣人でにぎわいました。

海運の発達

江戸が発展して大消費地になると，京都や大阪を中心とする上方で作られた上質の品物が，大阪から**南海路**❶で大量に運ばれました❶。また，東北地方や北陸地方の年貢米を大阪や江戸に運送するため，**西廻り航路**❹❷や**東廻り航路**が開かれました❺。船が立ち寄る土地には港町もできて，にぎわいを見せました。

集める　身近な地域に江戸時代の街道や一里塚，宿場の跡がないか調べましょう。

❼**現在の旧中山道**（長野県南木曽町）

❽**飛脚**（葛飾北斎筆　富士百撰　暁ノ不二　東京都　郵政博物館蔵）　江戸・大阪間を最短で３日で届けました。

❶南海路では，17世紀の中ごろから，酒などを運ぶ樽廻船や，その他の品物を運ぶ菱垣廻船が運航しました。
❷西廻り航路では北前船が往復し，こんぶやにしんなどの蝦夷地（北海道）の産物も運びました。

チェック　江戸時代に整備された街道や航路を三つ挙げましょう。

トライ　街道や航路が整備された目的を，次の語句を使って説明しましょう。[三都／商品／年貢]

読み取る
❶で，どのような身分の人たちが見物しているか，読み取りましょう。

❶歌舞伎（鳥居清忠筆　浮絵劇場図　東京都　平木浮世絵財団蔵）　18世紀半ばの江戸の芝居小屋の様子です。

3　幕府政治の安定と元禄文化

学習課題　徳川綱吉の時代の政治や文化には，どのような特色があったのでしょうか。

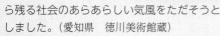

❷現在の歌舞伎（「暫」　東京都）　写真の役者は第12代目市川団十郎です。
公　地　歴
©松竹㈱

綱吉の政治と正徳の治

17世紀の中ごろになると幕府の権力は安定し，17世紀後半の第5代将軍**徳川綱吉**❸の時代には，社会の秩序を重視する政策が採られるようになりました。儒学がすすめられ，なかでも主従関係や上下関係を重視する**朱子学**が広く学ばれました。また，人々に慈悲の心を持たせるため，極端な動物愛護の政策が採られました。

一方で，経済の発展にともない出費が増え，幕府の財政は苦しくなりました。綱吉は，貨幣の質を落として量を増やし，財政を改善しようとしましたが，物価の上昇を招きました。

18世紀初めには，第6，7代将軍に仕えた儒学者の**新井白石**❹の意見が，政治に取り入れられました（正徳の治）。白石は，幕府の財政を立て直すため，貨幣の質を元にもどしたり，長崎貿易を制限して金・銀が海外に流出するのを防いだりしました。

無

❸徳川綱吉（1646～1709）
生類憐みの政策を行う
犬などの動物愛護だけでなく，病人の保護や捨て子の禁止なども命じて，戦乱の時代から残る社会のあらあらしい気風をただそうとしました。（愛知県　徳川美術館蔵）

❹新井白石（1657～1725）
正徳の治を行う
浪人出身の学者で，甲府（山梨県）藩主だった家宣に仕えました。家宣が将軍になると旗本になり，幕府の政治に関係しました。（新井家蔵）

元禄文化

社会の安定と都市の繁栄を背景に，上方を中心に，経済力をつけた新興の町人を担い手とする文化が栄えました。これを，当時の元号から**元禄文化**といいます。**井原西鶴**は，武士や町人の生活を基に浮世草子（小

世紀	B.C.	A.D. 1	2	3	4	5	6	7	8	9	10	11	12	13	14	15	16	17	18	19	20	21
縄文	弥生				古墳			飛鳥	奈良		平安			鎌倉	南北朝	室町	戦国	安土桃山	江戸		明治	大正　昭和　平成　令和

❺風神雷神図屏風（俵屋宗達筆　京都府　建仁寺蔵）宝

宝 ❻尾形光琳のすずり箱（八橋蒔絵螺鈿硯箱　東京国立博物館蔵　高さ14.2cm）

❼現在の人形浄瑠璃（東京都千代田区）　浄瑠璃(p.113)に合わせて行われる人形劇のことを人形浄瑠璃といいます。写真は，近松門左衛門の人形浄瑠璃文楽「曾根崎心中」を演じている様子です。

無

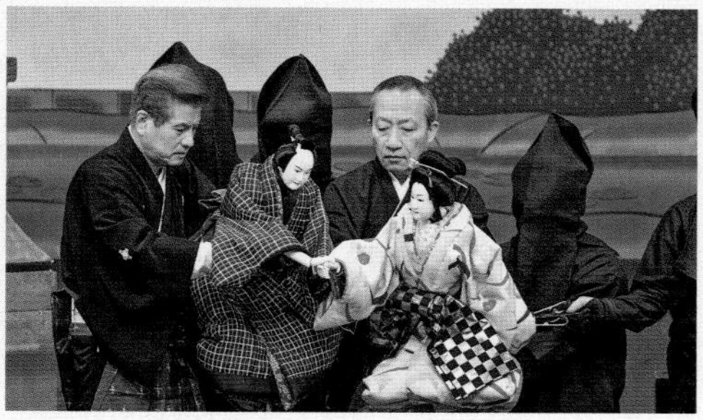

説）を書き，ベストセラーとなりました。また，**松尾芭蕉**❽は，自己の内面を作品に表現し，**俳諧**（俳句）の芸術性を高めました。

近松門左衛門は，町人社会の義理や人情などを題材として**人形浄瑠璃**❼の脚本を書き，人々の共感を呼びました。**歌舞伎**❶❷は庶民の演劇として発達し，上方に坂田藤十郎，江戸に市川団十郎などの人気役者が現れました。p.113

絵画では，俵屋宗達❺や**尾形光琳**❻が，大和絵p.51の伝統を生かした新しい装飾画をえがきました。江戸では菱川師宣❾が町人の暮らしをえがいて活躍し，**浮世絵**p.138の祖といわれています。

それまで主に朝廷や寺院が担っていた学問が，武士などの間に広まっていったのもこの時期です。儒学の研究が盛んに行われるようになり，「万葉集」p.45や「源氏物語」p.51など日本の古典に関する研究も進みました。日本の歴史への関心も高まり，水戸（茨城県）藩主の徳川光圀p.115❻は「大日本史」の編集を始めました。農学・天文学・数学でも，独自の発展が見られました。書物の出版が盛んになり始めたのも，この時期でした。

庶民の暮らしにも，新しい動きが見られるようになりました。衣服は木綿巻末1⓫が一般的になりました❶。節分の豆まきやひな祭り，端午の節句，盆おどりp.51などの年中行事が庶民にも広まりました。

❽奥の細道

夏草や兵どもが夢の跡（岩手県）
五月雨を集めて早し最上川（山形県）
荒海や佐渡に横たふ天の川（新潟県）

↑絵の左は松尾芭蕉，右は弟子の曾良。（奥の細道行脚之図　奈良県　天理大学附属天理図書館蔵）

❾見返り美人図（菱川師宣筆　東京国立博物館蔵）

❶優美な友禅染がほどこされた，絹製の小袖(p.113)も流行しました。

チェック　元禄文化の具体例を三つ挙げましょう。

トライ　元禄文化の特色を，文化の担い手に着目して説明しましょう。

❶**堂島の米商い**（歌川広重筆　浪花名所図会　大阪歴史博物館蔵）　大阪の堂島米市場（p.126❷）では，取り引きが盛んに行われ，全国の米の価格に影響をあたえていました。徳川吉宗は，堂島米市場を公認し，米の価格の安定化を試みましたが，うまくいきませんでした。

❷**徳川吉宗**
（1684〜1751）
享保の改革に取り組む
紀伊徳川家（p.115❺❻）から第８代将軍になりました。米の価格の安定に苦心したので，「米将軍」とも呼ばれます。（東京都　徳川記念財団蔵）

見方・考え方　関連
(1)❺から，百姓一揆や打ちこわしが増加する時期に何があったか読み取りましょう。
(2)❼のⒶとⒷとを比べて，工場制手工業の利点を挙げましょう。

4 享保の改革と社会の変化

学習課題 徳川吉宗の政治には，どのような特色があったのでしょうか。

享保の改革

1716（享保元）年，**徳川吉宗**❷が紀伊（和歌山県）藩主から第８代将軍になり，幕府の政治改革を行いました（**享保の改革**）。吉宗は，幕府の財政難に対応するため，倹約令を出して武士に質素・倹約を命じるとともに，有能な人材を取り立てました。そして，上げ米の制を定め，大名が参勤交代で江戸に住む期間を１年から半年に短縮するかわりに，１万石につき100石の米を幕府へ納めさせました。また，新田開発を進めるなど，年貢を増やす政策を採りました。こうした改革により，幕府の財政は一時的に立ち直りました❶。

吉宗はまた，**公事方御定書**❸という裁判の基準となる法律を定め，民衆の意見を聞く目安箱を設置しました。町火消し❹を組織させ，江戸の防災も強化しました。

p.115❻　p.115　p.124

産業の変化と工業の発達

正徳の治で長崎貿易が制限されたため，木綿や生糸，絹織物などは，輸入量が大幅に減りました。そのため，それらの産物の国産化が進みました。綿の栽培は全国に普及し，綿織物業は大阪周辺のほか，尾張（愛知県）などで発達しました。養蚕も各地で行われ，絹織物の技

p.128　巻末1⓫　巻末1❻

❸**公事方御定書**（1742年）　（部分要約）
一　人を殺しぬすんだ者　引き回しの上獄門
一　追いはぎをした者　獄門
一　ぬすみをはたらいた者
　金十両以上か十両以上のもの　死罪
　金十両以下か十両以下のもの　入墨たたき

歴史にアクセス　江戸の防災　防災安全

住宅の密集する江戸では火事が多く，1657（明暦３）年の明暦の大火では10万人もの死者が出ました。そこで幕府は，火の燃え広がりを防ぐために，江戸に広小路や火除け地を設けたり，避難路として両国橋（p.1❹）を設けたり，町火消しを作らせたりしました。

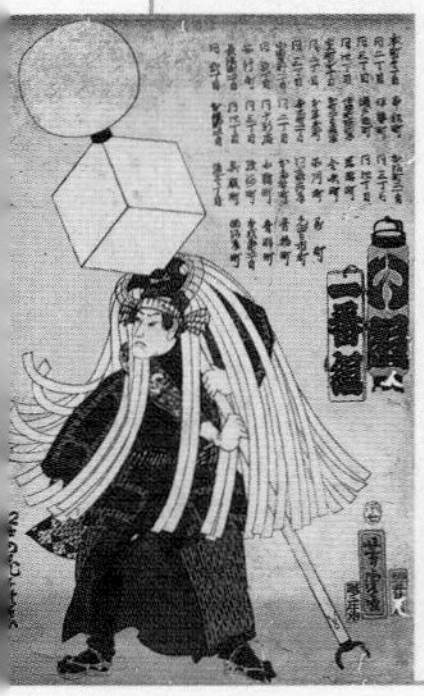

❹**町火消し**（歌川芳虎筆　江戸の花子供遊び　東京都　消防博物館蔵）

❶吉宗の改革は，従来どおりの年貢を増やすことを重視する改革で，商業の発展に対応したものではありませんでした。

世紀	B.C.	A.D. 1	2	3	4	5	6	7	8	9	10	11	12	13	14	15	16	17	18	19	20	21

縄文　弥生　古墳　飛鳥　奈良　平安　鎌倉　室町　南北朝　戦国　安土桃山　江戸　明治　大正　昭和　平成　令和

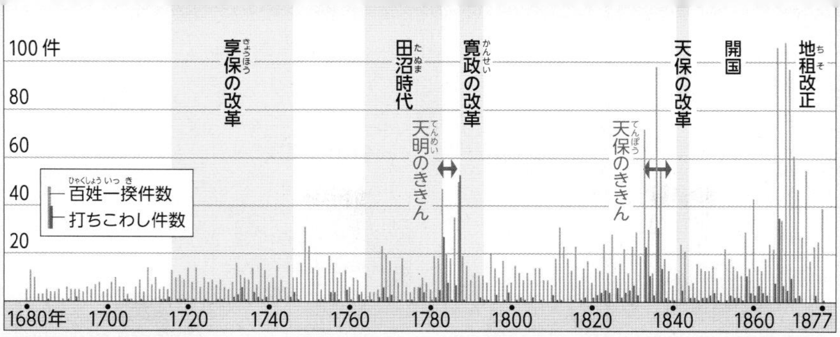

100件
80
60
40
20
享保の改革
田沼時代
寛政の改革
天明のききん
天保のききん
天保の改革
開国
地租改正
百姓一揆件数
打ちこわし件数
1680年
1700
1720
1740
1760
1780
1800
1820
1840
1860
1877

5 百姓一揆・打ちこわしの発生件数の推移（青木虹二「百姓一揆総合年表」）

スキル・アップ 14 読み取る グラフから変化を読み取ろう

5のような時期ごとの数値を表す棒グラフや折れ線グラフは，次の点に注意して読み取りましょう。

(1)全体の傾向：小さな変化にとらわれずに，全体的な変化を読み取りましょう。

(2)変化点：増加や減少を始めた時期を読み取り，その理由を考えましょう。

6 打ちこわしの様子（幕末江戸市中騒動図　東京国立博物館蔵）

術が桐生(群馬県)や足利(栃木県)に伝えられ，京都の西陣織p.125 9と並ぶ質の良い製品が作られるようになりました。

また，18世紀ごろから，商品を買い付ける問屋が，農民に織機やお金を前貸しして布を織らせ，製品を安く買い取るようになりました。これを**問屋制家内工業**[7]といいます。19世紀になると，大商人や地主の中には，工場を建設し，人を雇って分業で製品を作らせる者が現れました。これを**工場制手工業**[7](マニュファクチュア)といい，近代工業が発展する基礎になりました。

農村の変化と百姓一揆

農具や肥料を購入するようになると，農民にも貨幣が必要となり，18世紀には，それまで自給自足に近かった農村は変化していきました。土地を手放して**小作人**p.285になる者や，都市へ出かせぎに行く者が多くなる一方，土地を買い集めて**地主**となる者が現れ，農民の間で貧富の差が拡大していきました。

また，財政が苦しくなった幕府や大名は年貢を増やすようになりました。それに対して，農民は**百姓一揆**[5][8]p.83で抵抗しました。多くの村が団結して城下におし寄せ，年貢の軽減や不正を働く役人の交代などを要求するようになりました。都市でも，米を買いしめた商人に対する**打ちこわし**[5][6]が起こりました。

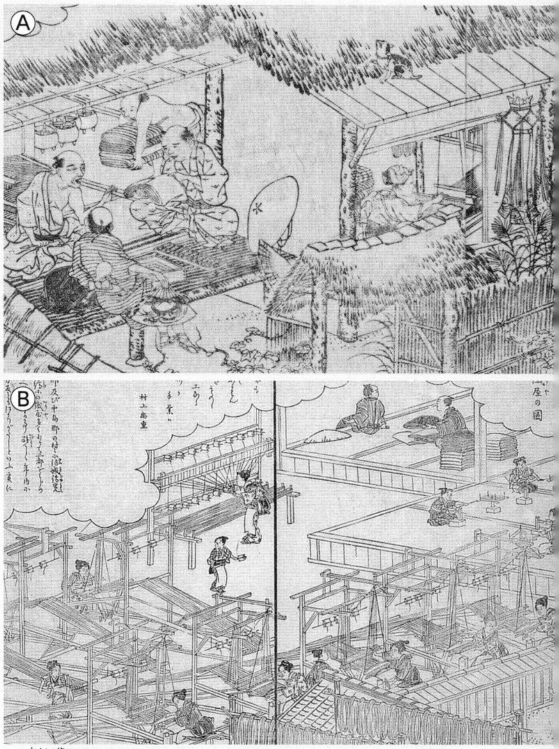

Ⓐ
Ⓑ

7 問屋制家内工業(上)**と工場制手工業**(下)（Ⓐ：河内名所図会　東京都　国立国会図書館蔵，Ⓑ：尾張名所図会　東京都　国立公文書館蔵）

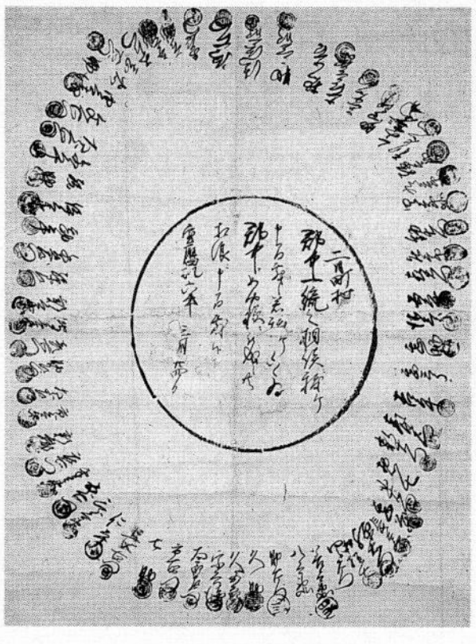

8 からかさ連判状（個人蔵・岐阜県白山文化博物館）一揆の中心人物が分からないように，円形に署名したといわれています。

チェック　徳川吉宗の政策を，本文から三つぬき出しましょう。

トライ　享保の改革の財政難に対する政策の内容と結果を説明しましょう。

❶長崎の出島での貿易（川原慶賀筆　唐蘭館絵巻　蘭館図　長崎歴史文化博物館蔵）　オランダからの輸入品を量っている様子です。右奥は薬の原料である蘇木，左手前は砂糖と考えられます。

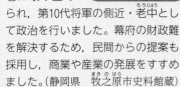

❷田沼意次
（1719〜88）
商工業を重視した政治を行う
旗本から大名に取り立てられ，第10代将軍の側近・老中として政治を行いました。幕府の財政難を解決するため，民間からの提案も採用し，商業や産業の発展をすすめました。（静岡県　牧之原市史料館蔵）

5 田沼意次の政治と寛政の改革

学習課題 **田沼意次と松平定信の政治には，どのような特色があったのでしょうか。**

田沼意次の時代

18世紀後半，老中p.115の**田沼意次**❷は，年貢だけにたよるのではなく，商工業の発展に注目した経済政策を採り，幕府の財政を立て直そうとしました。意次は，商人に株仲間p.126を作ることをすすめ，特権をあたえるかわりに，営業税を納めさせました。また，長崎貿易❶を活発にするため，銅を専売にして金・銀にかわる輸出品としたり，蝦夷地p.287の調査を行って俵物の輸出を拡大したりしました。一方，印旛沼（千葉県）の干拓p.120❸を始め，年貢を増やすことも試みました。

意次の時代は，経済の発展を背景に，学問や芸術が展開しました。しかし，その一方で，地位や特権を求めてわいろが横行し，政治に対する批判が高まりました。また，18世紀後半に起こった天明のききんは，浅間山の大噴火が発生したことも影響し，全国に広がりました。各地で百姓一揆や打ちこわしが起こり，意次は老中を辞めさせられました。

p.131❺

寛政の改革

意次の後に老中となった**松平定信**❸は，農村の立て直しと政治の引きしめを目指して改革を行いました（**寛政の改革**）。定信は，江戸に出てきていた農

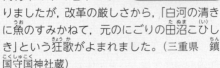

❸松平定信（1758〜1829）
農村を重視した寛政の改革を行う
徳川吉宗の孫で，白河（福島県）藩主。第11代将軍の下で老中となりましたが，改革の厳しさから，「白河の清きに魚のすみかねて，元のにごりの田沼こひしき」という狂歌がよまれました。（三重県　鎮国守国神社蔵）

みんなでチャレンジ　比較・関連

政策のちがいを考えよう

(1)田沼意次と松平定信の財政難に対する政策を比べて，共通点と異なる点を挙げましょう。
(2)田沼意次の政治と寛政の改革の背景を，p.130〜131の産業や農村の変化をふまえてまとめましょう。
(3) (1) (2)を基に，意次と定信の政策の特色を，グループで話し合いましょう。

世紀	B.C.	A.D. 1	2	3	4	5	6	7	8	9	10	11	12	13	14	15	16	17	18	19	20	21

縄文　弥生　古墳　飛鳥　奈良　平安　鎌倉　室町（南北朝）　戦国　江戸（安土桃山）　明治　大正　昭和　平成　令和

❹昌平坂学問所（聖堂講釈図・寺子屋図　東京大学史料編纂所蔵）昌平坂学問所では朱子学以外の学問が禁止されました（寛政異学の禁）。

❺長崎に上陸するレザノフ（ロシア使節レザノフ来航絵巻　東京大学史料編纂所蔵）幕府の対応に不満を持ったレザノフは，帰国の途中，部下に命じて蝦夷地を襲撃させました。

歴史にアクセス　藩政改革

❻細川重賢（1720～85）（東京都　永青文庫蔵）

諸藩は，17世紀後半から財政が苦しくなり，家臣の俸禄(p.116)を減らしたり，藩独自の紙幣である藩札を発行したりしました。18世紀後半には，熊本藩や米沢藩（山形県）など，特産物の生産をすすめて藩の専売にし，財政の立て直しに成功する藩も出ました。

熊本藩では，藩主の細川重賢が，質素・倹約をすすめるとともに，商品作物の栽培に統制を加えました。特に，ろうの原料であるはぜ(巻末1❾)を専売にすることで，財政の立て直しに成功しました。また，藩校の時習館(p.135❹)を設けて，人材の育成にも取り組みました。

民を故郷に帰し，商品作物の栽培p.124・286を制限して米などの生産をすすめたほか，凶作やききんに備えて米をたくわえさせました。また，江戸に昌平坂学問所❹を創り，幕臣などに朱子学p.128を学ばせて試験を行い，有能な人材を取り立てようとしました。さらに，倹約令を出す一方，旗本や御家人p.114が商人❶からしていた借金を帳消しにしました。しかし，政治批判を禁じたり，出版を厳しく統制したりしたため，人々の反感を買いました。そして，十分な成果を出せないまま，定信は老中を辞職しました。

ロシアの接近

1792（寛政４）年，ロシアの使節ラクスマンが蝦夷地の根室に来航しました。ロシアは，大黒屋光太夫p.136❶らの漂流民を送り届けるとともに，通商を求めましたp.288が，定信は，長崎以外では交渉は行えないと答えました。そのため，1804年，今度はロシアの使節レザノフが長崎に来航し❺，交渉を求めました。定信はすでに老中を辞めていましたが，幕府は，清p.136❶・オランダ・朝鮮・琉球以外の国とは関係を持たないのが国の決まりだとして，交渉を拒否しました。ロシアを警戒した幕府は，間宮林蔵❽らに命じて蝦夷地（北海道）や樺太（サハリン）の調査を行い❼，19世紀前半まで蝦夷地を幕府の直接の支配地にしました。

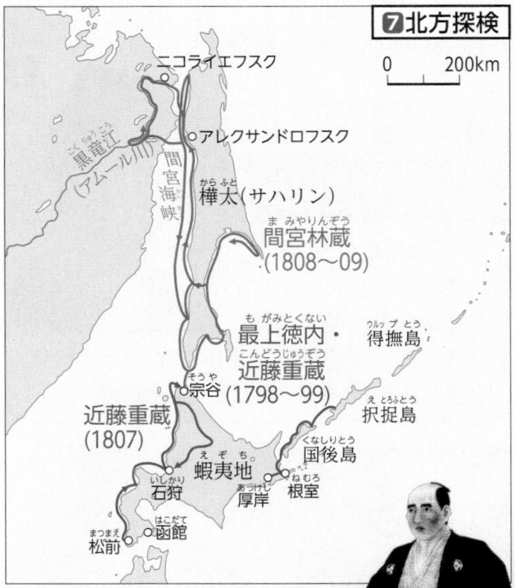

❼北方探検
0
200km
ニコライエフスク
アレクサンドロフスク
黒竜江（アムール川）
間宮海峡
樺太（サハリン）
間宮林蔵
(1808～09)
最上徳内・
近藤重蔵
(1798～99)
得撫島
宗谷
択捉島
近藤重蔵
(1807)
国後島
蝦夷地
石狩
厚岸
根室
函館
松前

❽間宮林蔵（1775～1844）（茨城県　つくばみらい市立間宮林蔵記念館提供）伊能忠敬(p.134)に測量を学んだ後，幕府の命令で樺太を調査し，樺太が島であることを確認しました。

❶江戸には，旗本・御家人の年貢米を金にかえる，札差という商人がいました。札差は，旗本・御家人へ高い利子で金の貸し付けも行い，大きな利益を得ていました。

チェック　田沼意次と松平定信の政策を，本文からそれぞれ三つぬき出しましょう。

トライ　田沼意次と松平定信の対外政策について，それぞれ20字程度で説明しましょう。

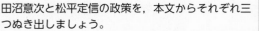

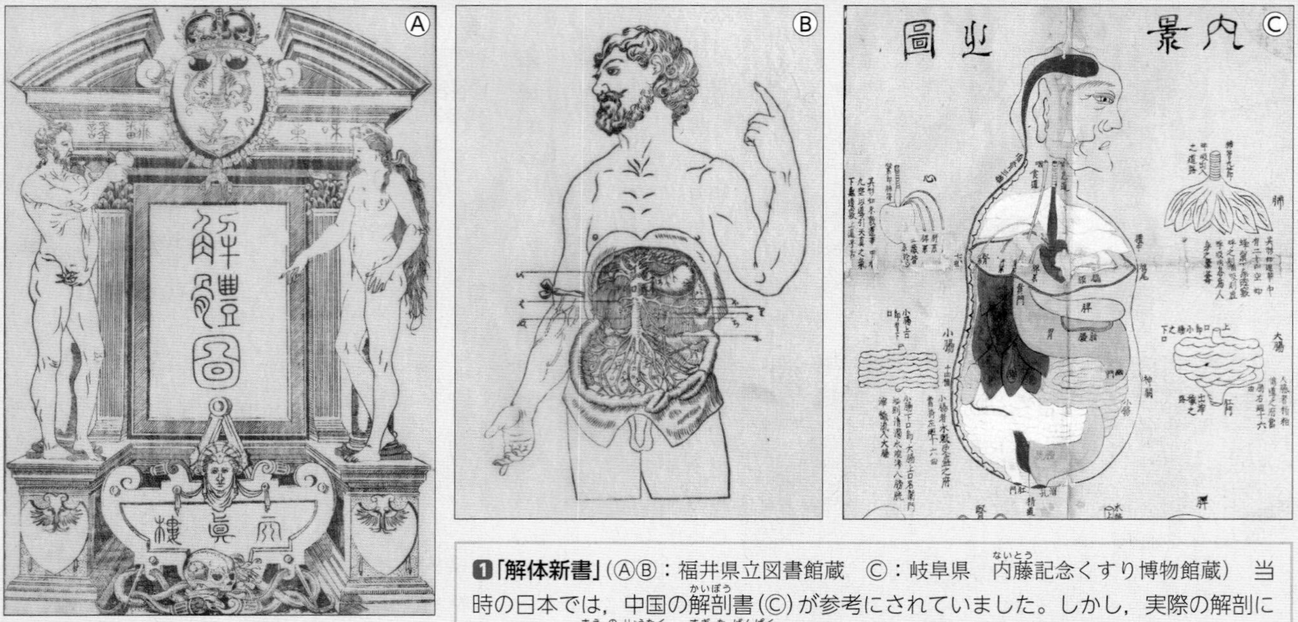
Ⓐ
Ⓑ
Ⓒ

❶「解体新書」（ⒶⒷ：福井県立図書館蔵　Ⓒ：岐阜県　内藤記念くすり博物館蔵）　当時の日本では，中国の解剖書（Ⓒ）が参考にされていました。しかし，実際の解剖に立ち会った前野良沢・杉田玄白らは，ヨーロッパの解剖書「ターヘル・アナトミア」の正確さにおどろき，これを「解体新書」として翻訳・出版しました。当時の解剖は，差別された人々が行いました。

読み取る　❶のⒷとⒸとを比べて，異なる点を挙げましょう。

6 新しい学問と化政文化

学習課題　**社会の変化の中で発展した学問や文化には，どのような特色があったのでしょうか。**

重

❷本居宣長（1730～1801）
日本の古典を研究し国学を大成
松阪（三重県）の商家に生まれ，後に医師になりました。国学に関心を持ち，「古事記」や「源氏物語」などを研究しました。（三重県　本居宣長記念館蔵）

国学と蘭学

18世紀にも日本の古典や歴史の研究が進み，仏教や儒学が伝わる以前の日本人のものの考え方を明らかにしようとする**国学**が盛んになりました。18世紀後半，**本居宣長**❷は「古事記伝」を著し，国学を大成しました。国学は，天皇を尊ぶ思想と結び付き，幕末（江戸時代末期）の尊王攘夷運動に影響をあたえました。p.164

同じころ，前野良沢・**杉田玄白**などがヨーロッパの解剖書を翻訳した「解体新書」❶を出版し，オランダ語でヨーロッパの学問や文化を学ぶ**蘭学**の基礎を築きました。❶ オランダ語の辞書や文法の書物を作ったり，医学書を翻訳したりする者も現れました。また，19世紀初めには，幕府の支援を受けた**伊能忠敬**がヨーロッパの技術で全国の海岸線を測量し，正確な日本地図を作りました。❸

重

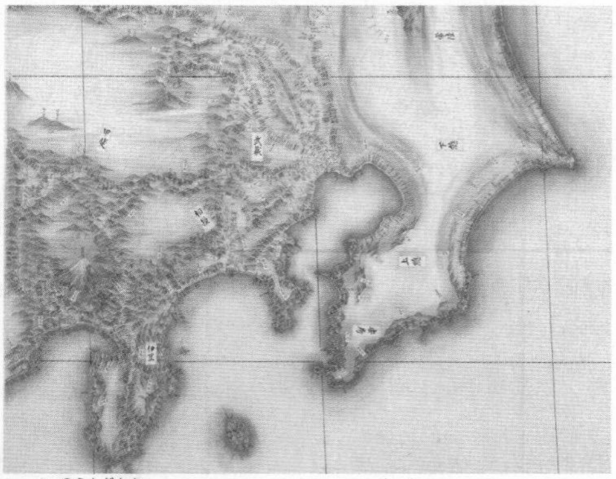

❸伊能忠敬の地図（大日本沿海輿地全図　副本　東京国立博物館蔵）

❶第８代将軍徳川吉宗（p.130）が，キリスト教に関係のないヨーロッパの書物の輸入禁止をゆるめたことが，蘭学の発展に影響しました。

化政文化

19世紀前半の文化・文政年間には，経済的に発展した江戸で，庶民までも担い手とする新しい文化の動きが見られるようになりました。これを，その時期の元号から**化政文化**といいます。

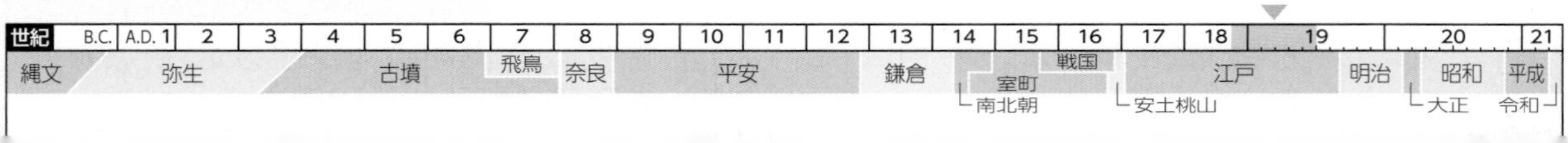
世紀　B.C.　A.D.1　2　3　4　5　6　7　8　9　10　11　12　13　14　15　16　17　18　19　20　21
縄文　弥生　古墳　飛鳥　奈良　平安　鎌倉　室町　戦国　江戸　明治　昭和　平成
南北朝　安土桃山　大正　令和

❹藩校と寺子屋の広がり

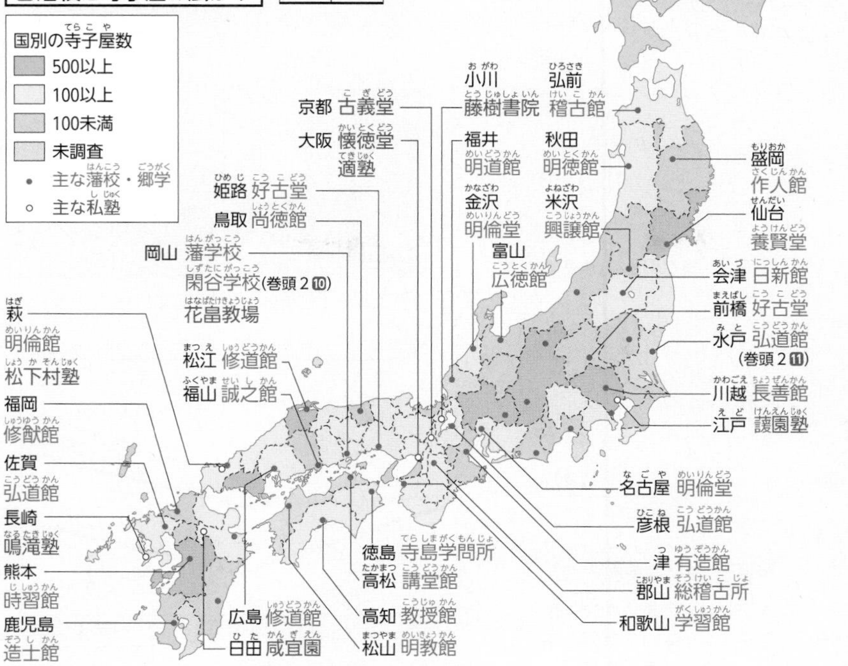
0　200km
国別の寺子屋数
500以上
100以上
100未満
未調査
● 主な藩校・郷学
○ 主な私塾
京都 古義堂
大阪 懐徳堂
適塾
姫路 好古堂
鳥取 尚徳館
岡山 藩学校
閑谷学校(巻頭2⑩)
花畠教場
萩
明倫館
松下村塾
福岡
修猷館
佐賀
弘道館
長崎
鳴滝塾
熊本
時習館
鹿児島
造士館
松江 修道館
福山 誠之館
広島 修道館
日田 咸宜園
徳島 寺島学問所
高松 講堂館
高知 教授館
松山 明教館
小川
藤樹書院
弘前
稽古館
福井
明道館
秋田
明徳館
金沢
明倫堂
米沢
興譲館
富山
広徳館
盛岡
作人館
仙台
養賢堂
会津 日新館
前橋 好古堂
水戸 弘道館
(巻頭2⑪)
川越 長善館
江戸 護園塾
名古屋 明倫堂
彦根 弘道館
津 有造館
郡山 総稽古所
和歌山 学習館

文学では，川柳や狂歌が流行し，幕府を批判したり，世相を皮肉ったりするものも作られました。貸本屋がたくさんでき，十返舎一九の「東海道中膝栗毛」や曲亭(滝沢)馬琴の「南総里見八犬伝」などが多くの人に読まれました。俳諧(俳句)では，与謝蕪村が絵画的な作品を作り，小林一茶が農民の素朴な感情をよみました。

絵画では，浮世絵師の鈴木春信が，錦絵と呼ばれる多色刷りの版画を始めました。錦絵は大流行し，東洲斎写楽は人気の歌舞伎役者をえがき，**喜多川歌麿**❺は美人画，**葛飾北斎**❻や**歌川広重**は風景画に優れた作品を残しました。

p.129　p.139❸　p.121❻・127❽　p.130❶・139❹　p.138

庶民の娯楽も発展を見せました。歌舞伎や大相撲，落語などが人気を集め，季節に応じて花見や花火も楽しまれました。歌舞伎や相撲は地方でも楽しまれました。各地への旅行も行われるようになりました。❷

p.138❶　p.1❹

教育の広がり

諸藩では**藩校**❹を設け，人材の育成が図られました。民間でも，学者が儒学や蘭学を教える私塾❸を開き，武士だけでなく町人や百姓にも入門を許しました。庶民の間にも教育への関心が高まり，町や農村に多くの**寺子屋**❹❼が開かれ，読み・書き・そろばんなど実用的な知識や技能を教えました。

婦女人相十品
相観 歌麿考画

❺**喜多川歌麿の美人画**(婦女人相十品 ポッピンを吹く女　東京国立博物館蔵)

❻**葛飾北斎の風景画**(富嶽三十六景 神奈川沖浪裏　東京国立博物館蔵)　公 地 歴

❼**寺子屋**(渡辺崋山筆　一掃百態図　愛知県　田原市博物館蔵)　重

❷寺社や名所，温泉などへの旅行が盛んに行われました。特に伊勢神宮(三重県 p.55❸)を参拝する「伊勢参り」は庶民のあこがれで，年間数十万人もの人が訪れました。
❸大阪の医者緒方洪庵の適塾や，オランダ商館の医者シーボルトの鳴滝塾などが有名です。

チェック　化政文化の具体例を三つ挙げましょう。

トライ　元禄文化と比べた化政文化の特色を，文化の担い手に着目して説明しましょう。

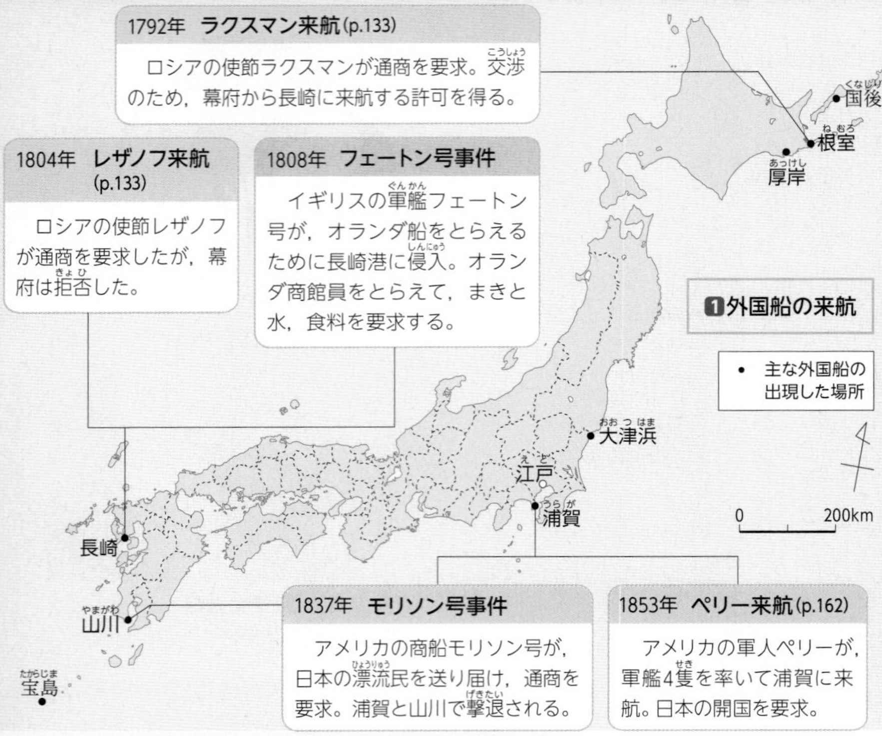

1792年 ラクスマン来航(p.133)
ロシアの使節ラクスマンが通商を要求。交渉のため，幕府から長崎に来航する許可を得る。
1804年 レザノフ来航(p.133)
ロシアの使節レザノフが通商を要求したが，幕府は拒否した。
1808年 フェートン号事件
イギリスの軍艦フェートン号が，オランダ船をとらえるために長崎港に侵入。オランダ商館員をとらえて，まきと水，食料を要求する。
国後島
根室
厚岸
• 主な外国船の出現した場所
大津浜
江戸
浦賀
長崎
山川
宝島
0 200km
1837年 モリソン号事件
アメリカの商船モリソン号が，日本の漂流民を送り届け，通商を要求。浦賀と山川で撃退される。
1853年 ペリー来航(p.162)
アメリカの軍人ペリーが，軍艦4隻を率いて浦賀に来航。日本の開国を要求。

❶外国船の来航

❷フェートン号(長崎歴史文化博物館蔵)

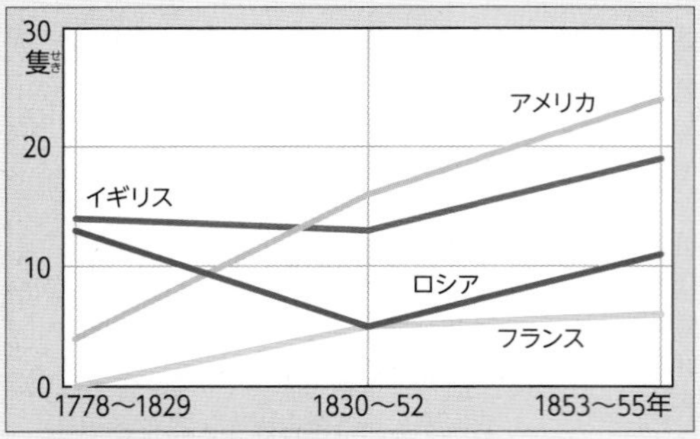

30 隻
20
10
0
アメリカ
イギリス
ロシア
フランス
1778〜1829
1830〜52
1853〜55年

❸外国船の来航件数の推移

7 外国船の出現と天保の改革

学習課題 水野忠邦の政治や諸藩の改革には，どのような特色があったのでしょうか。

読み取る ❸から，日本に来航した外国船の数や国の変化を読み取りましょう。

❹異国船打払令(1825年)　(部分要約)

イギリスに限らず，南蛮や西洋の国は幕府が厳禁しているキリスト教の国であるから，今後はどこの海辺の村においても，外国船が乗り寄せてきたのを見たならば，その村にいる人々で，ためらうことなく，ひたすら撃退し，もし強引に上陸したならばつかまえ，場合によっては討ち取っても差し支えない。

❺大塩平八郎
(1793〜1837)

大塩の乱で世間に衝撃をあたえる

儒学の一派である陽明学の学者でもあり，私塾で弟子を教育しました。その弟子たちと起こした乱は1日でしずめられましたが，大砲などで大阪の中心部が焼け，その様子が全国に知れわたり，影響を受けた事件や一揆が各地で起こりました。(大阪城天守閣蔵)

異国船打払令と大塩の乱

19世紀になると，ロシアだけでなく，イギリスやアメリカの船も日本に近づくようになりました。❶❸ 1808年には，イギリスの軍艦❷が長崎の港に侵入する事件が起こりました。そのため，幕府は1825年に**異国船打払令**❹を出し，外国船の撃退を命じました。その結果，通商などを求めて接近したアメリカの商船を砲撃する事件も起こりました。蘭学者の渡辺崋山と高野長英は，この事件を批判する書物を書いたため，幕府から厳しく処罰されました(蛮社の獄)。

p.133

1830年代には天保のききんが全国をおそい，多くの餓死者が出て，百姓一揆や打ちこわしもたびたび起こりました。大阪町奉行所の元役人の**大塩平八郎**❺は，奉行所の対応に不満を持ち，1837(天保８)年に，弟子など300人ほどで大商人をおそい，米や金をききんで苦しむ人々に分けようとしました(**大塩の乱**)。役人だった人物の反乱に，幕府は大きな衝撃を受けました。

p.131❺

天保の改革

こうした国内外の危機に対応し，幕府の権力を回復させるため，1841年，老中の**水野忠邦**❼は，享保の改革と寛政の改革を手本として改革を始めまし

p.130 p.132

世紀 B.C. A.D.1 2 3 4 5 6 7 8 9 10 11 12 13 14 15 16 17 18 19 20 21
縄文 弥生 古墳 飛鳥 奈良 平安 鎌倉 室町 南北朝 戦国 安土桃山 江戸 明治 大正 昭和 平成 令和

歴史にアクセス　渋染一揆

人権　平和

財政難に苦しんでいた岡山藩は，1855年，領内に29か条の倹約令を出しました。その中には，えた身分だけに出された命令があり，衣類を渋染か藍染に限るなど，ほかの百姓と別あつかいにするものでした。

かれらは，自分たちは農業にはげみ，年貢も納め，悪人の取りしまりの務めも果たしているのに，このような差別を受けることは我慢できないと，領内53か村が嘆願書を出しました。そのうち約半分の村から千数百人が立ち上がり，藩の役人と交渉し，ついに嘆願書を受理させました。このため，藩は倹約令を実施しませんでした。

❻岡山藩の倹約令　（部分要約）

一　えた身分の衣類は，無紋・渋染・藍染に限る。しかし，当分の間は，今ある粗末な木綿着なら許す。ただし，紋付きの着用は禁じる。

一　雨天のとき，村内の知り合いの家に行く場合，泥足では相手も迷惑だろうから，くりの木の下駄をはいてもよい。しかし，顔見知りの百姓に出会ったら下駄をぬいでお辞儀をせよ。他村など遠方へ行く場合の下駄ばきは許さない。

❼水野忠邦（1794～1851）
天保の改革を行う
唐津（佐賀県）から浜松（静岡県）へ領地がえを希望し，幕府の役職に就きました。老中となり，第12代将軍の信任を受けて改革を行い，幕藩体制の強化を試みました。（東京都立大学図書館蔵）

た（**天保の改革**）。忠邦は，倹約令を出して町人の派手な風俗を取りしまり，政治批判や風紀を乱す小説の出版を禁止しました。そして，物価の上昇の原因は，株仲間p.126が営業を独占しているためであるとし，解散を命じました❶。また，江戸に出稼ぎに来ている農民を故郷の村に帰らせました。

忠邦は，アヘン戦争p.160で清p.121がイギリスに敗れたことを知ると，異国船打払令をやめ，寄港した外国船に燃料のまきや水をあたえるよう命じました。同時に，海防の強化を目指し，江戸や大阪の周辺を幕領p.114にしようとしましたが❷，大名や旗本p.114の強い反対で取り消すことになりました。その結果，忠邦は，改革の開始からわずか2年余りで老中を辞めさせられ，幕府の権力のおとろえが表面化しました。

雄藩の成長

同じ時期に諸藩でも，財政を立て直すため，特産物の専売p.287を強化したり❽，家柄にとらわれずに有能な藩士を登用したりして，改革が行われました。薩摩藩（鹿児島県）・長州藩（山口県）・佐賀（肥前）藩（佐賀県・長崎県）など，改革に成功して，西洋式の軍備を整えるところも出てきました❾。これらの藩は**雄藩**と呼ばれ，幕府の政治に関わることを望むようになり，幕末に政治を動かしていきました。

❽奄美の黒砂糖作り（日本山海名物図会　東京都国立国会図書館蔵）　薩摩藩は，奄美群島の黒砂糖（巻末1 ❼）を専売し大きな利益を得ました。一方で，奄美の人々は厳しい取り立てに苦しみました。

❾佐賀藩が造った反射炉（佐賀県　鍋島報效会徴古館蔵）　高温が出るため質の良い鉄を造ることができ，鉄製の大砲の製造に欠かせないものでした。

❶物価上昇の本当の原因は，質の悪い貨幣を造ったためでした。そのため，この政策は効果がなく，かえって経済を混乱させました。
❷この政策を上知令といいます。また，外国船が来て江戸湾（東京湾）がふさがれても，江戸の住民に必要な物資を確保できるようにするため，印旛沼の干拓を行い，銚子（千葉県）から江戸湾までの水路を造ろうとしました。

チェック　水野忠邦が天保の改革を行った背景を二つ挙げましょう。

トライ　天保の改革と，享保・寛政の改革の背景のちがいを説明しましょう。

探究のステップに取り組もう（p.145）

資料から発見！ 浮世絵から近世の人々の生活や意識をとらえよう

❶「鷲ヶ浜・梶ヶ浜取組大相撲繁栄図」

浮世絵とは？

浮世絵は，江戸時代に制作された絵画の一つです。「浮世」とは，「現在の世の中」を意味します。浮世絵には，その当時の流行や，世の中のありさまがえがかれたため，人々に広く愛され，楽しまれました。

浮世絵には，絵師が筆でえがいたものもありましたが，木版画が主流で，大量に生産され，安価で販売されました。初めは黒1色，もしくは2，3色を使うくらいでしたが，18世紀後半には多色刷りではなやかなものが江戸で制作されるようになり，錦絵と呼ばれました。

浮世絵にえがかれたものは？

浮世絵には，人気のある役者や相撲取り，評判の美人などがえがかれました。また，各地の名所や，花火などのイベントも題材とされました。浮世絵からは，当時の人々の関心や生活を読み取ることができます。

浮世絵には，事件を題材にしたり，政治を風刺したりするものもありました。1854(安政元)年に発生した安政東海・南海地震(p.274)の後には，地震を起こすと信じられていたなまずを被災者が退治する様子をえがいた「なまず絵」が流行しました。なかには，復興でもうけた人々を批判的にえがくものもありました。

西洋画にも影響をあたえた？

1854年に開国して海外との交流が始まると，ヨーロッパでは，日本の美術に対する関心が高まりました。輸出品の梱包材として海外にわたった浮世絵は，ゴッホ，モネ，ドガなど，印象派の画家に大きな影響をあたえました。このような風潮を，ジャポニスムといいます。

みんなでチャレンジ　現在　読み取る

(1) ❶について，現在の大相撲と共通する点や異なる点を読み取りましょう。
(2) ❷でなまずを退治しているのはどのような人たちか，考えましょう。また，絵の左上の大工などの職人たちは，なぜなまず退治に加わらないのか，考えましょう。
(3) ❶～❹から，このころの人々の生活や意識について分かることを，グループで話し合いましょう。

歌川国久筆「鷲ヶ浜・梶ヶ浜取組大相撲繁栄図」(江戸東京博物館蔵)

「安政大地震絵(なまずにお札をはる要石)」(東京都　国立国会図書館蔵)

勧進大相撲繁栄圖
一龍齋國久圖画

鹿嶋大神宮
要石
武士
女房
子供

❷「安政大地震絵」

❸東洲斎写楽筆「三世大谷鬼次の奴江戸兵衛」(東京国立博物館蔵)

❹歌川広重筆「名所江戸百景 大はしあたけの夕立」(山口県立萩美術館・浦上記念館蔵)

❺ヴィンセント・ヴァン・ゴッホ筆「雨の大橋」(オランダ　ゴッホ美術館蔵)

もっと歴史

伝統 文化 人権 平和

関連するページ p.81，123，179，219

公 地 歴 地理や公民の関連ページ ▶

アイヌ文化とその継承

アイヌの人々の暮らしや文化を通じて，日本の文化の多様性について考えてみましょう。

←❶**擦文土器**（北海道出土　北海道博物館蔵　高さ36.5cm）

↑❷**オホーツク文化のラッコの彫刻**（北海道出土　北海道　ところ遺跡の館蔵　長さ6.6cm）

❸**オットセイ猟**（村上島之丞筆　蝦夷島奇観　東京国立博物館蔵）

❹**イオマンテの様子**（平沢屏山筆　アイヌ熊送之図　北海道　函館市中央図書館蔵）

アイヌ文化の成立

九州から本州にかけて弥生文化が広まったころ，北海道では，弥生文化が広まらず，p.32狩りや採集を中心とする暮らしが続きました。7世紀ごろになると，北海道では，縄文土器p.31とは異なる，表面をへらでこすって模様をつけた擦文土器❶を用いる，新しい文化（擦文文化）が成立しました。また，同じころ，北海道の東北部では，中国東北部や樺太（サハリン）など，北方の文化の影響を受けたオホーツク文化も開花し❷，10世紀ごろには擦文文化と融合しました。

擦文文化の時代には，本州との交易が活発に行われ，鉄製品や漆器などが生活の中に取り入れられるようになりました。そのため，土器が使われなくなっていき，擦文文化は13世紀ごろに終わりをむかえました。これ以降，擦文文化を基礎として，アイヌの人々によって育まれた生活様式を，アイヌ文化と呼んでいます。

アイヌ文化の展開

アイヌの人々の生活は，狩りや漁，採集により成り立っていました。鹿や熊，鳥，ラッコ，オットセイなどの狩り❸や，さけやますをとる漁は男性の仕事で，山菜や衣料の素材となる植物などの採集は女性の仕事でした。補助的なものでしたが，農業も行われました。食料をはじめとする，生活に必要なものの大部分は，自然の中から手に入れることができました。

そのため，アイヌの人々は自然を敬い，自然のあらゆるものに神（カムイ）が宿っていると考えました。そして，自然のめぐみを受けるため，神と交流してもてなし，感謝する儀式を行いました。とらえた小熊をコタン（村）で大切に育て，そのたましいを神の世界へ送り返すイオマンテ（熊送り）の儀式❹は，その代表的なものです。

世紀	B.C.	A.D. 1	2	3	4	5	6	7	8	9	10	11	12	13	14	15	16	17	18	19	20	21

縄文　弥生　古墳　飛鳥　奈良　平安　鎌倉　南北朝　室町　戦国　安土桃山　江戸　明治　大正　昭和　平成　令和

アイヌの人々は，自給自足だけで生活をしていたわけではありません。アイヌの人々は和人（本州の人々）と交易し，毛皮や海産物などと引きかえに，鉄製品や米，酒，衣類，陶磁器などを入手しました。また，中国東北部で，中国人とも交易を行いました。江戸時代，アイヌの人々が中国東北部で手に入れた中国産の美しい絹織物は，蝦夷錦⑤と呼ばれ，江戸・大阪・京都などでもてはやされました。

アイヌの人々は，文字を持ちませんでした。しかし，神や英雄などの伝説を独自のアイヌ語で語り伝える，ユカㇻという叙事詩が発展しました。ほかにも，アイヌ文様や入れ墨⑥など，独特の芸術や習慣が生み出されました。

アイヌ文化を継承する動き

明治時代に入ると，新政府が北海道の開拓を進めたことで，アイヌの人々は土地や漁場をうばわれ，生活が苦しくなっていきました。さらに，アイヌ文化を否定して和人の文化をおし付ける同化政策が進められました。アイヌ語にかわって日本語による教育が行われ，入れ墨などの風習も否定されました。こうして，アイヌ民族の伝統的な風習や文化を維持することが難しくなっていきました。

大正時代に入ると，自由な風潮が社会全体に広まる中，アイヌ民族自身の手でアイヌ文化を記録し，受けついでいこうとする動きが起こりました。1923（大正12）年には，知里幸恵⑦がカムイユカㇻ（カムイが一人称で語る形式のユカㇻ）をアルファベットで書き起こし，日本語訳を付した「アイヌ神謡集⑧」が出版されました。また，歌人の違星北斗は，アイヌ民族であることの自覚とアイヌ民族の復興をうたい，アイヌ民族の社会的地位の向上を目指す運動にも影響をあたえました。こうした動きは，現代に至る，アイヌ文化を継承する取り組みの土台となりました。

⑤**蝦夷錦**（北海道　函館市立函館博物館蔵　丈141.5cm）　アイヌの人々の交易で，中国東北部から樺太を経て日本にもたらされた衣服です。

⑥**入れ墨をした女性**（村上島之丞筆　蝦夷島奇観　函館市立函館博物館蔵）　アイヌ民族の女性は，12～16歳ぐらいになると，口の周りや手の甲に入れ墨をほどこしました。

⑦**知里幸恵**（1903～22）

北海道

アイヌ民族の口承文学を文字で記録

アイヌ民族に口伝えで受けつがれてきたカムイユカㇻ（神謡）を，19歳のときに，「アイヌ神謡集」にまとめました。これは，アイヌ民族自身の手でアイヌ文化を記録・伝承し，民族としてのほこりを持って生きようとする運動のきっかけとなりました。

↓アイヌ語の音をアルファベットで表記したものです。現在では，アイヌ語は一般的に片仮名で表記されます。

⑧**ふくろうの神の自ら歌った謡「銀のしずく降る降るまわりに」**（知里幸恵「アイヌ神謡集」）　（部分）

〈アイヌ語〉
“Shirokanipe ranran pishkan, konkanipe ranran pishkan.” arian rekpo chiki kane petesoro sapash aine, ainukotan enkashike chikush kor shichorpokun inkarash ko teeta wenkur tane nishpa ne, teeta nishpa tane wenkur ne kotom shiran.

〈日本語〉
「銀のしずく降る降るまわりに，金のしずく降る降るまわりに。」という歌を私は歌いながら流れに沿って下り，人間の村の上を通りながら下をながめると昔の貧乏人が今お金持ちになっていて，昔のお金持ちが今の貧乏人になっているようです。

まとめる　アイヌ文化の特色と具体例を，本文や資料からまとめましょう。

見方・考え方　現在　現在，アイヌ文化を受けつぐためにどのような取り組みが行われているか，調べましょう。

地域の歴史を調べよう－3

会津藩の政治と産業

福島県会津若松市

p.14～17も参照しながら，特に調査の段階を中心に見ていきましょう。

0
40km
白木屋漆器店
会津若松市
猪苗代湖
若松城(鶴ヶ城)・
福島県立博物館
福島県

テーマの設定

1　若松城にて

私たちの学校は，会津藩主の居城だった若松城(鶴ヶ城)の近くにあります。授業で江戸幕府の成立や政治の動きについて学んで，改めて会津藩に興味を持ち，くわしく調べることにしました。

まず若松城におもむき，会津藩の概要について調べました。そして，次の学習課題を定め，「産業」「交通」「教育」「政治を動かした人」といったテーマごとにグループに分かれて追究することにしました。私たちのグループは「産業」を担当しました。

- 豊臣秀吉によって会津をあたえられた蒲生氏郷は，若松城を築いて城下町を整備するとともに，漆器づくりや酒造などの産業の振興に努め，会津の町や商工業の基盤を作り上げた。
- 1643年に会津藩主となった，第３代将軍徳川家光の弟・保科正之は，幕府の政治を補佐するとともに，会津では，検地をやり直し，漆器づくりを奨励するなど，会津藩の基礎を築いた。

❶若松城(鶴ヶ城)での調査

学習課題 会津藩ではどのような政治が行われていたのだろう。

調査

2　福島県立博物館での見学

私たちのグループは，会津藩の産業について調べるために福島県立博物館を訪れ，近世の産業に関わる展示を見学し，さらに学芸員の人からくわしい話を聞きました。

- 会津藩は年貢を増やすために新田開発をすすめ，百姓も「会津農書」を記して新しい農業技術を普及させるなど，藩を挙げて農業に力を入れた。
- 同時に，藩の収入の増加と収入源の多様化を進めるため，漆器づくりや絵ろうそくづくり，朝鮮にんじん栽培や養蚕，酒造などの産業の振興に努め，これらは藩の財政を支える産業に発展した。

❷「会津農書」に関する展示の見学

スキル・アップ 15　集める　博物館や郷土資料館で調べよう

- 調査するテーマにしたがって，目的を持って見学しましょう。
- 展示の趣旨や説明書きに注意して見ましょう。
- 分からないことは学芸員や解説員の人にたずねましょう(事前に連絡しておくとよいでしょう)。
- 気付いたことや疑問に思ったことはメモに取りましょう。

❸会津藩によるうるし(巻末1❺)の管理を示す資料

3　漆器店での聞き取り調査

❹漆器店での聞き取り

学芸員の人の説明で，会津藩は特に，うるし(巻末1❺)栽培と漆器の製造・販売に力を入れていたことを知りました。学芸員の人から紹介された，江戸時代から続く白木屋漆器店を訪れ，会津塗の歴史や漆器づくりなどについて話を聞き，会津の漆器産業について理解を深めました。

●蒲生氏郷が近江から職人を連れてきて本格的に始まった漆器づくりは，会津藩の重要な収入源となり，藩もうるしの栽培をすすめるなど，その発展を後おしした。寛政期に家老になった田中玄宰は，京都から職人を呼び寄せ，蒔絵の技術を高めてより美しい漆器を作らせ，江戸や大阪への出荷を増加させることで，会津藩の財政を立て直す柱とした。

スキル・アップ 16　集める

聞き取り調査をしよう

●予約を取って訪問しましょう。
●調査の目的や主な質問事項などを事前に伝えましょう。
●メモを取りながら聞きましょう。
●あいさつやマナーにも気を付け，調査後にはお礼の手紙を書きましょう。

調査

4　調査内容の共有と意見交換

関連

それぞれのグループが調べてきたことを，電子黒板を活用してクラスで発表し，共有しました。会津藩の政治の全体像をつかんだ後，「会津藩の政治を支えたものは何だろう」という観点で意見を交換し，考察を深めました。

❺電子黒板を使っての発表

考察

5　レポートの作成

各グループから代表者を一人ずつ選び，テーマごとに分担して，学習課題について調べたことや考えたことを，一つのレポートにまとめました。作成したレポートは，教室に掲示して，クラスで共有しました。

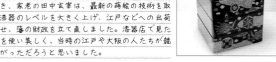

学習課題：会津藩では、どのような政治が行われていたのだろう

1　漆器づくりが会津藩を支えた

私たちのグループは、新しい産業、特に漆器の製造が、会津藩を財政の面で支えたと考えました。会津藩における漆器づくりは、蒲生氏郷が近江から職人を連れてきたのが始まりで、会津藩の重要な収入源となっていきました。会津藩が財政危機におちいったとき、家老の田中玄宰は、最新の蒔絵の技術を取り入れて漆器のレベルを大きく上げ、江戸などへの出荷を倍増させ、藩の財政を立て直しました。漆器店で見た漆器は金を使い美しく、当時の江戸や大阪の人たちが競ってほしがっただろうと思いました。

2　会津藩を動かした保科正之と田中玄宰

私たちのグループは、会津藩の政治で特に重要な役割を果たした二人の人物について調べました。一人目は藩主の保科正之です。正之は検地のやり直し、漆器づくりの奨励、家訓の制定などを行い、会津松平家の基礎を築きました。二人目は家老の田中玄宰です。玄宰は、藩の財政と政治を立て直すため、農村の立て直し、漆器づくりなどの産業の振興、軍制の改革、日新館を中心とする教育の改革を行いました。玄宰の改革で藩の財政は立ち直り、幕末に会津藩が活躍する基盤を作りました。

↑保科正之

❻作成したレポート(部分)

まとめ

プラス
●会津藩が振興したほかの産業についても調べてみましょう。
●福島県のほかの藩についても調べてみましょう。

近世の学習をふり返ろう

1

次の語句は，この章で学習したものです。どのような意味の語句か，自分の言葉でそれぞれ説明しましょう。うまく説明できない場合は，掲載(けいさい)されていたページにもどって確認(かくにん)しましょう。

❶楽市・楽座□ p.108 ❷太閤検地□ p.110 ❸南蛮文化□ p.113 ❹五人組□ p.117 ❺鎖国□ p.119 ❻琉球使節□ p.122

❼享保の改革□ p.130 ❽工場制手工業（マニュファクチュア）□ p.131 ❾田沼意次の政治□ p.132 ❿化政文化□ p.134

2

下の年表の空欄(くうらん)［A］から［E］に当てはまる語句を，次からそれぞれ選びましょう。

松平定信　　桃山文化　　水野忠邦　　朝鮮通信使　　武家諸法度

3

下の年表について，次の問いに答えましょう。

(1)「検地・刀狩(かたながり)」が矢印で「兵農分離(ぶんり)」へと結ばれている理由を説明しましょう。

(2)「都市の繁栄(はんえい)」と「町人の台頭」が矢印で「元禄(げんろく)文化」へと結ばれている理由を説明しましょう。

(3)農村の「貧富(ひんぷ)の差の拡大」が影響(えいきょう)をあたえたと考えられる事項(じこう)を全て選び，矢印で結びましょう。

4

右ページ上の二つの資料について，次の問いに答えましょう。

(1)左の図は，江戸(えど)幕府の仕組みを示したものです。空欄［ア］から［エ］に当てはまる語句をそれぞれ答えましょう。

(2)右の地図は，江戸時代の主な大名の配置を示したものです。空欄［オ］から［キ］に当てはまる語句をそれぞれ答えましょう。

(3)江戸幕府は，大名を統制するためにどのような工夫(くふう)を行っていたか，図と地図から考え，説明しましょう。

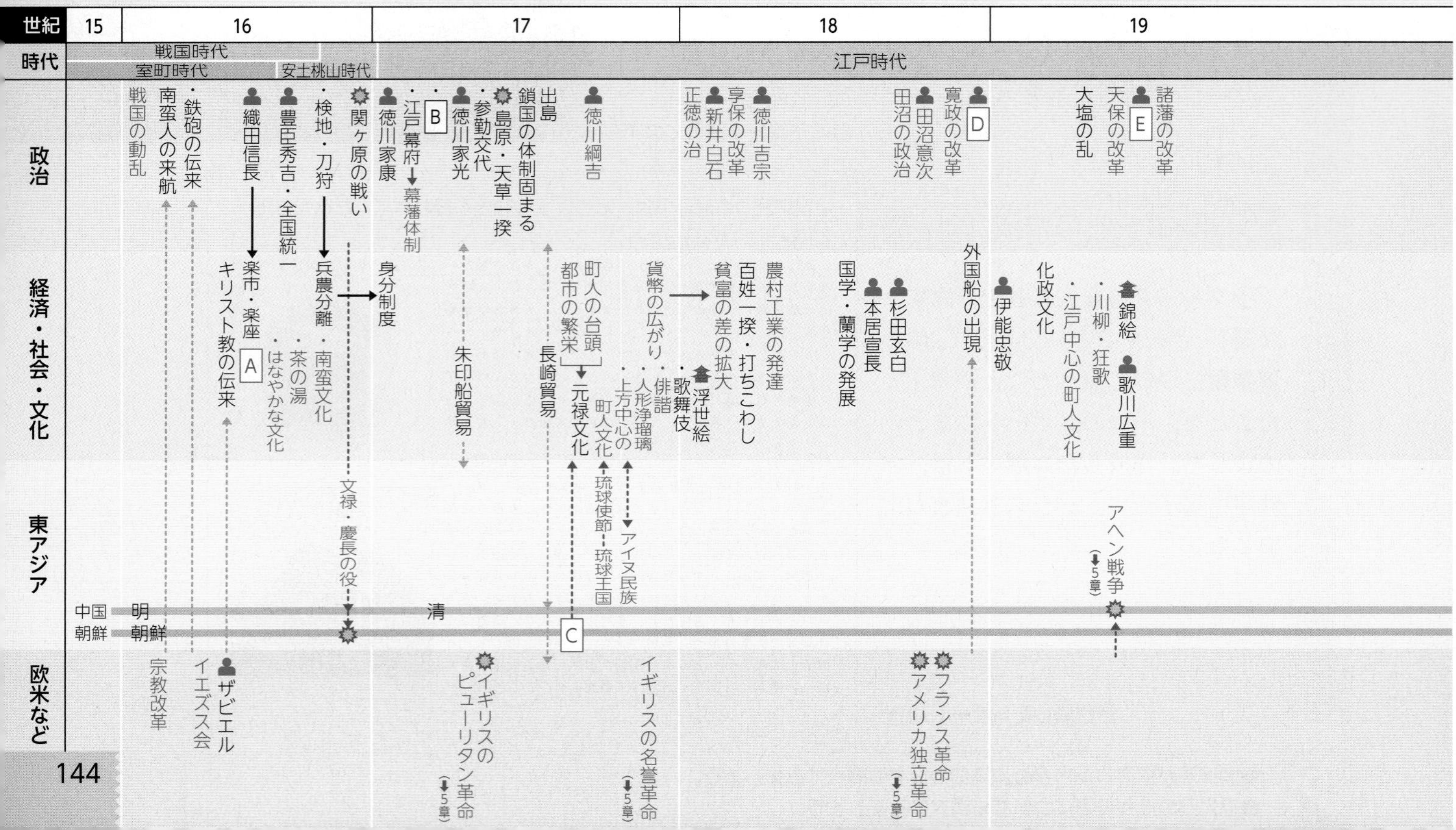
世紀
15
16
17
18
19
時代
戦国時代
室町時代
安土桃山時代
江戸時代
政治
戦国の動乱
南蛮人の来航
・鉄砲の伝来
織田信長
豊臣秀吉・全国統一
・検地・刀狩
関ヶ原の戦い
徳川家康
・江戸幕府→幕藩体制
・B
徳川家光
・参勤交代
島原・天草一揆
鎖国の体制固まる
出島
徳川綱吉
正徳の治
新井白石
享保の改革
徳川吉宗
田沼の政治
田沼意次
寛政の改革
D
大塩の乱
天保の改革
E
諸藩の改革
経済・社会・文化
キリスト教の伝来
楽市・楽座
A
・はなやかな文化
・茶の湯
兵農分離
・南蛮文化
身分制度
朱印船貿易
長崎貿易
都市の繁栄
町人の台頭
元禄文化
上方中心の町人文化
・人形浄瑠璃
・俳諧
貨幣の広がり
・歌舞伎
浮世絵
貧富の差の拡大
百姓一揆・打ちこわし
農村工業の発達
国学・蘭学の発展
本居宣長
杉田玄白
外国船の出現
伊能忠敬
化政文化
・江戸中心の町人文化
・川柳・狂歌
錦絵
歌川広重
東アジア
文禄・慶長の役
琉球使節
琉球王国
アイヌ民族
アヘン戦争（➡5章）
中国
明
清
朝鮮
朝鮮
C
欧米など
宗教改革
イエズス会
ザビエル
イギリスのピューリタン革命（➡5章）
イギリスの名誉革命（➡5章）
アメリカ独立革命（➡5章）
フランス革命

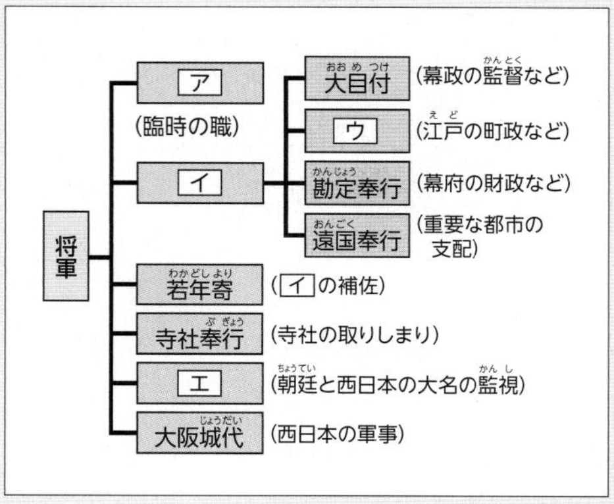
将軍
ア
(臨時の職)
イ
大目付
(幕政の監督など)
ウ
(江戸の町政など)
勘定奉行
(幕府の財政など)
遠国奉行
(重要な都市の支配)
若年寄
(イの補佐)
寺社奉行
(寺社の取りしまり)
エ
(朝廷と西日本の大名の監視)
大阪城代
(西日本の軍事)

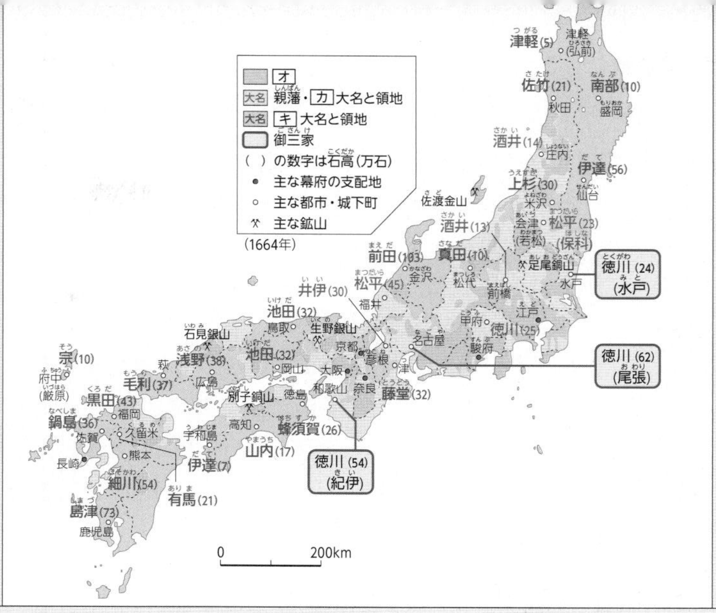
オ
大名 親藩・カ大名と領地
大名 キ大名と領地
御三家
( )の数字は石高(万石)
主な幕府の支配地
主な都市・城下町
主な鉱山
(1664年)
津軽(5)
津軽(弘前)
佐竹(21)
南部(10)
秋田
盛岡
酒井(14)
庄内
伊達(56)
上杉(30)
仙台
米沢
佐渡金山
酒井(13)
会津(若松)
松平(23)
(保科)
前田(103)
真田(10)
足尾銅山
徳川(24)(水戸)
水戸
金沢
松代
前橋
松平(45)
井伊(30)
福井
池田(32)
江戸
甲府
徳川(25)
鳥取
生野銀山
石見銀山
名古屋
駿府
京都
彦根
徳川(62)(尾張)
浅野(38)
池田(32)
岡山
大阪
津
宗(10)
萩
広島
府中(厳原)
毛利(37)
和歌山
奈良
藤堂(32)
黒田(43)
別子銅山
徳島
福岡
鍋島(36)
高知
蜂須賀(26)
佐賀
久留米
宇和島
山内(17)
熊本
伊達(7)
長崎
徳川(54)(紀伊)
細川(54)
有馬(21)
島津(73)
鹿児島
0 200km

探究のステップ 節の課題を解決しよう(各節の学習の最後に取り組みましょう)

① ヨーロッパ人との出会いを経て，なぜ戦乱の世が終わりをむかえたのでしょうか。

ヨーロッパ人との出会いは，当時の日本社会に大きな影響をあたえたね。
豊臣秀吉の政策は，日本の社会をどのように変えたかな。

② なぜ江戸幕府の支配は約260年も続いたのでしょうか。

徳川氏が大きな力を持つきっかけになった出来事があったね。
江戸幕府はどのような仕組みで政治を行ったのかな。

③ 産業や文化が発達し，都市が繁栄する中で，なぜ幕府は改革をせまられたのでしょうか。

改革をしなければならなかった理由や背景が，いくつかあったね。
当時の日本の社会には，どのような変化が起こっていたのかな。

近世の探究課題を解決しよう

探究課題 近世では，どのようにして社会が安定したのでしょうか。

豊臣秀吉は，全国を統一しただけでなく，近世の社会の仕組みを作るさまざまなことを行っていたね。
江戸幕府は，どのようにして大名や朝廷，人々を統制したのかな。
社会の変化や危機に対して，江戸幕府はその都度，対応していたね。
政治の動きだけでなく，社会や民衆の動きにも着目する必要がありそうですね。

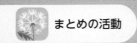

まとめの活動　近世で最も活躍した身分はどれだろう

関連

この章では「近世の日本」について学習してきました。近世はどのような特色を持つ時代だったでしょうか。ここでは，武士・百姓・町人の三つの身分のうち，この時代を動かしたのはどれかを考えることを通じて，この時代の特色をまとめましょう。

みんなでチャレンジ

(1)p.144の年表などを参考に，武士・百姓・町人と関わりの深い出来事を，表(マトリックス)にまとめましょう。時間がない場合は，右のあおいさんの例を参考にしましょう。

(2)(1)の表を基に，武士・百姓・町人が当時の社会全体にどのような影響をあたえたか，それぞれまとめましょう。

(3)武士・百姓・町人のうち最も活躍したと考える身分を挙げ，その理由や根拠を「ピラミッドストラクチャ」にまとめましょう。

(4)グループ内で「ピラミッドストラクチャ」を発表し合い，意見を交換しましょう。発表する際は，「ピラミッドストラクチャ」の構造に従って，次のように説明しましょう。

> 私は［結論］が最も活躍したと思います。その理由は［理由の数］つです。
> 第一に，［理由①］だからです。それは，［根拠①］，［根拠②］…から分かります。
> 第二に，［理由②］だからです。それは，［根拠③］，［根拠④］…から分かります。
> …
> 以上から，私は［結論］が最も活躍したと結論付けました。

(5)(4)での発表や意見交換をふまえて，自分の最終的な「ピラミッドストラクチャ」を作りましょう。結論が(3)から変わった場合は，余白に結論を変えた理由も書きましょう。

(6)「ピラミッドストラクチャ」を基に，近世がどのような時代かまとめましょう。

ピラミッドストラクチャとは？

ピラミッドストラクチャは，p.60の「くらげチャート」を，よりくわしくしたものです。

ピラミッドストラクチャを使うことで，主張を整理して，より説得力のある主張をすることができます。「ストラクチャ(structure)」とは英語で「構造」を意味し，主張の構造をピラミッド型に表すことから，このように呼ばれます。

まず，ピラミッドの一番上に，主張したい結論を書きます。続いて2段目に，主張の理由を書きます。3段目には，理由の根拠となる事実を書きます。

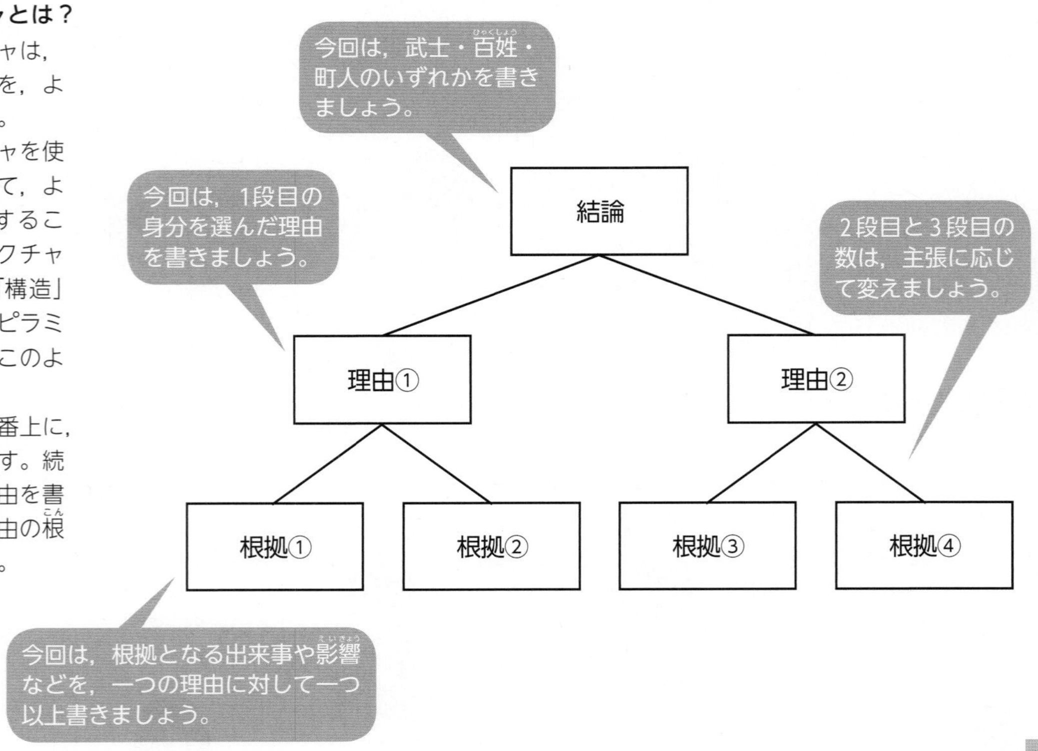
今回は，武士・百姓・町人のいずれかを書きましょう。
結論
今回は，1段目の身分を選んだ理由を書きましょう。
2段目と3段目の数は，主張に応じて変えましょう。
理由①
理由②
根拠①
根拠②
根拠③
根拠④
今回は，根拠となる出来事や影響などを，一つの理由に対して一つ以上書きましょう。

あおいさんが⑴で作った表（マトリックス）

	武士	百姓	町人
政治	●全国統一 ●幕府による大名・朝廷の統制 ●徳川綱吉の政治，正徳の治 ●享保の改革 ●田沼意次の政治，寛政の改革 ●天保の改革，諸藩の改革		
社会・経済	●楽市・楽座，関所の廃止 ●太閤検地・刀狩 ●新田開発 ●街道の整備 ●特産品などの専売	●村の自治 ●年貢の負担 ●新田開発，農業生産の増加 ●諸産業の発達 ●商品作物の栽培 ●問屋制家内工業，工場制手工業 ●百姓一揆	●町の自治 ●営業税の負担 ●諸産業の発達 ●航路の整備 ●株仲間，両替商 ●問屋制家内工業，工場制手工業 ●打ちこわし
文化	●桃山文化 ●キリスト教の禁止 ●朱子学の推進 ●昌平坂学問所，藩校	●寺子屋	●桃山文化 ●元禄文化 ●化政文化 ●国学・蘭学 ●寺子屋
外国との関係	●文禄・慶長の役 ●朱印船貿易 ●鎖国 ●北方探検 ●異国船打払令		●朱印船貿易 ●長崎貿易

あおいさんが⑸で作ったピラミッドストラクチャ（部分）

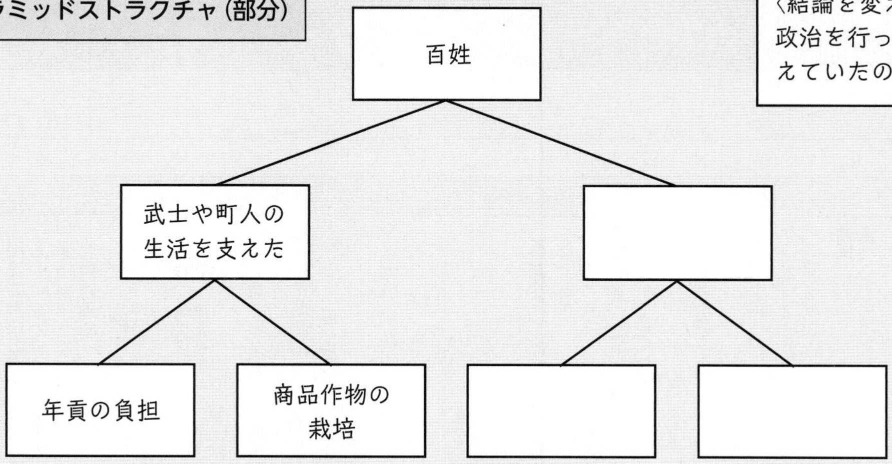

百姓
武士や町人の生活を支えた
年貢の負担
商品作物の栽培

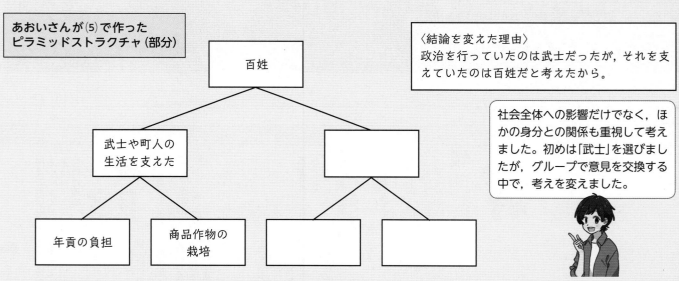

〈結論を変えた理由〉
政治を行っていたのは武士だったが，それを支えていたのは百姓だと考えたから。

社会全体への影響だけでなく，ほかの身分との関係も重視して考えました。初めは「武士」を選びましたが，グループで意見を交換する中で，考えを変えました。

この時代の特色をまとめましょう。

近世は

時代です。

第5章 開国と近代日本の歩み

導入の活動　近代化とはどのようなことか考えよう

D

1（東京都　衆議院憲政記念館蔵）

小

世紀	18	19	20
時代		江戸時代／明治時代	明治時代

太字　小学校の社会で習ったことば

政治
- **開国**
- ペリー来航
- 日米和親条約
- 日米修好通商条約
- ・不平等条約
- 薩長同盟
- 坂本龍馬
- 明治維新
- 明治天皇
- ・五箇条の御誓文
- 木戸孝允
- 大久保利通
- 勝海舟
- ・廃藩置県
- ・**富国強兵**（地租改正／徴兵令／学制）
- 西南戦争
- 西郷隆盛
- 内閣制度
- 伊藤博文
- **大日本帝国憲法**
- 帝国議会
- 陸奥宗光
- **日露戦争**
- 東郷平八郎
- 小村寿太郎
- **国際的地位の向上**
- 1910

経済・社会・文化
- **文明開化**
- ・官営模範工場
- 殖産興業
- 福沢諭吉
- **自由民権運動**
- 大隈重信
- 板垣退助
- **条約改正**
- 軽工業の発達
- ・**紡績業・製糸業**
- 与謝野晶子
- **条約改正**
- 野口英世

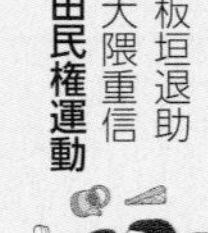

東アジア・欧米など
- 領事裁判権の撤廃
- **日清戦争**
- 日英同盟
- 関税自主権の回復
- 韓国併合
- 中国　清 → 中華民国
- 朝鮮　朝鮮 → 大韓帝国 →（日本領）

❷明治時代初めの日本橋付近の様子(東京都立中央図書館蔵) 小

❸小学校の授業風景(東京都　国立教育政策研究所教育図書館蔵) 小

❹紡績工場の様子(大阪府　東洋紡蔵) 小

この章では，幕末(江戸時代末期)から明治時代までの時代について学習します。小学校では，政治や社会の変化を中心に学びました。近代(p.284)の日本では，国や社会の仕組みがどのように変わっていったのでしょうか。小学校で学習した内容をふり返りながら考えましょう。

みんなでチャレンジ

(1) ❶はどのような場面をえがいているか，グループで話し合いましょう。

(2) (1)のほかに，この時代に起こった社会の変化にはどのようなものがあったか，❷～❹を参考に，グループで出し合いましょう。

(3)近代化(p.284)とはどのようなことか，(1)と(2)をふまえて，グループで話し合いましょう。

(4)資料や年表から，この時代について，知りたいことや疑問に思うことを出し合いましょう。

第5章の探究課題は？

小学校では，江戸幕府がほろび，新しい政府が作られる過程で，さまざまな人が活躍したことを学習したね。どのような思いで新しい国づくりを進めたのかな。

この時代の日本は，短い間に，政治も社会も大きく変わったね。どうしてこんなに急に変わったのかな。

人々の服装や町の様子が西洋風になったね。なぜ欧米の文化が，これほど取り入れられたのかな。

この章では，❶～❹に見られるような近代化によって日本がどのように変化したか，背景となる世界の動きなどに着目しながら追究していきましょう。まとめでは，日本と世界との関わりを整理することを通じて，時代の特色をとらえましょう。

探究課題　近代化によって，日本の国家や社会はどのように変化したのでしょうか。

探究のステップ　各節の学習では，次の課題を追究していきましょう。

① なぜ欧米諸国は世界に先がけて発展したのでしょうか。

② 欧米とアジアとの関係が変化する中，なぜ江戸幕府はほろんだのでしょうか。

③ なぜ日本ではほかのアジア諸国に先がけて，近代化が進んだのでしょうか。

④ 近代化を進める中で，なぜ日本は中国やロシアと戦争をすることになったのでしょうか。

❶18世紀初めのイギリス議会　イギリス議会は，マグナ・カルタをきっかけに形が整えられ，権利章典によって権限が大きく強められました。上院（貴族院）と下院（庶民院）の二院制で，絵は下院の様子です。

❷マグナ・カルタ（1215年）記　（部分要約）

いかなる自由民も，正当な裁判または国の法律によらなければ，逮捕や監禁をされたり，土地をうばわれたり，法による保護をうばわれたり，国外に追放されたり，その他の方法によって権利を侵害されたりすることはない。

❸権利章典（1689年）　（部分要約）

第１条　議会の同意なしに，国王の権限によって法律とその効力を停止することは違法である。

第４条　国王大権と称して，議会の承認なく，国王の統治のために税金を課すことは，違法である。

公 地 歴

↑ともに国王の専制(p.287)を防ぐために出され，現在もイギリスの憲法の一部として受けつがれています。

1 イギリスとアメリカの革命

学習課題　**イギリスとアメリカの政治はどのように変化して，現代の政治につながっているのでしょうか。**

近世ヨーロッパの動向

17世紀から18世紀のヨーロッパは，オスマン帝国 p.101 の領土をうばって東に広がった一方で，西では各国が激しく争いました。17世紀にはオランダが栄えましたが p.105，フランスがオランダに対抗して強国となり，続いてイギリスも急速に国力をつけて，18世紀にはイギリスとフランスが最強国の地位を競って何度も戦争をしました。

この時代のヨーロッパの多くが君主国 p.285 でしたが，イギリスとフランスで革命が起こり p.284，北アメリカ植民地でも革命が起こって合衆国が独立するなど，新しい政治の仕組みが生まれました。

これらの革命を後おししたのが，**ロック**❹，**モンテスキュー**❺，**ルソー**❻らによる啓蒙思想 p.285 でした。国王の権力の制限と人民の政治参加を唱えたかれらの思想は，本や雑誌，百科事典などを通じて広まりました。また近世のヨーロッパでは，ガリレオやニュートンらによって自然科学 p.286 も発達しました。

イギリス革命

イギリスの政治の中心は，国王と，地主などの富裕層から成る議会でした。17世紀半ば，国王が議会を無視して専制 p.287 を続けたため，国王と議会との間で

公 地 歴

❹ジョン・ロック（上：1632～1704）
❺シャルルル・ド・モンテスキュー（中：1689～1755）
❻ジャン・ジャック・ルソー（下：1712～78）

新しい思想で革命を支える

かれらは政治や社会を批判しながら，思想を発展させました。ロックは社会契約説(p.286)と抵抗権(p.288)を唱え，モンテスキューは法の精神と三権分立(p.286)を説き，ルソーは社会契約説と人民主権を主張しました。こうした思想は，近代の世界に大きな影響をあたえました。

探究のステップ　なぜ欧米諸国は世界に先がけて発展したのでしょうか。

世紀	B.C.	A.D. 1	2	3	4	5	6	7	8	9	10	11	12	13	14	15	16	17	18	19	20	21

縄文　弥生　古墳　飛鳥　奈良　平安　鎌倉　南北朝　室町　戦国　安土桃山　江戸　明治　大正　昭和　平成　令和

❼**ボストン茶会事件**（アメリカ：ボストン　1773年）　イギリス政府が植民地よりも本国を優先した法律を次々に定めたため，茶の貿易の独占に反対する人々が抗議しました。

読み取る　❼の人々は何をしているか，またどのような格好をしているか，読み取りましょう。

❽**アメリカ独立宣言への署名**（1776年）

❾**アメリカ独立宣言**（1776年）　　（部分要約）

我々は以下のことを自明の真理であると信じる。人間はみな平等に創られ，ゆずりわたすことのできない権利を神によってあたえられていること，その中には，生命・自由・幸福の追求がふくまれていること，である。

公 地 歴

❿**ジョージ・ワシントン**（1732～99）

アメリカ合衆国建国の父

植民地の大農場主で，独立戦争では最高司令官を務めました。独立後の1789年に，初代の大統領に選ばれました。

内戦が始まりました。議会側がクロムウェルの指導で勝利し，国王を処刑p.284して共和政を始めました（**ピューリタン革命**❶）。

クロムウェルの死後，イギリスは王政p.284にもどりますが，再び国王が専制を行ったため，1688年から89年に**名誉革命**❷が起こり，議会を尊重する王が新たに選ばれ，「**権利章典**❸」が定められました。こうして世界初の**立憲君主制**p.289と**議会政治**p.284が始まりました❶。この制度は19世紀から20世紀に，ほかの国にも広まりました。

アメリカの独立革命

イギリスが17世紀に北アメリカに作った植民地は，急速に発展していましたが，植民地の人々は本国の議会に代表を送る権利を持ちませんでした。イギリスは，フランスとの戦争の費用で財政p.286が苦しくなったため，植民地に新たな税をかけましたが，植民地側は「代表なくして課税なし」と唱えて反対運動を始めました❼。イギリスがこれを弾圧したために独立戦争が始まり，植民地側は1776年に**独立宣言**❽❾を発表しました。アメリカはフランスなどの支援を受けて勝利し，人民主権p.285や三権分立p.286を柱とする合衆国憲法p.285を定め，初代大統領にワシントン❿を選びました。こうして世界初の大統領制⓫p.287が生まれましたが，独立直後のアメリカは，大陸の東部だけを領土とする国⓬で，まだ奴隷制p.157が続いていました。

⓫**ホワイトハウス**（アメリカ：ワシントンD.C.）　アメリカの大統領が居住し，政治を行う建物で，1800年に完成しました。

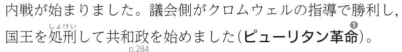

⓬**星条旗**　最初のアメリカの国旗は，星も紅白のしまも，独立直後の13の州を表していました。

❶国王に反対した議員には，プロテスタントの教えを厳格に守ろうとした清教徒（ピューリタン）が多かったため，このように呼ばれます。
❷国王の処刑や内戦の混乱を経ずに革命が成功したため，このように呼ばれます。

チェック　イギリスとアメリカの政治の仕組みが変わるきっかけになった出来事を，それぞれぬき出しましょう。

トライ　革命後のイギリスとアメリカではどのような政治が行われるようになったか，それぞれ説明しましょう。

世 **❶造営中のベルサイユ宮殿**(フランス歴史博物館蔵)　ルイ14世がパリ郊外に20年かけて建設し，政治や外交だけでなく，美術や音楽，料理，礼儀作法などの文化の面でもヨーロッパの中心となりました。

❷ルイ14世(1638～1715)(フランス　ルーブル美術館蔵)　オランダに対抗して商業を重視する政策を採り，中央集権(p.287)を進めました。

2 フランス革命

学習課題　**フランスの政治はどのように変化して，現代の政治につながっているのでしょうか。**

❸革命前(上)**と革命が始まったフランス**(下)

読み取る　❸の二つの絵は，どのような状況をえがいているか，３人の人物に着目して考えましょう。

フランス革命の始まり

17世紀後半からのフランスでは，国王が政治権力の全てをにぎり，議会を開かずに国を治めていました(**絶対王政**[❶❷] p.287)。また言論は規制され，身分による貧富の差は大きく，第一身分(聖職者)と第二身分(貴族)は免税の特権を持ち，税の負担は人口の大部分をしめる第三身分(平民)が主に担っていました[❸]。

18世紀のフランスは，イギリスと戦争を続け，その費用が大きな負担となっていました。アメリカ独立革命(p.151)を支援した戦費の支払いのために国王が第一・第二身分にも課税しようとして，1789年に三つの身分の代表による議会(三部会)を開くと，パリでも地方でも人々が立ち上がり，**フランス革命**[❸❹❺]が始まりました。三部会の平民議員たちは新たに国民議会を作り，人間としての自由，法と権利における平等，国民主権(p.285)，私有財産の不可侵(p.286)などを唱える**人権宣言**[❻]を発表しました。

しかし，革命の広がりをおそれる周囲の国々が干渉したため，戦争が始まりました。フランスの革命政府は，敵国への協力が疑われた国王を退位させて(のち処刑)，共和政を始めました。

世紀	B.C.	A.D. 1	2	3	4	5	6	7	8	9	10	11	12	13	14	15	16	17	18	19	20	21
	縄文	弥生				古墳		飛鳥	奈良		平安			鎌倉	南北朝	室町	戦国	安土桃山	江戸	明治	大正 昭和	平成 令和

4サン・キュロット（フランス　カルナバレ博物館蔵）　貴族の服装であるキュロット（半ズボン）とストッキングを身に着けない民衆のことで，革命を進める力になりました。

5バスチーユ牢獄の襲撃（1789年）（フランス　カルナバレ博物館蔵）　パリのバスチーユ牢獄は，圧政の象徴と考えられ，民衆が攻め落とし，保管されていた武器をうばいました。

6人権宣言（1789年）（部分要約）

第1条　人は生まれながらに，自由で平等な権利を持つ。社会的な区別は，ただ公共の利益に関係のある場合にしか設けられてはならない。

第3条　主権の源は，もともと国民の中にある。どのような団体や個人であっても，国民から出たものでない権力を使うことはできない。

第11条　思想および言論の自由な発表は，人間の最も尊い権利の一つである。したがって，全ての市民は自由に話し，書き，印刷し，出版することができる。

↑正式には「人間および市民（p.286）の権利の宣言」といい，世界各国の人権規定の模範とされました。

また，国民に兵役の義務を課す**徴兵制**（p.288）により軍事力を強化するなど，政治と社会の仕組みを再び変えました。しかし，こうした動きに反対する内乱も起こり，不安定な政治が続くうちに，戦争で活躍した軍人の**ナポレオン**[7]が人気を得て権力をにぎり，革命の終結を宣言して，1804年には皇帝（p.285）の位に就きました。

ナポレオンの時代

ナポレオンは，イギリス以外のヨーロッパ諸国を戦争で破り，ヨーロッパの大部分の支配者となりました[8]。また人権宣言をふまえて，その内容を細かく規定する**民法**（p.289）（ナポレオン法典）を定めました。ナポレオンはイギリスも支配しようとし，各国にイギリスとの貿易を禁じましたが，これに違反したロシアに攻めこんで大敗しました。さらにほかのヨーロッパ諸国も，フランスの支配に対して立ち上がり，ナポレオンの帝国は1815年に終わりました。

ナポレオンの退位後，ヨーロッパ各国はウィーン会議を開いて，フランス革命前の君主を復位させ，平和を維持すると同時に革命運動を弾圧（p.285）することを取り決めました。しかしフランス革命は，生まれや国籍を問わず，啓蒙思想（p.150）に基づいて普遍的な人権を理想にかかげる革命だったので，世界中の抑圧に苦しむ人々に希望をあたえました。

7ナポレオン・ボナパルト（1769〜1821）（ダビッド筆　フランス　ベルサイユ宮殿美術館蔵）　イタリアへ遠征する姿を，理想化してえがいた絵です。

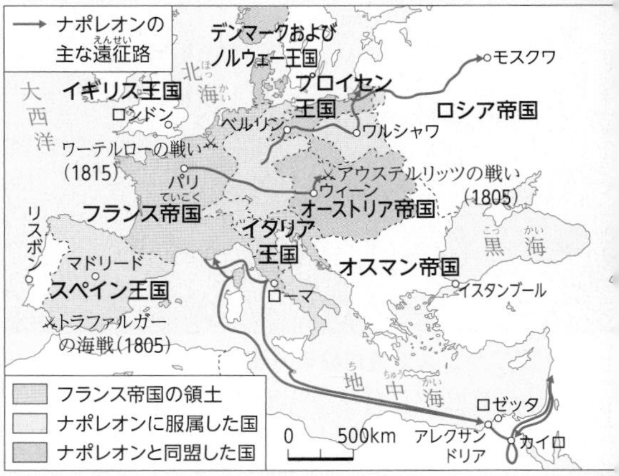

ナポレオンの主な遠征路
デンマークおよびノルウェー王国
北海
モスクワ
大西洋
イギリス王国
ロンドン
プロイセン王国
ロシア帝国
ベルリン
ワルシャワ
ワーテルローの戦い（1815）
パリ
アウステルリッツの戦い（1805）
ウィーン
フランス帝国
オーストリア帝国
リスボン
イタリア王国
黒海
マドリード
オスマン帝国
スペイン王国
ローマ
イスタンブール
トラファルガーの海戦（1805）
地中海
ロゼッタ
フランス帝国の領土
ナポレオンに服属した国
ナポレオンと同盟した国
0　500km
アレクサンドリア
カイロ

8ナポレオンのヨーロッパ支配

チェック　人権宣言で唱えられた思想をぬき出しましょう。

トライ　フランスの政治は，革命の前と後とでどのように変化したか，説明しましょう。

❶**民衆を導く自由の女神**(ドラクロワ筆　フランス　ルーブル美術館蔵)
フランスで1830年に起こった革命をえがいたものです。ウィーン会議後のフランスは王政にもどり，貴族や聖職者が優遇されていました。

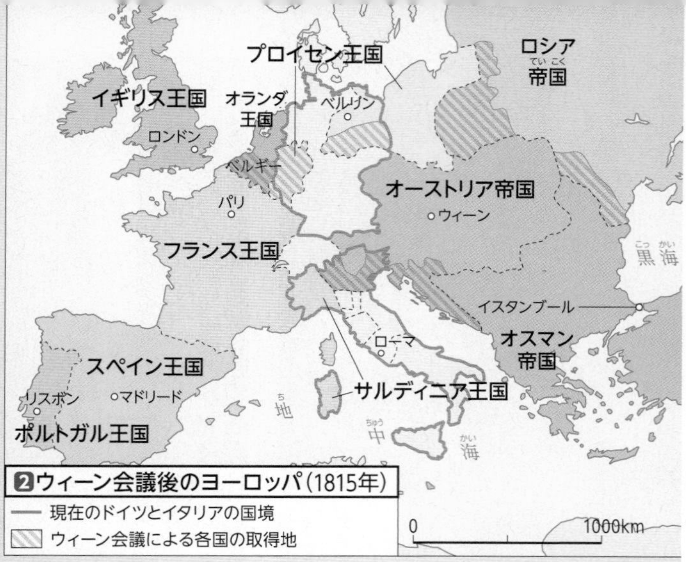

プロイセン王国
ロシア帝国
イギリス王国
オランダ王国
ベルリン
ロンドン
ベルギー
パリ
オーストリア帝国
ウィーン
フランス王国
黒海
イスタンブール
オスマン帝国
ローマ
スペイン王国
リスボン
マドリード
サルディニア王国
ポルトガル王国
地中海
0
1000km

❷**ウィーン会議後のヨーロッパ**(1815年)
— 現在のドイツとイタリアの国境
▨ ウィーン会議による各国の取得地

読み取る
(1)❶の革命は何を目指していたか，中心の女性に着目して考えましょう。
(2)❷から，現在のドイツとイタリアが，当時はどのような状況だったか読み取りましょう。

3 ヨーロッパにおける国民意識の高まり

学習課題 ヨーロッパではどのように国民意識が定着し，国家としてまとまっていったのでしょうか。

❸**19世紀のヨーロッパの小学校**

❹**フランスでの1848年の革命**(フランス　カルナバレ博物館蔵)　パリでの市街戦の様子です。

❶男子普通選挙はフランス革命時に一度だけ行われましたが，すぐに廃止されていました。

「国民」の登場　フランス革命によって国民主権p.152と人間の平等の理想がかかげられたことで，人々が身分や地域のちがいをこえて「国民」p.285としてまとまろうとする動きが生まれました。またナポレオンによる支配を受けた国々では，外国人に対する反感が「国民」としての意識を高めました。さらに，19世紀を通じて各国で徴兵制p.153・288や**義務教育**❸p.284が普及し，多くの人々が同じ経験をするようになったことや，革命が起こって憲法p.284が定められ，議会p.285が開かれて人々が政治に参加するようになったことも，「国民」としての一体感を高めました。

ヨーロッパと中南米諸国の動向　ナポレオンが退位した後❷，フランスは王政p.284にもどりましたが，1830年と48年に革命が起こり❶❹，世界で初めて男子**普通選挙**p.288が確立されました❶。その際に選ばれたナポレオン３世は大統領，さらに皇帝となり，積極的な外交をくり広げましたが，ドイツ(プロイセン)との戦争に敗れて退位し，フランスは再び共和政p.284になりました。

イギリスは，強力な海軍を世界各地に展開し，これを後ろだてにして各国と通商p.288し，19世紀半ばに繁栄の時代をむかえまし

世紀	B.C.	A.D.1	2	3	4	5	6	7	8	9	10	11	12	13	14	15	16	17	18	19	20	21

縄文　弥生　古墳　飛鳥　奈良　平安　鎌倉　南北朝　室町　戦国　安土桃山　江戸　明治　大正　昭和　平成　令和

❺万国博覧会　第1回の万国博覧会は，1851年にロンドンで開かれ，欧米を中心に各国の物産が展示されて人気を集めました。日本が初めて正式に参加したのは，1873年にオーストリアのウィーンで開かれた万国博覧会でした。

ビスマルク⇧

❻ドイツの統一（ドイツ　ビスマルク博物館蔵）
1871年にベルサイユ宮殿（p.152❶）で行われた，ドイツ皇帝の即位式の様子です。

た。首都のロンドンは世界最大の都市に成長して，世界初の万国博覧会[5]も開かれました。政治面では，国王に対する議会の力がさらに増し，男性の労働者にも選挙権があたえられて**政党政治**が発達しました。

ドイツは，中世から多くの国に分裂していましたが，18世紀にプロイセンとオーストリアが強国となりました。プロイセンは，ナポレオンの支配を脱した[2]後，19世紀後半に「鉄血宰相」と呼ばれた**ビスマルク**[7]の指導の下，オーストリアおよびフランスとの戦争に勝利し，1871（明治4）年にドイツを統一して帝国（p.288）になりました[6][2]。強力な陸軍を持ったドイツ帝国では産業も急速に発展し，イギリスに次ぐ強国になりました。

イタリアも中世から小国に分裂しており，一部はオーストリアの支配下にありましたが，「国民」としてまとまろうとする動きが強まり，フランスの支援の下にオーストリアと戦争して統一と独立を達成し，1861年にイタリア王国が成立しました。

中南アメリカでは，大航海時代（p.104）以来，スペインとポルトガルが広大な植民地を持っていましたが，フランス革命で自由の考えが伝わったこともあり，19世紀初めにメキシコやブラジル，アルゼンチンをはじめとする多くの国が独立しました[8]。

❼オットー・ビスマルク（1815〜98）

ドイツ統一を進めた「鉄血宰相」

プロイセンの首相（p.286）として富国強兵を進める一方で，たくみな外交術によって，諸国との戦争に勝ち，ドイツの統一を実現しました。その後，ドイツ帝国でも首相を務め，ヨーロッパの外交を主導しました。

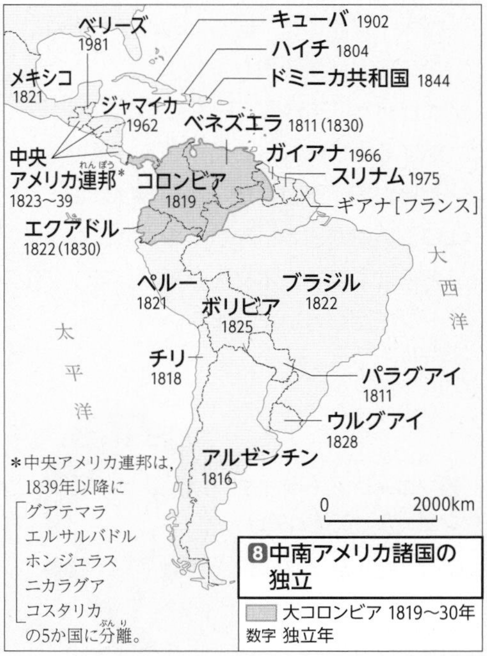

ベリーズ 1981
キューバ 1902
ハイチ 1804
ドミニカ共和国 1844
メキシコ 1821
ジャマイカ 1962
ベネズエラ 1811（1830）
中央アメリカ連邦* 1823〜39
ガイアナ 1966
コロンビア 1819
スリナム 1975
ギアナ［フランス］
エクアドル 1822（1830）
大西洋
ペルー 1821
ブラジル 1822
ボリビア 1825
太平洋
チリ 1818
パラグアイ 1811
ウルグアイ 1828
アルゼンチン 1816
*中央アメリカ連邦は，1839年以降にグアテマラ，エルサルバドル，ホンジュラス，ニカラグア，コスタリカの5か国に分離。
0　2000km
大コロンビア 1819〜30年
数字 独立年

❽中南アメリカ諸国の独立

❷オーストリアは統一国家から除外されましたが，後にドイツ帝国と同盟（p.288）するなど，両国は友好な関係を結びました。

チェック　19世紀のヨーロッパ諸国に広まった政治や社会の仕組みを，本文から三つぬき出しましょう。

トライ　フランス・イギリス・ドイツ・イタリアから一つ選び，19世紀の動向を簡単に説明しましょう。

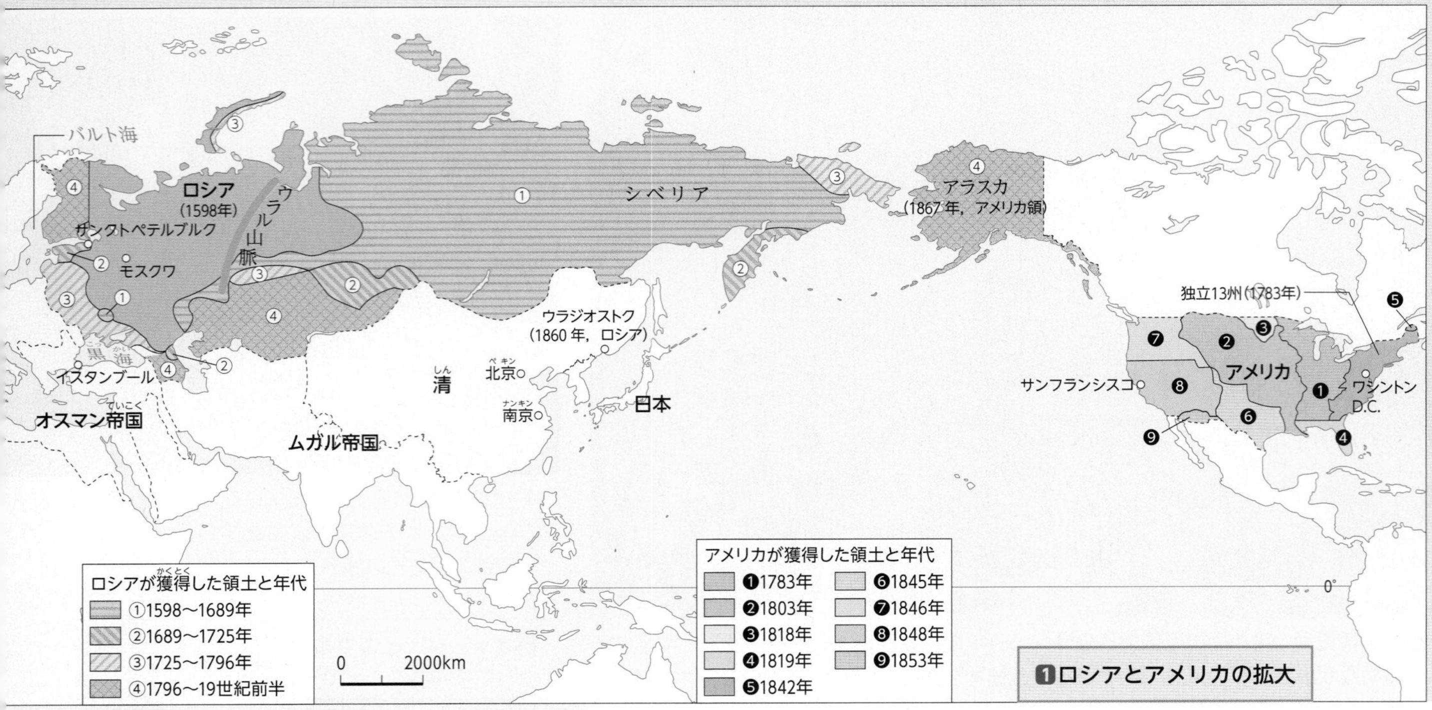
バルト海
ロシア
(1598年)
ウラル山脈
サンクトペテルブルク
モスクワ
黒海
イスタンブール
オスマン帝国
ムガル帝国
清
北京
南京
日本
シベリア
ウラジオストク
(1860年，ロシア)
アラスカ
(1867年，アメリカ領)
独立13州(1783年)
アメリカ
サンフランシスコ
ワシントンD.C.
ロシアが獲得した領土と年代
①1598～1689年
②1689～1725年
③1725～1796年
④1796～19世紀前半
アメリカが獲得した領土と年代
❶1783年
❷1803年
❸1818年
❹1819年
❺1842年
❻1845年
❼1846年
❽1848年
❾1853年
0 2000km
0°

❶ロシアとアメリカの拡大

4 ロシアの拡大とアメリカの発展

? 学習課題 ロシアとアメリカは，どのように発展していったのでしょうか。

ロシアの拡大

17世紀初めまでのロシアは，領土がウラル山脈以西にほぼ限られており，ほかのヨーロッパ諸国とは関係の弱い国でした。ロシアはその後，急速に東西に領土を広げ，バルト海やシベリアまで進出して❶，18世紀には日本の近海にも通商を求めて船隊を送りました。p.133・136 19世紀に入ると，ロシアは不凍港などを求めて積極的に領土を拡張しようとしました(**南下政策**)。黒海に進出しようとした際には，それを警戒するフランスやイギリスとの間で戦争になり(クリミア戦争❷)，敗れましたが，その後も中央アジア，そして中国東北部へも進出しようとして，同じようにこの地域に勢力をのばそうとしていた日本と衝突することになります。p.190

ロシアでは19世紀末から工業が急速に発展しました。その一方で，20世紀初めまで憲法や議会がなく，皇帝の専制政治が続き，p.287 身分や貧富の差が大きいなど，政治や社会の仕組みにおいては，ほかのヨーロッパ諸国と比べて後れた面がありました。

アメリカ合衆国の発展

18世紀の末に独立したアメリカ合衆国は，p.151 19世紀に入るとヨーロッパから多くの**移民**

みんなでチャレンジ 日本来航の背景を考えよう

関連 読み取る

(1)❶から，ロシアとアメリカの領土拡大が太平洋岸にまで達したのはそれぞれいつごろか，読み取りましょう。

(2)p.133やp.136から，日本にロシア船が来航するようになった時期をふり返り，(1)と比べて，気付いたことを挙げましょう。

(3)ロシア船が日本に来航するようになった背景について，本文を参考にして，グループで話し合いましょう。

❷フローレンス・ナイチンゲール(1820～1910)

近代看護の創始者

イギリスの看護師としてクリミア戦争(1853～56年)に従軍し，戦場医療の改革を行いました。戦争後は近代看護の確立に貢献し，後の国際赤十字運動のきっかけにもなりました。

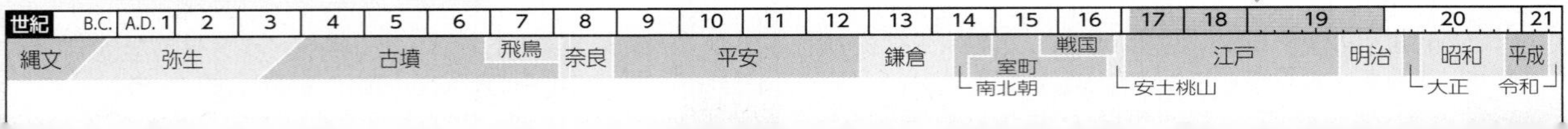
世紀 B.C. A.D.1 2 3 4 5 6 7 8 9 10 11 12 13 14 15 16 17 18 19 20 21
縄文 弥生 古墳 飛鳥 奈良 平安 鎌倉 室町 南北朝 戦国 安土桃山 江戸 明治 大正 昭和 平成 令和

③涙の道(1838年)　アメリカが領土を拡大するにつれて，先住民は圧迫を受け，19世紀には，政府によって居留地に強制的に移住させられました。この絵の移住では，約１万5000人が約1900kmもの移動を強いられ，うち約4000人が命を落としました。

⑤ハリエット・ストウ(ストウ夫人)(1811〜96)

文学を通して奴隷制を批判

ストウが小説「アンクル・トムの小屋」で奴隷制の悲惨さをえがくと，大きな反響が起こり，奴隷の解放を求める世論が高まりました。

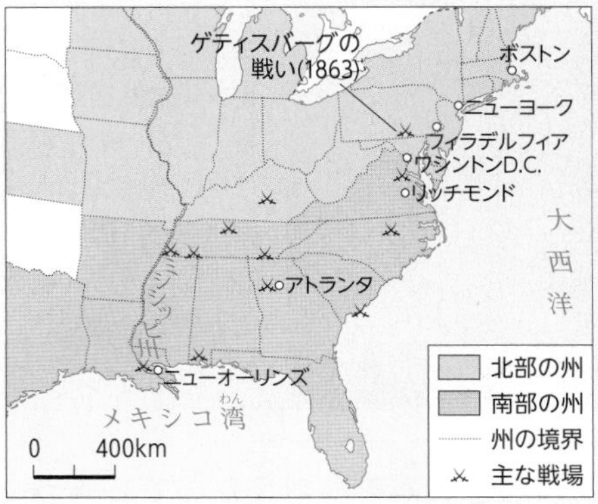

ゲティスバーグの戦い(1863)
ボストン
ニューヨーク
フィラデルフィア
ワシントンD.C.
リッチモンド
大西洋
アトランタ
ニューオーリンズ
メキシコ湾
0　400km
北部の州
南部の州
州の境界
主な戦場

	北　部	南　部
経済	工業が発展	大農場
中心勢力	資本家	大農場主
貿易	保護貿易	自由貿易
奴隷制	反対	賛成

←↑**④南北戦争**(1861〜65年)**での北部と南部の対立**　戦死者は約62万人におよび，アメリカ史上最大の犠牲者を出しました。

⑥「アンクル・トムの小屋」(1852年)

ぼくを見てください。何から何まであなたと同じ人間として座っているじゃありませんか。…ぼくは，母が七人の子どもたちといっしょに競売に出されるのを見ています。子どもたちは母の目の前で一人ずつ別の主人に売られていったんですよ。…ぼくが主人の屋敷へ連れていかれるとき，最後に聞いたのが，母のうめきとさけび声でした。　(部分要約)

を受け入れて人口が急速に増え，農業と工業が発展しました。同時に，戦争や土地の購入などによって，領土も急速に西に拡大し③，19世紀の半ばには太平洋岸に達しました①。アメリカは，さらに東アジアにも関心を向け，日本にペリーらの使節を送って開国をうながしました。p.163④

p.136①・162

南北戦争

19世紀半ばのアメリカ経済では，イギリス向けの綿花の輸出が重要でしたが，この綿花は南部でのアフリカ系の人々による奴隷労働で生産されていました。p.288北部は奴隷制に反対だったため，国が西に拡大するに従って，新しい州で奴隷制を認めるかどうかが問題になりました⑤⑥①。こうした対立から，1861年に**南北戦争**が起こりました④。北部・南部ともに多大な被害を出した後，北部が**リンカン**大統領⑦⑧p.287の指導の下にこの内戦に勝利し，奴隷も解放しました。

南北戦争後のアメリカは，中国や日本などアジアからも移民を受け入れ，工業もいっそう発展し，19世紀末には世界最大のp.195資本主義国になりました。その一方で，自由身分となったアフp.159・286リカ系の人々への人種差別などの問題もかかえていました。また国際政治の中では，ヨーロッパとの関わりをさけていました。

⑦エイブラハム・リンカン(1809〜65)

分断されたアメリカを一つにまとめた「奴隷解放の父」

リンカンは，南北戦争中に奴隷解放宣言を発表し，激戦地だったゲティスバーグでの演説で，「人民の，人民による，人民のための政治」(government of the people, by the people, for the people)を訴えました。

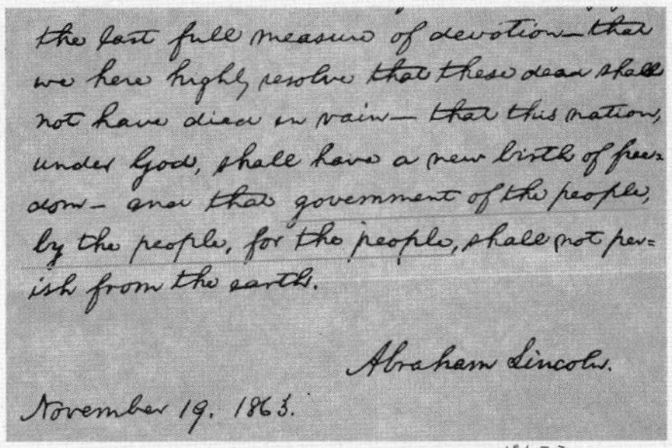
the last full measure of devotion — that
we here highly resolve that these dead shall
not have died in vain — that this nation,
under God, shall have a new birth of free-
dom — and that government of the people,
by the people, for the people, shall not per-
ish from the earth.

Abraham Lincoln.

November 19. 1863.

⑧ゲティスバーグ演説(1863年)**の原稿**

①北部はまた，産業革命(p.158)を進めようとして，イギリスの工業製品に対抗するために保護貿易(p.289)を求めました。これに対して南部は，海外製品を安価に買うために自由貿易(p.286)を望みました。

チェック　19世紀のアメリカの北部と南部における中心的な産業を，本文や資料からそれぞれぬき出しましょう。

トライ　南北戦争によってアメリカの社会はどのように変わったか，説明しましょう。

1 鉄道の開通（イギリス国立鉄道博物館蔵） 1825年，イギリスのストックトン・ダーリントン間に鉄道が開通したときの様子です。黒煙をはきながらかけぬける蒸気機関車は，産業革命の象徴でした。

5 産業革命と資本主義

学習課題 産業革命は，欧米諸国にどのような影響をあたえたのでしょうか。

2 蒸気機関で動く機械を使う紡績工場 作業の単純化が進むとともに，男性より低賃金の女性や子どもの労働者が多く雇われるようになりました。

3 ロンドン（イギリス）の埠頭 18世紀末に造られ，西インド諸島などとの貿易を担いました。

産業革命

大航海時代から，ヨーロッパにはインド産の手織りの綿織物が輸入されるようになりp.104，軽くて美しい模様だったため人気商品になりました。このため各国は，綿織物を自国で作るための技術改良を進めました。18世紀後半になると，イギリスでは蒸気機関で動く機械[2]も使われ始めて，綿織物は工場で安く大量に生産されるようになりました。イギリス産の綿織物は，大西洋の三角貿易p.105の商品にもなり，後にはアジアにも輸出されるようになりました。

このような，工場での機械生産などの技術の向上による経済の仕組みの変化を，**産業革命**といいます。イギリスではさらに製鉄・機械・鉄道[1]・造船・武器などの産業も急速に発達し始め，19世紀半ばには「世界の工場」と呼ばれるようになりました[3]。産業革命は，ほかの欧米諸国でも起こり，19世紀の末には各国で電気も普及するようになりました。

資本主義の発展と社会問題

産業革命の結果，生産の元手となる資金（資本）を持つ者（資本家）が経営者になり，賃金p.286をもらって働く者（労働者）を工場で雇って，利益の拡大を目

世紀	B.C.	A.D. 1	2	3	4	5	6	7	8	9	10	11	12	13	14	15	16	17	18	19	20	21
縄文	弥生					古墳		飛鳥	奈良	平安				鎌倉	南北朝	室町	戦国・安土桃山	江戸		明治	大正・昭和	平成・令和

❹炭鉱で働かされる子どもたち（イギリス）

まとめる ❹❺から，当時の子どもたちの働く環境はどのようなものだったか，まとめましょう。

❺工場で働く子どもの証言　（部分要約）

問：朝の何時に工場に行き，どのくらい働きましたか。
　答：朝の３時には工場に行き，仕事が終わるのは夜の10時から10時半近くでした。
問：休憩時間はどのくらいあたえられましたか。
　答：朝食に15分間，昼食に30分間，そして飲み物をとる時間に15分間です。
問：遅刻した場合はどうなりましたか。
　答：５分遅刻しただけでも，給料を４分の１減らされました。

❻ロンドン（イギリス）のスラムの様子（1830年ごろ）　工業化が進むにつれて地方から都市への移住が増え，工場労働者などが過密に暮らすスラムができました。

的に，競争しながら自由に生産や販売をする経済p.285の仕組みが広がりました。これを**資本主義**p.286といいます。

資本主義の広がりによって物が豊かになりましたが，その一方で資本家は賃金をできるだけ下げようとし❶，不況p.288のときには労働者を解雇しました。これに対して労働者は，雇用と生活を守るために団結して**労働組合**p.289を作りました。こうして資本主義国では，かつての法に基づく身分のちがいにかわって，資本家と労働者の間の格差が大きな問題になりました❹❺。

また工業の盛んな都市では，労働者があふれて住宅が不足しました❻。さらに工場のけむりや騒音などの公害❼，上下水道の不備による不衛生などの新しい問題も生まれました。

社会主義の広がり

19世紀のヨーロッパでは，資本主義によって生じた格差や貧困を解決しようとして，知識人の間に**社会主義**p.286の考えが芽生えました。社会主義者は，労働者が働きに見合った賃金を受け取ること，また土地や工場などを公有にすることによる平等な社会の実現を唱えました。社会主義は各国の労働組合と結び付きながら，マルクス❽の著作などによって，国をこえた労働者の連帯と理想社会を目指す運動となって各国に広まりました。

❼ロンドン（イギリス）のテムズ川の汚染をえがいた風刺画(p.189)　「父なるテムズ」（テムズ川の化身）が男性をおどかしている様子を，汚染への批判をこめてえがいています。

❽カール・マルクス（1818～83）
資本主義の不平等を解明
ドイツ（プロイセン）出身で，エンゲルスとともに「資本論」を著し，資本主義社会が必然的に行きづまることを説き，また国際的な労働者の運動を指導して，社会主義運動に大きな影響をあたえました。

❶賃金を安くできるため，女性や子どもも多く雇われました。

チェック 産業革命とはどのような変化か，本文からぬき出しましょう。

トライ 資本主義の広がりによってどのような問題が起こったか，説明しましょう。

探究のステップに取り組もう（p.203）

❶アヘン戦争(1840〜42年)　中国(清)とイギリスの海戦の様子です。

読み取る　❶のうち，どれが清の船で，どれがイギリスの船か読み取りましょう。

1 欧米のアジア侵略

学習課題　**欧米諸国のアジア侵略に対して，中国やインドはどのように対応したのでしょうか。**

探究のステップ　欧米とアジアとの関係が変化する中、なぜ江戸幕府はほろんだのでしょうか。

❷アヘンを吸う中国人(当時の版画)

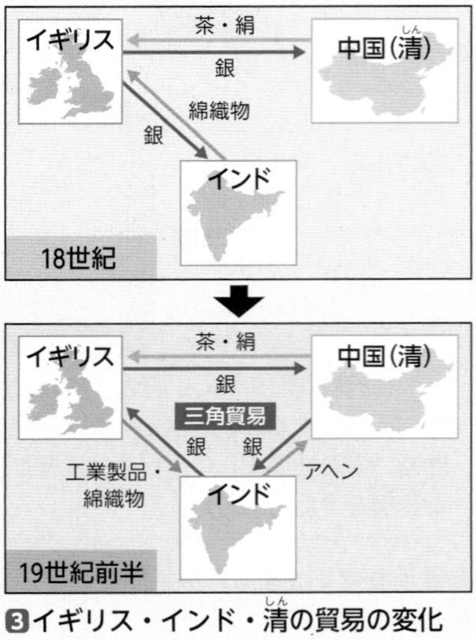
イギリス
茶・絹
銀
中国(清)
綿織物
銀
インド
18世紀
イギリス
茶・絹
銀
中国(清)
三角貿易
銀　銀
工業製品・
綿織物
アヘン
インド
19世紀前半

❸イギリス・インド・清の貿易の変化

欧米とアジアの力関係

16世紀から18世紀までの欧米諸国は，アジアの大国に対して，人口や国力ではおとっていました。しかし，産業革命p.158で軍事と工業の優れた技術を手に入れた結果，欧米諸国は，アジアの大国も戦争によって従わせ，支配することが可能になりました。また欧米諸国は，大量に生産した工業製品をアジアに輸出しようとしました❹。こうした動きの先頭に立っていたのがイギリスです。

アヘン戦争と中国の半植民地化

18世紀の中国(清)p.121は，欧米との貿易を広州1港に限っていました。イギリスは茶や陶磁器巻末1❽，絹などを大量に輸入していたため，清との貿易は大きな赤字でした。そのためイギリスは，綿織物をインドに輸出し，インドp.284でアヘン(麻薬)を栽培させて清に売り❷，中国製品を買うようにしました(**三角貿易**❸)。清がアヘンを厳しく取りしまると，イギリスは1840年に戦争を起こして勝利しました(**アヘン戦争**❶)。1842年の講和条約(**南京条約**)によって，イギリスは上海などの5港を開かせ，香港を手に入れ，賠償金を課しました。その翌年には，清に**関税自主権**❶がなく，イギリスに**領事裁判権**❷を認め

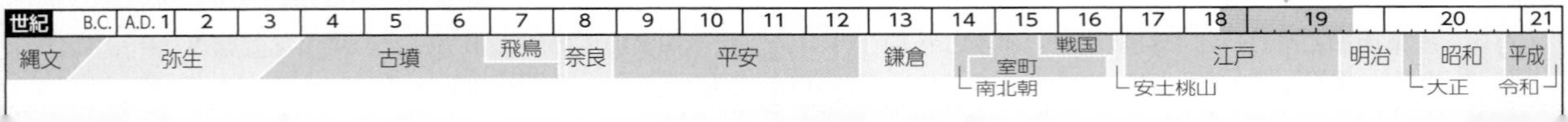
世紀　B.C.　A.D.1　2　3　4　5　6　7　8　9　10　11　12　13　14　15　16　17　18　19　20　21
縄文　弥生　古墳　飛鳥　奈良　平安　鎌倉　室町　戦国　江戸　明治　昭和　平成
南北朝　安土桃山　大正　令和

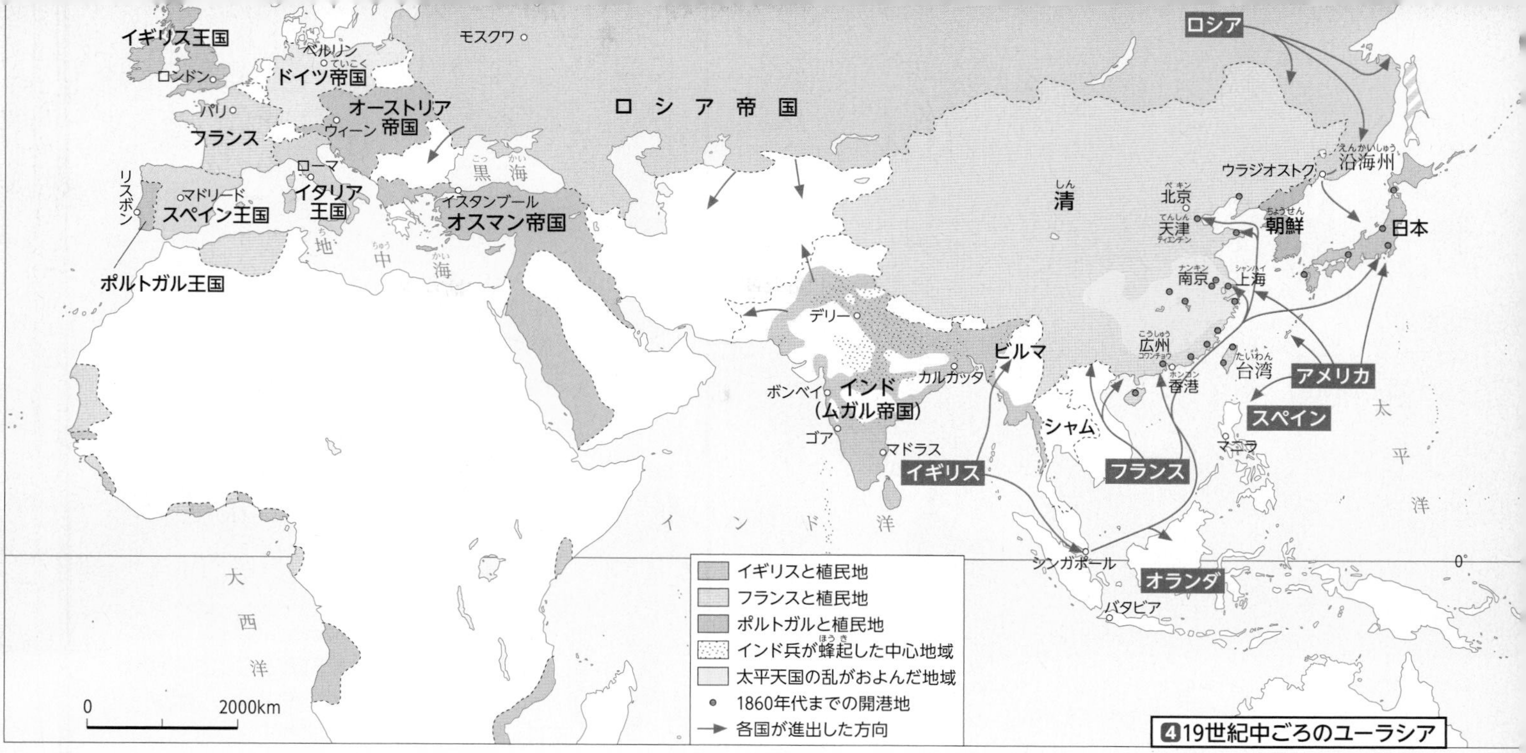
イギリス王国
ベルリン
ドイツ帝国
モスクワ
ロシア
ロンドン
パリ
オーストリア帝国
ウィーン
ロシア帝国
フランス
ローマ
黒海
リスボン
マドリード
イタリア王国
イスタンブール
スペイン王国
オスマン帝国
地中海
ポルトガル王国
清
北京
天津
ウラジオストク
沿海州
朝鮮
日本
南京
上海
デリー
広州
香港
台湾
ビルマ
カルカッタ
アメリカ
ボンベイ
インド（ムガル帝国）
スペイン
ゴア
シャム
マニラ
太平洋
マドラス
イギリス
フランス
インド洋
シンガポール
オランダ
バタビア
大西洋
イギリスと植民地
フランスと植民地
ポルトガルと植民地
インド兵が蜂起した中心地域
太平天国の乱がおよんだ地域
1860年代までの開港地
各国が進出した方向
0
2000km
❹19世紀中ごろのユーラシア

させる不平等条約を結びました。[3]

その後，アヘン戦争後の社会不安と，清が賠償金のために課した重税のため，**太平天国の乱**が清の各地に広まりました。この混乱の中でイギリスはフランスとともに再び清を攻め，貿易のいっそうの自由化やキリスト教の布教を認めさせました。

インドと東南アジアの植民地

イギリスがインド(ムガル帝国p.101)に持っていた支配地は，初めはいくつかの港だけでしたが，18世紀末から19世紀初めの戦争と征服によって，支配地が内陸に大きく広がりました。このためイギリスの安い綿織物が大量に流入し，伝統的なインドの綿織物業は打撃を受けました。[5]またイギリスはインドから税を取り，本国に送りました。

このためイギリスに反感を持つインドの人々が増え，1857年にインド人兵士のイギリス人上官に対する反乱が各地で起こり，**インド大反乱**[6]となりました。これを鎮圧したイギリスは，ムガル皇帝を退位させ，イギリス国王を皇帝とするインド帝国を造り，世界に広がる植民地支配の拠点としました。

東南アジアでは，大航海時代以降にスペインやオランダが植民地化を進めていたうえ，イギリスやフランスも勢力を広げたため，19世紀には大部分が植民地になりました。

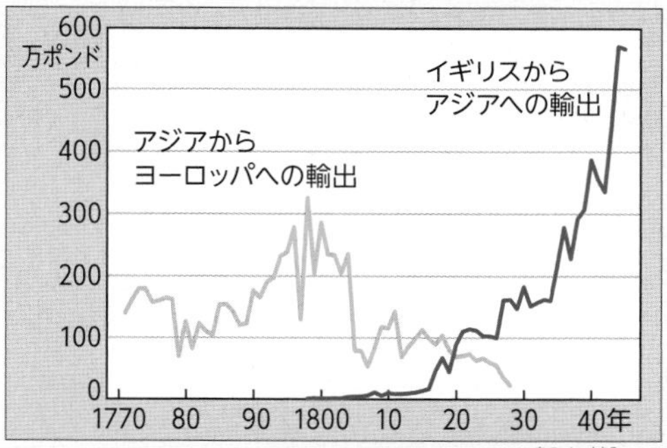
600
万ポンド
500
400
300
200
100
0
1770
80
90
1800
10
20
30
40年
イギリスからアジアへの輸出
アジアからヨーロッパへの輸出
❺**アジアとイギリスの綿織物の輸出額**(松井透「世界市場の形成」)

❻**インド大反乱**(1857〜59年)

❶自国に輸出入される商品にかける関税を独自に定める権利。
❷外国人が事件を起こした場合に，自国の裁判所ではなく，外国の領事が裁判を行う権利。
❸これにより，東アジアの国際関係は，中国に周辺諸国が朝貢する関係(p.90)から，欧米諸国がアジア諸国に不平等条約をおし付ける関係に変わっていきました(p.176)。

チェック　欧米の侵略にともなって，中国やインドで起こった出来事を，それぞれ本文からぬき出しましょう。

トライ　欧米の侵略によって，中国とインドはどのように変わったか，それぞれ説明しましょう。

❶ペリーの上陸（ハイネ筆　ペリー提督横浜上陸の図　神奈川県　横浜開港資料館蔵）　1854年，横浜で日米和親条約の会談が行われました。

考える　当時の人々はペリー来航をどのように受け止めたか，❸❺を参考に考えましょう。

2 開国と不平等条約

学習課題　江戸幕府は開国し，欧米諸国とどのような外交関係を結んだのでしょうか。

ペリーの来航

イギリスから独立したアメリカは，アヘン戦争後に中国との関わりを強め，東アジアとの貿易を望むようになりました。p.160 アメリカはまた，鯨油を採るために，太平洋で捕鯨を盛んに行っていました。そのためアメリカは，日本を開国させ，太平洋を横断する貿易船や捕鯨船の寄港地とするため，東インド艦隊司令長官のペリー[2][3]を派遣しました。[4] 1853年，ペリーは４隻の軍艦を率いて浦賀（神奈川県）に来航し[5]，日本の開国を求める大統領の国書を幕府に受け取らせました。

翌年に回答することをアメリカに約束した幕府は，国内の意見をまとめるため，先例を破って大名の意見を聞き[6]，朝廷にも報告をしました。このことがきっかけとなり，雄藩p.137や朝廷の発言権が強まりました。

1854年，再び来航したペリー[1]の軍事的な圧力を前に，幕府は日米和親条約[7]を結び，下田（静岡県）と函館（北海道）の２港を開き，アメリカの領事を下田に置くこと，アメリカ船に食料や水，石炭などを供給することを認めました。[1] こうして長い間続いた

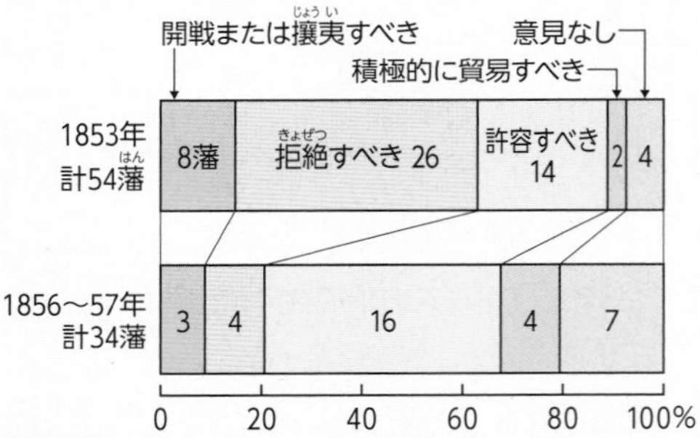

開戦または攘夷すべき
意見なし
積極的に貿易すべき
1853年 計54藩
8藩
拒絶すべき 26
許容すべき 14
2
4
1856～57年 計34藩
3
4
16
4
7
0
20
40
60
80
100%

❻開国・通商をめぐる大名の意見（本庄栄治郎「日本経済思想史研究」）

❼日米和親条約（1854年）　（部分要約）

第２条　下田，函館の両港は，アメリカ船のまきと水，食料，石炭，欠乏の品を，日本で調達することに限って，入港を許可する。

第９条　日本政府が，アメリカ人以外の外国人に対して，現在アメリカ人に許可していないことを許す場合には，アメリカ人にも同様に許可しなければならない。このことについて交渉したり，時間をかけたりしないこと。

❶同年にロシアとも日露和親条約を結び，下田・函館・長崎を開港することや，択捉島と得撫島の間を国境とすることなどを取り決めました。

世紀	B.C.	A.D.1	2	3	4	5	6	7	8	9	10	11	12	13	14	15	16	17	18	19	20	21

縄文　弥生　古墳　飛鳥　奈良　平安　鎌倉　室町（南北朝）　戦国　安土桃山　江戸　明治　大正　昭和　平成　令和

❷マシュー・ペリー
(1794〜1858)

「黒船」で来航し 日本を開国させる

15歳からアメリカ海軍に入り，アメリカ海軍初の蒸気軍艦の艦長となって，後に「蒸気船海軍の父」と呼ばれました。（静岡県　玉泉寺ハリス記念館蔵）

❸日本人がえがいたペリー
（神奈川県立歴史博物館蔵）

❹ペリーの航路

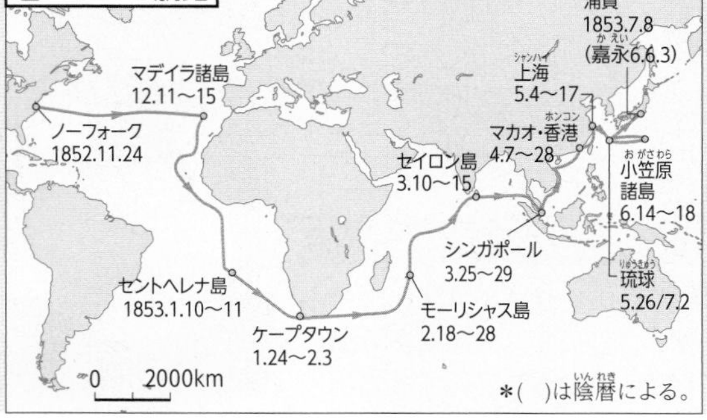

浦賀
1853.7.8
(嘉永6.6.3)
マデイラ諸島
12.11〜15
上海
5.4〜17
ノーフォーク
1852.11.24
マカオ・香港
4.7〜28
セイロン島
3.10〜15
小笠原諸島
6.14〜18
シンガポール
3.25〜29
琉球
5.26/7.2
セントヘレナ島
1853.1.10〜11
モーリシャス島
2.18〜28
ケープタウン
1.24〜2.3
0　2000km

*(　)は陰暦による。

❺一八五三年のペリー来航をよんだ狂歌

太平の眠気をさます上喜撰❶
たった四杯で夜もねられず

❶上質なお茶の銘柄。

❽日米修好通商条約(1858年)

第３条　下田・函館のほか，神奈川，長崎，新潟，兵庫を開港すること。…神奈川を開いた６か月後，下田を閉ざすこと。

第４条　日本に対して輸出入する商品は別に定めるとおり，日本政府へ関税を納めること。…アヘンの輸入は禁止する。もしアメリカの商船がアヘンを３斤❶以上持ってきた場合は，超過分を日本が没収する。

第６条　日本人に対して法を犯したアメリカ人は，アメリカ領事裁判所において取り調べのうえ，アメリカの法律によってばっすること。

❶３斤は約1.8kg。（部分要約）

❾開港地

- 日米和親条約で開いた港
- 日米修好通商条約で開いた港

青字は開かれた年月日

0　1200km
函館
1854年3月31日
新潟
1869年1月1日
長崎
1858年6月2日
神奈川(横浜)
1858年6月2日
浦賀
下田
1854年3月31日
兵庫(神戸)
1868年1月1日

鎖国体制がくずれ，日本は**開国**することになりました。
p.119

不平等な通商条約

1856(安政３)年，アメリカ総領事として下田に来たハリスは，通商条約を結んで貿易p.288を行うことを幕府に強く求めました。幕府は，外国との戦争をさけるため，条約を結ぶことを決め，朝廷に許可を求めました。ところが，外国との関係を改めることをきらった朝廷は，これを許しませんでした。しかし，新しく大老p.115❼になった彦根(滋賀県)藩主の**井伊直弼**p.164❷は，清が再びイギリス・フランスと戦争して負けたことを知りp.161，1858年，朝廷の許可を得ないまま**日米修好通商条約**❽を結びました。

この条約により，函館・神奈川(横浜)・長崎・新潟・兵庫(神戸)の５港が開かれ❾，開港地に設けられた外国人居留地p.200で，アメリカ人が自由な貿易を行うこととなりました。また，幕府と外交の交渉を行う公使p.284を，江戸に置くことも認めました。条約の内容は，アメリカに領事裁判権p.160を認め，日本に関税自主権p.160がないなど，不平等なものでした。この後，幕府はオランダ・ロシア・イギリス・フランスとも，ほぼ同じ内容の不平等条約を結ぶことになりました。こうして，江戸には各国の外交官が駐在し，開港地では外国人との貿易が始まりました。
巻頭2⓬

歴史にアクセス　ペリーの来航と台場

ペリーの来航後，江戸湾の防備のため，品川沖に砲台の建設が始められ，１年４か月余りで６基の砲台が完成しました。この台場には，砲台のほか，火薬庫などが備えられましたが，実戦に使われることはありませんでした。

❿現在の台場（東京都港区）

チェック　日本が開国するきっかけとなった出来事を，本文からぬき出しましょう。

トライ　日米修好通商条約の内容について，次の語句を使って説明しましょう。［領事裁判権／関税自主権］

❶桜田門外の変(1860年)(蓮田市五郎筆　桜田門外之変図　茨城県立図書館蔵)　3月3日の節句の日に，桜田門外の変は起こりました。その日は雪が降っていて，不意をつかれた彦根藩士たちは，十分に防戦できませんでした。この絵は，おそった側の元水戸藩士の一人が後にえがいたものです。

❷井伊直弼(1815〜60)

日米修好通商条約を結ぶ

彦根(滋賀県)藩主。井伊家は譜代大名の筆頭で，直弼のほかにも，大老を多く出しました。直弼は，茶の湯を愛好する文化人でもありました。(滋賀県　清凉寺蔵)

滋賀県

3 開国後の政治と経済

学習課題　開国によって，日本の社会はどのような影響を受けたのでしょうか。

❸吉田松陰(1830〜59)

幕末から明治時代に活躍する人物を育てる

長州藩の下級武士出身で，私塾の松下村塾(p.135❹)で人材を育てました。幕府の対外政策に反対し，老中の暗殺を計画したことで，安政の大獄によって処刑されました。(山口県文書館蔵)

山口県

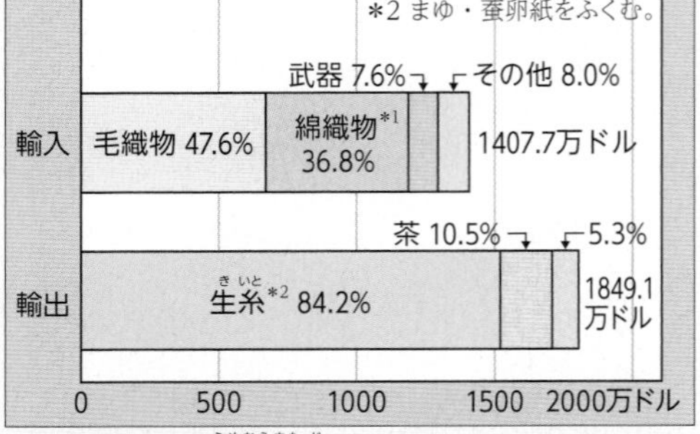

[1865年]
*1 綿糸をふくむ。
*2 まゆ・蚕卵紙をふくむ。
輸入
毛織物 47.6%
綿織物*1 36.8%
武器 7.6%
その他 8.0%
1407.7万ドル
輸出
生糸*2 84.2%
茶 10.5%
5.3%
1849.1万ドル
0
500
1000
1500
2000万ドル

❹幕末の貿易(梅村又次ほか編「日本経済史3　開港と維新」)

幕府への批判の高まり

幕府が朝廷の許可を得ずに通商条約を結んだことから，天皇を尊ぶ尊王論と，外国の勢力を排除して鎖国体制(p.119)を守ろうとする攘夷論(p.163)とが結び付き，幕府の政策を批判する**尊王攘夷運動**が盛んになりました。

同じころ，将軍のあとつぎをめぐって，徳川慶福(後の家茂p.115❻)を支持する譜代大名たちと，一橋慶喜p.166❷を支持する雄藩p.137の大名とが対立していました。井伊直弼❷は，慶福をあとつぎに決め，幕府の政策を批判して政治への発言力を強めようとする雄藩をおさえ，幕府の権威を立て直そうとしました。そして，雄藩の大名や公家，その家臣などを厳しく処罰しました(安政の大獄❸)。しかし1860年，直弼は，弾圧に反発する元水戸藩士たちによって，江戸城に向かう途中，暗殺されました(**桜田門外の変**❶)。

大老を殺された幕府の権威は大きく損なわれました。幕府は，朝廷との結び付きを強めることによって権威を取りもどそうとし(公武合体策)，天皇の妹を第14代将軍の夫人にむかえました。また，薩摩藩と朝廷の意見を受け入れ，政治改革を行いました。

世紀	B.C.	A.D.1	2	3	4	5	6	7	8	9	10	11	12	13	14	15	16	17	18	19	20	21
縄文	弥生					古墳		飛鳥	奈良	平安				鎌倉	室町（南北朝）		戦国（安土桃山）	江戸		明治	昭和（大正）	平成（令和）

❺開国後の状況を示した浮世絵（歌川芳虎筆　子供遊凧あげくらべ　東京都　早稲田大学図書館蔵）

見方・考え方 関連
(1)❺はどのような状況を示しているか，❼を参考に考えましょう。
(2)❻で，アメリカではなくイギリスが最大の貿易相手国となった理由を，当時のアメリカの状況に着目して考えましょう。

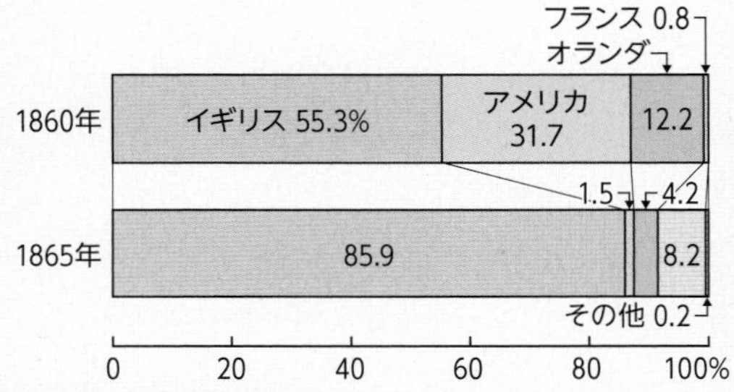

フランス 0.8
オランダ
1860年
イギリス 55.3%
アメリカ 31.7
12.2
1.5
4.2
1865年
85.9
8.2
その他 0.2
0
20
40
60
80
100%

❻貿易の相手国の変化（「近代日本経済史要覧」）

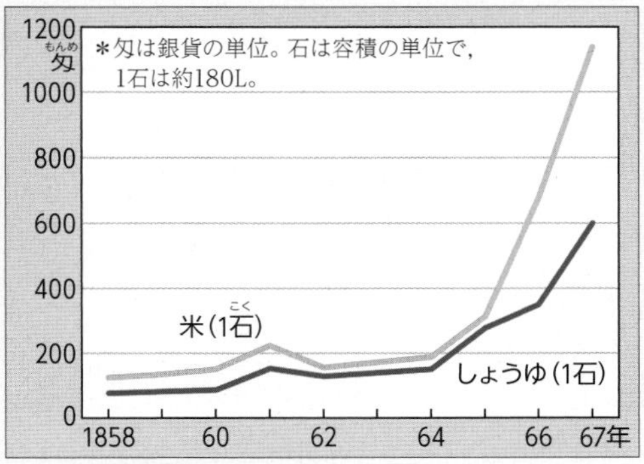

1200
匁
1000
800
600
400
200
0
＊匁は銀貨の単位。石は容積の単位で，1石は約180L。
米（1石）
しょうゆ（1石）
1858
60
62
64
66
67年

❼開国後の物価の変化

開港の経済的影響

開国して貿易が始まると，外国からは毛織物・綿織物・兵器などが輸入され，日本からは生糸・茶などが輸出されました[4]。最大の貿易港は横浜で，相手国はイギリスが中心でした[6]。

p.163　巻末1❽

貿易は国内の産業に大きな影響をあたえました。主要な輸出品だった生糸は，横浜に近い東日本を中心に生産が盛んになりました。一方，イギリスから安くて質の良い綿織物や綿糸が輸入されたため，国内の綿織物や綿糸の生産は打撃を受けました。

貿易は，人々の生活にも影響をおよぼしました。開国当初，外国との金銀の交換比率のちがいから，金貨（小判）が大量に国外に持ち出されました[8]。幕府は，金の流出を防ぐために小判の質を落としたため[9]，物価が急速に上昇しました。また，輸出が自由に行われたため，国内で品不足や買いしめが起こり，米や菜種油など，生活に必要な品物までもがつられて値上がりし[5][7]，人々の生活は苦しくなりました。

p.288　巻末1❸

物価の上昇をおさえるため，幕府は，生糸などの流通を統制して，貿易を制限しようとしましたが，外国や，輸出品をあつかう商人などの反対により，失敗しました。生活に行きづまった民衆は，幕府への不満を高めていきました。

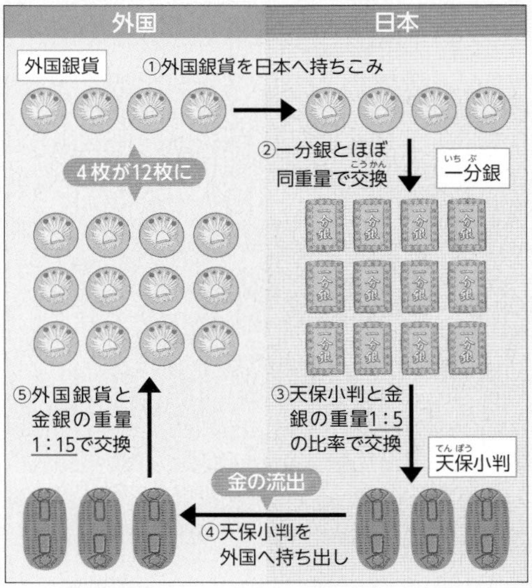

外国
日本
外国銀貨
①外国銀貨を日本へ持ちこみ
②一分銀とほぼ同重量で交換
一分銀
4枚が12枚に
⑤外国銀貨と金銀の重量1：15で交換
③天保小判と金銀の重量1：5の比率で交換
天保小判
金の流出
④天保小判を外国へ持ち出し

↑❽金の流出

❾天保小判（左）と万延小判（下）（東京都　日本銀行金融研究所貨幣博物館蔵　実物大）

チェック 尊王攘夷運動とはどのような運動か，本文からぬき出しましょう。

トライ 開国によって日本の⑴政治，⑵経済はどのように変化したか，それぞれ説明しましょう。

❶大政奉還(邨田丹陵筆　大政奉還：部分　東京都　明治神宮外苑聖徳記念絵画館蔵)　第15代将軍徳川慶喜が，京都の二条城で，家臣に政権返上の決意を伝えている場面です。

茨城県*

❷徳川慶喜(1837～1913)

大政奉還を行った江戸幕府最後の将軍

水戸徳川家に生まれ，一橋家の養子になりました。将軍になってからは幕府政治の近代化を進め，大政奉還後は徳川政権の維持を図りましたが，失敗しました。(静岡県　久能山東照宮博物館蔵)　＊出生地は江戸(東京)。

4 江戸幕府の滅亡

学習課題　大政奉還が行われ江戸幕府がほろぶまでには，どのような動きがあったのでしょうか。

❸下関戦争(1863～64年)(神奈川県　横浜開港資料館蔵)　占領された下関砲台の様子です。

高知県

❹坂本龍馬(1835～67)

薩長同盟を仲介

土佐藩をはなれ，貿易などを通じて薩摩藩や長州藩とも交流しましたが，京都で幕府の配下によって暗殺されました。(高知県立歴史民俗資料館蔵)

薩摩藩と長州藩の動き

1863年，尊王攘夷運動の中心だった長州藩p.164は，朝廷を動かし，幕府に攘夷の実行を約束させました。約束の当日，長州藩は，率先して関門海峡を通る外国船を砲撃しました。こうした動きに対して，会津藩❶や薩摩藩は，過激な攘夷を主張する公家や長州藩士を京都から追放しました。1864年，長州藩は，勢力の回復を目指し，軍隊を率いて京都に入りましたが，会津藩や薩摩藩などと戦って敗れました。幕府は，諸藩に命じて出兵し，長州藩を従わせました。

同じころ，イギリス・フランス・アメリカ・オランダの海軍は連合し，長州藩の外国船砲撃に対する報復として，下関砲台を攻撃しました(下関戦争❸)。薩摩藩も，1863年，前年の生麦事件❷に対する報復として，イギリス海軍に鹿児島を攻撃されました(薩英戦争)。薩摩藩と長州藩は，これらの戦いを通じて，攘夷が困難であることをさとりました。長州藩では高杉晋作や**木戸孝允**が，薩摩藩では**西郷隆盛**p.177❽や**大久保利通**p.177❼が実権をにぎり，西洋式の軍備を強化しました。

1866年，土佐藩出身の坂本龍馬❹などの仲介で，薩摩藩と長州藩は**薩長同盟**を結び，幕府と対決する姿勢を強めました。幕府

❶会津藩は親藩で，このときの藩主は，京都を守る幕府の役職に就いていました。
❷薩摩藩士が生麦村(神奈川県)で，藩主の父の行列を横切ったイギリス商人を殺害しました。

世紀	B.C.	A.D. 1	2	3	4	5	6	7	8	9	10	11	12	13	14	15	16	17	18	19	20	21
縄文	弥生				古墳			飛鳥	奈良	平安				鎌倉	室町（南北朝）		戦国（安土桃山）	江戸		明治	大正　昭和	平成　令和

5江戸城の明けわたし（結城素明筆　江戸開城談判：部分　東京都　明治神宮外苑聖徳記念絵画館蔵）　西郷隆盛（左）と勝海舟（右）の話し合いで決まりました。

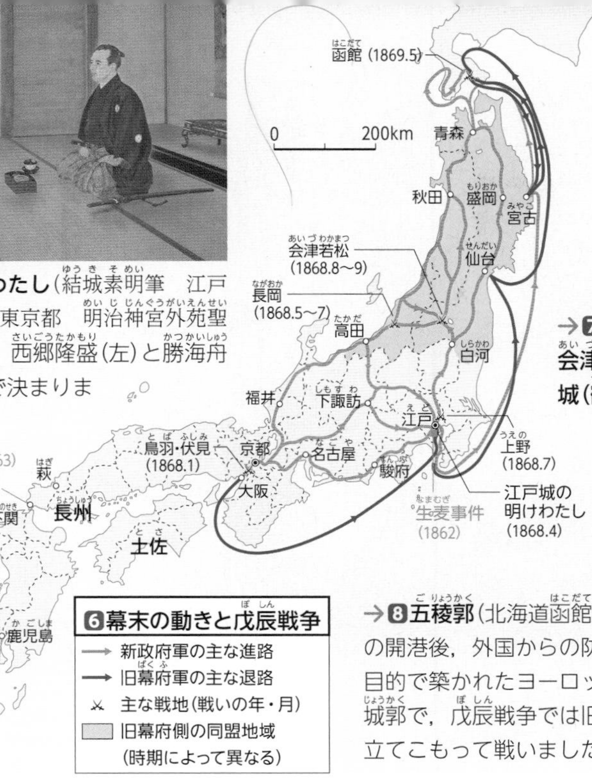

函館（1869.5）
0　200km
青森
秋田
盛岡
宮古
会津若松（1868.8～9）
仙台
長岡（1868.5～7）
高田
白河
福井
下諏訪
江戸
上野（1868.7）
鳥羽・伏見（1868.1）
京都
名古屋
駿府
外国船砲撃（1863）
下関戦争（1864）
萩
下関
長州
大阪
江戸城の明けわたし（1868.4）
生麦事件（1862）
土佐
薩摩
鹿児島
薩英戦争（1863）
新政府軍の主な進路
旧幕府軍の主な退路
主な戦地（戦いの年・月）
旧幕府側の同盟地域（時期によって異なる）

6幕末の動きと戊辰戦争

→**7落城した会津藩の若松城（鶴ヶ城）**

→**8五稜郭**（北海道函館市）　函館の開港後，外国からの防衛などの目的で築かれたヨーロッパ様式の城郭で，戊辰戦争では旧幕府軍が立てこもって戦いました。

は同年，再び長州藩に出兵しましたが，薩摩藩の反対で失敗に終わりました。

世直しへの期待

開国や長州藩への出兵などの影響で，物価が上昇して民衆の生活は苦しくなり，社会不安も広がりました。そのため民衆は，「世直し」を期待して大規模な一揆や打ちこわしを起こし，借金の帳消しや手放した農地の返還などを求めました。p.131 5また，「ええじゃないか」と唱え，人々が熱狂しておどる現象も各地で発生しました。9

大政奉還と王政復古

こうした中で第15代将軍となった**徳川慶喜**[2]p.115 6は，1867年，土佐藩のすすめで政権を朝廷に返し（**大政奉還**[1]），260年余り続いた幕府はほろびました。慶喜は，新政権でも主導権をにぎろうと考えましたが，朝廷では，西郷や公家の岩倉具視などが中心となって**王政復古の大号令**を出し，天皇を中心とする政府の樹立を宣言しました。p.287また，慶喜に官職や領地の返上を命じました。

1868年，これに不満を持つ旧幕府軍と新政府軍との間で，鳥羽・伏見の戦い（京都市）が起こりました。これに勝利した新政府は，江戸城を明けわたさせ，[5] 翌年に函館（北海道）で最後まで抵抗する旧幕府軍を降伏させ，[8] 国内を平定しました（**戊辰戦争**[6][7]）。p.8

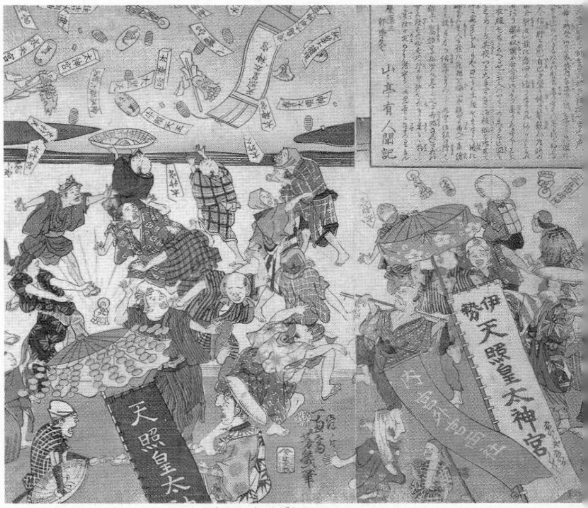

9ええじゃないか（豊饒御蔭参之図　東京都　国文学研究資料館蔵）　1867年，伊勢神宮などの札が天から降ってきたといって，人々が「ええじゃないか」と唱えながらおどるさわぎが広がりました。

みんなでチャレンジ　関連

江戸幕府滅亡の原因を考えよう

(1) p.162～167の主な出来事のうち，江戸幕府の滅亡につながる最も大きな原因となったものは何か，考えましょう。

(2) (1)についてグループで話し合い，意見をまとめましょう。

チェック　薩摩藩と長州藩が，攘夷は困難だとさとった出来事をそれぞれ本文からぬき出しましょう。

トライ　薩長同盟後の政治の動きを，次の語句を使って説明しましょう。［大政奉還／戊辰戦争］

探究のステップに取り組もう（p.203）

3節 明治維新

❶五箇条の御誓文（乾南陽筆　五箇條御誓文：部分　東京都　明治神宮外苑聖徳記念絵画館蔵）　右上にいるのが明治天皇です。御誓文は，天皇が神にちかう形で出されました。

❷五箇条の御誓文（1868年）

一　広ク会議ヲ興シ万機❶公論ニ決スベシ
一　上下心ヲ一ニシテ盛ニ経綸❷ヲ行ウベシ
一　官武一途庶民ニ至ル迄，各其志ヲ遂ゲ，人心ヲシテ倦マザ❸ラシメンコトヲ要ス
一　旧来ノ陋習❹ヲ破リ，天地ノ公道❺ニ基クベシ
一　智識ヲ世界ニ求メ，大ニ皇基❻ヲ振起スベシ

❶全ての政務。
❷国を治め民を救う方策。
❸あきさせない。
❹悪い習慣。攘夷の風潮のこと。
❺国際法。(p.285)
❻天皇の政治の基礎。

1 新政府の成立

学習課題 明治維新によって，社会はどのように変化していったのでしょうか。

探究のステップ なぜ日本ではほかのアジア諸国に先がけて，近代化が進んだのでしょうか。

歴史にアクセス 五榜の掲示

新政府は，1868年3月に五つの高札（五榜の掲示）を出しました。内容は江戸幕府のものと同じでしたが，それを新政府が出したことは，人々に政府が交代したことを印象付けました。キリシタンを禁じた3番目の高札は，欧米諸国との間で外交問題を引き起こしました。政府は五榜の掲示を1873年に撤去し，キリスト教を事実上黙認しました(p.173)。

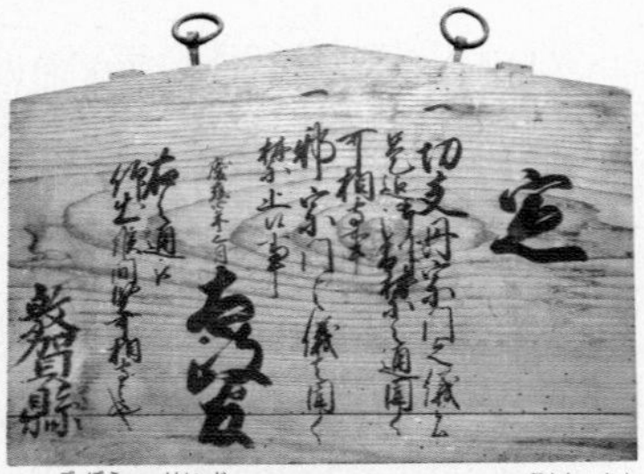

❸五榜の掲示の第三札（福井県文書館蔵）

明治維新

ペリー来航p.162以降，日本社会は大きく変化し始め，さらに江戸幕府をたおして成立した新政府も，欧米諸国を手本にして，さまざまな改革を進めました。このような，江戸時代の幕藩体制p.115の国家から近代国家p.284へと移る際の，政治・経済p.285・社会の変革を，**明治維新**といいます。

新政府は，1868年3月，広く会議を開いて全ての政治を人々の話し合いによって決めること，知識を世界に求めることなどを，新しい政治の方針として定めました（**五箇条の御誓文**）❶❷。続いて，江戸を東京に改称し，元号を慶応から明治に改めました❹。人々は，新しい政治を「御一新」p.8と呼んで期待しました。

藩から県へ

新政府の大きな課題は，政府が地方を直接治める中央集権国家p.287を造り上げることでした。大名が支配する藩が残っていたので，新政府は，1869（明治2）年，藩主に土地（版）と人民（籍）を天皇に返させました（**版籍奉還**）。しかし，藩の政治は元の藩主がそのまま担当したので，改革の効果はあまりあがりませんでした。また，新政府は限られた直接の支配地から厳しく年貢p.117を取り立てたため，人々の不

世紀	B.C.	A.D.1	2	3	4	5	6	7	8	9	10	11	12	13	14	15	16	17	18	19	20	21

縄文　弥生　古墳　飛鳥　奈良　平安　鎌倉　室町（南北朝）　戦国　江戸（安土桃山）　明治　（大正）　昭和　平成　（令和）

❹**明治天皇**(1852〜1912)(東京都　宮内庁蔵)　1867年に即位し，翌年に元号を明治に改めました。これ以降，一人の天皇の在位中は元号を変えない「一世一元の制」が採られるようになりました。

太政官
左院(立法上の補助)
正院
右院(行政上の補助)
太政大臣
三条実美
(公家)
左大臣
欠員
右大臣
岩倉具視
(公家)
参議
西郷隆盛
(薩摩)
参議
木戸孝允
(長州)
参議
板垣退助
(土佐)
参議
大隈重信
(肥前)
開拓使
北海道の開拓と経営
宮内省
皇室関係の事務
司法省
司法や警察
工部省
鉱工業や交通
文部省
教育や学芸
兵部省
軍事関係
大蔵省
国家財政
外務省
外交関係
神祇省
祭りや儀式

❺**新政府の仕組みと正院の政治家たち**(大隈重信：東京都　早稲田大学大学史資料センター蔵，その他：東京都　国立国会図書館蔵)　廃藩置県と同じころに作られた仕組みで，内閣制度ができる1885年まで続きました。

満は増し，一揆がしきりに起こりました。

そこで新政府は，1871年に藩を廃止して県を置き(**廃藩置県**)，各県には県令(後の県知事)を，東京・大阪・京都の３府には府知事を，中央から派遣して治めさせました。同時に政府では，倒幕の中心勢力であった，薩摩・長州・土佐・肥前の４藩の出身者や少数の公家が実権をにぎりました❺。このため，新政府は後に**藩閥政府**と呼ばれるようになります。

身分制度の廃止

新政府は天皇の下に国民を一つにまとめようと，皇族以外は全て平等であるとし❻❶(p.285)，また居住・移転や職業選択，商業の自由を認めました。平民も名字を名乗り，華族や士族と結婚することが認められました。士族は，後に帯刀が禁止されました❼(p.116)。

1871年には，これまでえた身分やひにん身分として差別されてきた人々に関して(p.117)，呼び名を廃止し，身分や職業も平民と同じとする布告(いわゆる「**解放令**」または「賤称廃止令」)が出されました。しかし実際には，この後も，職業，結婚，住む場所などの面で差別は根強く続きました。これに対して，「解放令」をよりどころにしながら，差別からの解放と生活の向上を求める動きが各地で起こりました(p.240)。

読み取る　❶と❹とで，明治天皇の服装が異なる理由を考えましょう。

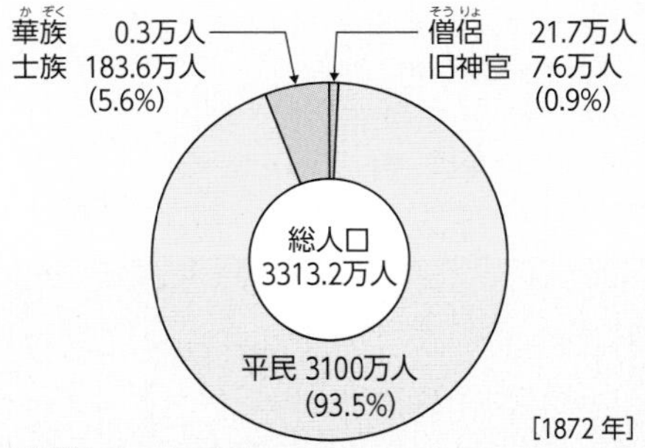

華族　0.3万人
士族　183.6万人
(5.6%)
僧侶　21.7万人
旧神官　7.6万人
(0.9%)
総人口
3313.2万人
平民 3100万人
(93.5%)
[1872年]

❻**華族・士族・平民の割合**(「近代日本経済史要覧」)

1869	公家・大名を華族，家臣を士族とする
1870	平民に名字の使用を許可
1871	華族・士族・平民相互の結婚を許可 いわゆる「解放令」(「賤称廃止令」)の布告
1873	徴兵令(p.171)
1876	軍人・警察官など以外の帯刀を禁止 華族・士族などへの禄を廃止

❼**身分制度関係政策**

❶武士(士)，百姓(農)，町人(工商)の身分を一つにすることから，こうした身分制度の廃止は「四民平等」といわれました。天皇の一族は皇族，元の公家・大名は華族，武士などは士族，百姓・町人は平民と呼ばれることになりました。

チェック　明治維新とはどのような変革か，本文からぬき出しましょう。

トライ　明治時代に入り，(1)幕藩体制，(2)身分制度はどう変わったか，それぞれ20字程度で説明しましょう。

學指教圖
一九足十
二八足十
三七足十
四六足十
五五足十
六四足十
七三足十
八二足十
九一足十
一引九殘
二引八殘
三引七殘
四引六殘
五引五殘
六引四殘
七引三殘
八引二殘
九引一殘

重 **❶小学校の授業風景**（東京都　東書文庫蔵）　当時は男女共学が原則で，期間が３，４年間でしたが，1907年に６年間に延長されました。

❷学事奨励ニ関スル被仰出書
（学制序文）（1872年）　（部分要約）

人々が自分自身でその身や生計を立て，家業を盛んにして，その一生を全うするのに必要なものはほかでもなく，身を修め，知識を広め，才能，技芸をのばすことである。そして，そのためには，学ばなければならない。…このたび文部省において学制を定め，順次教則を改正して布告するので，今から後，一般の人民（華族，士族，農民，職人，商人および婦女子）は，必ず村に学校に行かない家がなく，家に学校に行かない人がいないようにしなければならない。

2 明治維新の三大改革

学習課題 明治維新の三大改革は，人々の生活にどのような変化をもたらしたのでしょうか。

見方・考え方 比較
(1)❶とp.135❼とを比べて，異なる点を挙げましょう。
(2)❻から次のことを読み取りましょう。
①土地の持ち主の名前
②土地の広さ（単位は「畝・歩」）
③地租の金額（単位は❼を参照）

三大改革

廃藩置県によって中央集権国家の基礎を築いた新政府は，欧米のような，人々が「国民」p.287 p.154・285としてまとまった近代国家を目指して，改革をさらに推し進めました。なかでも学制・兵制・税制の三つの改革は，その基礎p.284になり，国民の生活に大きな影響をあたえるものでした。

学制の公布

政府は，1872（明治５）年に**学制**を公布し[2]，小学校から大学校までの学校制度を定めました。特に小学校[1]での教育が重視され，満６歳になった男女を全て通わせることが義務になり，全国各地で小学校が造られました。しかし，授業料は家庭の負担だったことから，初めは入学する児童があまり多くありませんでした。また，学校の建設費は地元の人々の負担だったため，不満を持つ人々もいたp.197❿一方，資金を出し合って立派な校舎を建てることもありました[3]。

政府は，東京大学をはじめとする高等教育機関を創り，多くの外国人教師[1]を招くとともに，多くの留学生を欧米に派遣して，欧米の新しい科学や技術を取り入れることに努めました。

徴兵令

政府は，武士のみを兵とする藩ごとの軍隊にかえて，国民を兵とする全国統一の軍隊

宝 **❸旧開智学校**（長野県松本市）　小学校の多くは，寺子屋（p.135）をそのまま改めるなど，簡素なものでした。一方で，開智学校は住民の寄付などを元に造られ（1876年完成），校舎は和風と洋風とが合わされています。

❶「お雇い外国人」とも呼ばれ，学問だけでなく技術や軍事も教えました。

世紀	B.C.	A.D.1	2	3	4	5	6	7	8	9	10	11	12	13	14	15	16	17	18	19	20	21

縄文　弥生　古墳　飛鳥　奈良　平安　鎌倉　室町（南北朝）　戦国　江戸（安土桃山）　明治　昭和（大正）　平成（令和）

4 徴兵告諭（1872年）　（部分要約）

およそ天地の間にあるもので，一つとして税のかからないものはない。その税を国家の経費にあてる。したがって人間たるものは，当然身も心もささげて，国に報いなければならない。欧米人はこれを血税という。人間の生きた血で，国に奉仕するという意味である。…だから今，欧米の長所を取り入れて古来の軍制を補い，海陸二軍を置き，全国の国民で男子20歳になった者は，全て兵籍に編入し，国家の危急に備えるべきである。

↑徴兵令の前年に出された布告です。

主な免除規定
身長が5尺1寸（約154.5cm）未満の者
病弱で兵役にたえられない者
役人，官立の学校の学生
一家の主人，家のあとつぎ
兄弟が兵役に就いている者
代人料270円を納めた者

5 徴兵の免除規定　免除規定が廃止されて，「国民皆兵」が制度的に実現したのは，1889年のことです。

大日本帝國政府
明治八年改正
地券
越後國中頸城郡岩手村五百三十四番
字下河原
一田五畝廿五歩
地價貳拾六圓八拾五錢貳厘
此百分ノ三金八拾錢六厘　地租
明治十年ヨリ
此百分ノ貳ヶ半金六拾七錢壱厘　地租
同國同郡同村
持主　佐藤文吉
右検査之上授與之
明治十三年十二月廿日
新潟縣

6 地券（東京都　国文学研究資料館蔵）

→**7 20円金貨**（東京都　日本銀行金融研究所貨幣博物館蔵　実物大）　政府は1871年に，円・銭・厘（1円＝100銭，1銭＝10厘）を単位とする，統一的な貨幣制度を定めました。

を創ろうとしました。1873年に**徴兵令**p.2884が出され，満20歳になった男子は，士族と平民の区別なく兵役の義務を負うことになりました。しかし，兵になる義務を新たに負った農民が，徴兵反対の一揆を起こすこともありました。また，最初は多くの免除規定5があったため，実際に兵役に就いたのは，免除規定に当てはまらない平民の二男・三男たちがほとんどでした。

地租改正

新政府にとって，税制を整えて国家の財政を安定させることも，重要な課題でした。政府は，国民に土地の所有権を認めたうえで，1873年から**地租改正**を実施しました。その内容は，⑴土地の所有者と価格（地価）を定め，地券6を発行する，⑵収穫高でなく，地価を基準にして税（地租）をかける，⑶税率は地価の3％とし，土地の所有者が現金7で納めるなどでした。これによって，土地にかかる税が全国で統一され，毎年一定の金額が納められるようになりました。地租は政府の収入の大半をしめ，財政が安定しました。8

しかし政府は，江戸時代の年貢p.117から収入を減らさない方針を採ったので，税の負担はほとんど変わらず，各地で地租改正反対の一揆が起こりました。このため政府は，1877年に地租を地価の3％から2.5％に引き下げました。

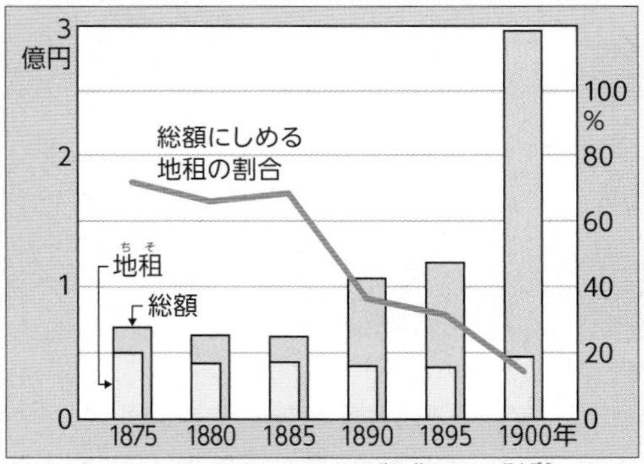

億円
3
2
1
0
100
%
80
60
40
20
0
総額にしめる
地租の割合
地租
総額
1875
1880
1885
1890
1895
1900年

8 政府の収入の移り変わり（「明治以降　本邦主要経済統計」）

みんなでチャレンジ　まとめる

三大改革について考えよう

⑴グループ内で三大改革の分担を決め，その目的と内容についてまとめましょう。
⑵まとめた内容をグループ内で発表し，共有しましょう。
⑶発表を基に，三大改革のうちどれが最も重要か，グループ内で話し合いましょう。
⑷話し合いの結果をクラスで発表し，意見を交換しましょう。

チェック　三大改革とは何か，本文からそれぞれぬき出しましょう。

トライ　地租改正による土地制度の変化を，次の語句を使って説明しましょう。[土地の所有者／地価／現金]

❶**群馬県の富岡製糸場**(歌川国輝筆　上州富岡製糸場之図　東京都　国立国会図書館蔵) 世
フランス人技師の指導の下，操業を開始しました。また，働いていた女性たちは，全国の工場に欧米の新しい技術を伝えていきました(p.195❽)。

埼玉県
❷**渋沢栄一**(1840～1931)

多くの企業を設立した「日本資本主義の父」

大蔵省(p.169❺)の役人として，富岡製糸場の建設や銀行の設立にたずさわりました。役人を辞めてからは，500以上の企業の設立に関わり，経済の発展に力をつくしました。

3 富国強兵と文明開化

学習課題　**富国強兵と文明開化は，人々の生活にどのような変化をもたらしたのでしょうか。**

❸**安積疏水十六橋水門**(福島県猪苗代町・会津若松市)　安積疏水は殖産興業政策の一つとして造られ，郡山盆地を穀倉地帯に変えました。郡山盆地の開拓には，生活の苦しい士族も参加しました。

重 ❹**新橋・横浜間を走った1号機関車**(埼玉県　鉄道博物館蔵　全長7.4m)　鉄道は「陸蒸気」と呼ばれ，人々をおどろかせました。

富国強兵

政府は，欧米諸国に対抗するため，経済を発展させて国力をつけ，軍隊を強くすることを目指しました。近代国家になるためのこれらの政策を，**「富国強兵」**といいます。政府は，「強兵」を実現するため，徴兵制(p.284)による軍隊を創る一方，「富国」を実現するため，**殖産興業**政策(p.171)を進めて❸経済の資本主義化を図りました。

殖産興業政策

p.159・286
政府は，経済の発展の基礎となる，交通や通信の整備を進めました。1872(明治５)年に新橋・横浜間に鉄道が開通し❹(p.1❺)，その後，神戸・大阪間，大阪・京都間，小樽・札幌間など，主要な港と大都市とを結ぶ鉄道が開通しました。沿岸では蒸気船の運航も始まりました。通信では，飛脚(p.194❶)にかわる郵便制度や電信網が整えられました。

また，日本の輸出の中心であった生糸(p.127)の増産や品質の向上(p.198)を図るため，群馬県の富岡製糸場❶❷などの**官営模範工場**(巻頭2⓭)を造りました。そして，外国の優れた新しい技術を各地に広めました。

文明開化

近代国家になるための政策を進めるうえで，その土台になる欧米の文化も盛んに取り入

世紀	B.C.	A.D.1	2	3	4	5	6	7	8	9	10	11	12	13	14	15	16	17	18	19	20	21

縄文　弥生　古墳　飛鳥　奈良　平安　鎌倉　室町(南北朝)　戦国(安土桃山)　江戸　明治　大正　昭和　平成　令和

KAIKAINJUN

❺**新旧の戦い**（昇斎一景(しょうさいいっけい)筆　開化因循興廃鏡(かいかいんじゅんこうはいかがみ)　東京都　印刷博物館蔵）江戸(えど)時代までの日本の文化と，文明開化で日本に入ってきた文化とが戦っています。

読み取る ❺で，どのような物が戦っているか，またどちらが優勢か，読み取りましょう。

れられ，都市を中心に伝統的な生活が変化し始めました。❺ これを**文明開化**と呼びます。文明開化は，横浜や神戸などの外国人居留地から広がりました。

東京を中心に役所や学校 p.200 をはじめ，れんが造りなどの欧米風の建物が現れ，道路には馬車が走り，ランプやガス灯が付けられました。洋服やコート，帽子(ぼうし)が流行し，牛肉を食べる p.174 習慣が広がるなど❻，衣服や食生活の変化も始まりました。暦(こよみ)も，それまでの太陰暦(たいいんれき)にかわって欧米と同じ太陽暦(たいようれき)が採用され，1日を24時間，1週間を7日とすることになりました。こうした新しい制度や文化は，役所や学校，工場，軍隊などを通じて，次第(しだい)に人々の間に広まっていきました。

新しい思想

欧米の近代化 p.284 の背景にある自由や平等などの思想も次々と紹介(しょうかい)されました。人間の平等を分かりやすい表現で説いた**福沢諭吉**(ふくざわゆきち)❼の「学問のすゝめ」や，**中江兆民**(なかえちょうみん)が紹介したルソーの思想は，青年に大きな影響(えいきょう)をあたえ，やがて自由民権運動 p.150 へとつながりました。キリスト教の信仰(しんこう)も事実上黙認(もくにん)され p.168，次第に広まっていきました。❶

活版印刷 p.113 の普及(ふきゅう)で，日刊新聞や雑誌が発行されるようになり，こうした新しい思想が広まるうえで大きな役割を果たしました。p.198

❻**牛鍋を食べる男性**（仮名垣魯文(かながきろぶん)「安愚楽鍋(あぐらなべ)」　東京大学法学部附属明治新聞雑誌文庫蔵）　右の男性のような髪形(かみがた)は「ザンギリ（散切(ざんぎ)り）頭」と呼ばれ，「ザンギリ頭をたたいてみれば，文明開化の音がする」といわれました。

大分県

❼**福沢諭吉**(ふくざわゆきち)（1834〜1901）

欧米(おうべい)の思想を日本に紹介(しょうかい)する

「学問のすゝめ」の中の「天は人の上に人をつくらず，人の下に人をつくらず」という言葉は，社会に強い影響(えいきょう)をあたえました。（東京都　慶應義塾福澤研究センター蔵）

❶一方で，明治の初めには神道(しんとう)を国の宗教にする動きもありましたが，それまでの日本では，神道と仏教とが混ざり合っていました（神仏習合(しんぶつしゅうごう) p.47・73）。このため，1868年に神仏分離令が出され，仏教を排除(はいじょ)する運動が起こりました。

チェック 欧米の文化の影響で，暮らしや文化が変わった例を，本文から二つぬき出しましょう。

トライ 自由や平等などの思想が，日本にどのように広がっていったか，説明しましょう。

資料から発見！

錦絵から文明開化の様子をとらえよう

東京開化名勝京橋石造銀座通り両側煉化石商家盛栄之圖
伊勢屋喜三郎板

❶「東京開化名勝京橋石造銀座通り両側煉化石商家盛栄之図」

明治時代の錦絵とは？

江戸時代に流行した錦絵は，20世紀初めに写真による報道が中心となるまで，明治時代にも引き続き多く作られ，新聞などに掲載されました。ただし，えがかれる題材は文明開化にちなむものが多くなります。また，海外から安い赤色の染料が入ってきたため，何でも赤でえがく傾向があります。この錦絵の空も夕やけや朝やけではなく，いわば時代を示す色といえるでしょう。

当時の銀座の状況は？

1872(明治5)年の大火で，東京の丸の内から銀座や築地にかけての一帯が焼失すると，新政府は東京を不燃化する計画を立てました。その結果，1874年には大通りが完成して，銀座煉瓦街がその姿を現しました。また，1872年には新橋(❶の通りの奥)から横浜の間に鉄道が開通していたため，銀座には海外のさまざまな物や習慣が広まりました。

三代目歌川広重筆「東京開化名勝京橋石造銀座通り両側煉化石商家盛栄之図」（江戸東京博物館蔵）

↑**❷玉すし**（二代目歌川国輝筆　東京銀座要路煉瓦石造真図　神奈川県立歴史博物館蔵）

↑**❸松田**（歌川芳虎筆　開化出世寿語呂久　東京大学法学部附属明治新聞雑誌文庫蔵）

❹日報社（三代目歌川広重筆　東京第一名所銀座通煉瓦石之図　清水建設蔵）

みんなでチャレンジ　読み取る

(1) ❶から，開国後に日本に入ってきた物や習慣を探しましょう。

(2) ❷～❹は，❶にえがかれている店や会社です。❶のどこにえがかれているか，絵の上部に書かれている文字を参考にして探しましょう。また，❷～❹から，それぞれがあつかっている商品など，気付いたことを挙げましょう。

(3) ❶～❹から，このころの社会の様子について分かることを，グループで話し合いましょう。

木戸孝允(38歳)
山口尚芳(32歳)
岩倉具視(46歳)
伊藤博文(30歳)
大久保利通(41歳)

❶岩倉使節団(山口県文書館蔵)　46名の使節が１年10か月かけて，欧米12か国を公式訪問しました。(年齢は撮影時の満年齢)

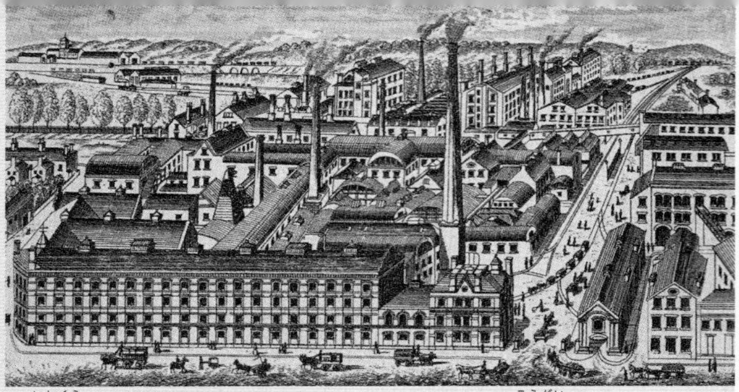

❷岩倉使節団が見学したイギリスのロンドン郊外の工場(久米邦武「特命全権大使　米欧回覧実記」)

❸岩倉使節団が見たヨーロッパ(部分要約)

フランス革命の影響で，ヨーロッパでは民衆が自由を主張し，立憲政治が始まった。…変革の真価は工業生産にあり，ヨーロッパの国々を歴訪してきたが，どこの都市でも工業生産を競い，貿易に力を注いでいて，昼は機械のごうごうとした音が鳴り，夜は煙突の火が天をこがしていた。

(久米邦武「特命全権大使　米欧回覧実記」)

4 近代的な国際関係

学習課題 政府は欧米諸国や中国，朝鮮と，どのような外交関係を結ぼうとしたのでしょうか。

❺女子留学生　岩倉使節団には，５人の女子留学生も同行しました。最年少は津田梅子(右から二人目)で，わずか７歳でした。津田は，後に女子教育の発展に力をつくしました。(年齢は，撮影時の満年齢)

ぶつかる二つの国際関係

東アジアの伝統的な国際関係は，周辺諸国が中国の皇帝に朝貢し，支配者としての地位を認められるという関係が中心でした。これに対して欧米の近代的な国際関係は，条約に基づいた関係でした。p.90

欧米諸国はアジア諸国に，こうした国際関係を結ぶよう求めていました。欧米諸国どうしは対等な関係を結んでいましたが，19世紀にアジア諸国と結んだ関係は，植民地にしたり不平等条約を結んだりすることで，欧米諸国が優位に立つ関係でした。

日本は，アジア諸国の中でいち早く，欧米諸国との不平等条約を改正して対等な関係を築こうとする一方で，朝鮮などに対しては，不平等な関係を結ぼうとしました。

岩倉使節団

幕末に欧米諸国と結んだ不平等条約の改正は，新政府の大きな課題でした。政府は，廃藩置県後の1871(明治４)年，岩倉具視を全権大使とし，大久保利通❼p.169などが参加した大規模な**岩倉使節団**❶～❺p.287を欧米に派遣しました。しかし，法の整備など近代化政策が不徹底なこともあって，不平等条約の改正交渉が失敗に終わると，使節団は欧米の政治

世紀	B.C.	A.D. 1	2	3	4	5	6	7	8	9	10	11	12	13	14	15	16	17	18	19	20	21

縄文　弥生　古墳　飛鳥　奈良　平安　鎌倉　室町(南北朝)　戦国　江戸(安土桃山)　明治　大正　昭和　平成　令和

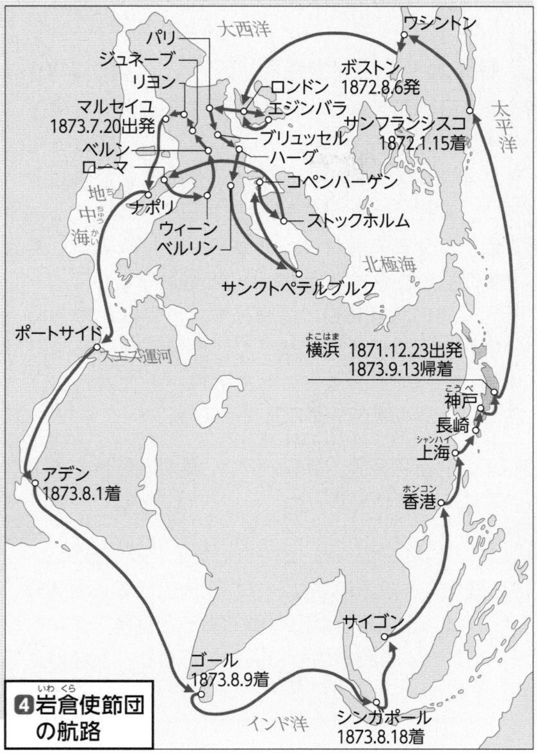
大西洋
パリ
ジュネーブ
リヨン
マルセイユ
1873.7.20出発
ベルン
ローマ
地中海
ナポリ
ウィーン
ベルリン
ワシントン
ボストン
1872.8.6発
ロンドン
エジンバラ
サンフランシスコ
1872.1.15着
太平洋
ブリュッセル
ハーグ
コペンハーゲン
ストックホルム
北極海
サンクトペテルブルク
ポートサイド
スエズ運河
横浜 1871.12.23出発
1873.9.13帰着
神戸
長崎
上海
アデン
1873.8.1着
香港
サイゴン
ゴール
1873.8.9着
インド洋
シンガポール
1873.8.18着

❹岩倉使節団の航路

❻**朝鮮をめぐる政府内の対立**（永嶌孟斎筆　西海騒揺起原征韓論之図　東京都　早稲田大学図書館蔵）

鹿児島県
鹿児島県

❼**大久保利通**（左：1830～78）
❽**西郷隆盛**（右：1827～77）

明治維新を支えた薩摩藩士

大久保が岩倉使節団に参加する一方，西郷は日本に残って明治政府を支えました。しかし，大久保の帰国後，朝鮮への対応をめぐって対立し，西郷は政府を去り，西南戦争(p.182)が起こりました。（東京都　国立国会図書館蔵）

や産業，社会状況の視察に重点を移し，２年近く欧米を回りました。国力の充実が必要であると痛感した使節団のメンバーは，この経験を基に日本の近代化を推し進めていきました。

清や朝鮮との関係

新政府は，成立とともに朝鮮に新しく国交を結ぶよう求めますが，朝鮮はこれまでの慣例と異なるとして断りました。新政府は，1871年，朝鮮が朝貢する清と対等な内容の条約（**日清修好条規**❾）を結ぶことで，朝鮮との交渉を進めようとしましたが，うまくいきませんでした。

こうした中，政府内では武力で朝鮮に開国をせまる主張（**征韓論**）が高まり，1873年，使節として西郷隆盛❽を朝鮮に派遣することが決定されました。しかし，欧米から帰国し，国力の充実が先だと考えた大久保利通などは，派遣を延期させました。その結果，政府は分裂❻し，西郷や**板垣退助**（p.183❽）などは政府を去りました❶。

その後も，日本は朝鮮と交渉を続けましたが，うまくいきませんでした。日本政府は，1875年の江華島事件❷を口実に，翌年朝鮮と条約（**日朝修好条規**❿）を結び，力で朝鮮を開国させました。条約の内容は，日本のみが領事裁判権（p.160）を持つなど，日本が欧米諸国からおし付けられた不平等条約と同じようなものでした。

❾**日清修好条規**（1871年）　（部分要約）

第１条　この後大日本国と大清国は，友好関係を強め，たがいの国土をおかさず，永久に安全なものとする。

第８条　両国の開港地には，それぞれの役人を置き，自国の商人の取りしまりを行う。財産や産業について訴えがあった事件は，その役人が裁判を行い，自国の法律で裁く。

❿**日朝修好条規**（1876年）　（部分要約）

第１条　朝鮮国は自主の国であり，日本国と平等の権利を持っている。…

第10条　日本国の人民が，朝鮮国の開港地に在留中に罪を犯し，朝鮮国の人民に関係する事件は，日本国の領事が裁判を行う。

第11条　両国は，別に通商に関する規定を定め，両国の商人の便を図る。これから６か月以内に両国別に委員を任命し，話し合う。

↑日朝修好条規の６か月後，通商に関する規定で，無関税での貿易が定められました。

見方・考え方　比較　❾と❿とを比べて，日本の清と朝鮮に対する対応のちがいを考えましょう。

❶征韓論政変と呼ばれます。
❷軍艦を朝鮮に派遣し，沿岸を無断で測量して圧力を加えたことによって起こした武力衝突。

チェック　新政府がかかえていた，外交関係での大きな課題は何か，本文からぬき出しましょう。

トライ　日朝修好条規の内容について，次の語句を使って説明しましょう。［領事裁判権／不平等条約］

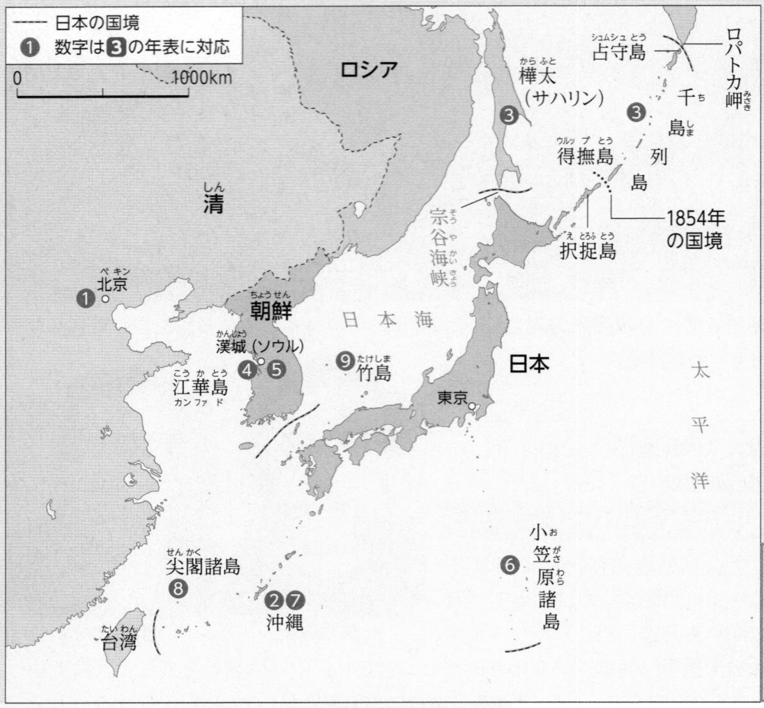

日本の国境
❶ 数字は❸の年表に対応
0 1000km
ロシア
清
北京 ❶
朝鮮
漢城(ソウル) ❹❺
江華島
日本海
竹島 ❾
日本
東京
太平洋
樺太(サハリン) ❸
占守島
ロパトカ岬
千島列島 ❸
得撫島
宗谷海峡
1854年の国境
択捉島
尖閣諸島 ❽
❷❼ 沖縄
台湾
❻ 小笠原諸島

❷樺太・千島交換条約(1875年)　(部分要約)

第1条　日本の天皇は，その子孫に至るまで，現在の樺太の一部の領有権や，そのほかの一切の権利を全てロシアの皇帝にゆずり，今後樺太全島は全てロシア領となり，宗谷海峡を両国の国境とする。

第2条　ロシアの皇帝は，その子孫に至るまで，第1条に記した樺太の権利を受けるかわりとして，…千島列島の合計18島の領有権や，そのほかの一切の権利を日本の天皇にゆずり，今後千島列島は日本領とし，カムチャツカ半島のロパトカ岬と占守島との間の海峡を両国の国境とする。

↑1854年の日露和親条約(p.162)では，樺太の帰属について明確に定めていませんでした。

❶国境の確定　小笠原諸島は，16世紀末に日本人が発見したといわれ，江戸幕府が日本領であると宣言していましたが，1875年に政府が改めて領有を宣言し，翌年欧米に通告しました。

5 国境と領土の確定

学習課題 国境と領土の確定はどのように進められたのでしょうか。

1871	日清修好条規を結ぶ❶
1872	琉球藩を置く❷
1875	樺太・千島交換条約を結ぶ❸
	江華島事件が起こる❹
1876	日朝修好条規を結ぶ❺
	小笠原諸島の領有を各国に通告する❻
1879	沖縄県を置く❼
1895	尖閣諸島の日本領への編入を内閣で決定する❽
1905	竹島の日本領への編入を内閣で決定する❾

❸明治時代の国境と領土の確定

❹国後島での海産物の加工(昭和時代初期)(北海道　千島歯舞居住者連盟蔵)　1854年に日露和親条約を結んで以降，歯舞群島・国後島・色丹島・択捉島の北方四島(北方領土)は一貫して日本の領土です。

南北の国境の確定

東アジアの伝統的な国際関係では，国境はあいまいでした。日本は，欧米の近代的な国際関係にならって，国境を明確に定めようとしました。❶❸

幕末にロシアと結んだ日露和親条約(p.162)では，択捉島以南(**北方領土**)❹を日本領，得撫島以北の千島列島をロシア領とする一方，樺太(サハリン)はどちらの領土であるか不明確でした。そこで，政府は1875(明治8)年，ロシアと**樺太・千島交換条約**(p.289)❷を結び，ロシアに樺太の領有を認める一方，千島列島を日本領にすることで，国境を確定しました。❺

小笠原諸島は，いくつかの国が領有権を主張していましたが，1876年に日本の領有が確定しました。**尖閣諸島**は1895年，**竹島**は1905年に，それぞれ内閣の決定により日本領に編入しました。

北海道の開拓とアイヌの人々

ロシアとの間で国境問題をかかえていた政府は，蝦夷地の開拓を進めました。政府は1869年に蝦夷地を**北海道**に改称し，開拓使という役所を置いて統治を強化するとともに，農地の開墾，鉄道や道路の建設など，欧米の技術を取り入れた開拓事業を行いました。

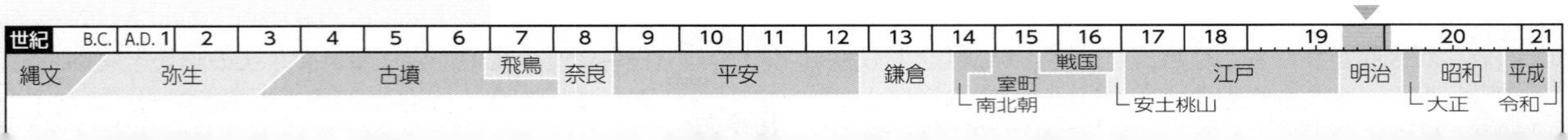

世紀 B.C. A.D. 1 2 3 4 5 6 7 8 9 10 11 12 13 14 15 16 17 18 19 20 21
縄文 弥生 古墳 飛鳥 奈良 平安 鎌倉 室町 戦国 江戸 明治 昭和 平成
南北朝 安土桃山 大正 令和

❺樺太から北海道の江別に強制的に移住させられたアイヌの人々(1877年ごろ)(北海道大学附属図書館蔵)　樺太・千島交換条約の締結にともない，樺太に住んでいたアイヌの人々は北海道への移住を余儀なくされました。移住した人々は慣れない生活環境や病気に苦しみ，多くの人が命を落としました。

→❻屯田兵による開拓(北海道　旭川兵村記念館蔵)　開拓の途中で取り除けなかった切り株が残っています。屯田兵は，初めは生活の苦しい士族が中心でしたが，やがて平民にも広まり，各地から移民団が北海道にわたりました。

❼北海道旧土人保護法(1899年)　(部分要約)

第1条　北海道の旧土人で農業に従事する者や，これから従事したいと思う者には，一戸につき，土地1万5000坪[1]を限度に，無償で土地をあたえる。

第2条　あたえられた土地の所有権は，次のように制限される。
①相続以外に，他人にゆずってはならない。
②質入れしたり，土地を使って借金したり，小作人に耕作させたりしてはならない。

第3条　あたえられた土地を，15年たっても開墾していない場合には没収する。

❶1坪は約3.3m²。

↑この法律でアイヌの人々に農地があたえられましたが，開墾できない土地だったり，農業に慣れず土地を失ったりする人もいました。

開拓の中心になったのは，北海道以外の日本各地から移住してきた農業兼業の兵士である**屯田兵**[6]などでした。また，労働力の不足を補うために囚人がかり出され，道路工事などの困難な労働の中で，多くの犠牲者が出ました。

一方，開拓が進むにつれて，先住民であるアイヌの人々は土地や漁場をうばわれていきました。さらに，アイヌ民族の伝統的な風習や文化を否定するなど，アイヌの人々を「日本国民」とするための同化政策が進められました。1899年，政府はアイヌの人々の生活を保護する名目で北海道旧土人保護法[7]を制定しましたが，あまり効果はありませんでした。(p.288)(p.141)

沖縄県の設置と琉球の人々

琉球王国は，薩摩藩に事実上支配されながら，清にも朝貢するなど，日清の両方に属する関係を結んでいました。政府は1872年に琉球王国を琉球藩としました。さらに1879年，軍隊の力を背景に，琉球の人々の反対をおさえ，琉球藩を廃止して**沖縄県**を設置しました(**琉球処分**[8])。朝貢する国を失った清は日本に強く抗議しました[1]。(p.122)

琉球処分で沖縄は日本領に編入されましたが，それまでの土地制度や租税制度などはしばらく温存されました。しかし，次第に沖縄の人々に対しても，本土の風習や文化に合わせさせる同化政策が採られるようになりました[9]。

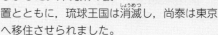

❽尚泰(1843〜1901)
最後の琉球国王
沖縄県

清との関係をたよりに，琉球王国の日本への併合に最後まで抵抗しました。沖縄県の設置とともに，琉球王国は消滅し，尚泰は東京へ移住させられました。

方言札

❾方言札(沖縄県　喜宝院蒐集館蔵　縦17cm)　沖縄では，学校で沖縄方言を話した子どもに「方言札」と呼ばれる木の札を首からかけさせるなど，言葉の面でも本土に同化させる動きがありました。

見方・考え方　比較　政府のアイヌ民族と琉球民族に対する対応を比べて，共通点と異なる点を挙げましょう。

❶琉球をめぐる日清間の対立は，日清戦争(p.188)で台湾が清から日本へゆずりわたされることで自然消滅するまで，続きました。

チェック　1895年と1905年に日本領への編入が内閣で決定された場所を，それぞれ本文からぬき出しましょう。

トライ　蝦夷地と琉球王国が日本に組みこまれる過程を，次の語句を使って説明しましょう。[北海道／沖縄県]

6 領土をめぐる問題の背景
領有の歴史的な経緯

学習課題 竹島・尖閣諸島・北方領土は，どのような経緯で日本固有の領土になったのでしょうか。

歴史的に見る島々の領有

現在の日本には，歴史的に見て固有の領土でありながら，周辺諸国との間で，領土をめぐる問題をかかえる地域があります。島根県の竹島や北海道の北方領土は，それぞれ大韓民国(韓国)とロシアが不法に占拠しており，日本は抗議を続けています。また，沖縄県の尖閣諸島は日本が実効支配しており，領土問題は存在しませんが，中華人民共和国(中国)や台湾が領有権を主張しています。

ここでは，こうした地域が，どのような経緯で日本固有の領土になったかを見ていきましょう。

樺太(サハリン)
ロシア連邦
(旧ソ連)
千島列島
占守島
得撫島
択捉島
モンゴル
中華人民共和国
北京
朝鮮民主主義人民共和国
平壌
ソウル
大韓民国
竹島
日本海
日本
東京
太平洋
東シナ海
尖閣諸島
台湾
与那国島
沖縄島
小笠原諸島
南鳥島
沖ノ鳥島
0
1000km
❶現在の日本の領土

あしか猟の舞台・竹島

❷竹島(島根県隠岐の島町 2012年)

❶1625年という説もあります。

竹島は，日本では古くから「松島」と呼ばれており，その西にあるウルルン島(鬱陵島)が「竹島」や「磯竹島」と呼ばれていましたが，江戸時代には，現在の鬱陵島と竹島の位置が的確に認識されていました。これは，この時代に作成された地図から読み取れます。

江戸時代の1618年[❶]には，鳥取藩の町人が，藩を通じて幕府から鬱陵島にわたる許可を得て，あわび漁やあしか猟などを行うようになりました。途中にある竹島は，航海の目印や停泊地になる一方で，鬱陵島と同様にあしか猟などが行われるようになりました。こうした中で，日本はおそくとも17世紀半ばには，竹島の領有権を確立していました。

竹島でのあしか猟は，明治時代の終わりごろから本格化し，多くの漁民が猟を行うようになりました。こうした中，隠岐島民の一人が，安定した猟のために，竹島の領土編入と10年間の貸し下げを政府に願い出ました。これを受けた政府は，1905(明治38)年1月に，竹島の島根県への編入を閣議決定して，正式に「竹島」と命名し，2月に島根県知事が告示しました。

こうして政府は竹島の領有権を再確認し，あしか猟は，太平洋戦争で1941(昭和16)年に中止されるまで続けられました。

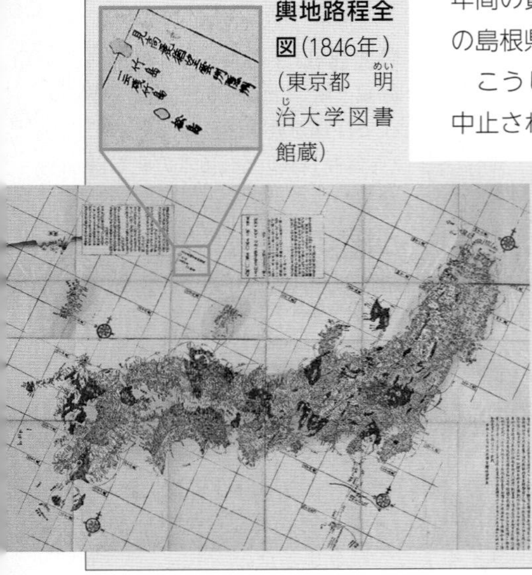
❸改正日本輿地路程全図(1846年)(東京都 明治大学図書館蔵)

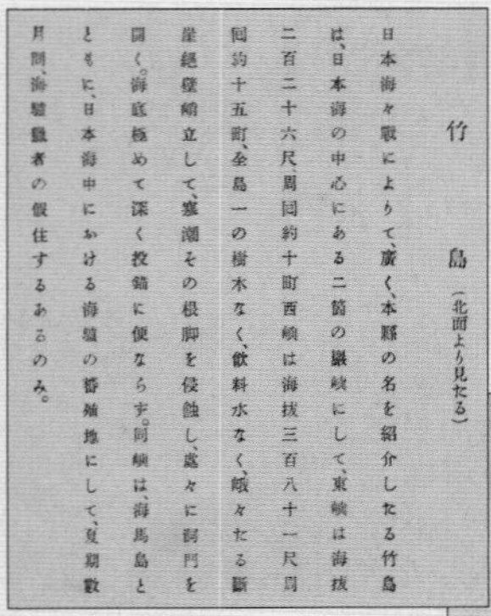
竹島(北西より見たる)

日本海々戰によりて、廣く、本縣の名を紹介したる竹島は、日本海の中心にある二箇の巖嶼にして、東嶼は海抜二百二十六尺、周圍約十町西嶼は海抜三百八十一尺周圍約十五町、全島一の樹木なく、飲料水なく、峨々たる斷崖絶壁峭立して、寒潮その根脚を侵蝕し、處々に洞門を開く。海底極めて深く投錨に便ならず。同嶼は、海馬島とともに、日本海中における海驢の蕃殖地にして、夏期數月間、海驢獵者の假住するあるのみ。

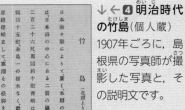

↓←❹明治時代の竹島(個人蔵) 1907年ごろに，島根県の写真師が撮影した写真と，その説明文です。

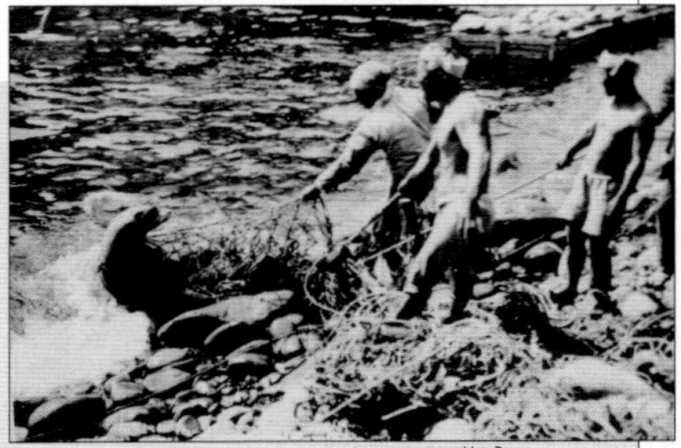
↑❺あしか猟の様子(1935年)(島根県 竹島資料室蔵)

日本人の生活の舞台・北方領土

❻北海道の根室半島上空から見た歯舞群島（根室市　2013年）

17世紀の前半には，蝦夷地の南部を支配していた松前藩が，北方領土や樺太（サハリン）についても調査を行っており，このころ江戸幕府が作成した地図には「くなしり」（国後島）や「えとほろ」（択捉島），「うるふ」（得撫島）などの島名が書かれています。

こうした島々には，18世紀の半ばからロシア人が進出して，日本人の住民との間でたびたび対立が起こりました。そこで幕府は，この地域を直接支配することを決め，1798年からは，幕府の役人の近藤重蔵と最上徳内が国後島・択捉島を調査し（p.133❼），択捉島には「大日本恵登呂府」の標柱を立てています。

1854年，幕府はロシアとの間で日露和親条約（日魯通好条約）を結び，択捉島と得撫島との間に国境を定めました。

❼戦前の北方領土（色丹島　1939年ごろ）（北海道　千島歯舞諸島居住者連盟蔵）　小学校の運動会で，大玉転がしをしている様子です。

❽日露和親条約（一八五四年）（部分要約）

第一条　今より後両国末長く真実懇にして各其所領に於て互に保護し人命は勿論什物❶に於ても損害なかるへし

第二条　今より後日本国と魯西亜国との境「エトロプ」島と「ウルップ」島との間に在るへし「エトロプ」全島は日本に属し「ウルップ」全島夫より北の方「クリル」諸島❷は魯西亜に属す「カラフト」島に至りては日本国と魯西亜国との間に於て界を分たす是迄仕来の通たるへし

❶日用品。　❷千島列島のこと。

明治時代に入り，1875（明治8）年には，政府がロシアとの間で樺太・千島交換条約を結んで，樺太全島をロシアにゆずるかわりに，得撫島から北の，千島列島の18の島々も日本の領土になりました。日本人が開拓を進めた北方領土では，海産物の加工や畜産などが行われ，1945（昭和20）年の太平洋戦争の終結時には，約1万7000人の日本人が暮らしていました。

かつお節製造の舞台・尖閣諸島

❾尖閣諸島の南小島（左）と北小島（右），魚釣島（奥）（沖縄県石垣市　2013年）

尖閣諸島については，1885（明治18）年から，政府が沖縄県を通じた調査などを続けており，無人島であることや，当時の清をはじめとして，どの国も支配していないことを，慎重に確認してきました。

このような状況をふまえて，政府は日清戦争中の1895年1月に，沖縄県に編入し，領土であることを示す標柱を建設することを閣議決定しました。

こうして，正式に日本の領土になった尖閣諸島では，19世紀末から，日本人による開拓が本格化しました。多くの民間人が移住し，多いときには200人以上の住民が暮らしていました。中心となった魚釣島には，政府の許可を得て開拓を始めた実業家の名前を取って「古賀村」と呼ばれる集落もできていました。尖閣諸島では，漁業を中心にして，かつお節の製造や，羽毛の採取などが行われており，政府も，土地調査や事業の許可など，尖閣諸島に対するさまざまな措置を行っていました。

こうした，日本の尖閣諸島に対する実効的な支配は，現在まで続いており，領有権をめぐる問題は存在しません。

❿かつお節の製造（明治30年代）　尖閣諸島の魚釣島では，近海のかつおを使ったかつお節が製造されていました。

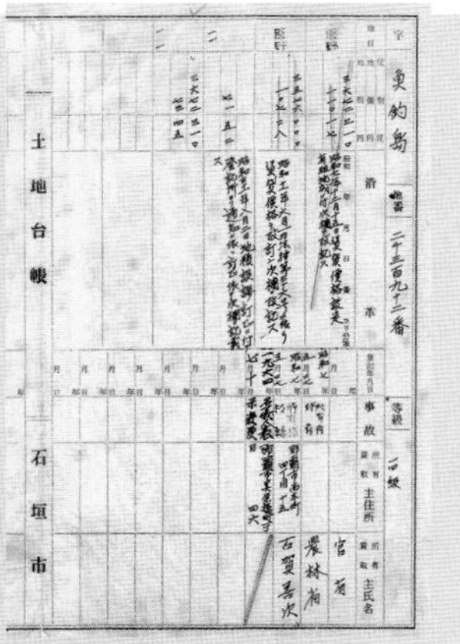

魚釣島
土地台帳
石垣市

⓫魚釣島の土地台帳（1930年代のもの）（沖縄県　石垣市教育委員会市史編集課蔵）

チェック　それぞれの地域が固有の領土になった時期や経過を，年表で整理しましょう。

トライ　それぞれの地域が，どのような点から固有の領土であると分かるか，共通点などに着目して考えましょう。

明治會堂演説之圖

❶**自由民権運動の演説会**（安達吟光筆　明治会堂演説之図　東京都　中央区立京橋図書館蔵）　明治会堂は，1881年に福沢諭吉(p.173)の発案で東京に建設された演説会場です。自由民権運動は，演説会や新聞といった新しいメディア(p.198・289)を通じて広がりました。

7 自由民権運動の高まり

学習課題 自由民権運動は，どのような社会の実現を求めていたのでしょうか。

自由民権運動と士族の反乱

征韓論(p.177)をめぐる政変の後，大久保利通(p.177❼)が政府の中心となり，殖産興業(p.172)の政策を推し進めました。一方，政府を去った板垣退助❽らは，1874(明治７)年，**民撰議院設立の建白書**❷を政府に提出して，大久保の政治を専制政治であると非難し，議会の開設を主張しました。これが，国民が政治に参加する権利の確立を目指す**自由民権運動**の出発点です❶。この後，板垣は高知で立志社を結成し，運動を進めていきました。

一方，この自由民権運動と重なりながら展開されたのが，士族の反乱でした❺。改革で特権をうばわれたことなどに不満を持つ「不平士族」(p.169)たちも，大久保の政治への非難を強め，西日本を中心に各地で反乱を起こしました。なかでも1877年に西郷隆盛(p.177❽)を中心として鹿児島の士族などが起こした**西南戦争**❹は，最も大規模なものでしたが，政府軍によって鎮圧されました。

高まる自由民権運動

西南戦争の後，藩閥政府(p.169)への批判は，言論によるものが中心になりました❸。

1878年に地方制度が大きく改革され，府や県に議会が作られ

---

❷**民撰議院設立の建白書**（1874年）

私どもがつつしんで，現在政権がどこにあるかを考えてみますのに，上は皇室にあるのでなく，下は人民にあるのでもなく，ただ官僚に独占されております。…国家が崩壊しそうな勢いにあることを救う方法を求めてみましたが，ただ天下の公議正論をのばすしかありません。それには，民撰議院を立てることによるしかありません。　（部分要約）

❸**新聞紙条例**（1875年）　（部分要約）

第12条　新聞紙あるいは雑誌や他の報道において，人をそそのかして罪を犯させた者は，犯した者と同罪とする。…

第13条　政府をたおし，国家をくつがえすような言論をのせ，さわぎをあおろうとする者は，禁獄❶１年から３年とする。

❶牢には入るが，労役をしないばつ。

見方・考え方 関連 ❸の法律はどのような目的で出されたものか，背景となる出来事に着目して考えましょう。

世紀	B.C.	A.D.1	2	3	4	5	6	7	8	9	10	11	12	13	14	15	16	17	18	19	20	21

縄文　弥生　古墳　飛鳥　奈良　平安　鎌倉　室町（南北朝）　戦国　江戸（安土桃山）　明治　大正　昭和　平成　令和

❹**西南戦争**(小林永濯筆　田原坂激戦之図　東京都　早稲田大学図書館蔵)　西南戦争の戦いの中でも最大の激戦となった田原坂(熊本市)の戦いの様子で，左が政府軍，右が西郷軍です。

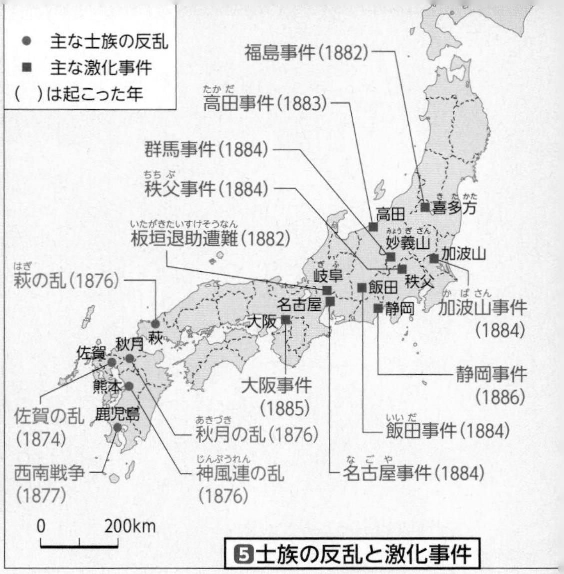

● 主な士族の反乱
■ 主な激化事件
( )は起こった年
福島事件(1882)
高田事件(1883)
群馬事件(1884)
秩父事件(1884)
板垣退助遭難(1882)
萩の乱(1876)
佐賀の乱(1874)
西南戦争(1877)
秋月の乱(1876)
神風連の乱(1876)
大阪事件(1885)
名古屋事件(1884)
飯田事件(1884)
静岡事件(1886)
加波山事件(1884)
高田
喜多方
妙義山
加波山
秩父
飯田
静岡
岐阜
名古屋
大阪
萩
佐賀
秋月
熊本
鹿児島
0　200km

❺**士族の反乱と激化事件**

→❻は五日市町(現在の東京都あきる野市)で，地元の青年たちが作ったものです。❼は民権派の植木枝盛が起草したものです。

ると，地主(豪農)や商工業者などが議員になり，政治への意識を高めました。1880年には，全国の代表者が大阪に集まって，国会の開設を求める**国会期成同盟**を結成しました。運動は，自主的に憲法草案を作成する方向へと進み，多くの草案が民間で作成されました。p.285 ❻❼ 植木枝盛や中江兆民は欧米の思想を基に民権論を主張し，自由民権運動に大きな影響をあたえました。p.173

国会の開設をめぐる対立

政府では，国会と憲法の内容や開設・制定の時期について意見が分かれ，**大隈重信**❾は，国会の早期開設などの急進的な主張をしていました。こうした中，1881年に北海道の開拓使が施設や財産を関係者に安く売りわたそうとする事件が起こり，p.178 民権派は政府を激しく攻撃しました。**伊藤博文**p.184❸などは，民権派との結び付きが強い大隈が背後にいると考え，大隈を政府から追い出すとともに，1890年までに国会を開くことを約束しました(国会開設の勅諭)。

　この後，自由民権運動は，国会開設に備えて政党の結成へと進み，板垣を党首とする**自由党**が結成されました。また，政府から追い出された大隈を党首にして，**立憲改進党**も結成されました。しかし，政府の弾圧や，不況p.288を背景として東日本の各地で民権派の関係する激化事件❺が起こったことで，活動はほとんど休止状態になりました。

❻五日市憲法　(部分要約)

・日本国民は各自の権利自由を達成することができる。他から妨害をしてはならず，国法はこれを保護しなくてはならない。
・…府県の自治は，各地の風俗・習慣によるものなので，決してこれに干渉・妨害をしてはならない。府県の権域は，国会であっても侵害できない。

❼東洋大日本国国憲按　(部分要約)

第1条　日本国は日本国憲法に従って国を運営する。
第2条　日本国に，立法府・行政院・司法庁を置く。憲法にその規則を設ける。
第5条　日本の国家は日本人各自の自由と権利をなくしたり減らしたりする規則を作って，実行することを禁止する。

高知県
佐賀県

❽**板垣退助**(左：1837～1919)
❾**大隈重信**(右：1838～1922)

日本で初めて政党内閣を組織

　板垣と大隈は，1898年に合同で憲政党を結成し(p.227❺)，日本で初めて政党内閣(p.287)を組織しました(隈板内閣)。しかし，党内の対立から憲政党は分裂し，内閣も4か月ほどでたおれました。(東京都　国立国会図書館蔵)

チェック　自由民権運動の出発点となった出来事を，本文からぬき出しましょう。

トライ　自由民権運動の内容について，次の語句を使って説明しましょう。[国会の開設／憲法草案]

❶憲法発布の式典（和田英作筆　憲法発布式：部分　東京都　明治神宮外苑聖徳記念絵画館蔵）

❷大日本帝国憲法　（部分）

第１条　大日本帝国ハ万世一系ノ天皇之ヲ統治ス
第３条　天皇ハ神聖ニシテ侵スベカラズ
第４条　天皇ハ国ノ元首ニシテ統治権ヲ総攬❶シ此ノ憲法ノ条規ニ依リ之ヲ行ウ
第11条　天皇ハ陸海軍ヲ統帥❷ス
第20条　日本臣民ハ法律ノ定ムル所ニ従イ兵役ノ義務ヲ有ス
第29条　日本臣民ハ法律ノ範囲内ニ於テ言論著作印行❸集会及結社ノ自由ヲ有ス

❶一手ににぎること。
❷統率・指揮すること
❸印刷して発行すること。

公 地 歴

↑大日本帝国憲法は，天皇が定めるという形で制定されました（欽定憲法）。

8 立憲制国家の成立

学習課題　**大日本帝国憲法はどのように成立し，その特色は現代につながっているのでしょうか。**

みんなでチャレンジ　読み取る

大日本帝国憲法について考えよう

(1)❶で，大日本帝国憲法をわたしている人と受け取っている人はだれか，考えましょう。
(2)❷から，天皇はどのような権限を持っていたか，読み取りましょう。
(3)大日本帝国憲法に民権派の考えは取り入れられたか，❷とp.183❻❼とを比べながら，グループで話し合いましょう。

山口県

❸伊藤博文（1841～1909）

最初の内閣総理大臣

1878年に大久保利通が暗殺されると，政府の中心人物になりました。憲法の制定に力をつくした後，四度にわたって内閣総理大臣となりました。1900年には立憲政友会総裁として内閣総理大臣になるなど，政党政治への道を開きました。（山口県　伊藤公資料館蔵）

憲法の準備

政府は，約束した国会を開設するために，憲法を制定する必要がありました。伊藤博文❸は自らヨーロッパへ調査に行き，君主権の強いドイツやオーストリアなどの各地で憲法について学びました。帰国後は憲法制定の準備を進め，1885（明治18）年に**内閣制度**ができると，伊藤は初代の内閣総理大臣（首相）に就任しました。また，伊藤が中心になって憲法の草案を作成し，枢密院❹で審議を進めました。

p.285　p.285　p.286

憲法の発布

1889年２月11日，天皇が国民にあたえるという形で**大日本帝国憲法**❷が発布されました❶。

憲法では，天皇が国の元首として統治すると定められました。また，**帝国議会**❺の召集や衆議院の解散，陸海軍の指揮，条約の締結や戦争の開始・終了（講和）などが，天皇の権限として明記されました。内閣については，大臣は，議会ではなく天皇に対して，個々に責任を負うとされました。議会は，国民が選挙した議員で構成する衆議院と，皇族や華族，天皇が任命した議員などで構成する貴族院の二院制でした❹。議会の権限にはさまざまな制限がありましたが，予算や法律の成立には議会の同意が

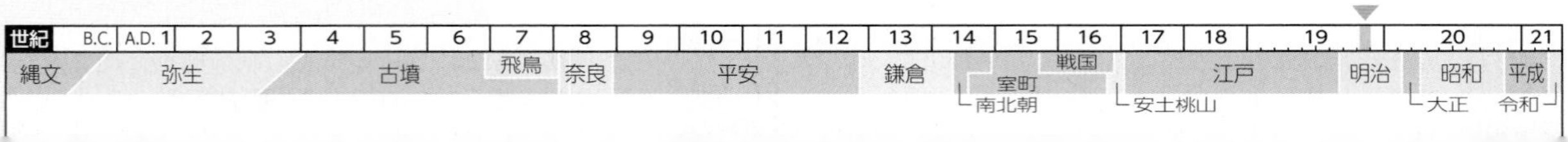

世紀　B.C.　A.D.1　2　3　4　5　6　7　8　9　10　11　12　13　14　15　16　17　18　19　20　21
縄文　弥生　古墳　飛鳥　奈良　平安　鎌倉　室町　戦国　江戸　明治　昭和　平成
南北朝　安土桃山　大正　令和

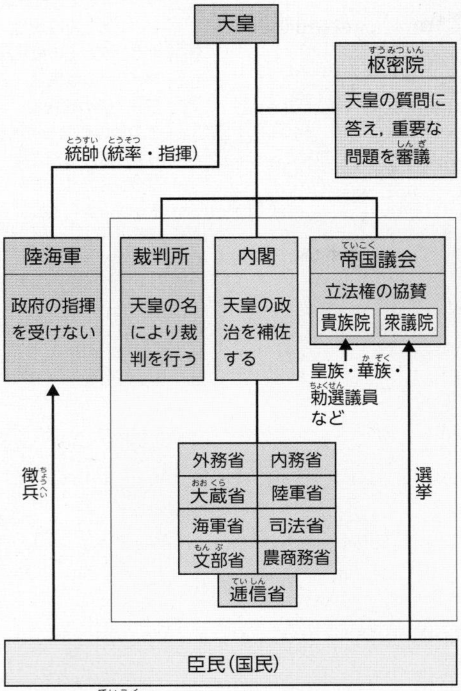

天皇
枢密院
天皇の質問に答え，重要な問題を審議
統帥(統率・指揮)
陸海軍
政府の指揮を受けない
裁判所
天皇の名により裁判を行う
内閣
天皇の政治を補佐する
帝国議会
立法権の協賛
貴族院
衆議院
皇族・華族・勅選議員など
外務省
内務省
大蔵省
陸軍省
海軍省
司法省
文部省
農商務省
逓信省
徴兵
選挙
臣民(国民)

❹大日本帝国憲法による国の仕組み

❺1891年の帝国議会(上：楊斎延一筆 帝国衆議院会議之図 東京都 衆議院憲政記念館蔵)と現在の国会(右：2017年) ともに衆議院の様子です。

見方・考え方 現在 ❺の帝国議会と，現在の国会とを比べて，ちがいを挙げましょう。

必要だったので，内閣は政策を進めていくうえで，議会の協力を必要としました。また国民は天皇の「臣民」とされ，議会で定める法律の範囲内で言論・出版・集会・結社・信仰の自由などの権利が認められました。

憲法に続いて，民法や商法なども公布され，法制度が整備されました。p.289 このうち民法は，一家の長である戸主が家族に対して強い支配権を持つことを定めており，「家」を重視するものでした。また，憲法発布の翌年には**教育勅語**❻も出されて，忠君愛国の道徳が示され，教育の柱とされるとともに，国民の精神的なよりどころとされました。

帝国議会の開設

帝国議会が開設されたことで，国民は選挙で議員を選ぶ権利(選挙権)を得ました。ただし，衆議院議員の選挙権があたえられたのは，直接国税を15円以上納める満25歳以上の男子であり，有権者は総人口の1.1%(約45万人)にすぎませんでした。❶ それでも，国民が国の政治に参加する道が開かれ，p.219⑪ 1890年に行われた最初の衆議院議員選挙❼では，自由民権運動の流れをくむ政党(民党)の議員が多数をしめました。こうして議会政治が始まり，日本はアジアで最初のp.284 近代的な立憲制国家になりました。p.289

❻教育勅語(1890年)　(部分要約)

私❶が思うには，祖先の神や歴代の天皇が国を始められたのは，はるか昔のことであり，徳を樹立することは深く厚いものである。…あなたたち臣民は，親孝行し，兄弟仲良くし，夫婦は親密にし，友達は信じ合い，人には敬意をはらい，つつしみ深く，広く人々を愛し，学問を修め，業務を習い，知能をのばし，徳と人格をみがき，進んで公共の利益を広め，世の中の務めにはげみ，常に憲法を重んじ，法律を守り，いったん国家に危険がせまれば，忠義と勇気を持って公に奉仕し，天地とともに極まりない皇室の運命を助けなければならない。　❶明治天皇。

❼投票所の様子(ビゴー筆)　第1回衆議院議員選挙の投票率は約94%でした。

❶この後，選挙法の改正とともに，有権者の数は次第に増えていきました。

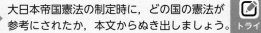

チェック　大日本帝国憲法の制定時に，どの国の憲法が参考にされたか，本文からぬき出しましょう。

トライ　大日本帝国憲法の特徴について，次の語句を使って説明しましょう。［元首／帝国議会］

探究のステップに取り組もう(p.203)

イギリスとその植民地
フランスとその植民地
ドイツとその植民地
オランダとその植民地
アメリカの植民地
日本とその植民地
その他の列強と植民地
イギリスの進行方向
フランスの進行方向
ドイツの進行方向
オランダ王国
ロシア帝国
モスクワ
イギリス王国
ドイツ帝国
チェリャビンスク
シベリア鉄道(1904～16)
東清鉄道
オーストリア・ハンガリー帝国
フランス
イタリア王国
ポルトガル王国
スペイン王国
オスマン帝国
大連
ウラジオストク
清
旅順
韓国(p.189)
日本
(1912)
(オスマン帝国)
スエズ運河
太平洋
シャム(タイ)
インドシナ
リベリア
エチオピア
0°
(1908)
インド洋
大西洋
ケープ植民地
0 2000km

❶**列強の世界分割**(1904年)　アフリカで独立国として残ったのは，エチオピアとリベリア，東南アジアで独立を保ったのはタイだけでした。

公 地 歴

1 欧米列強の侵略と条約改正

学習課題 欧米諸国と対等な外交関係が結ばれるまでに，どのような動きがあったのでしょうか。

見方・考え方 推移　❶とp.161❹とを比べて，変わった点を挙げましょう。

列強と帝国主義

19世紀後半に，欧米諸国では資本主義(p.159)が急速に発展し，製鉄や機械，鉄道などの産業が成長し，力をつけた資本家が経済を支配するようになりました。資本主義の発展とともに，欧米の列強(p.289)にはイギリス，フランスのほか，ドイツやアメリカ，ロシアなどが加わりました。

これらの列強は，生産に必要な資源や製品を売る市場(p.286)を求めて，アジア❹やアフリカ，さらには太平洋の島々へと進出していき，やがて軍事力によってこれらの地域のほとんどを植民地(p.105)にしました。こうして，世界の広い範囲は列強によって分割されました❶❷。このような動きを**帝国主義**(p.288)といいます。

条約改正の実現

日本が欧米と国際的に対等な地位を得るうえでは，不平等条約(p.163)の改正が最も重要な課題でした。それを実現するため，欧米的な法制度の整備など近代化政策を推し進めました。**条約改正**にいち早く応じたのはアメリカで，1878(明治11)年に関税自主権(p.160)の回復で合意しましたが，イギリスなどの反対のため実現しませんでした。

その後，外務卿(大臣)の井上馨は，鹿鳴館で舞踏会❺を開くな

❷**アフリカをまたぐ巨人**(「パンチ」)　イギリスのケープ植民地の首相だったセシル・ローズは「できることなら惑星も併合したい」と言ったといわれています。

探究のステップ 近代化を進める中で，なぜ日本は中国やロシアと戦争をすることになったのでしょうか。

世紀	B.C.	A.D. 1	2	3	4	5	6	7	8	9	10	11	12	13	14	15	16	17	18	19	20	21

縄文　弥生　古墳　飛鳥　奈良　平安　鎌倉　室町　南北朝　戦国　安土桃山　江戸　明治　大正　昭和　平成　令和

歴史にアクセス エルトゥールル号遭難事件 人権 平和

アジアの西端のオスマン帝国(現在のトルコ)は，日本と同様に，列強に圧迫されていました。オスマン帝国はアジア初の憲法を制定し，近代化を進めましたが，ロシアとの戦争に敗れ，列強による植民地化の動きが進みました。

日本が1887年に皇族をオスマン帝国に派遣すると，オスマン帝国はその返礼として，1889年7月にエルトゥールル号という軍艦で使節を派遣し，翌年6月に来日しました。ところが，エルトゥールル号は，帰国途中の9月16日，台風接近による暴風雨で，和歌山県大島村(現在の串本町)の樫野崎付近で遭難，沈没しました。大島村の人々は，献身的な救助活動と看護を行い，乗組員約600人のうち，最終的に69人の命が助かりました。大島村の人々は，犠牲者の遺体を手厚く埋葬し，5年ごとに追悼式典を行ってきました。現在でも，串本町はトルコのメルシン市・ヤカケント町と姉妹都市の関係を結び，交流を続けています。

❸乗組員の慰霊碑(和歌山県串本町)

どの**欧化政策**を採りつつ，条約改正交渉に臨みました。井上や，続いて外務大臣(外相)になった大隈重信p.183❾による交渉では，領事裁判権p.160を撤廃するかわりに，外国人を裁く裁判に外国人の裁判官を参加させるという条件が日本側から出されましたが，国内からの激しい反対で失敗しました。

条約改正に最も消極的だったイギリス❻も，大日本帝国憲法p.184の発布などを受けて，次第に交渉に応じるようになりました。そして日清戦争p.188直前の1894年，**陸奥宗光**外相は日英通商航海条約を結び，領事裁判権の撤廃に成功しました。ほかの国々とも，同様の改正が実現しました。❶

東アジアの情勢

朝鮮をめぐって，日本は日朝修好条規p.177を結ぶことで朝鮮に清との朝貢関係を断ち切らせたと考えていましたが，清は朝鮮に対する影響力を強化しようと考え，勢力争いをくり広げていました。

1880年代後半以降，朝鮮では日本の勢力が後退する一方❷，清の勢力が強くなりました。清に対抗するため，日本は軍備の増強を図っていきました。さらに，ロシアのシベリア鉄道建設など，列強の東アジア進出に対抗して，日本も朝鮮に進出しなければ危険であるという主張が，日本国内で強まりました。

❹**スエズ運河の開通**(1869年)　10年にわたる困難な工事の末に開通し，ヨーロッパからインドまでの航海日数が，アフリカ南端を経由した場合のおよそ3分の1に短縮されました。

❺**鹿鳴館での舞踏会の様子**(楊洲周延筆　貴顕舞踏の略図　兵庫県　神戸市立博物館蔵)

Combien avez vous de dollars sur vous ! — Dites vite —

❻**ノルマントン号事件**(ビゴー筆)　1886年，イギリス船ノルマントン号が和歌山県沖で沈没し，日本人乗客全員が水死する事件が起こりました。しかし，イギリス領事裁判所は，イギリス人船長に軽いばつをあたえただけだったため，不平等条約の改正を求める世論が高まりました。

❶関税自主権の一部は1894年に回復に成功しましたが，完全な回復は，1911年に小村寿太郎外相がアメリカとの条約に調印して実現しました。
❷急進的な開化を図るグループが日本と結んで政権をうばおうとしましたが，清軍の介入で敗れ，日本の影響力は大きく後退しました。

チェック　帝国主義とはどのような動きか，本文からぬき出しましょう。

トライ　条約改正はどのように実現したか，次の語句を使って説明しましょう。[イギリス／領事裁判権]

Une partie de pêche.
RUSSIE
CORÉE

❶魚つりの会　日清戦争前の，朝鮮をめぐる日本・清・ロシアの関係を，フランス人のジョルジュ・ビゴー(1860～1927)が風刺してえがいた絵です。

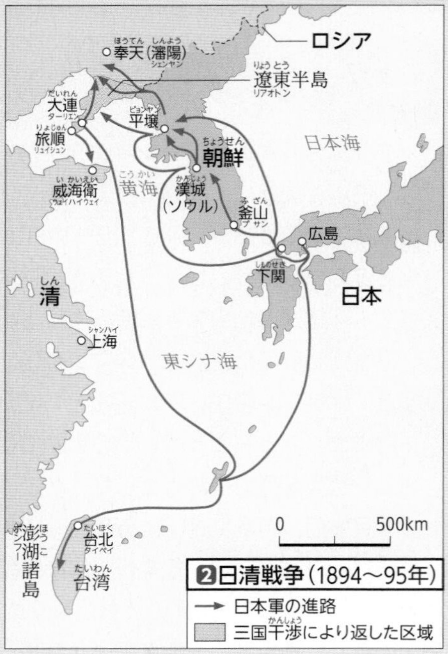

ロシア
奉天(瀋陽)
遼東半島
大連
旅順
平壌
日本海
朝鮮
威海衛
黄海
漢城(ソウル)
釜山
広島
下関
清
日本
上海
東シナ海
台北
澎湖諸島
台湾
0
500km
日本軍の進路
三国干渉により返した区域

❷日清戦争(1894～95年)

2 日清戦争

学習課題　**日清戦争はどのようにして起こり，日本や清にどのような影響をあたえたのでしょうか。**

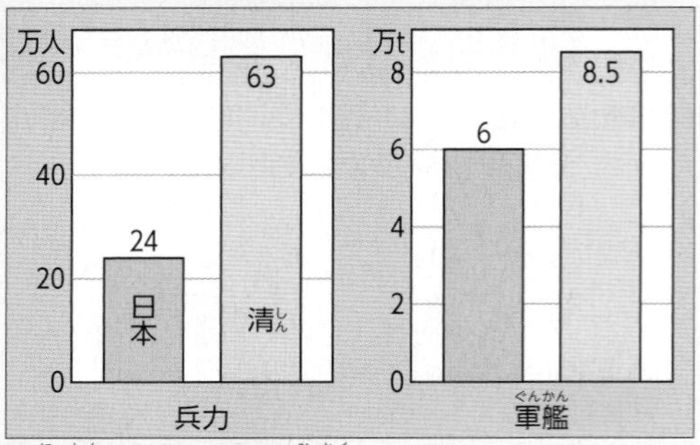

万人
60
40
20
0
24
日本
63
清
兵力
万t
8
6
4
2
0
6
8.5
軍艦

❸日清戦争時の戦力比較

❹下関条約の調印(永地秀太筆　下関講和談判：部分　東京都　明治神宮外苑聖徳記念絵画館蔵)

日清戦争

朝鮮では，1894(明治27)年に，民間信仰を基にした宗教である東学を信仰する団体が組織した農民軍が，朝鮮半島南部一帯で蜂起しました(**甲午農民戦争**p.8)。農民軍は，腐敗した役人の追放といった政治改革や，日本や欧米など外国人の排除を目指しました。

反乱の鎮圧のため，朝鮮政府は清に出兵を求めました。それに対抗して日本も朝鮮に出兵したため，日本と清の軍隊が衝突し，7月，**日清戦争**に発展しました。❶❷❸日本軍は優勢に戦いを進め，1895年4月に**下関条約**が結ばれました。❹この条約で清は，(1)朝鮮の独立を認め，(2)遼東半島・台湾・澎湖諸島を日本にゆずりわたし，(3)賠償金2億両(当時の日本の国家予算の約3.6倍)を支払うことなどが決められました。

台湾を領有した日本は，住民の抵抗を武力でおさえ，強い権限を持つ台湾総督府を設置して，植民地支配を推し進めました。❼

三国干渉と加速する中国侵略

下関条約が結ばれた直後に，ロシアはドイツやフランスとともに，日本が獲得した遼東半島を清に返還するよう勧告してきました(**三国干渉**)。対抗できる力のなかった日本はこれを受け入れました。

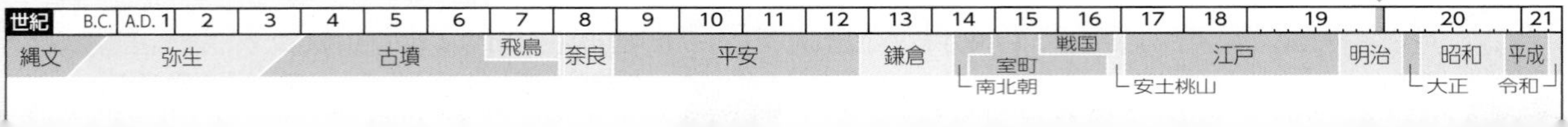

世紀　B.C.　A.D.1　2　3　4　5　6　7　8　9　10　11　12　13　14　15　16　17　18　19　20　21
縄文　弥生　古墳　飛鳥　奈良　平安　鎌倉　室町　南北朝　戦国　安土桃山　江戸　明治　大正　昭和　平成　令和

スキル・アップ 17 風刺画を読み解こう

読み取る

風刺画は，えがく人の主張を伝えるために，人や国，出来事などをこっけいにえがいた絵のことです。風刺画を読み解くことで，当時の人々の考え方や受け止め方を知ることができます。読み取るときは，何が風刺の対象となっているかをつかんだうえで，誇張されたりゆがめられたりしている部分に着目しましょう。

CHINE

5 パイを切り分ける列強 中国分割をえがいた風刺画です。

読み取る 1と5の風刺画はどのようなことを風刺しているか，それぞれ「人物」「魚」「パイ」が表すものに着目して読み取りましょう。

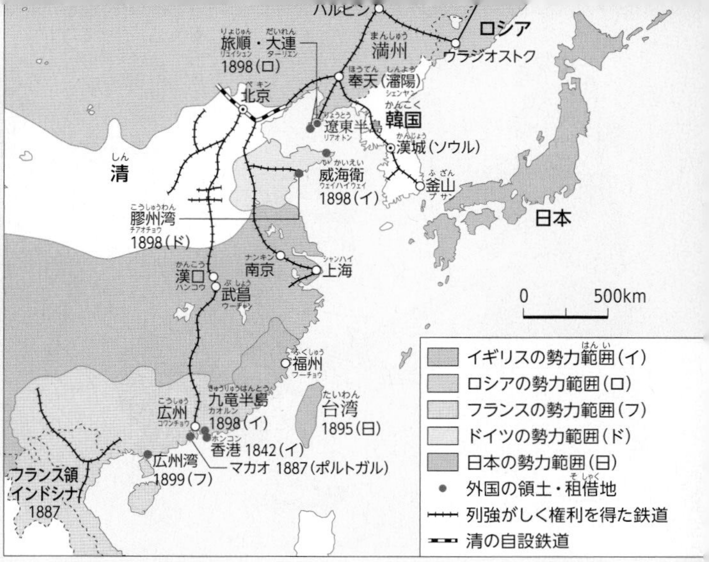

ハルビン
ロシア
旅順・大連 1898(ロ)
満州
ウラジオストク
北京
奉天(瀋陽)
遼東半島
韓国
漢城(ソウル)
清
威海衛 1898(イ)
釜山
膠州湾 1898(ド)
日本
漢口
南京
上海
武昌
0 500km
福州
九竜半島 1898(イ)
広州
台湾 1895(日)
香港 1842(イ)
広州湾 1899(フ)
マカオ 1887(ポルトガル)
フランス領インドシナ 1887
イギリスの勢力範囲(イ)
ロシアの勢力範囲(ロ)
フランスの勢力範囲(フ)
ドイツの勢力範囲(ド)
日本の勢力範囲(日)
外国の領土・租借地
列強がしく権利を得た鉄道
清の自設鉄道

6 列強の中国分割(20世紀初め)

7 八田與一(1886～1942)

台湾の農業発展に貢献

石川県

台湾総督府が植民地支配を進めていた1910年代，総督府の技師だった八田與一は，台湾のかんがい設備が不十分だった嘉南平野に烏山頭ダムをはじめとする嘉南用水路を造り，台湾最大の穀倉地帯に変えました。

日清戦争での清の敗北によって，中国を中心とする東アジアの伝統的な国際関係はくずれました。朝鮮は清からの独立を宣言し，1897年に国名を大韓帝国(韓国)p.90に改めました。清の弱体化を見た列強は競って，港湾の租借権[1]や鉄道の敷設権，鉱山の開発権などの利権を清から手に入れて，それぞれ独占的な勢力範囲を作っていきました(中国分割)[5 6]。なかでも満州(中国東北部)への進出をねらうロシアは，日本が返還した遼東半島の旅順と大連とを租借しました。列強の進出に反発して，清では外国の勢力を排除しようとする運動(義和団)が盛んになりました。p.190

日清戦争後の日本

日清戦争下，日本軍の戦勝を新聞などで知った人々の間で，「自分たちは日本人である」という意識(国民意識)が定着しました[8]。また，三国干渉p.154・285の後には，日本国民の間でロシアへの対抗心が高まりました。政府も，大規模な軍備の拡張を中心に国力の充実を図り，清から得た賠償金も軍備の拡張や工業化のために使われました[9]。

こうした政策を行うためには，議会で大規模な予算を承認してもらう必要がありました。藩閥政府p.169も，それまで対立してきた政党(民党)の協力を得なければならず，政党の力が強まりました。藩閥p.185の伊藤博文p.184[3]も1900年，自ら**立憲政友会**の結成に乗り出しました。立憲政友会はこれ以後の政党の中心になりました。

8 戦争ごっこ 日清戦争以降，戦争や兵隊をまねた遊びが子どもの間で広まりました。

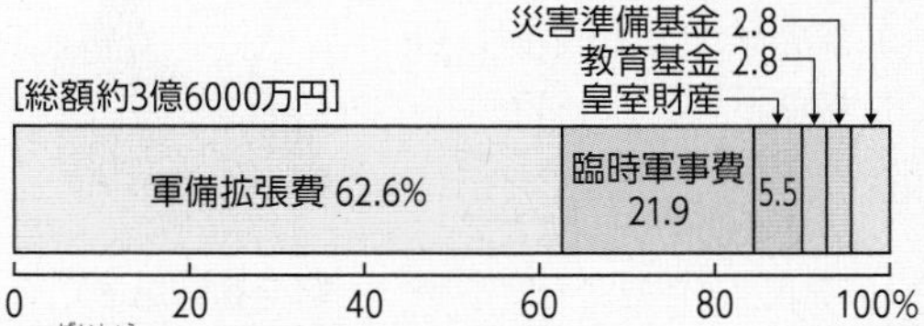

その他 4.4
災害準備基金 2.8
教育基金 2.8
[総額約3億6000万円]
皇室財産
軍備拡張費 62.6%
臨時軍事費 21.9
5.5
0
20
40
60
80
100%

9 賠償金の使い道(「近代日本経済史要覧」) 総額は，賠償金と三国干渉による遼東半島返還の還付金とを合わせた額です。

[1] 租借とは期限付きで借りるという意味ですが，清の支配がおよばないという点では，領土に近いものでした。

チェック 日清戦争のきっかけとなった，朝鮮半島南部での出来事の名称を，本文からぬき出しましょう。

トライ 日清戦争の日本や清への影響について，次の語句を使って説明しましょう。[中国分割／国民意識]

❶東アジアの情勢(ビゴー筆)
日露戦争をめぐる列強の関係をえがいたものです。

読み取る ❶のそれぞれの人物が表す国や，関係を読み取りましょう。

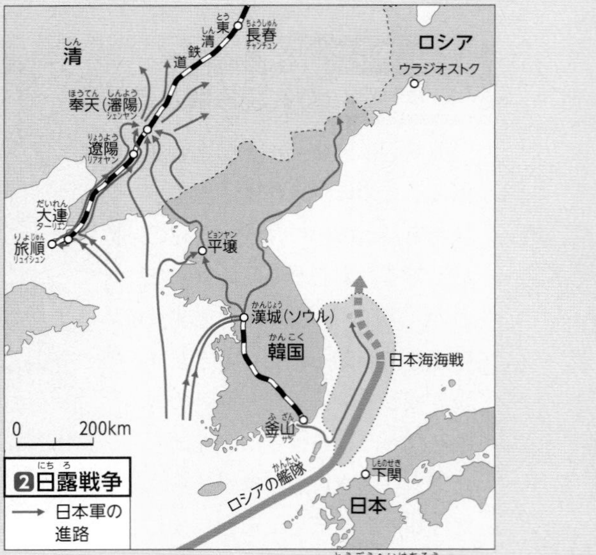

清
東清鉄道
長春
ロシア
ウラジオストク
奉天(瀋陽)
遼陽
大連
旅順
平壌
漢城(ソウル)
韓国
日本海海戦
0
200km
釜山
ロシアの艦隊
下関
日本
日本軍の進路

❷日露戦争

↑1905年5月の日本海海戦では，東郷平八郎(1847～1934)を司令長官とする日本海軍が圧倒的な勝利を収めました。

3 日露戦争

学習課題 日露戦争はどのようにして起こり，日本や国際社会にどのような影響をあたえたのでしょうか。

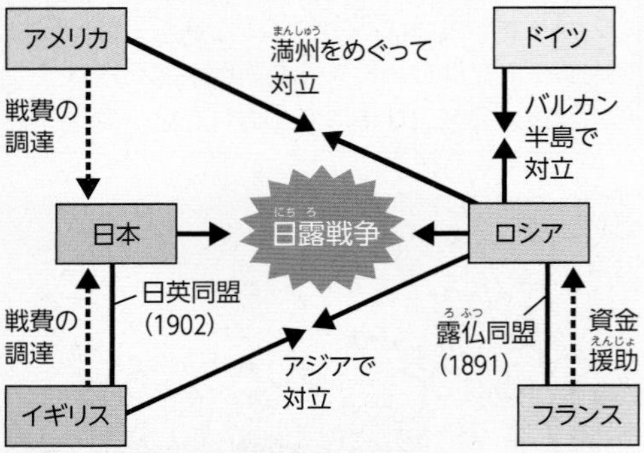

アメリカ
満州をめぐって対立
ドイツ
戦費の調達
バルカン半島で対立
日本
日露戦争
ロシア
日英同盟(1902)
露仏同盟(1891)
戦費の調達
資金援助
アジアで対立
イギリス
フランス

❸日露の対立をめぐる列強の関係

❹君死にたまふことなかれ(部分)

あゝをとうとよ君を泣く
君死にたまふことなかれ
末に生まれし君なれば
親のなさけはまさりしも
親は刃をにぎらせて
人を殺せとをしへしや
人を殺して死ねよとて
二十四までをそだてしや

大阪府

❺与謝野晶子
(1878～1942)

↑歌人の与謝野晶子(p.197)が，日露戦争に出兵した弟を思って，1904年に文芸誌「明星」に発表した詩です。

義和団事件

1899(明治32)年，中国で義和団の勢力が「扶清滅洋(清を扶けて外国勢力を討ち滅ぼす)」を唱えて蜂起し，短期間で中国北部一帯に広がりました。翌年北京にある各国の公使館を包囲し，清政府はこの動きに乗じて列強に宣戦布告しました(**義和団事件**)。列強は連合軍を結成し，日本もその一員として義和団を鎮圧しました。

一方，ロシアは満州に出兵し，事件の後も大軍を満州にとどめました。満州ととなり合う韓国を勢力範囲として確保したい日本と，清での利権を確保したいイギリスは，1902年に**日英同盟**を結び，ロシアに対抗しました❶。戦争の危機がせまる中で，社会主義者の幸徳秋水やキリスト教徒の内村鑑三などは開戦に反対しましたが❹❺❼，ほとんどの新聞は開戦論を主張して世論を動かしました❻。政府は交渉による解決をあきらめて，1904年2月，開戦にふみ切り，**日露戦争**が始まりました❷。

日露戦争

日本軍は，苦戦を重ねながらも戦争を進め，イギリスやアメリカも，戦費の調達などの面で日本を支援しました❸。しかし，日本の戦力は限界に達し，ロシア国内でも専制政治に対する不満から革命運動が起こるな

世紀	B.C.	A.D. 1	2	3	4	5	6	7	8	9	10	11	12	13	14	15	16	17	18	19	20	21

縄文　弥生　古墳　飛鳥　奈良　平安　鎌倉　室町(南北朝)　戦国　江戸(安土桃山)　明治　大正　昭和　平成　令和

日露戦争をめぐる意見

❻七博士意見書　（部分要約）

ロシアは朝鮮で問題を起こそうとしているようである。これは，争いの中心を朝鮮に置いておけば，満州をロシアの勢力内にあると思わせることができるからである。そのため，極東の問題は満州の保全にかかっている。…この好機を失えば，ついに日本の存立を危うくすることを自覚しなければならない。

❼内村鑑三の非戦論　（部分要約）

私は日露非開戦論者であるばかりでなく，戦争絶対的反対論者である。戦争は人を殺すことである。人を殺すことは大罪悪である。大罪悪を犯して，個人も国家も永久に利益を収められるはずがない。…もし，世の中に最もおろかだと称すべきものがあるとすれば，それは剣をもって国の勢いを進歩させようとすることである。

↑七博士意見書は，東京帝国大学などの7人の博士が，1903年に政府に送付した意見書で，新聞にも一部が掲載されました。内村鑑三は，日清戦争のときは「義戦」として戦争に賛成しましたが，その後の朝鮮や日本の状況を見て，非戦論者に変わりました。

❽増税に泣く国民（「東京パック」1908年　さいたま市立漫画会館蔵）

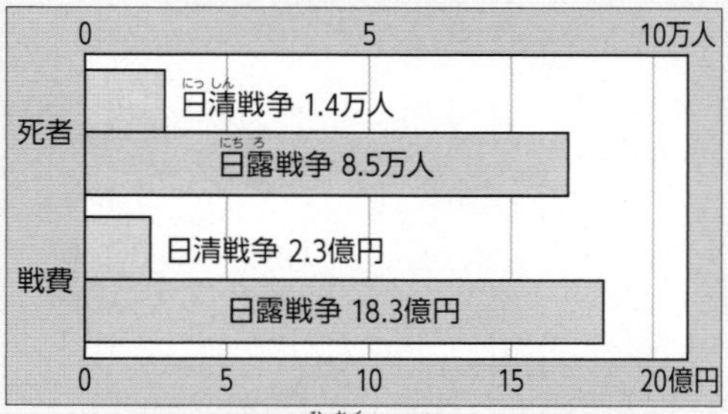

0
5
10万人
死者
日清戦争 1.4万人
日露戦争 8.5万人
戦費
日清戦争 2.3億円
日露戦争 18.3億円
0
5
10
15
20億円

❾日清・日露戦争の比較（「日本長期統計総覧」）

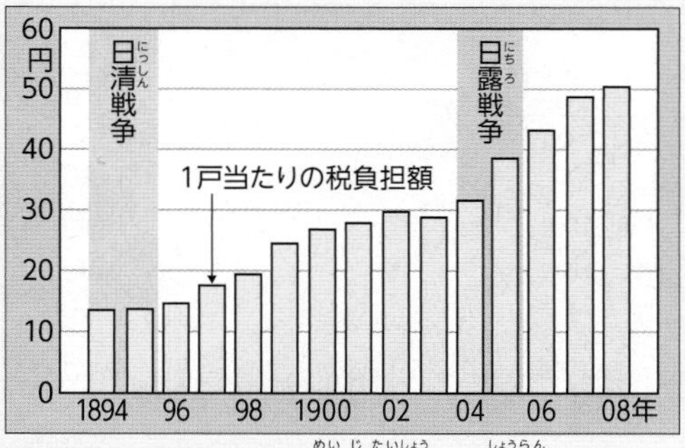

60円
50
40
30
20
10
0
日清戦争
日露戦争
1戸当たりの税負担額
1894
96
98
1900
02
04
06
08年

❿国民の負担の変化（「明治大正財政詳覧」）

ど，両国とも戦争の継続が困難になりました。

日本が1905年5月の日本海海戦❷で勝利したことを機に，アメリカの仲介によって日本とロシアとの間で講和会議が開かれ，9月に**ポーツマス条約**が結ばれました。ロシアは，(1)韓国における日本の優越権を認め，(2)旅順（リュイシュン）や大連（ターリエン）の租借権，長春（チャンチュン）以南の鉄道利権と，(3)北緯50度以南の樺太（サハリン）を日本にゆずりわたすことなどを認めました。

戦争による増税や犠牲に苦しむ国民❽❾❿は，ロシアから賠償金を得ることを強く求めました。しかし，ポーツマス条約で賠償金が得られないことが分かると，国民は激しく政府を攻撃し，東京では暴動にまで発展しました（日比谷焼き打ち事件）。

日露戦争後の日本と国際社会

日露戦争での勝利によって，日本は列強としての国際的な地位を固めました。国民の中には，帝国主義国の一員になったという大国意識が生まれ，p.186・288アジア諸国に対する優越感が強まりました。

一方，日露戦争での日本の勝利は，インドやベトナムなど，欧米列強の植民地であったアジアのさまざまな民族に刺激をあたえ，p.105民族運動が活発化しました。しかし，日本は新たな帝国主義国としてアジアの民族に接することになりました。⓫

見方・考え方　比較　日清戦争と日露戦争による国民の負担とそのちがいについて，❽❾❿から読み取りましょう。

⓫アジアから見た日本の勝利（部分）

日本のロシアにたいする勝利がどれほどアジアの諸国民をよろこばせ，こおどりさせたかを，われわれはみた。ところが，その直後の成果は，少数の侵略的帝国主義諸国のグループに，もう一国をつけくわえたというにすぎなかった。そのにがい結果を，まず最初になめたのは，朝鮮であった。日本の勃興は，朝鮮の没落を意味した。（ジャワーハルラール・ネルー「父が子に語る世界歴史」大山聰訳）

↑後にインドの初代首相となるネルー（p.257❺）が，後にインドの首相となる，娘のインディラの教育のために，手紙の形で書いた文章の一部です。

みんなでチャレンジ　関連

日露戦争の影響を考えよう

日露戦争は日本にどのような影響をあたえたか，次の三つの面から考え，グループで話し合いましょう。

(1)日本政府の外交政策
(2)日本国民の生活
(3)アジアの国々との関係

チェック　日露戦争のきっかけとなった，中国での出来事の名称を，本文からぬき出しましょう。

トライ　日露戦争の日本や世界への影響について，日清戦争と比べながら説明しましょう。

❶朝鮮総督府(左の白い建物)**と朝鮮国時代の王宮**(右)　朝鮮総督府は1910年に設けられ，日本の朝鮮支配の中心になりました(写真は1935年に撮影されたもの)。総督府だった建物は1995年に取りこわされ，建設前にあった王宮の門が復元されました。

❷韓国の皇太子(左)**と伊藤博文**(右)

4 韓国と中国

学習課題 **韓国と中国ではどのような動きが起こり，政治がどのように変化したのでしょうか。**

❸韓国併合を歌った二つの短歌

Ⓐ寺内正毅(初代朝鮮総督)**の歌**

小早川加藤小西が世にあらば
今宵の月をいかに見るらむ

❶豊臣秀吉の朝鮮侵略(p.111)に参加した大名たち。

Ⓑ石川啄木(歌人)**の歌**

地図の上朝鮮国に黒々と
墨をぬりつつ秋風を聴く

読み取る ❸のⒶとⒷの短歌を比べて，よみ手の韓国併合に対する受け取め方のちがいを読み取りましょう。

韓国の植民地化

日露戦争p.190の最中から，日本は韓国の植民地化を考えていました。そして，日本は，1905(明治38)年に韓国の外交権p.284をうばって保護国にし，韓国統監府を置きました。初代の統監には伊藤博文が就任しました。❷

1907年には，日本は韓国の当時の皇帝p.285を退位させ，軍隊も解散させました。韓国の国内では日本に対する抵抗運動が広がり，元兵士たちも農民とともに立ち上がりました(義兵運動)。これは日本軍に鎮圧されましたが，日本の支配に対する抵抗はその後も続けられました。❶

1910年，日本は韓国を併合しました(**韓国併合**❸)。韓国は「朝鮮」に，首都の漢城(ソウル)も「京城」に改称されました。また，強い権限を持つ朝鮮総督府❶を設置して，武力で民衆の抵抗をおさえ，植民地支配を推し進めました。❷学校では，朝鮮の文化や歴史を教えることを厳しく制限し，日本史や日本語を教え，日本人に同化させる教育を行いました。❺植民地支配は，1945(昭和20)年の日本の敗戦p.239まで続きました。

❶1909年には，伊藤博文が満州のハルビン駅で，義兵運動家の青年安重根(アンジュングン)に暗殺される事件が起こりました。
❷土地制度の近代化を目的として日本が行った土地調査事業では，所有権が明確でないとして朝鮮の農民が多くの土地を失いました。こうした人々は，小作人になったり，日本や満州へ移住しなければならなくなったりしました。

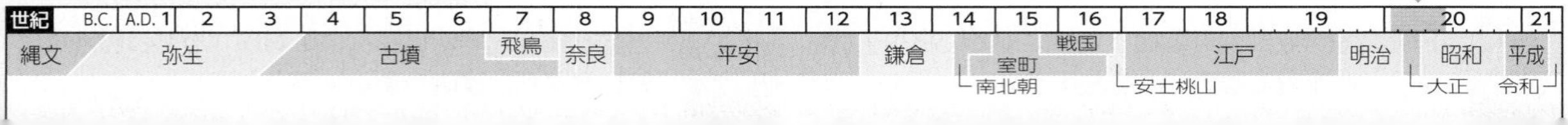

世紀 B.C. A.D. 1 2 3 4 5 6 7 8 9 10 11 12 13 14 15 16 17 18 19 20 21
縄文
弥生
古墳
飛鳥
奈良
平安
鎌倉
室町
戦国
南北朝
江戸
安土桃山
明治
大正
昭和
平成
令和

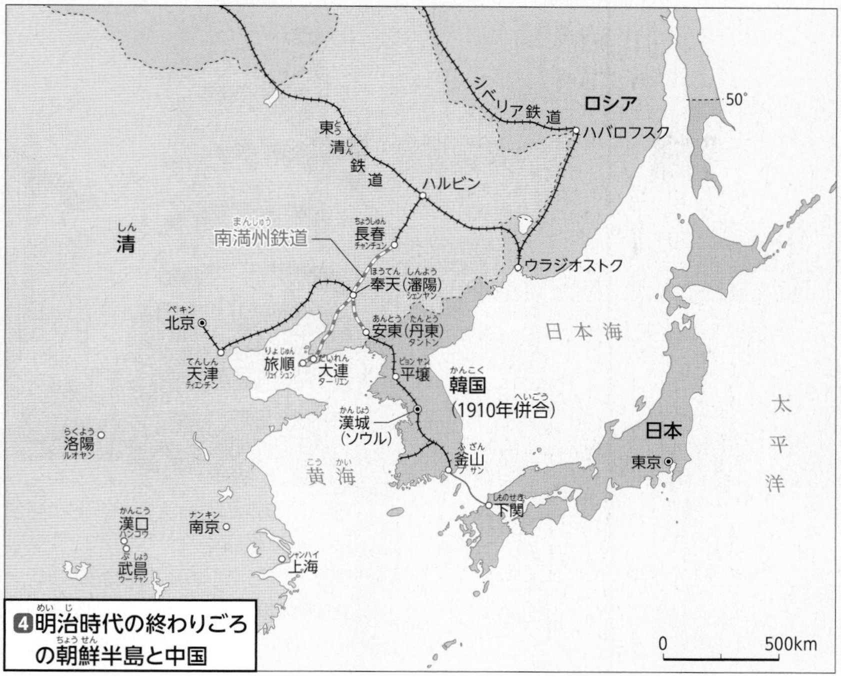

ロシア
シベリア鉄道
ハバロフスク
50°
東清鉄道
ハルビン
清
南満州鉄道
長春
ウラジオストク
奉天(瀋陽)
北京
安東(丹東)
日本海
天津
旅順
大連
平壌
韓国
(1910年併合)
太平洋
漢城
(ソウル)
日本
洛陽
釜山
東京
黄海
下関
漢口
南京
上海
武昌
0
500km

❹明治時代の終わりごろの朝鮮半島と中国

❺日本語で授業を受ける朝鮮の子どもたち

読み取る ❺に写っている大人はどのような人たちか，考えましょう。

満鉄の設立

日露戦争中に日本軍が占領し，ポーツマス条約でさまざまな権利を獲得したことで，日本は満州の南部を勢力範囲にしました。日本は半官半民の**南満州鉄道株式会社**(満鉄)[4][p.288]を設立し，鉄道を中心に，炭鉱や製鉄所を経営するなど，満州での利権を独占していきました。そのため日本は，満州に経済的に進出しようとしたアメリカと，次第に対立するようになりました。

中華民国の成立

中国では，清をたおして漢民族の独立と近代国家の建設を目指す革命運動[p.284]が盛り上がりました。その中心になったのが，**三民主義**[❸]を唱えた**孫文**[❻]です。

1911年，長江中流域の武昌(武漢)で軍隊が反乱を起こすと，革命運動は全国に広がり，多くの省[❹]が清からの独立を宣言しました。翌年，各省の代表者から支持されて孫文が臨時大総統になり，南京でアジア初の共和国である**中華民国**[p.284]の建国が宣言されました。これを**辛亥革命**といいます。

清の実力者であった袁世凱[p.8][p.215❻]は，皇帝を退位させ，清はほろびました。孫文の臨時政府は軍事的に弱かったため，孫文は臨時大総統の地位を袁世凱にゆずりわたしました。袁世凱は首都を北京に移し，独裁的な政治を行いました。袁世凱の死後，中国は各地の軍閥[❺]によってばらばらに支配されるようになりました。

歴史にアクセス　孫文と日本

❻孫文(1866～1925)

孫文は，辛亥革命の母体の一つである中国同盟会を，1905年に東京で結成し，また中国での革命の蜂起に失敗した際には中国から何度も日本に亡命しました。日本との関係は深く，日本には，革命運動家の宮崎滔天や実業家の梅屋庄吉(p.199❼)など，孫文を支援する日本人が多くいました。

しかし，孫文は，列強の一員になった日本の中国での政策を次第に批判するようになりました。1924(大正13)年，孫文は日本に対して，欧米のような「覇道(侵略の道)」を採らず，アジアの民族を解放するための「王道」にもどるように求めました。

❸民族の独立(民族)，政治的な民主化(民権)，民衆の生活の安定(民生)の三つからなる革命の指導理論。
❹中国の地方を区分する最も大きい単位。
❺中央の統制を受けない私兵の集団で，各地に割拠して，それぞれの地域を支配しました。

チェック 日露戦争後，韓国と中国の政治を変えた出来事を，それぞれ本文からぬき出しましょう。

トライ 1911年から12年にかけての中国での動きを，孫文と袁世凱を中心に説明しましょう。

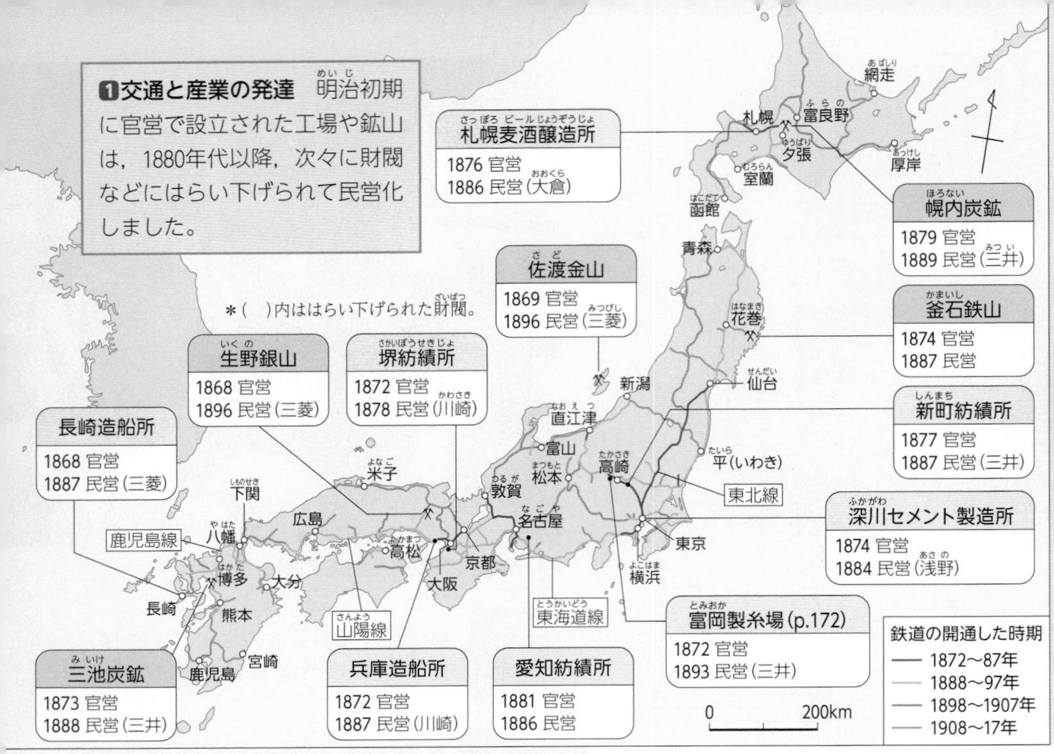
札幌麦酒醸造所
1876 官営
1886 民営(大倉)
幌内炭鉱
1879 官営
1889 民営(三井)
佐渡金山
1869 官営
1896 民営(三菱)
＊(　)内ははらい下げられた財閥。
釜石鉄山
1874 官営
1887 民営
生野銀山
1868 官営
1896 民営(三菱)
堺紡績所
1872 官営
1878 民営(川崎)
長崎造船所
1868 官営
1887 民営(三菱)
新町紡績所
1877 官営
1887 民営(三井)
深川セメント製造所
1874 官営
1884 民営(浅野)
富岡製糸場(p.172)
1872 官営
1893 民営(三井)
三池炭鉱
1873 官営
1888 民営(三井)
兵庫造船所
1872 官営
1887 民営(川崎)
愛知紡績所
1881 官営
1886 民営
鉄道の開通した時期
1872～87年
1888～97年
1898～1907年
1908～17年
0　200km
網走
札幌
富良野
夕張
室蘭
厚岸
函館
青森
花巻
新潟
仙台
直江津
富山
高崎
平(いわき)
東北線
松本
敦賀
米子
下関
名古屋
広島
京都
東京
鹿児島線
八幡
高松
大阪
横浜
博多
大分
東海道線
長崎
熊本
山陽線
宮崎
鹿児島

❶交通と産業の発達　明治初期に官営で設立された工場や鉱山は，1880年代以降，次々に財閥などにはらい下げられて民営化しました。

❷八幡製鉄所　日清戦争で得た賠償金を基に建設され，1901年に操業を開始しました。初めは生産量の低い状況が続きましたが，後に国内の鉄の大半をまかなうようになり，後の重化学工業発展の基礎になりました。

5 産業革命の進展

学習課題　明治時代の産業はどのように発達し，人々の生活にどのような変化をもたらしたのでしょうか。

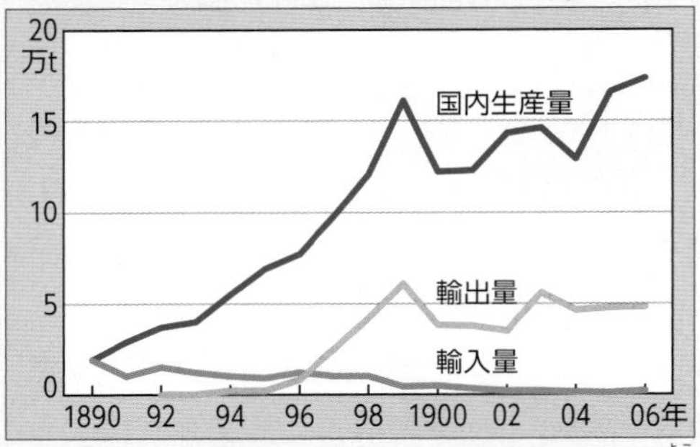
20万t
15
10
5
0
国内生産量
輸出量
輸入量
1890　92　94　96　98　1900　02　04　06年

❸綿糸の生産と貿易の変化(「日本経済統計集」「横浜市史」)

読み取る　綿糸の輸出量が輸入量を上回ったのはなぜか，❸の三つの折れ線の関係に着目して考えましょう。

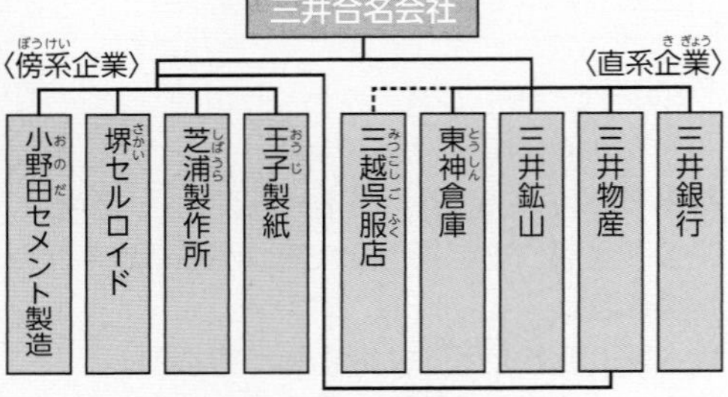
三井合名会社
〈傍系企業〉
〈直系企業〉
小野田セメント製造
堺セルロイド
芝浦製作所
王子製紙
三越呉服店
東神倉庫
三井鉱山
三井物産
三井銀行

[1911年]＊三井合名会社以外は全て株式会社。

❹財閥の仕組み(三井財閥の例)

産業と資本主義の発展

1880年代後半から，日本でも紡績・製糸などの軽工業を中心に産業革命が進みました。

紡績業では大工場が次々に造られ，日清戦争後(p.158)には輸出量が輸入量を上回りました❸。その主な輸出先は朝鮮(p.188)や中国などのアジア諸国でした。製糸業は，主にアメリカ向けの輸出によって発展し，日露戦争後(p.190)には世界最大の輸出国になりました。

動力源である石炭の採掘は，筑豊地域(福岡県)や北海道などで進みました。重化学工業では，日清戦争後に官営の**八幡製鉄所**(p.272)❷が建設されました。

産業の発展は，交通機関の発達に支えられていました❶。鉄道では，1889年に官営の東海道線が全線開通しました。民営鉄道も官営を上回る発展を見せましたが，軍事上・経済上の必要から，1906年に主要な民営鉄道が国有化(p.285)されました。また，海外航路の発達も貿易の発展を支えました。

産業革命が進む中，三井・三菱・住友・安田などの資本家は，金融・貿易・鉱業など，さまざまな業種に進出して，日本の経済を支配する**財閥**❹に成長していきました。

世紀　B.C.　A.D.1　2　3　4　5　6　7　8　9　10　11　12　13　14　15　16　17　18　19　20　21
縄文　弥生　古墳　飛鳥　奈良　平安　鎌倉　南北朝　室町　戦国　安土桃山　江戸　明治　大正　昭和　平成　令和

歴史にアクセス　社会主義の動向と大逆事件　人権 平和

日清戦争後，労働運動が活発化するのにともなって，日本でも社会主義(p.159)が成長しました。1901(明治34)年には，幸徳秋水(p.190)などが日本で最初の社会主義政党である社会民主党を結成しましたが，直ちに解散させられるなど，弾圧されました。

高知県
❺幸徳秋水
(1871～1911)

1910年には，天皇の暗殺を計画したとして，幸徳秋水をはじめ，多数の社会主義者が逮捕され，12人が処刑されました(大逆事件)。しかし，現在では，多くの人が無実だったことが分かっています。

歴史にアクセス　足尾銅山鉱毒事件　環境 エネ　[道徳：渡良瀬川の鉱毒 ▶D]

明治時代になって産出量が飛躍的に増えた足尾銅山は，渡良瀬川の水質汚染や煙害，洪水を引き起こし，1890年には社会問題になりました。衆議院議員の田中正造らが銅山の操業停止を求める運動を進めましたが，政府は操業を停止せず，かわりに汚水対策を行い，洪水対策として谷中村を廃村にし，遊水地にしました。

栃木県
❻田中正造
(1841～1913)

❼煙害で山林がかれた足尾銅山(「風俗画報」増刊)

社会問題の発生

資本主義の発展とともに，労働者が増加しました(p.159)。紡績業や製糸業の労働者は，大半が女子(工女)で，賃金は低く，長時間にわたる厳しい労働をしていました❽。一方，男子の労働者は多くが鉱山や運輸業で働いていました。日清戦争後には労働組合が結成され始め，労働条件の改善を求める労働争議(p.159・289)が増加しました。このため，政府(p.289)は1911年に，12歳未満の就業禁止，労働時間の制限などを定めた工場法を制定しました。しかし，実際にはさまざまな例外規定があり，労働者の置かれた状況はなかなか改善しませんでした。

また，産業が発展する一方で，足尾銅山の鉱毒事件❻❼などの公害問題も発生するようになりました。

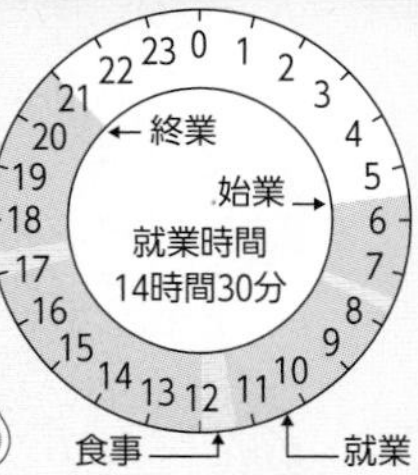

0 1 2 3 4 5 6 7 8 9 10 11 12 13 14 15 16 17 18 19 20 21 22 23
終業
始業
就業時間
14時間30分
食事
就業

❽製糸工場で働く工女(上)とその一日(右)(上：長野県 岡谷市立岡谷蚕糸博物館蔵)　蚕のまゆから生糸(絹糸の原糸)を作る製糸工場は，養蚕業の盛んな長野県や群馬県に多く造られました。(公 地 歴)

地主と小作人

農業では，都市の人口の増加と鉄道の発達を背景に，農作物の商品化が進みました。

資本主義の発展によって，全体的に人々の生活は次第に豊かになっていきましたが，せまい土地しか持たない農民や，生活の苦しさから土地を手放して小作人(p.285)になった人々の中には，子どもを工場に働きに出す人も多くいました。なかには，ハワイなどの海外に移民(p.156)としてわたる人もいました❾。一方，地主の中には，農民から農地を買い集めて経済力をつけ，株式(p.284)などに投資したり，企業(p.288)を作ったりして，資本家になる人も現れました。

❾ハワイのさとうきび畑で働く日系移民(1885年)　1868年にハワイへの移民が始まり，その多くがさとうきびなどの農園で働きました。移民先はその後，アメリカ本土や，ブラジルなどの中南アメリカなどに広がりました。

チェック　1880年代以降に日本で産業革命が進んだ軽工業の分野を，本文から二つぬき出しましょう。

トライ　産業と資本主義の発展によって，日本ではどのような社会問題が発生したか，説明しましょう。

❶横山大観「無我」(1897年作)(東京国立博物館蔵)

❷黒田清輝「読書」(1891年作)(東京国立博物館蔵)

考える
(1)❶❷の特徴を表しているものを，次からそれぞれ選びましょう。
①欧米の美術の手法を取り入れた日本美術の作品
②欧米の美術そのものの作品
(2)❽のⒶとⒷのうち，文語体と口語体(言文一致体)はそれぞれどちらか，考えましょう。

新しい美術　明治時代には，欧米の美術に影響を受けた新しい美術の流れが生まれました。

6 近代文化の形成

学習課題 明治時代の文化は，どのような特色を持っていたのでしょうか。

重

❸高村光雲「老猿」(1893年作)(東京国立博物館蔵　高さ90.9cm)

❹滝廉太郎(1879～1903)

日本語のひびきに合った洋楽の楽曲を作る

代表作の「荒城の月」や「箱根八里」は，文部省が作った中学校用の唱歌集に収められました。(大分県　瀧廉太郎記念館蔵)

大分県

日本の美と欧米の美

19世紀の終わりごろ，日本の文化は，欧米の文化を取り入れつつ，いかに新しい日本の文化を創り出していくかという課題に直面していました。

美術では，アメリカ人のフェノロサが岡倉天心と協力して日本の美術の復興に努めたため，明治維新p.168の時期にいったん否定された日本の伝統の価値が，じょじょに見直されるようになりました。また，日本画の**横山大観**❶や彫刻の高村光雲❸などが，欧米の美術の手法を取り入れた近代の日本美術を切り開きました。巻頭2⓮

その一方で，欧米の美術そのものも，日本に導入されました。フランスに留学した**黒田清輝**❷が印象派の明るい画風を紹介し，ロダンに師事した荻原守衛は欧米風の近代彫刻を制作しました。巻頭2⓯

音楽では，滝廉太郎❹が「荒城の月」や「花」などを作曲して，洋楽の道を開きました。

新しい文章

文学では，それまでの文語表現にかわって，話し言葉(口語)のままで文章を書く，言文一致の文体を作り出すことが重要でした。二葉亭四迷が小説で使用したのをきっかけに，口語表現は新しい表現方法として次

世紀　B.C.　A.D.1　2　3　4　5　6　7　8　9　10　11　12　13　14　15　16　17　18　19　20　21
縄文　弥生　古墳　飛鳥　奈良　平安　鎌倉　室町　南北朝　戦国　安土桃山　江戸　明治　大正　昭和　平成　令和

歴史にアクセス　全ての子どもに教育を

人権　平和

石井十次は，1887年に岡山県に孤児院を作って，全国から孤児や災害にあった子どもを引き取りました。その後，宮崎の茶臼原に移って，子どもたちと開拓しながら教育を行い，孤児の救済に生涯をささげました。また，留岡幸助は，1899年に東京に「家庭学校」を設け，家庭的にめぐまれない子どもたちを教育し，後には北海道に分校と農場を作りました。

大正時代に入ると，民主主義の考えが広がり，政府も社会福祉に取り組み始めました。

宮崎県
5石井十次（1865～1914）

岡山県
6留岡幸助（1864～1934）

7茶臼原小学校（1910年ごろ）

第に広まりました。正岡子規は，現実を客観的に表現することを重視した，俳句や短歌の革新運動を進めました。

日清戦争の前後には，個人の感情などを重視するロマン主義が主流になりました。p.188 短歌の与謝野晶子，小説の**樋口一葉**など女性の文学者が活躍したのも，この時期の大きな特徴です。p.190 5 日露戦争の前後には，社会の現実を直視する自然主義が主流になる一方で，p.190 **夏目漱石**と**森鷗外**89は，欧米の文化に向き合う知識人の視点から小説を発表していきました。

学校教育の普及

明治初期に学制が制定され，小学校が各地に建設された結果，小学校の就学率は1891（明治24）年に50％をこえました。さらに1907年には97％に達し，義務教育の期間も3，4年から6年に延長されました。10 こうして，p.154・284 国民への教育の基礎が固まりました。567 また，小学校だけでなく，中等・高等教育も拡充され，女子の教育も重視されるようになりました。

教育の広がりの中で，近代的な学問も発展しました。特に自然科学では，19世紀末から，細菌学の北里柴三郎や**野口英世**11，p.286 物理学の長岡半太郎など，世界的に最先端の研究を行う科学者が現れました。12

8森鷗外の小説（冒頭の部分）

Ⓐ**舞姫**
石炭をば早や積み果てつ。中等室の卓のほとりはいと静にて，熾熱燈の光の晴れがましきも徒なり。…

Ⓑ**最後の一句**
元文三年❶十一月二十三日のことである。大阪で，船乗り業桂屋太郎兵衛という者を，木津川口で三日間さらしたうえ，斬罪に処すると，高札に書いて立てられた。…

❶一七三八年。

島根県
9森鷗外（1862～1922）

国語：夏目漱石「坊っちゃん」 ▶D

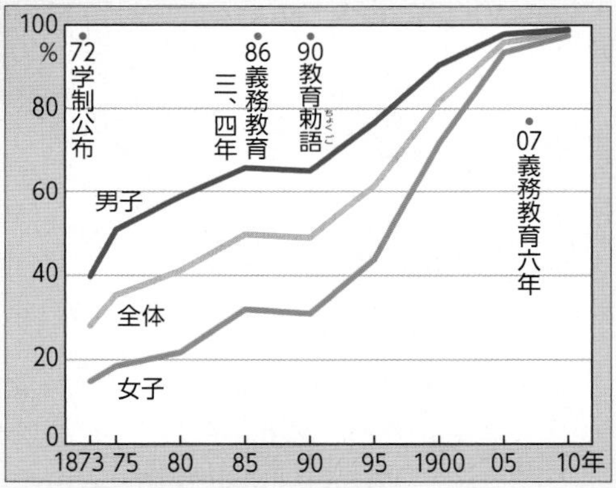
100
%
80
60
40
20
0
72 学制公布
86 義務教育三，四年
90 教育勅語
07 義務教育六年
男子
全体
女子
1873 75 80 85 90 95 1900 05 10年
10就学率の変化（「学制百年史」）

11野口英世（1876～1928）
細菌学の研究に貢献
細菌学者で，ノーベル賞の候補にも挙がりました。しかし，現在のガーナで黄熱病の研究中に自らも感染し，命を落としました。

福島県

1890	北里柴三郎，破傷風の血清療法を発見
1894	高峰譲吉，タカジアスターゼを創製
1897	志賀潔，赤痢菌を発見
1898	大森房吉，地震計を発明
1902	木村栄，緯度の変化の研究
1903	長岡半太郎，原子模型の研究
1910	鈴木梅太郎，ビタミンB1を創製
1918	野口英世，エクアドルで黄熱病を研究

12自然科学の発達

チェック　19世紀の終わりごろの日本の文化の課題は何か，本文からぬき出しましょう。

トライ　明治時代に(1)美術，(2)文学はどのように変化したか，それぞれ20字程度で説明しましょう。

探究のステップに取り組もう（p.203）

メディアの発達が日本を変えた

現代につながるマスメディアや情報環境がどのように成立したか，見てみましょう。

❶ペリーが幕府に献上したモールス式電信機（東京都　郵政博物館蔵　台の長さ78cm）　電信とは，文字を電気の信号に置きかえて送信する方法です。欧米では19世紀初めに導入され始めました。

❷急ごしらえされた電信柱（三代目歌川広重筆　東海名所改正道中記　程ケ谷　神奈川県　横浜市中央図書館蔵）　現在の横浜市にあった東海道の宿場町の，1875年ごろの様子です。急速な工事のため，沿道の並木が電信柱のかわりに利用されています。

❸電話交換手（1933年）　当初の電話は，回線の接続を人の手で行っていました。電話交換手は女性が担うようになり，当時の女性にとってあこがれの職業でした。

公 地 歴

電信・電話の導入

明治新政府の第一の課題は，政府の意向をすみやかに地方のすみずみにまで行きわたらせることでした。そのためには，国全体に情報網を作りあげなければなりませんでした。

1869（明治２）年に，東京・横浜間で電信[1]が始まりましたが[2]，これは東京・京都・大阪間で近代的な郵便が始まるより前のことでした。さらに，1871年にはデンマークの電信会社が長崎・上海間，次いで長崎・ウラジオストク間に海底ケーブルを設置して，世界と情報の伝達ができるようになりました。

電信の導入は欧米から大きく後れましたが，電話の導入は欧米とほぼ同時でした。アメリカでベルが電話を発明した翌年の1877年には，いち早く日本の官庁へ導入され，一般への実用化が始まったのです。[3]

こうして，明治時代の中ごろまでには，電信・電話を基礎とした，近代的な情報網が作られました。

新聞・雑誌の誕生

日本初の日刊新聞は，1870年に創刊された「横浜毎日新聞[4]」でした。しかし，このころの新聞は，本と同じ体裁をしているものが主で，10日ごと，７日ごと，３日ごとの発行が多く，雑誌との区別が不明確でした。その後，1872年にイギリス人のブラックによって「日新真事誌」が，続いて日本人によって「東京日日新聞」（現在の毎日新聞）が創刊されると，本格的な日刊新聞の時代に突入しました。

一方，評論・解説・娯楽などの情報を提供する定期刊行物としての雑誌が，新聞から明確に独立したのは，1874年創刊の「明六雑誌」からでした。明六雑誌の創刊には，森有礼や福沢諭吉p.173などが関わり，欧米の思想を広める役割を果たしました。さらに1880年代後半になると，国民意識の高まりと出版社の近代化を背景に，徳富蘇峰[5]の「国民之友[6]」といった本格

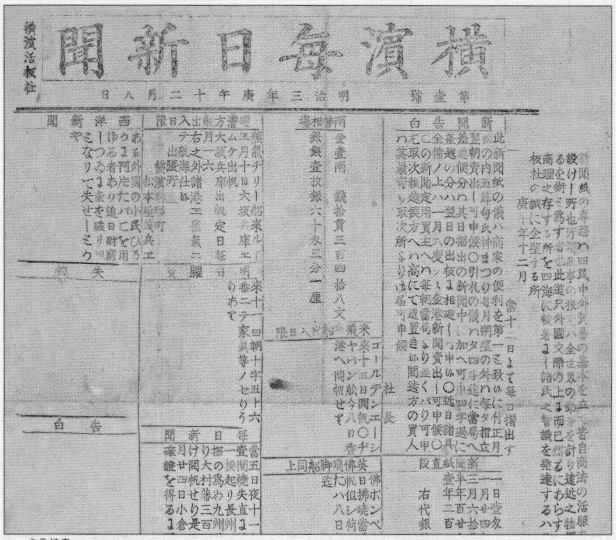
横濱毎日新聞
第壹號

❹横浜毎日新聞の創刊号（東京都　国立国会図書館蔵）　洋紙に木製の活字で印刷されました。

的な雑誌が登場し，1890年代には「太陽」や「中央公論」といった総合雑誌が相次いで創刊されました。

　このように，新聞と雑誌は，洋紙となまりの活字による活版印刷を用い，情報を大量に伝達する新しいメディア[p.173]でした。

映画・ラジオと大衆社会

　第一次世界大戦後，日本で「大衆」[p.287]が出現するのに応じて，メディアもマス（大衆）を対象とする「マスメディア」として大きく発達しました。

　映画[p.289]については，1910年代から20年代[p.220]にかけて，浅草・新宿など都市の繁華街に映画の常設館街ができました。また，1912年に日本活動写真株式会社（日活）[p.220❶]が創立されるなど[❼]，国産映画を安定して供給できる体制が成立しました。こうして映画は，安価で手軽な娯楽として，大衆の間に定着していきました。[❽]

　ラジオについては，普通選挙法[p.219]成立直前の1925年3月，東京放送局（JOAK）が日本で最初の放送を行いました。翌26年には東京・大阪・名古屋の3放送局が合併されて，日本放送協会（NHK）が誕生しました。1931（昭和6）年の満州事変や1932年のロサンゼルスオリンピックで，ラジオは速報力を発揮し，聴取者を大幅に増加させ，1944年末には普及率[p.220❹]が全世帯の50%をこえました。

　こうして，近代のマスメディアが出そろい，情報環境が整いました。

熊本県

→**❺徳富蘇峰**（1863～1957）（東京都　国立国会図書館蔵）

THE NATION'S FRIEND
政治社會經濟
及文學之評論
國民之友
第壹號
東京
民友社

→**❻「国民之友」創刊号の表紙**（東京都　日本近代文学館蔵）　民権派の徳富蘇峰が作った民友社が発刊しました。蘇峰は「国民之友」を通じて，政府による欧化（西洋化）政策を批判し，民衆の立場から近代化を進めるべきとする平民主義を主張しましたが，後に国家主義（p.285）へと変わっていきました。

長崎県

❼梅屋庄吉（1869～1934）

映画の普及に貢献

　長崎出身の貿易商梅屋庄吉が設立したM・パテー商会など，4社が合併して，日本活動写真株式会社（日活）が成立しました。日活は，1920年代の映画の発展に重要な役割を果たしました。

❽日本初の本格的な発声映画（トーキー）（「マダムと女房」　1931年上映）　トーキーとは，音声入りの映画のことです。それまでの映画は無声（サイレント）で，活動弁士と呼ばれる人たちが，内容を語りで表現し，観客を盛り上げていました。

マスメディアと政府

　映画やラジオといった，映像や音声を伝えるマスメディアは，新聞や雑誌といった印刷物のマスメディア以上に，短期間に広く普及しました。このような中，マスメディアをうまく活用して，大衆に「国民」としての一体感をあたえようとする政治家も現れました。特に1937年に始まる日中戦争（p.230）以後になると，政府がマスメディアの有用性に着目して，日本の立場を宣伝し，国民を鼓舞するために広く利用するようになりました。

読み取る　❹から，現在の新聞と共通する点と異なる点を読み取りましょう。

見方・考え方　現在　本文に登場するメディアは，現在の私たちの生活にどのように関わっているか，調べましょう。

地域の歴史を調べよう－4

多文化共生都市・神戸

兵庫県神戸市

p.14～17も参照しながら，特に考察の段階を中心に見ていきましょう。

兵庫県
風見鶏の館（旧トーマス住宅）
神戸市
旧居留地十五番館
0 20km

テーマの設定

1　外国文化が息づく港町，神戸

私たちは授業で，1858年の日米修好通商条約に基づいて，私たちの暮らす神戸が開港され，海外からさまざまな人や物，文化が入ってきたことを学習しました。そして，かつて神戸の北野町周辺を訪れた際に，西洋風の家がいくつも残されていたことを思い出しました。そこで，神戸に残る，海外に由来する建物について調べることにしました。

重

❶風見鶏の館（旧トーマス住宅）　ドイツ人の貿易商が1909年ごろに北野町に建てたものです。

- 日米修好通商条約に定められた開港地は兵庫だったが，最終的に神戸が開港した。港の周りに外国人が暮らす居留地が設けられたが，周辺の北野町なども，外国人も暮らしてよい雑居地として定められ，多くの外国人が移り住んだ。

学習課題　神戸には開港後，海外に由来するどのような建物が造られたのだろう。

調査

2　神戸市内のフィールドワーク

私たちは，手分けをして神戸の旧居留地・雑居地を回り，海外に由来する建物をフィールドワークの形で調査しました。海外に由来する建物を見つけたら，写真をとり，地図に印を付け，気付いたことや分かったことをメモに取りました。

- 開港後，神戸に暮らす外国人の数は増加し，19世紀末には約2000人にも上った。外国人向けの食べ物や生活用品も作られるようになり，現在も，中華料理やインド料理，洋菓子やパンを製造・販売する店が多く見られる。
- 現在では，５万人近くの外国人が神戸に暮らしている。その内訳は，韓国・朝鮮の人が最も多く，次いで中国，ベトナム，フィリピン，アメリカ，インドの人が多い。

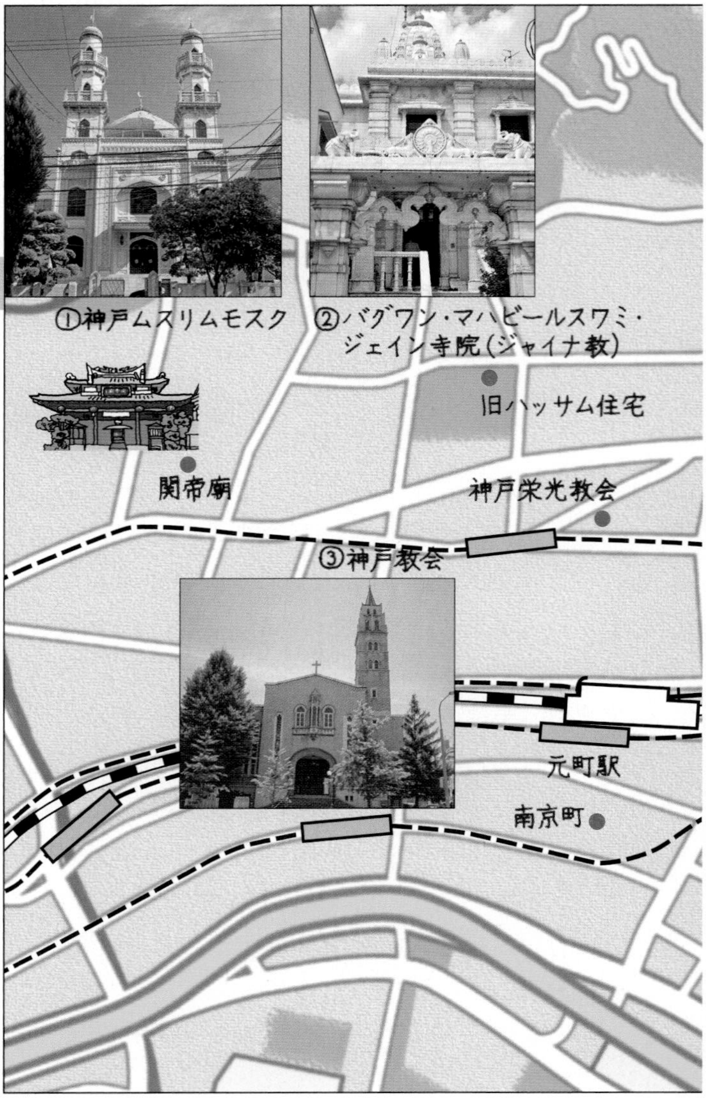

①神戸ムスリムモスク
②バグワン・マハビールスワミ・ジェイン寺院（ジャイナ教）
旧ハッサム住宅
関帝廟
神戸栄光教会
③神戸教会
元町駅
南京町

重

←❷旧居留地十五番館での調査　アメリカの領事館として1880年に建てられました。

3　表を使った共有と考察

比較

調査を進めると，神戸には，さまざまな国や地域，宗教に関わる建物があることが分かりました。そこで，調査した建物を，国や地域，使用方法などで分類して表(マトリックス)にまとめ，グループで共有しました。

表から，神戸に伝わった文化が多様であることが分かりました。また神戸には，現在もこうした多様な文化が日常生活に根付いており，多様な文化を受け入れ，共生することで発展してきたのだと考えました。

地域	種類	住宅	宗教	政治・企業・店舗
欧米	アメリカ	萌黄の館（旧シャープ住宅）	キリスト教 神戸教会 カトリック神戸中央教会 神戸栄光教会 神戸ハリストス正教会 ユダヤ教 神戸シナゴーグ	旧居留地十五番館［元領事館］ 旧居留地38番館［元銀行］ チャータードビル［元銀行］ 西洋料理店 洋菓子店 パン屋
	イギリス	旧ハッサム住宅 シュウエケ邸		
	ドイツ	風見鶏の館（旧トーマス住宅） うろこの家（旧ハリヤー邸）		
	フランス	ラインの館（旧ドレウェル邸）		
アジア	中国		道教 関帝廟	南京町 中華料理店
	インド		ジャイナ教 バグワン・マハビールスワミ・ジェイン寺院	インド料理店
	イスラム世界		イスラム教 神戸ムスリムモスク	ハラル食品をあつかう食品店・料理店

❸作成した表

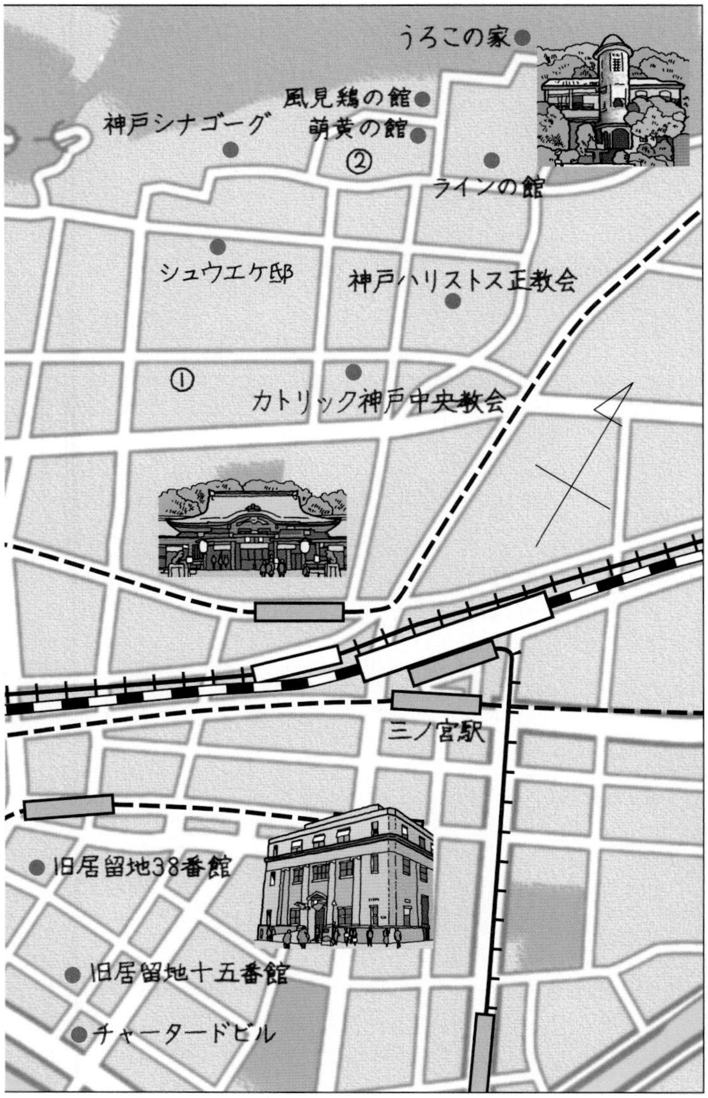

うろこの家
風見鶏の館
神戸シナゴーグ
萌黄の館
②
ラインの館
シュウエケ邸
神戸ハリストス正教会
①
カトリック神戸中央教会
三ノ宮駅
旧居留地38番館
旧居留地十五番館
チャータードビル

スキル・アップ 18　表(マトリックス)を使って考察しよう

まとめる

表(マトリックス)を使ってまとめることで，調査したことや考えたことを分類して整理することができます。さらに，各項目(こうもく)に書かれた事項(じこう)の多少や内容に着目して考察することで，特色や傾向(けいこう)をとらえることができます。また，グループで学習を進める際に，調査内容を整理して共有でき，考察しやすくなります。

4　イラストマップを使った発信

神戸の多様性や多文化共生についてより多くの人に知ってもらうために，調査や考察の過程で作成したイラストマップと表を分かりやすく作り直し，公民館に掲示(けいじ)してもらうことにしました。イラストマップを目にした人からは,「神戸の魅力(みりょく)に改めて気付くことができた」という感想をもらいました。

←❹作成したイラストマップ　↑❺南京町(なんきんまち)の春節の様子

考察　まとめ

プラス
●神戸には，建物のほかに，海外に由来するものがないか調べてみましょう。
●ほかの開港地についても調べて，神戸と比べてみましょう。

基礎・基本のまとめ

近代(前半)の学習をふり返ろう

1

次の語句は，この章で学習したものです。どのような意味の語句か，自分の言葉でそれぞれ説明しましょう。うまく説明できない場合は，掲載(けいさい)されていたページにもどって確認(かくにん)しましょう。

p.152 ❶フランス人権宣言□ p.158 ❷産業革命□ p.163 ❸日米修好通商条約□ p.167 ❹大政奉還□ p.169 ❺廃藩置県□

p.172 ❻富国強兵□ p.182 ❼自由民権運動□ p.184 ❽大日本帝国憲法□ p.186 ❾条約改正□ p.192 ❿韓国併合□

2

下の年表の空欄(くうらん)[A]から[E]に当てはまる語句を，次からそれぞれ選びましょう。

王政復古　　ポーツマス条約　　南北戦争　　アヘン戦争　　北海道

3

下の年表について，次の問いに答えましょう。

(1)「開国」が経済や社会にあたえた影響(えいきょう)について考え，矢印で結びましょう。

(2)日清(にっしん)戦争直前の，陸奥宗光(むつむねみつ)外相のときに日本が成功したことは何か，読み取りましょう。また，最初に交渉(こうしょう)に応じた国はどこか答えましょう。

(3)「三国干渉(かんしょう)」の「三国」とはどこか，またその結果どうなったか，説明しましょう。

4

右ページ上の二つの資料について，次の問いに答えましょう。

(1)左の図は，大日本帝国(ていこく)憲法に定められた国の仕組みを示したものです。空欄[ア]から[ウ]に当てはまる語句をそれぞれ答えましょう。

(2)右の地図は，20世紀初めの，列強によるアフリカ分割の様子を示したものです。空欄[エ]・[オ]に当てはまる国名をそれぞれ答えましょう。

(3)(2)のように，アジア・アフリカなどが列強によって分割(ぶんかつ)される動きを何というか，答えましょう。

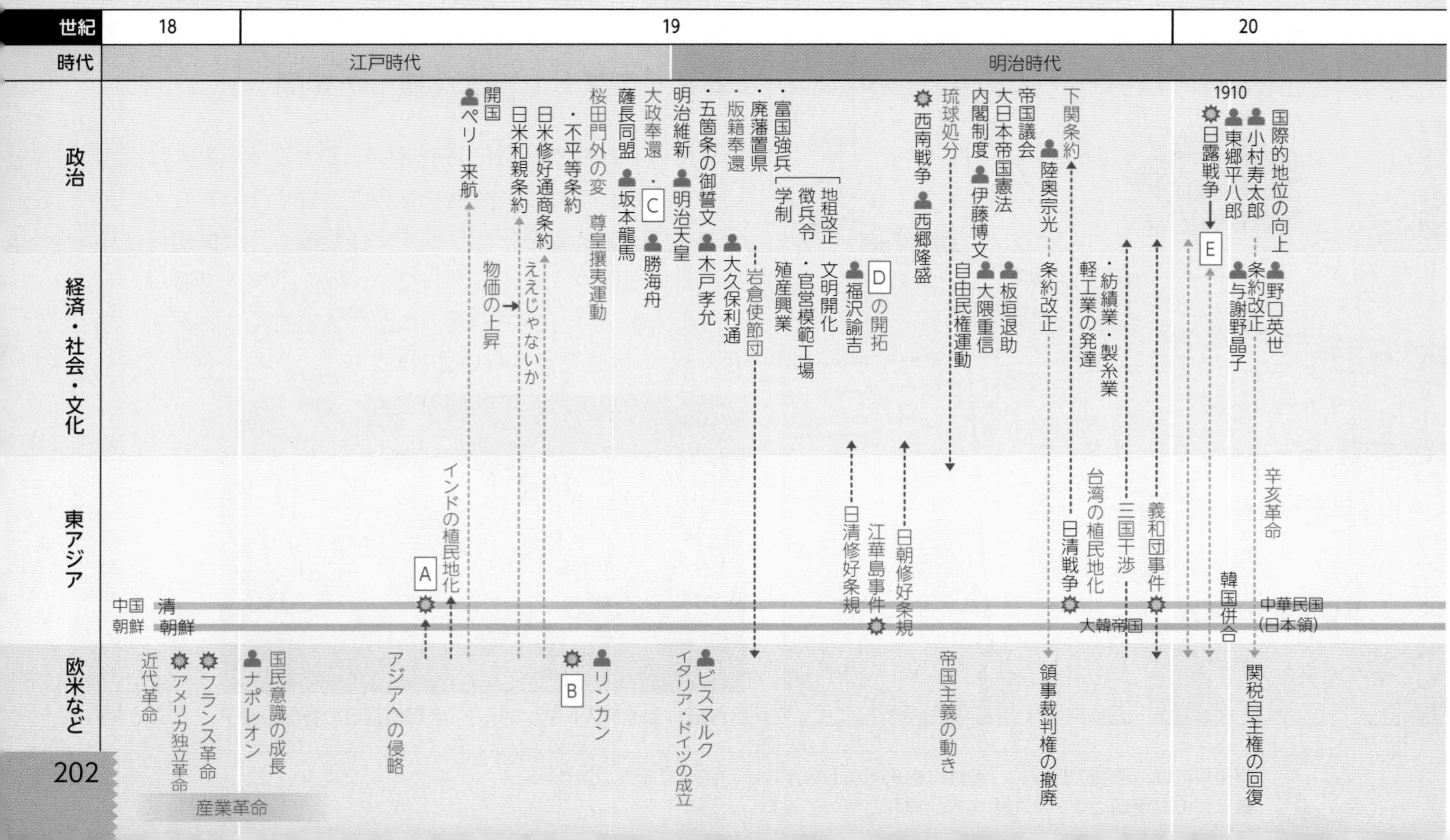

世紀
18
19
20
時代
江戸時代
明治時代
政治
経済・社会・文化
東アジア
欧米など
開国
ペリー来航
物価の上昇
ええじゃないか
日米和親条約
日米修好通商条約
・不平等条約
桜田門外の変
尊皇攘夷運動
薩長同盟
坂本龍馬
勝海舟
大政奉還・C
明治維新
明治天皇
・五箇条の御誓文
木戸孝允
・版籍奉還
大久保利通
岩倉使節団
・廃藩置県
・富国強兵
地租改正
徴兵令
学制
文明開化
・官営模範工場
殖産興業
福沢諭吉
D の開拓
西南戦争
西郷隆盛
琉球処分
自由民権運動
内閣制度
伊藤博文
大隈重信
大日本帝国憲法
帝国議会
板垣退助
陸奥宗光
条約改正
下関条約
軽工業の発達
・紡績業・製糸業
1910
日露戦争
E
東郷平八郎
小村寿太郎
与謝野晶子
条約改正
国際的地位の向上
野口英世
インドの植民地化
A
日清修好条規
江華島事件
日朝修好条規
日清戦争
台湾の植民地化
三国干渉
義和団事件
韓国併合
辛亥革命
中国 清
朝鮮 朝鮮
大韓帝国
中華民国
(日本領)
近代革命
アメリカ独立革命
フランス革命
国民意識の成長
ナポレオン
アジアへの侵略
B
リンカン
ビスマルク
イタリア・ドイツの成立
帝国主義の動き
領事裁判権の撤廃
関税自主権の回復
産業革命

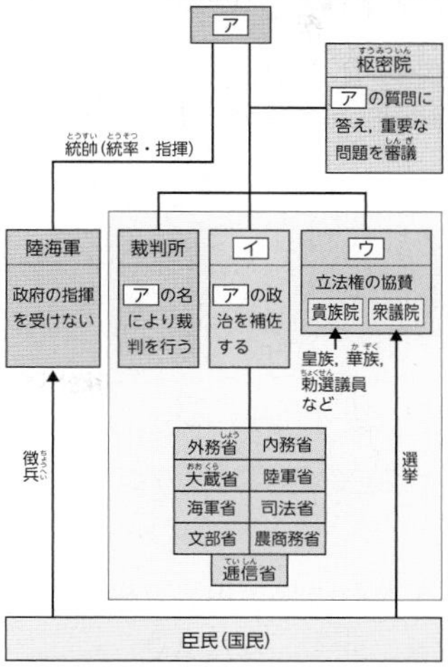

ア
枢密院
アの質問に答え，重要な問題を審議
統帥（統率・指揮）
陸海軍
政府の指揮を受けない
裁判所
アの名により裁判を行う
イ
アの政治を補佐する
ウ
立法権の協賛
貴族院
衆議院
皇族，華族，勅選議員など
外務省
内務省
大蔵省
陸軍省
海軍省
司法省
文部省
農商務省
逓信省
徴兵
選挙
臣民（国民）

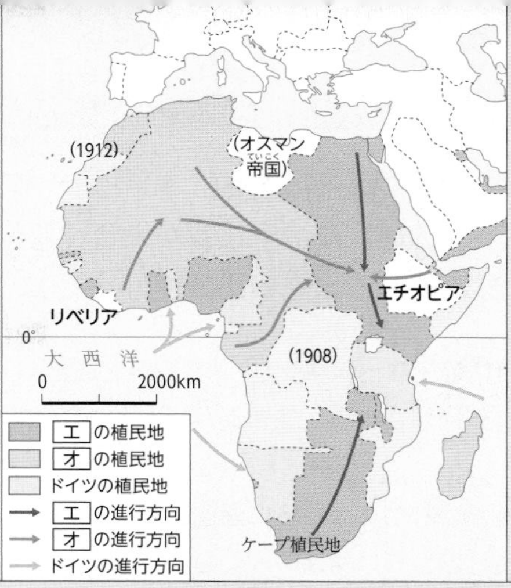

(1912)
（オスマン帝国）
エチオピア
リベリア
0°
大西洋
0
2000km
(1908)
ケープ植民地
エの植民地
オの植民地
ドイツの植民地
エの進行方向
オの進行方向
ドイツの進行方向

探究のステップ　節の課題を解決しよう（各節の学習の最後に取り組みましょう）

① なぜ欧米諸国は世界に先がけて発展したのでしょうか。	イギリスやアメリカ，フランスでは，革命によって社会が大きく変わったね。	「国民」としてのまとまりが生まれ，経済の仕組みも大きく変わったね。	→
② 欧米とアジアとの関係が変化する中，なぜ江戸幕府はほろんだのでしょうか。	ペリーが来航して開国したことで，社会や経済が大きな影響を受けたね。	民衆の生活が苦しくなる中，外国と衝突したり，国内で対立が生じたりしたね。	→
③ なぜ日本ではほかのアジア諸国に先がけて，近代化が進んだのでしょうか。	短い期間に，日本の政治・経済・社会が江戸時代から大きく変わったね。	日本は，欧米や東アジアの国々と，どのような外交関係を結んだのかな。	→
④ 近代化を進める中で，なぜ日本は中国やロシアと戦争をすることになったのでしょうか。	日清・日露戦争は，欧米の列強が帝国主義の動きを強める中で起こったんだね。	中国やロシアとの戦争の結果，日本はどのような国になったのかな。	→

近代（前半）の探究課題を解決しよう

探究課題　近代化によって，日本の国家や社会はどのように変化したのでしょうか。 →

小学校では近代化を進めた人々や出来事について学習したけど，中学校では，世界の動きや，政治や経済の変化について学習したね。

国境や領土も確定し，憲法や議会などの政治制度も整えられてきたよ。

欧米諸国との対等な外交関係も実現したね。日清・日露戦争に勝利して，韓国を植民地にしたね。

日本の動きだけでなく，背景となった世界の動きや，現在の日本とのつながりにも着目する必要がありそうですね。

まとめの活動 日本と世界との結び付きを考えよう

関連

この章では，「開国と近代日本の歩み」というテーマで，主に幕末から明治時代の世界と日本について学習してきました。明治時代には，政治や社会が大きく変化したことに加え，世界との結び付きも強くなりました。ここでは，日本や世界に関わる出来事を関連付けることを通じて，この時代の特色をまとめましょう。

みんなでチャレンジ

(1)この時代の主な出来事を「ウェビング」で整理しましょう。まず，テーマとして「日本の近代化」を中心に書き，そこから連想される，この時代の「日本の出来事」を，p.202の年表などを参考にして書き出し，線でつなぎましょう。

(2)書き出した「日本の出来事」から，さらに連想される「日本の出来事」を次々に書き出し，線でつなぎましょう。また，書き出した「日本の出来事」のうち，関連の深いものどうしを線でつなぎましょう。

(3)書き出した「日本の出来事」全体を円で囲み，円の内側に「日本」，外側に「世界」と書きましょう。そして，「日本の出来事」と関連の深い「世界の出来事」を円の外側に書き出し，関連する「日本の出来事」と，あるいは「世界の出来事」どうしで，線でつなぎましょう。

(4)作成した「ウェビング」を見て，「政治」「社会・経済」「文化」「国際関係」など，大きなグループにまとめられそうなものがあれば，円で囲むなどして整理しましょう。

(5)グループ内で，作成した「ウェビング」を比べて，意見を交換しましょう。

(6)ほかの人の「ウェビング」や，グループでの意見交換などをふまえて見直し，色のちがうペンで修正しましょう。

(7)完成した「ウェビング」を基に，この時代の特色をまとめましょう。

ウェビングとは？

ウェビングを使うことで，さまざまな事項の関連を整理することができます。

まず，まとめるテーマを明確にして，中心に書きます。続いて，そこから連想するものを周囲に書き出し，線でつなぎます。そこからさらに連想されるものを次々に書き出し，線でつないでいきます。書き出した事項どうしが関連する場合は，それらも線でつなぎます。このようにして完成したウェビングを見ると，当初は気付かなかった関連に気付くことができます。

ウェビングを完成させた後，(例2)のように，共通点のある事項を囲んで分類すると，理解をさらに深めることができます。

(例1)

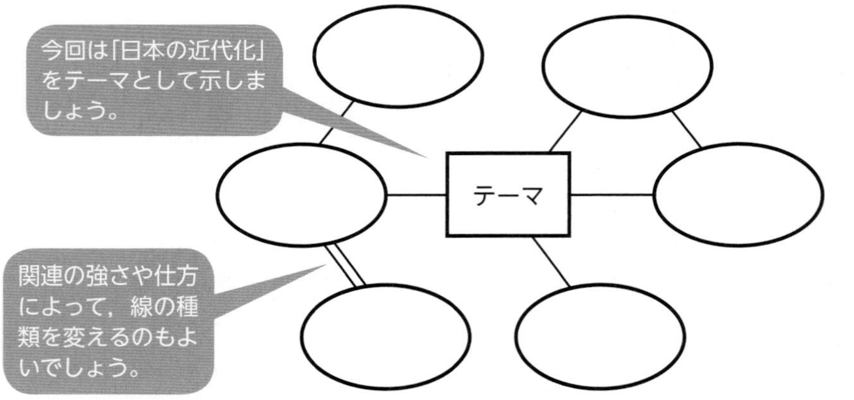
今回は「日本の近代化」をテーマとして示しましょう。
テーマ
関連の強さや仕方によって，線の種類を変えるのもよいでしょう。

(例2)

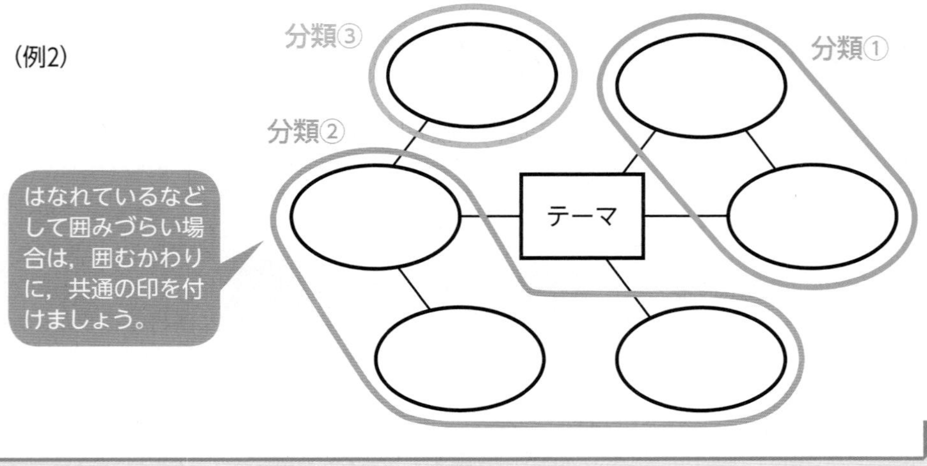
分類③
分類①
分類②
テーマ
はなれているなどして囲みづらい場合は，囲むかわりに，共通の印を付けましょう。

ゆうまさんが(6)で作ったウェビング（部分）

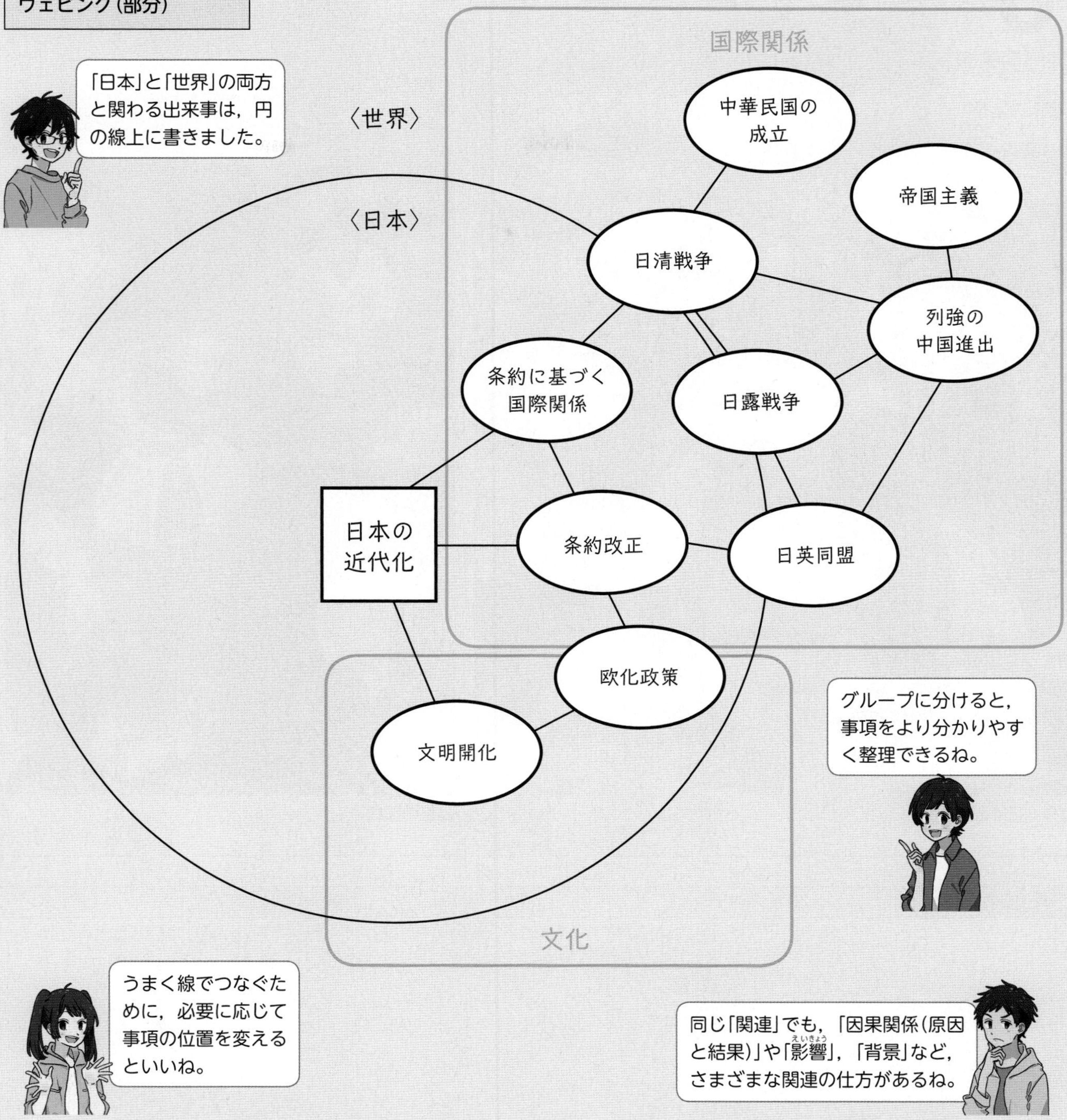
「日本」と「世界」の両方と関わる出来事は，円の線上に書きました。
〈世界〉
〈日本〉
国際関係
中華民国の成立
帝国主義
日清戦争
列強の中国進出
条約に基づく国際関係
日露戦争
日本の近代化
条約改正
日英同盟
欧化政策
文明開化
文化
グループに分けると，事項をより分かりやすく整理できるね。
うまく線でつなぐために，必要に応じて事項の位置を変えるといいね。
同じ「関連」でも，「因果関係（原因と結果）」や「影響」，「背景」など，さまざまな関連の仕方があるね。

この時代の特色をまとめましょう。

近代（前半）は

時代です。

第6章 二度の世界大戦と日本

導入の活動 戦争が続いた時代の暮らしを考えよう

❶戦争へ行く人 (小)

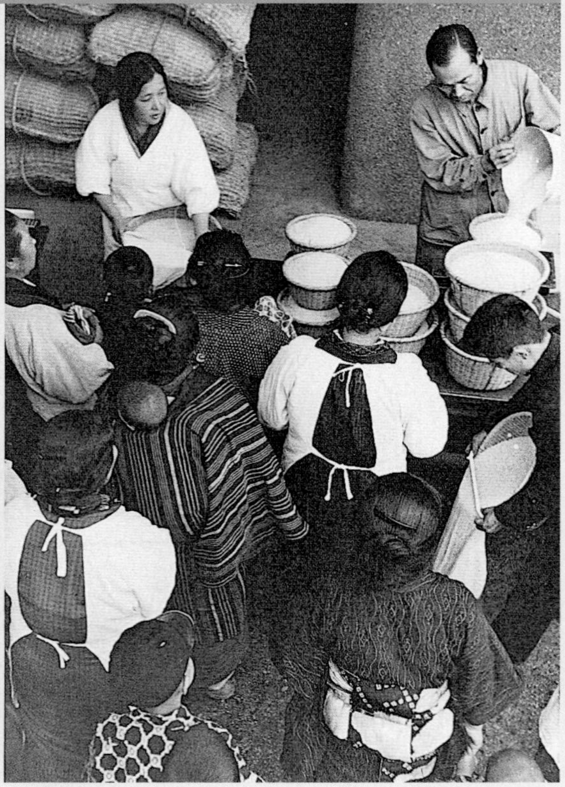

❷米の配給 (小)

世紀	20		
時代	明治時代	大正時代	昭和時代

1910　1920　1930　1940

政治

- 1914 日本の参戦
- 1925 普通選挙法
- 1931 **満州事変**
- 1933 国際連盟脱退
- 1937 日中戦争
- **戦時体制**
- 1941 **太平洋戦争**
- **原子爆弾投下**
- **空襲**

普選

経済・社会・文化

- **民主主義**の風潮
- 関東大震災
- ラジオ放送開始

東アジア・欧米など

- 第一次世界大戦
- 第二次世界大戦

中国　清　中華民国

朝鮮　(日本領)

太字　小学校の社会で習ったことば

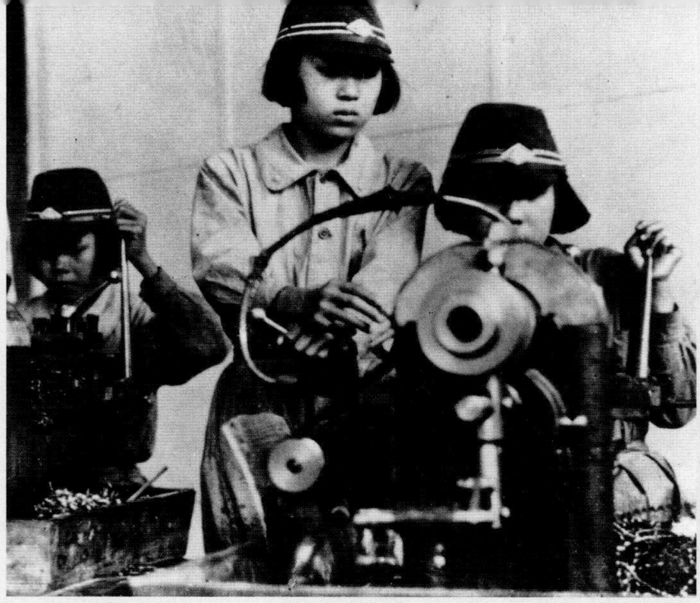

3工場で働く女学生 小

4集団疎開 小

この章では，大正時代から昭和時代の前半までの時代について学習します。この時代には二度の世界大戦が起こります。日本が戦争に突入していく時期の人々の暮らしはどのようなものだったのでしょうか。小学校で学習した内容を中心に，資料から考えましょう。

みんなでチャレンジ

(1) 1～4はどの戦争のときの様子か，年表から当てはまるものを全て選びましょう。

(2) 1～4から，どのような生活の様子が分かるか，グループで話し合いましょう。その際，次の四人の立場になって，それぞれの思いをセリフの形で表現しましょう。

1戦争に行く男性 ➡「　　」
2主婦 ➡「　　」
3女学生 ➡「　　」
4子ども ➡「　　」

(3) (2)を基に，戦争が人々の生活にどのような影響をあたえたか，グループで話し合いましょう。

(4)資料や年表から，この時代について，知りたいことや疑問に思うことを出し合いましょう。

第6章の探究課題は？

戦争中の日本では，人々の暮らしが制限されていたんだね。日本はどのような経緯で戦争をすることになったのかな。

二度も世界大戦が起こって，世界や日本はどのように変わったのかな。

二度の世界大戦の間の時期には，どのような出来事があったのかな。

この章では，日本がどのようにして戦争をすることになったか，戦争に突入していく経緯や背景に着目しながら追究していきましょう。まとめでは，戦争へのターニングポイントを考えることを通じて，時代の特色をとらえましょう。

探究課題 日本はどのようにして戦争に突入していったのでしょうか。

探究のステップ 各節の学習では，次の課題を追究していきましょう。

① 第一次世界大戦はなぜ起こり，世界と日本にどのような影響をあたえたのでしょうか。

② なぜ日本で民主主義の風潮が高まったのでしょうか。

③ 経済情勢が変化する中，日本はどのようにして日中戦争に突入したのでしょうか。

④ 第二次世界大戦はなぜ起こり，世界と日本にどのような影響をあたえたのでしょうか。

1節 第一次世界大戦と日本

Ⓐ
Ⓑ
Ⓒ
Ⓓ

🔍読み取る ❶のⒶⒸⒹはどのような兵器か，またこれらの兵器で，戦争がどのように変化したか，考えましょう。

❶新兵器とざんごう戦　第一次世界大戦は，それまでにない大規模な戦争で，毒ガスなどの新兵器が使われました。最前線には長いざんごう(Ⓑ)がほられ，兵士が待機しました。

1 第一次世界大戦

?学習課題 **第一次世界大戦は，どのように拡大し，日本はなぜ参戦したのでしょうか。**

ヨーロッパ諸国の対立

19世紀末の欧米諸国は，世界中に進出し，アジアに続いてアフリカや太平洋地域も大半を植民地としました。その一方で，ヨーロッパの中では対立p.186❶がありました。

19世紀末にドイツが強国p.155になると，フランスとロシアは同盟を結んで対抗しました。イギリスは，ロシアの東アジアへの進出を警戒して日英同盟を結びましたが，ロシアが日露戦争p.190に敗れると，ロシアと協商p.284を結んで関係を改善しました。イギリスはさらにフランスとも協商を結び，**三国協商**が成立しました。その一方で，ドイツはオーストリアと同盟関係p.288にあり，さらにイタリアも加わって**三国同盟**が結ばれました。こうして20世紀初めのヨーロッパの国際関係は，三国同盟と三国協商の両方が軍事力を増強しながら対立する，緊張p.289した状態にありました。❷

こうした列強の間の対立に，民族の対立p.289が加わりました。バルカン半島では，オスマン帝国p.101が衰退するのにともなって，スラブ民族の独立運動が盛んになり，「ヨーロッパの火薬庫」と呼ばれていました。❸スラブ民族を中心とした国であるロシアは，

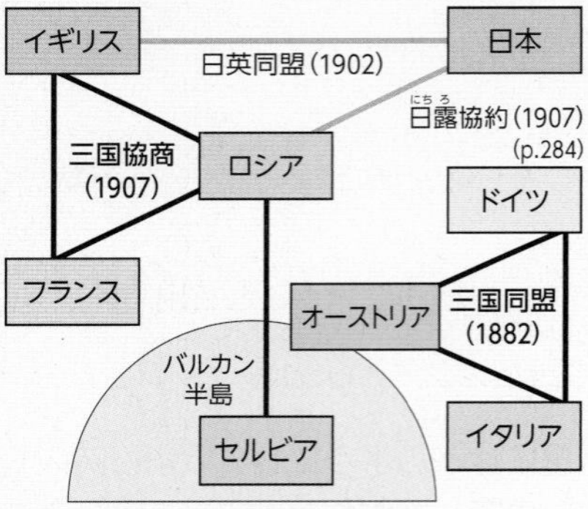

イギリス
日本
日英同盟(1902)
日露協約(1907)
(p.284)
三国協商
(1907)
ロシア
ドイツ
フランス
オーストリア
三国同盟
(1882)
バルカン
半島
セルビア
イタリア

❷第一次世界大戦前の国際関係

BALKAN TROUBLES

❸バルカン半島の状況をえがいた風刺画

探究のステップ
第一次世界大戦はなぜ起こり、世界と日本にどのような影響をあたえたのでしょうか。

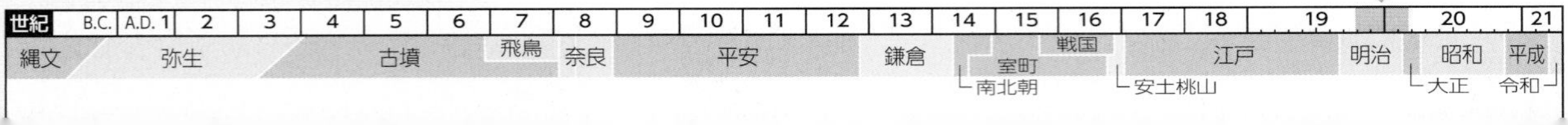

世紀
B.C.
A.D. 1
2
3
4
5
6
7
8
9
10
11
12
13
14
15
16
17
18
19
20
21
縄文
弥生
古墳
飛鳥
奈良
平安
鎌倉
室町
南北朝
戦国
安土桃山
江戸
明治
大正
昭和
平成
令和

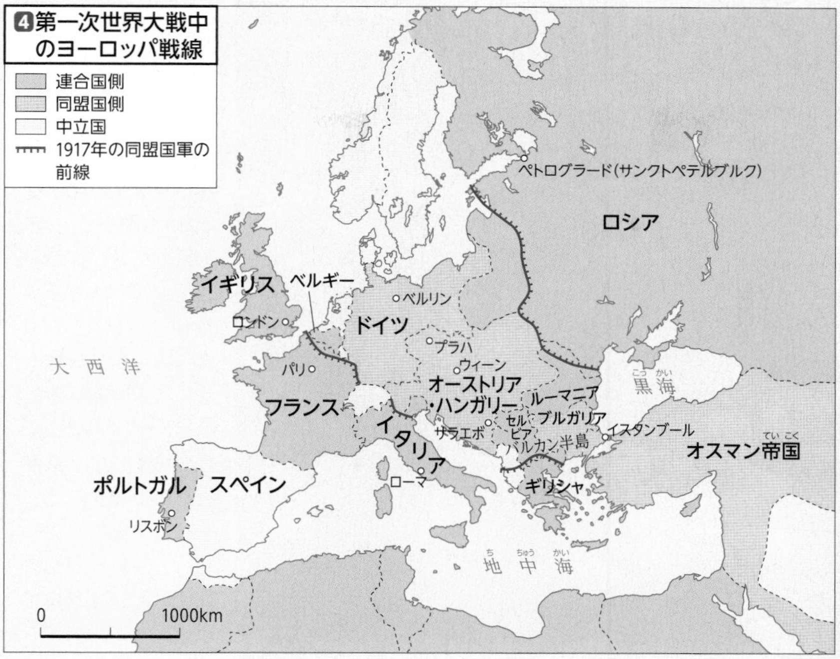
❹第一次世界大戦中のヨーロッパ戦線
連合国側
同盟国側
中立国
1917年の同盟国軍の前線
ペトログラード(サンクトペテルブルク)
ロシア
イギリス
ベルギー
ベルリン
ロンドン
ドイツ
プラハ
大西洋
パリ
ウィーン
オーストリア・ハンガリー
ルーマニア
黒海
フランス
セルビア
ブルガリア
サラエボ
イスタンブール
イタリア
バルカン半島
オスマン帝国
ポルトガル
スペイン
ローマ
ギリシャ
リスボン
地中海
0
1000km

❺イギリス軍のインド人部隊(フランス　1914年)

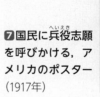

↑❻飛行機のつばさを造る女性(アメリカ　1918年)　男性が前線にかり出され，働き手が不足したので，女性が兵器の製造などに動員されました。

THE NAVY NEEDS YOU!
DON'T READ AMERICAN HISTORY - MAKE IT!
U·S·NAVY RECRUITING STATION
34 EAST 23rd ST., NEW YORK
❼国民に兵役志願を呼びかける，アメリカのポスター(1917年)

南下政策を進めるためにこの独立運動を支援しました。p.156反対に，オーストリアは，この運動をおさえようとしながら，ロシアに対抗してバルカン半島に進出しようとしました。

第一次世界大戦

1914(大正３)年，オーストリアの皇位継承者夫妻が，サラエボでスラブ系のセルビア人に暗殺されました。オーストリアはセルビアに宣戦布告し，間もなく各国も参戦して，ドイツ・オーストリア・オスマン帝国を中心とする同盟国と，イギリス・フランス・ロシアを中心とする連合国とに分かれて，**第一次世界大戦**が始まりました。[4][1]

４年におよんだこの戦争では，ざんごう戦で大砲や機関銃が大量に用いられ，新兵器の戦車や飛行機，毒ガス，潜水艦なども登場して，[1]死傷者はばく大な数に上りました。[8]各国は，大量の兵士と物資を前線に送るために，国民・経済・資源や科学技術を総動員し，第一次世界大戦は**総力戦**になりました。[6][7]またイギリスやフランスは，植民地の人々も兵士として動員しました。[5]

日本も日英同盟に基づいてドイツに宣戦布告し，戦争はアジア・太平洋地域にも広がりました。アメリカは，それまでヨーロッパへの干渉をさけていましたが，1917年に連合国側で参戦p.157しました。工業力におとる同盟国側は，翌年降伏しました。

	国名	死者数（人）
連合国側	イギリス	908371
	フランス	1357800
	ロシア	1700000
	セルビア	45000
	イタリア	650000
	アメリカ	116516
	日本	300
同盟国側	ドイツ	1773700
	オーストリア	1200000
	トルコ	325000

❽第一次世界大戦での主な国の死者数
(The New Encyclopædia Britannica, 15th ed., 2007)

❶イタリアは，オーストリアとの関係が悪化しており，連合国側で参戦しました。

チェック　第一次世界大戦前に，ヨーロッパにはどのような対立があったか，本文からぬき出しましょう。

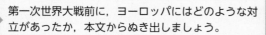

トライ　第一次世界大戦がそれまでの戦争と異なる点を説明しましょう。

КОРМИТЕ ДѢТЕЙ ЗАЩИТНИКОВЪ РОДИНЫ
БРАТЬЯ МОРИ
БРАТЬЯ
ПРИБАВКУ ПАЙКА СЕМЬЯМЪ СОЛДАТЪ ЗАЩИТНИКАМЪ СВОБОДЫ И НАРОДНОГО МІРА.

1 ロシア革命のデモ(p.288)**の様子**(1917年2月　ペトログラード)　写真の右の横断幕には「兵士の家族への手当てを増やせ」，左の横断幕には「兵士の子どもたちに食料を」と書かれています。このデモはこの後ロシア各地に広がり，ロシア革命へとつながりました。

2 ロシア革命

学習課題　**第一次世界大戦中に，ロシアではどのような動きがあり，日本はどのように対応したのでしょうか。**

2 レーニン(左上：1870～1924)

ロシア革命を指導

マルクス(p.159 8)の学説を発展させて，帝国主義(p.186・288)の時代にあっては，植民地の民族独立運動と欧米の社会主義運動とが連帯すべきと説きつつ，ロシアの社会主義運動を指導しました。皇帝の退位後に亡命先から帰国し，ロシア革命を社会主義革命へと導きました。写真は，1920年のモスクワでの演説の様子です。

ロシア革命

19世紀後半のロシアでは，社会主義(p.159・286)が，政府による弾圧にもかかわらず広まっていました。第一次世界大戦(p.209)が総力戦として長引き，食料が不足して民衆の生活が苦しくなると，戦争や皇帝の専制(p.287)に対する不満が爆発しました。1917(大正６)年に「パンと平和」を求める労働者のストライキや兵士の反乱が続き1，かれらの代表会議(ソビエト❶)(p.287)が各地に設けられました。皇帝が退位して，議会が臨時政府を作りましたが，臨時政府とソビエトが並立したため政治は安定せず，社会主義者**レーニン**2の指導の下，ソビエトに権力の基盤を置く新政府ができました(**ロシア革命**(p.284))。この革命政府は，史上初の社会主義の政府でした。

シベリア出兵とソ連の成立

革命政府は，土地を貴族からうばって農民に分配した一方で，銀行や鉄道，工場などの重要な産業を国有化(p.285)して社会主義の政策を進めました。また民族自決(p.212)を唱えて帝国主義に反対し，さらにドイツと単独で講和を結んで，第一次世界大戦から離脱しました。

ロシア革命は，資本主義に不満を持ち，戦争に反対する人々

❶ソビエトとは，ロシア語で「会議」という意味です。当初は労働運動などを指導しましたが，後に革命を支える組織になりました。

世紀	B.C.	A.D. 1	2	3	4	5	6	7	8	9	10	11	12	13	14	15	16	17	18	19	20	21
縄文	弥生				古墳			飛鳥	奈良	平安				鎌倉	南北朝・室町	戦国	安土桃山	江戸		明治	大正・昭和	平成・令和

歴史にアクセス　社会主義と共産主義

社会主義者も共産主義者も，資本主義(p.286)の最大の問題点は，資本家がたがいに競争しながら利益の拡大を目指すため，労働者の賃金をおさえてしまうことにあると考えました。そして，これにかわる経済と社会の仕組みを確立しようとしました。当初，社会主義者にはさまざまな構想が見られましたが，共産主義者は，私有財産(p.286)を制限して，競争をなくしつつ，国家が計画的に物を生産し，個人の必要に応じて分配するという理想社会の建設をかかげました。

ソ連が成立すると，社会主義はこうした共産主義の理想社会を実現するための第一段階とされ，土地と主要な産業が国有化されて，国家が経済の全てを決定することになりました。

ПЯТИЛЕТ-
НИЙ
ПЛАН
1928 г.
ФАНТАЗИЯ
БРЕД
УТОПИЯ
СССР
ДА ЗДРАВСТВУЕТ СССР –
НЕПРИСТУПНАЯ КРЕПОСТЬ СОЦИАЛИЗМА!

❸「五か年計画」のポスター　労働者が示した「五か年計画」をあざわらった資本家が，計画達成で衝撃を受けています。

に支持され，各国で社会主義の運動が高まりました。しかし，イギリス・フランス・アメリカ・日本などの政府は，ロシアの戦争離脱に反対し，また社会主義の拡大をおそれて，ロシア革命への干渉戦争を起こし，シベリアにも軍を送りました(**シベリア出兵**❹❺❷)。革命政府は，労働者と農民を中心に軍隊を組織して干渉戦争に勝利し，国内の反革命派も鎮圧して，1922年に**ソビエト社会主義共和国連邦**(p.289)(**ソ連**)が成立しました。❸

独裁と計画経済

ロシア革命を指導した政党は，将来の**共産主義**(p.284)の実現をかかげていたので，名前を共産党に改めました。共産党はほかの国にも設立されて，各国で労働者の運動を指導しました。各国の共産党をソ連共産党が指導する国際的な機関も結成されましたが，ソ連以外では社会主義革命は実現しませんでした。このためレーニンの後に指導者になったスターリン❻は，ソ連一国での共産主義化を優先し，1928(昭和3)年からは「**五か年計画**❸」を始めて，重工業の増強と農業の集団化を強行しました。この計画経済(p.285)によって，ソ連は国力をのばしました。しかしそのかげで，数百万人もの農民が餓死し，また国の方針に批判的な人々は追放・処刑されて，独裁が強化されました。

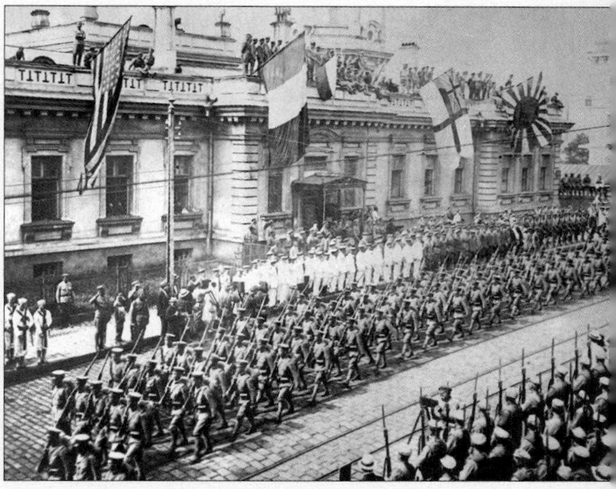

❹シベリア出兵でロシアのウラジオストクを行進する日本兵(1918年)　日本は，イギリス・フランス・アメリカがロシアから撤兵した後もシベリアへの出兵を続け，国際的に批判されました。

ロシア（ソ連）
バイカル湖
ニコライエフスク
アレクサンドロフスク
樺太（サハリン）
モンゴル
ハルビン
中華民国
ウラジオストク
北京
大連
旅順
朝鮮
日本
0
1000km
日本軍の進路

❺シベリア出兵(1918～22年)

考える　なぜ日本は他国が撤兵した後もシベリア出兵を続けたのか，考えましょう。

❻スターリン
(1879～1953)
ソ連一国での共産主義化を進める

レーニンの後をついでソ連の指導者となりました。「五か年計画」の成功によって権力を固め，反対派を弾圧して，個人崇拝を強めました。しかし，死後には「スターリン主義」として批判されました。

❷特に日本はシベリアに領土を得ることも目的として，大軍を派遣しました。
❸ただしソ連は1930年代に入るまで，国際社会への本格的な参入は認められませんでした。

チェック　ロシア革命の指導者と革命政府が採った思想を挙げましょう。

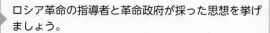

トライ　ロシア革命に対して日本などの各国が採った対応と，その理由を説明しましょう。

ベルサイユ条約などによって独立を承認された国
ベルサイユ条約でドイツが失った領土
イギリスの委任統治領となった地域
フランスの委任統治領となった地域
アイスランド
フィンランド
ノルウェー
レニングラード(サンクトペテルブルク)
エストニア
スウェーデン
ラトビア
リトアニア
デンマーク
(ドイツ)
イギリス
ソビエト(ソ連)
アイルランド
オランダ
ベルリン
ポーランド
ロンドン
ベルギー
ドイツ
ルクセンブルク
チェコスロバキア
パリ
ベルサイユ
ウィーン
オーストリア
ハンガリー
ルーマニア
黒海
大西洋
フランス
スイス
ジュネーブ
イタリア
ユーゴスラビア
ブルガリア
イスタンブール
トルコ(1923年成立)
ローマ
アルバニア
ポルトガル
リスボン
スペイン
ギリシャ
シリア
地中海
パレスチナ
アルジェリア
チュニジア
エジプト(1922年独立)
0 1000km

❶第一次世界大戦後のヨーロッパ 大戦前のドイツ帝国，オーストリア帝国，オスマン帝国は解体し，皇帝が退位して共和国(p.284)になりました。

❷ベルサイユ条約の調印(イギリス　英国戦争博物館蔵)

見方・考え方 推移 ❶とp.209❹とを比べて，変わった点を挙げましょう。

3 国際協調の高まり

学習課題 第一次世界大戦後，国際関係はどのように変わったのでしょうか。

ベルサイユ条約と国際連盟

第一次世界大戦が終わり，翌1919(大正８)年にパリ講和会議が開かれました。p.209この会議では，イギリス・フランスなどの戦勝国が，戦争の責任をドイツにおし付け，またドイツの弱体化を目指して，厳しい講和条件を課しました。講和条約である**ベルサイユ条約**[2]で，ドイツは領土を縮小され[1]，植民地を失い，巨額の賠償金や軍備縮小を課されました。

講和会議では，アメリカのウィルソン大統領[3]により**民族自決**の原則も唱えられ，東ヨーロッパで多くの民族が独立しました[1]。しかし，アジアやアフリカでは植民地支配が続いたため[❶]，民族独立を求める運動が高まりました。

また，ウィルソン大統領の提案を基にして，1920年に，世界平和と国際協調を目的とする**国際連盟**が発足しました。連盟はジュネーブ(スイス)に本部を置き，イギリス・フランス・イタリア・日本が常任理事国になりました[4]。しかし，アメリカは国内の反対で加入できず，紛争を解決するための手段も限られていたため，国際連盟の影響力は大きくありませんでした。

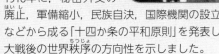

❸ウッドロー・ウィルソン(1856〜1924)

国際連盟を提唱したアメリカ大統領

第一次世界大戦中の1918年に，秘密外交の廃止，軍備縮小，民族自決，国際機関の設立などから成る「十四か条の平和原則」を発表し，大戦後の世界秩序の方向性を示しました。

岩手県

❹新渡戸稲造(1862〜1933)

日本を代表する国際人として国際平和に貢献

著書「武士道」で日本人の道徳観を海外に紹介しました。国際連盟の設立時には事務次長に選ばれ，国際平和のためにつくしました。

❶オスマン帝国の支配下にあった中東地域と，アフリカと太平洋地域のドイツ植民地は，委任統治領という形で，イギリス・フランス・日本などの支配下に置かれました。

世紀	B.C.	A.D.1	2	3	4	5	6	7	8	9	10	11	12	13	14	15	16	17	18	19	20	21
縄文	弥生				古墳		飛鳥	奈良	平安				鎌倉	室町(南北朝)		戦国(安土桃山)	江戸			明治	昭和(大正)	平成(令和)

歴史にアクセス 女性の政治参加を求めて

人権 平和

欧米諸国では，19世紀後半に男性の選挙権が拡大しましたが(p.154)，女性の選挙権については，国政ではほとんどの国で認められていませんでした。20世紀に入ると，各国で女性の国政での選挙権を求める運動が盛んになりました。イギリスなどでは，言論だけでは十分に効果があがらず，デモを行ったり暴力的な手段に訴えたりした女性もいました。第一次世界大戦後，女性が総力戦に大きく貢献したことを受けて，イギリスをふくめた多くの国で，女性の国政での選挙権が認められるようになりました。

5 逮捕される女性活動家(イギリス　1914年)

ニュージーランド	1893年
オーストラリア	1902年
フィンランド	1906年(選挙実施は1907年)
ソ連(ロシア)	1917年
ドイツ	1918年(選挙実施は1919年)
イギリス	1918年
アメリカ	1920年
フランス	1944年
イタリア	1945年(選挙実施は1946年)
日本	1945年(選挙実施は1946年)
中国(中華民国)	1947年

6 主な国の，女性の国政での選挙権が認められた時期

国際協調の時代

アメリカは，第一次世界大戦で力を弱めたヨーロッパ諸国にかわって世界経済の中心になりました[7]。また政治面でも，アジア・太平洋地域での発言力を強めました。1921年から22年にかけて，アメリカの呼びかけで**ワシントン会議**が開かれ，海軍の軍備を制限し(ワシントン海軍軍縮条約[8])，太平洋地域の現状維持と，中国の独立と領土の保全を確認しました。また，この会議で日英同盟(p.190)は解消されました。

やがてドイツも国際連盟への加盟を認められるなど，1920年代は国際協調の時代になりました。

民主主義の拡大

総力戦だった第一次世界大戦では，労働者は兵士として動員され(p.209 7)，また女性も工場労働などで貢献しました(p.209 6)。このため戦後の欧米諸国では，普通選挙(p.284)による議会政治が普及し，女性も多くの国で職業と選挙権を得て，民主主義(p.289)の新たな担い手になりました[5][6]。労働者の権利の拡大を求める運動も各国で高まり，大規模なストライキも起こりました。1919年のドイツの**ワイマール憲法**[9]は，男女普通選挙(p.285)や労働者の基本的権利(p.288)の保障，社会福祉(p.286)政策を定めた世界初の憲法となりました。イギリスでは，1924年に初の労働党内閣ができました。

7 ニューヨークの超高層ビル(アメリカ　1926年)

公 地 歴

8 ワシントン海軍軍縮条約(1922年)

第4条　各締約国の主力艦の合計数は，アメリカ52万5000t，イギリス52万5000t，フランス17万5000t，イタリア17万5000t，日本31万5000tをこえてはならない。

第5条　3万5000tをこえる主力艦は，どの締約国も，取得したり，建造したり，建造させたり，法律によって建造を許可したりしてはならない。　(部分要約)

9 ワイマール憲法(1919年)(部分要約)

第151条　経済生活の秩序は，全ての人に人間に値する生存を保障することを目指す，正義の諸原則にかなうものでなければならない。

公 地 歴

↑人間らしい生活を送る権利(社会権 p.286)を保障することを世界で初めて定め，各国の憲法に影響をあたえました。

チェック　第一次世界大戦後における国際関係の具体例を，本文からぬき出しましょう。

トライ　第一次世界大戦後に欧米諸国はどのような国際関係を築こうとしたか，20字程度で説明しましょう。

廢除二十一條
約條等平不除廢
學大京北

❷二十一か条の要求

(1915年)(部分要約)

一　中国政府は，ドイツが山東省に持っている一切の権益の処分について，日本とドイツとの協定にまかせる。

一　日本の旅順・大連の租借の期限，南満州鉄道の期限を99か年延長する。

一　中国政府は，南満州・東部内蒙古における鉱山の採掘権を日本国民にあたえる。

❶五・四運動(中国　1919年5月4日)　北京の天安門広場における運動の様子です。

4 アジアの民族運動

学習課題 第一次世界大戦後，アジアではどのような運動が起こったのでしょうか。

0　1000km
ソ連
長春
南満州鉄道
樺太1905
(サハリン)
千島列島
関東州
1905租借
朝鮮1910併合
山東半島
日本
太平洋
中華民国
沖縄
小笠原諸島
台湾1895
澎湖諸島
1895
マリアナ諸島
グアム島
南洋諸島
1920
委任統治
マーシャル諸島
パラオ諸島
カロリン諸島
日本の領土・租借地・委任統治領
数字　日本領となった年

❸1920年代の日本

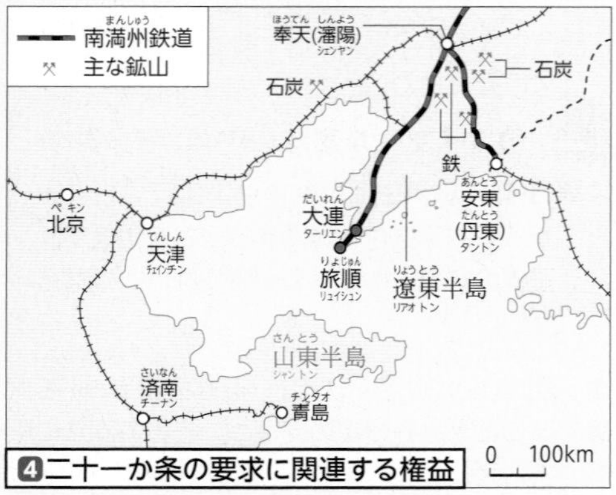
南満州鉄道
主な鉱山
奉天(瀋陽)
石炭
石炭
鉄
北京
天津
大連
旅順
安東
(丹東)
遼東半島
山東半島
済南
青島
0　100km

❹二十一か条の要求に関連する権益

第一次世界大戦と日本

第一次世界大戦で日本は，山東省のドイツ租借地や南洋諸島を占領しました❸。さらに，欧米列強のアジアへの影響力が弱まっていたことを利用して，1915(大正4)年，中国に対して**二十一か条の要求**❷❹を示し，大部分を強引に認めさせました❻。その中には，日本が山東省の権益をドイツから引きつぐことや，日露戦争で獲得した旅順・大連などの租借期限を延長することなどが盛りこまれていました。中国は，主権p.286をおかすものだとして，強く反発しました。

中国の反帝国主義運動

大戦後，中国は山東省の権益の返還を要求しましたが，パリ講和会議p.212で要求が拒絶されると，不満が爆発しました。1919年5月4日の北京での学生集会をきっかけに反日運動が起こり，帝国主義p.186・288に反対する全国的な運動へと発展しました(**五・四運動**❶)。この運動をきっかけに，孫文p.193は中国国民党(国民党)を結成し，1921年に結成された中国共産党と協力して，国内の統一を目指しました。

日本は，ベルサイユ条約p.212で山東省のドイツ権益を引きつぎましたが，1921年から開かれたワシントン会議p.213の結果，これを中

世紀	B.C.	A.D.1	2	3	4	5	6	7	8	9	10	11	12	13	14	15	16	17	18	19	20	21
縄文	弥生				古墳			飛鳥	奈良	平安				鎌倉	室町・南北朝		戦国	江戸・安土桃山		明治	大正・昭和	平成・令和

歴史にアクセス　ガンディーの非暴力・不服従運動

人権 平和

ガンディーは，インドにおける民族独立運動の最高指導者で，人々からマハトマ(偉大な魂)・ガンディーと呼ばれ，現在でも尊敬されている人物です。

西インドの小さな藩王国❶に生まれたガンディーは，イギリスに留学し，弁護士試験に合格して帰国しました。ガンディーは，インドと同様にイギリスが支配していた南アフリカに渡航し，弁護士として活動していましたが，鉄道の中でヨーロッパ系の人による人種差別を体験したことを機に，差別撤廃運動を始めました。

第一次世界大戦が起こると，ガンディーは，戦後にイギリスがインドの自治を認めることを期待してイギリスに協力しましたが，期待は裏切られました。その後，ガンディーなどを指導者とするインド国民会議❷は，非暴力・不服従をかかげた大規模な抵抗運動を行いました。ガンディーは，イギリスの機械で作られた製品を使わず，インドの伝統的な方法である糸車で糸をつむいだり，日常生活に必要な物をインドの農村で作ろうとしたりしました。

第二次世界大戦後の1947年，インドは独立を達成します(p.257)が，イスラム教徒とヒンドゥー教徒との宗教をめぐる対立から，ガンディーは，1948年に暗殺されました。

❺糸車で糸をつむぐガンディー(1869～1948)(着色写真)

❶イギリスの支配下で支配権を認められていた藩王の領国。

❷19世紀末に結成された政党。第一次世界大戦後にガンディーなどが加わり，独立運動の中心になりました。

国に返還し，武力よりも経済による進出を重視する政策を採りました。しかし，中国では旅順・大連など，満州の権益の回収を求めて，各地で日本製品の不買運動が続きました。

朝鮮の独立運動

日本の植民地となった朝鮮(p.192)では，民族自決(p.212)の考えの影響を受けて，パリ講和会議中の1919年３月１日，知識人や学生などが京城(ソウル)で日本からの独立を宣言し，人々が「独立万歳」(p.288)をさけんでデモ行進を行いました。この運動は短期間で朝鮮半島全体に広がりました(**三・一独立運動**❼)。朝鮮総督府(p.192)は，この動きを武力で鎮圧しました。

この後，朝鮮総督府は，朝鮮の人々に政治的な権利を一部認めるなど，統治の方針を転換しましたが，日本への同化政策(p.288)を進めたため，独立運動は続きました。

インドの民族運動

第一次世界大戦中，イギリスは多くのインド人兵士を戦場に動員する見返りとして(p.209❺)，インドに自治をあたえると約束しました。しかし，大戦後，イギリスはその約束を守らなかったどころか，民族運動を力でおさえこもうとしました。そのため，**ガンディー**❺の指導によって，暴力的な手段には訴えないが，イギリスの支配には従わないという，非暴力・不服従の抵抗運動が高まりました。

❻袁世凱(1859～1916)

清の有力軍人から中華民国の大総統へ

孫文から中華民国の臨時大総統をゆずられた(p.193)後，1913年に大総統に就任しました。袁は，二十一か条の要求の大部分を認める一方で，権力の拡大を目指し，1915年に皇帝になることを宣言しましたが，国内の反発で取り消しました。

❼三・一独立宣言(1919年)(部分要約)

我らはここに，朝鮮が独立国であること，および朝鮮人が自由民であることを宣言し，世界万国に告ぐ。人の道が平等であることの大義を明らかにし，これを子孫万代に伝え，民族が自立する正当な権利を永久に持たせる。

みんなでチャレンジ　比較

アジアでの民族運動をとらえよう

中国・朝鮮・インドの民族運動について，グループ内で分担して次の視点でまとめ，共通点や異なる点を話し合いましょう。

(1)どのような行動を取ったのでしょうか。

(2)なぜ運動を起こしたのでしょうか。

(3)人々の願いは何でしょうか。

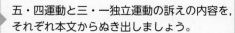

チェック　五・四運動と三・一独立運動の訴えの内容を，それぞれ本文からぬき出しましょう。

トライ　アジアで民族運動が活発になった背景を説明しましょう。

探究のステップに取り組もう(p.247)

❶**帝国議会の議事堂を取り巻く民衆**(1913年)　数万人の民衆が議事堂を取り囲み，桂内閣の退陣をせまりました。

1 大正デモクラシーと政党内閣の成立

学習課題 大正時代の社会や政治は，どのような特色を持っていたのでしょうか。

探究のステップ なぜ日本で民主主義の風潮が高まったのでしょうか。

第一次護憲運動

日露戦争前後の日本では，藩閥・官僚勢力と，立憲政友会(p.189)とが交互に政権を担当しました(p.287)。しかし1912年，立憲政友会の内閣がたおされ，藩閥の桂太郎が首相になると，一部の議員や新聞，知識人は，藩閥をたおし，憲法に基づく政治を守ることをスローガンとする運動を起こしました(第一次**護憲運動**❶)。民衆もこれを支持して運動が盛り上がったため，桂内閣は退陣しました。

大戦景気と米騒動

第一次世界大戦によって，日本経済は好況(p.285)になりました(**大戦景気**❷)。連合国やその植民地，アメリカへの工業製品の輸出が大幅に増える一方，大戦で欧米からの輸入が止まったことから，鉄鋼や造船などの重化学工業が成長し，工業国としての基礎が築かれました❸。

しかし，好況で物価が上がったために，民衆の生活は苦しくなりました(p.288)。さらに1918(大正７)年，シベリア出兵(p.211)を見こした米の買いしめから，米の値段が大幅に上がると，米の安売りを求める騒動(**米騒動**)が全国に広がりました❹❺。寺内正毅内閣は，軍隊を出動させてこれを鎮圧しました。

どうだ明くなったろう
百円
暗くてお靴がわからないわ

❷**成金の風刺画**(和田邦坊筆　成金栄華時代　香川県　灸まん美術館蔵)　大戦景気で急に金持ちになる成金が現れました。

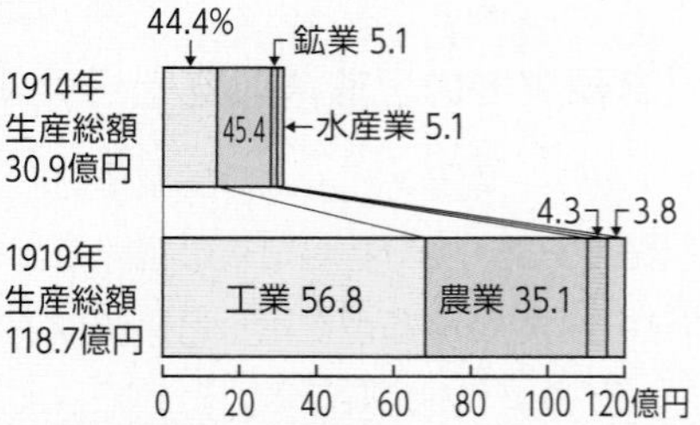

1914年 生産総額 30.9億円
44.4%
45.4
鉱業 5.1
水産業 5.1
1919年 生産総額 118.7億円
工業 56.8
農業 35.1
4.3
3.8
0 20 40 60 80 100 120億円

❸**諸産業の生産額の変化**(「日本資本主義発達史年表」)　工業では，紡績業に加え，重化学工業が発達しました。

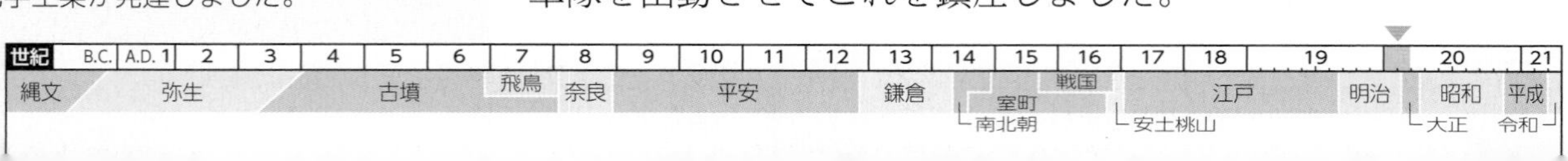

世紀 B.C. A.D.1 2 3 4 5 6 7 8 9 10 11 12 13 14 15 16 17 18 19 20 21
縄文 弥生 古墳 飛鳥 奈良 平安 鎌倉 室町 戦国 江戸 明治 昭和 平成
南北朝 安土桃山 大正 令和

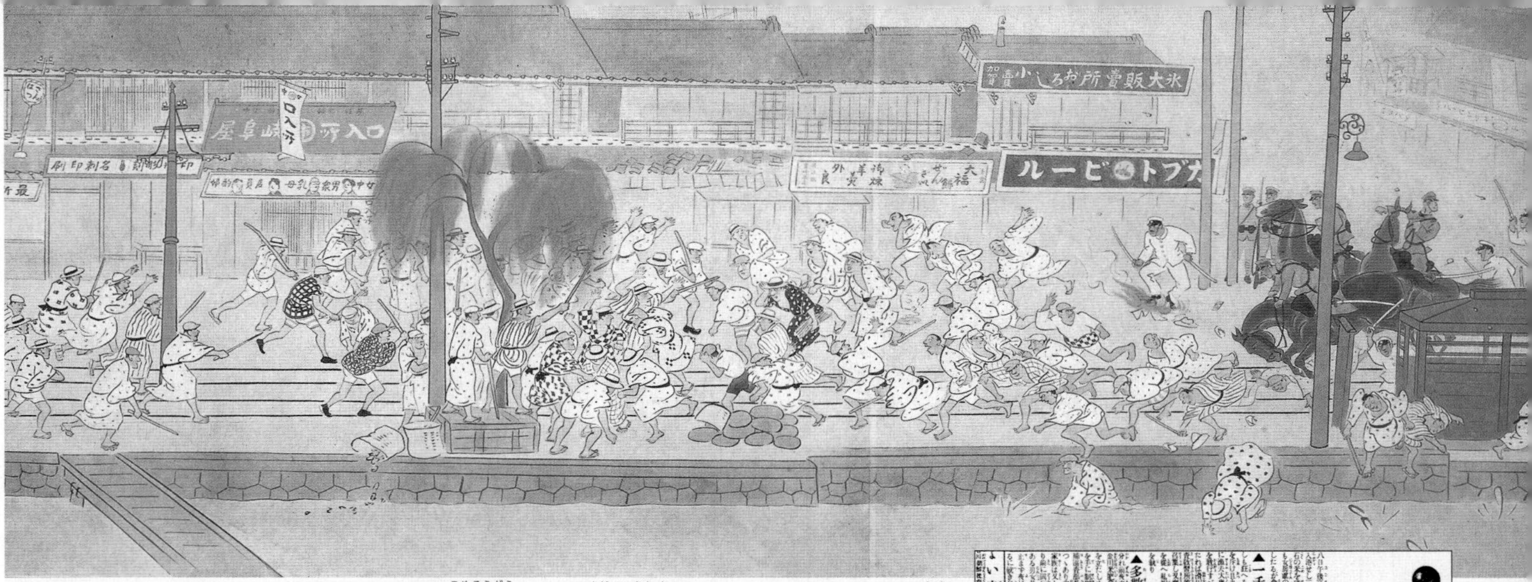

↑❹米騒動の様子（桜井清香筆　米騒動絵巻　愛知県　徳川美術館蔵）　名古屋市（愛知県）での騒動の様子です。

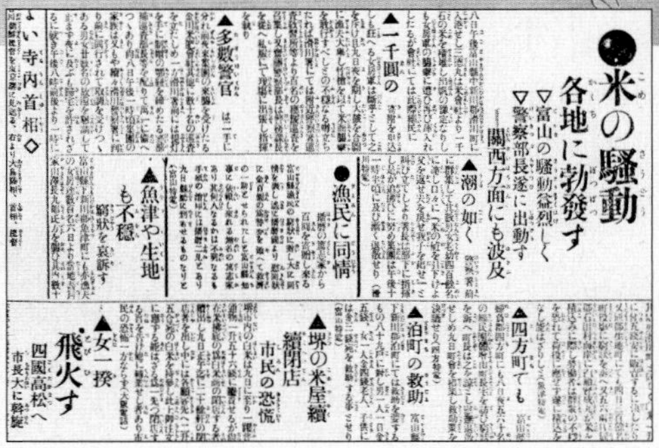
米の騒動
各地に勃発す
▽富山の騒動益烈しく
▽警察部長遂に出動す
─關西方面にも波及
寺内首相
漁民に同情
女一揆
飛火す

→❺米騒動を伝える新聞（「東京朝日新聞」1918年8月10日）　富山県の魚津町（現在の魚津市）で始まった騒動は，新聞報道を通じて全国に広がり，42道府県で約70万人が参加しました。

まとめる　本文や❹❺から，米騒動の原因や内容，影響についてまとめましょう。

本格的な政党内閣の成立

藩閥の寺内内閣が米騒動によって退陣すると，**原敬**❻が内閣を組織しました。これは，陸軍・海軍・外務の３大臣以外は全て，衆議院第一党（最も議員の数が多い政党）の立憲政友会の党員で組織する，本格的な**政党内閣**でした。原は「平民宰相」と呼ばれ，選挙法を改正してp.287選挙権を持つのに必要な納税額を引き下げましたが，普通選挙p.288に対しては時期的に早いとして消極的でした。

大正デモクラシーの思想

政党政治が発展した大正時代，特に第一次世界大戦後には民主主義（デモクラシー）がp.289強く唱えられました。この風潮を**大正デモクラシー**といいます。

政治学者の吉野作造は，政治の目的を一般民衆の幸福や利益に置き，一般民衆の意向に沿って政策を決定することを主張し（**民本主義**❼），男子普通選挙や，政党が内閣を組織する政党内閣制の実現を説きました。また，憲法学者の美濃部達吉は，主権p.286は国家にあり，天皇は国家の最高機関として憲法に従って統治するという学説（天皇機関説）を主張して，理論的な面から政党内閣制を支えました。二人の主張は，デモクラシーの思想を広めるうえで大きな役割を果たしました。

岩手県

❻原敬（1856～1921）
初の本格的な政党内閣を組織
それまでの首相とちがい，華族ではなかったことから，「平民宰相」と呼ばれて親しまれました。1919年に選挙法を改正し，選挙権を持つのに必要な納税額を，それまでの10円以上から３円以上に引き下げました（p.219⓫）。（東京都　国立国会図書館蔵）

❼吉野作造の民本主義　（部分要約）

民主主義といえば，「国家の主権は人民にあり」という危険な学説と混同されやすい。また，平民主義といえば，平民と貴族とを対立させ，貴族を敵にして，平民に味方する意味に誤解されるおそれがある。民衆主義という言葉にはそうした欠点はないが，民衆を重んじるという意味が表れない。我々が憲政の根底とするのは，国体の君主政か共和政かに関係なく，一般民衆を重んじ，貴賤上下の区別をしないことである。したがって，民本主義という用語がいちばん適当であるかと思う。

チェック　桂内閣と寺内内閣が退陣した理由と，原内閣の特色を，それぞれ本文からぬき出しましょう。

トライ　大正時代の日本の政治にはどのような特色があるか，20字程度で説明しましょう。

失業防止。治警撤廢。最低賃銀

宣言

吾人は茲に日本最初の勞働祭を擧行す。勞働祭は勞働者の自覺、訓練、團結を表現する祝祭にして、此祝祭の歡喜は勞働者のみ是を知る。吾人は今日、世界萬國の勞働者と共に勞働者階級の解放と萬人の自由とを絶叫す。吾人は吾國最初の勞働祭に於て、現下の我國勞働者階級が三個の大要求を有することを發表す。第一は治安警察法第十七條の撤廢、第二は失業の防止、第三は最低賃銀法の設定なり。今や恐慌來り資本家の破綻相繼ぎ、勞働者は不合理の犠牲たらんとす。恐慌は資本主義經濟組織の一大特徴也。吾人は敢然として其餘波の吾人に及ぶを防衛せざるべからず。勞働祭を祝せよ。而して吾人此日の祝祭を意義あらしめよ。

勞働日(メーデー)大演説會

▲五月二日正午
▲上野公園兩大師前
▲各團體代表者演説
▲自由演壇解放

決議

決議
一、吾人は悪法治安警察法第十七條の撤廢を要求す
一、吾人は恐慌來に際し失業の防止を要求す
一、吾人は人間としての生活を保證する最低賃銀法の設定を要求す

主催

正進會　大進會　汎勞會
小石川勞働會　啓明會　自由勞働者組合
工人會　日本機械技工組合　日本勞働組合
全國坑夫組合　工友會　礦山勞働同盟會
信友會　交通勞働組合　友愛會

來れ上野公園へ

❶メーデーへの参加を呼びかけるビラ(東京都　法政大学大原社会問題研究所蔵)

❷第1回メーデー(東京府：現在の東京都　1920年)　毎年5月1日(第1回は5月2日)に，労働者が権利を主張して，集会やデモ(p.288)などを行うことを，メーデーといいます。

2 広がる社会運動と男子普通選挙の実現

学習課題 デモクラシーの風潮は，どのような運動に発展したのでしょうか。

社会運動の広がり

第一次世界大戦後，労働運動や農民運動，女性運動などの社会運動が活発になり，社会主義の思想も広まりました。

p.159
労働運動では，大戦中の経済の発展によって労働者が大幅に増えて，ストライキなどの**労働争議**もしきりに起こりました。p.287 1920(大正9)年には日本で最初のメーデーが行われ❶❷，その翌年には労働組合の全国組織として日本労働総同盟が誕生しました。

p.159・289
農村でも，小作料の減額などを求める**小作争議**がしきりに起こり，1922年に全国組織として日本農民組合が結成されました。

社会主義運動も活性化し，1920年に日本社会主義同盟が結成されました。また，ロシア革命の影響で共産主義への関心が急速に高まると，p.211・284 1922年に日本共産党が非合法に結成されました。

差別からの解放を求めて

部落差別に苦しむ被差別部落の人々も，政府にたよらず，自力で人間としての平等を勝ち取り，差別からの解放を目指す運動(部落解放運動)を進めました。1922年に京都で**全国水平社**❸〜❼が結成され，運動は全国にp.169・240 広がっていきました。

❸水平社宣言(1922年)　(部分要約)

全国に散在する部落の人々よ，団結せよ。ここに我々が人間を尊敬することによって，自らを解放しようとする運動を起こしたのは当然である。我々は，心から人生の熱と光を求めるものである。水平社はこうして生まれた。

人の世に熱あれ，人間に光あれ。

京都

全國水平社創立大會へ!!

一、同情的差別撤廢を排し、部落民の自發的運動を起して集團的見解を發表し
一、常に自ら卑下せんとする特殊部落民の自覺と民衆の反省を促さんとする

◆會場　京都市岡崎公會堂
◆日時　來る三月三日正午(時間勵行)
男女何れを問はず奮つて參集せられたし
關東、東海、近畿、中國、四國、九州の人士を網羅す

水平社同人

❹全国水平社創立大会のビラ(「全国水平社70年史」)

❺西光万吉(1895〜1970)

部落差別からの解放を訴えた運動家

奈良県

全国水平社結成の中心人物の一人で，水平社宣言を起草し，部落解放運動を指導しました。第二次世界大戦後は平和活動に尽力しました。(奈良県　水平社博物館蔵)

世紀　B.C.　A.D.1　2　3　4　5　6　7　8　9　10　11　12　13　14　15　16　17　18　19　20　21
縄文　弥生　古墳　飛鳥　奈良　平安　鎌倉　室町　南北朝　戦国　安土桃山　江戸　明治　大正　昭和　平成　令和

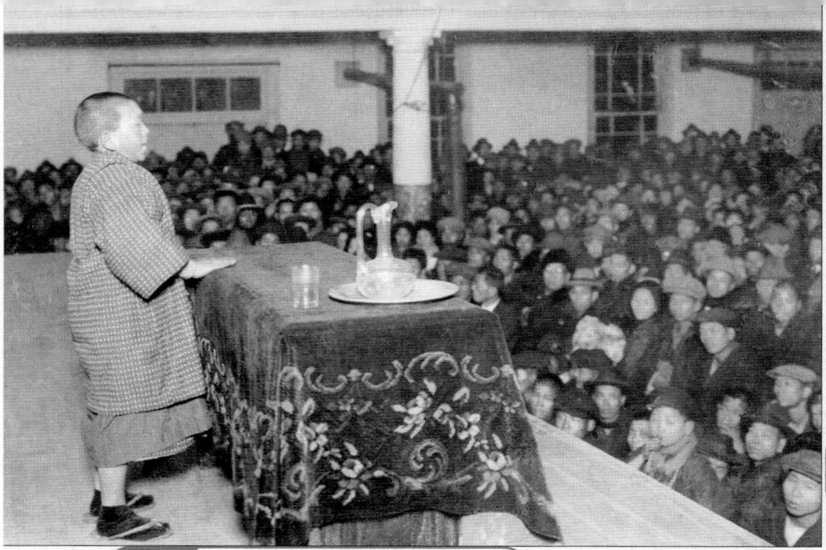

考える
さまざまな社会運動が広がる中で，人々の中にどのような意識が生まれ，高まったか，考えましょう。

❻全国水平社青年同盟の演説会で，差別とのたたかいを訴える山田孝野次郎（大阪府　1924年）（p.241）

❼山田孝野次郎の全国水平社創立大会での演説
（1922年）（部分要約）

私は役所の役人様や学校の先生の演説や話を聞きました。それらの人々は口をそろえて人間の平等が必要だとさけびます。人と人との差別はまちがっていると言われます。そして，いかにもそのことを理解しているように，差別感情などこれっぽっちもないかのように言われますが，いったん教壇に立った先生のひとみは何と冷たいものでしょう。

❽平塚らいてう（1886〜1971）
女性の権利獲得を目指した運動家

東京都

1911年に文芸誌「青鞜」創刊号に寄せた❾の文章は，女性運動の象徴となりました。新婦人協会では，市川房枝（1893〜1981）らとともに活動し，女性の政治団体加入や集会参加の権利を獲得しました。（東京都　日本近代文学館蔵）

北海道では，差別に苦しむアイヌ民族の解放運動も起こり，p.141・179 1930（昭和５）年には北海道アイヌ協会が結成され，アイヌ民族の社会的地位の向上を訴えました。

女性による運動
女性差別からの解放を目指す女性運動も盛んになりました。「新しい女」を目指し，青鞜社❾❿を結成して女性の解放を唱えてきた**平塚らいてう**❽は，1920年に新婦人協会を設立し，女性の政治活動の自由，女子高等教育の拡充，男女共学などを求める運動を広げました。また，女性が政治に参加する権利を求める運動も本格化しました。

男子普通選挙の実現
p.213 第一次世界大戦後には，男子普通選挙を実現させようとする動きが高まりました。p.288 1924年，政党勢力は第二次護憲運動を起こし，憲政会党首の加藤高明を首相とする連立内閣を成立させました。

p.289 加藤内閣は1925年，納税額による制限を廃止して，満25歳以上の男子に選挙権をあたえる**普通選挙法**を成立させました。これによって有権者は約４倍に増加し⓫，政治に広く国民の意向が反映される道が開かれました。しかし，女性には引き続き選挙権はあたえられませんでした。また，普通選挙法と同年に，共産主義などを取りしまる**治安維持法**が制定され，後に対象が社会運動全体へと拡大されました。

❾青鞜社の宣言（1911年）　（部分要約）
元始，女性は実に太陽であった。真正の人であった。今，女性は月である。他によって生き，他の光によってかがやく，病人のように青白い顔の月である。私たちはかくされてしまった我が太陽を今や取りもどさなくてはならない。

青
鞜

❿「青鞜」の表紙（東京都　日本近代文学館蔵）

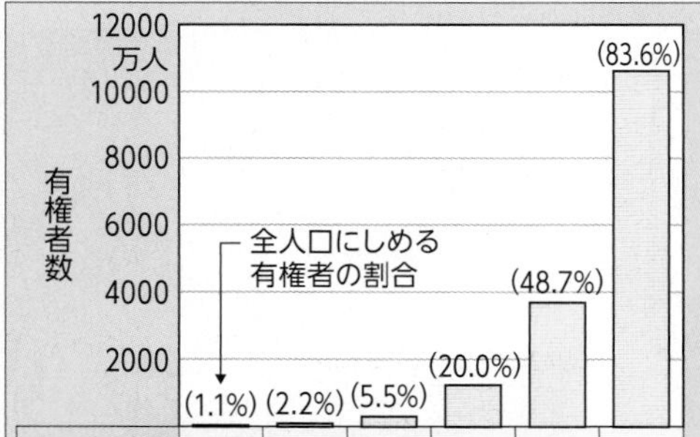

12000
万人
10000
8000
6000
4000
2000
有権者数
全人口にしめる有権者の割合
(1.1%)
(2.2%)
(5.5%)
(20.0%)
(48.7%)
(83.6%)

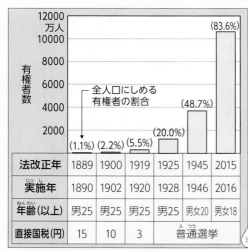

法改正年	1889	1900	1919	1925	1945	2015
実施年	1890	1902	1920	1928	1946	2016
年齢(以上)	男25	男25	男25	男25	男女20	男女18
直接国税(円)	15	10	3	普通選挙		

⓫有権者数の増加（総務省資料ほか）

公 地 歴

チェック　大正時代から昭和時代の初めにかけて活発になった社会運動を，本文からぬき出しましょう。

トライ　それぞれの社会運動はどのようなことを訴えていたか，簡単に説明しましょう。

❶浅草六区(着色写真)　浅草六区は，明治時代に造成された，東京を代表する大衆娯楽街でした。劇場や映画館が数多く立ち並び，ここから多くの全国的なスターが生まれました。

鞍馬天狗
嵐長三郎改メ
嵐寛壽郎

❷映画のポスター(1928年)(国立映画アーカイブ蔵)「鞍馬天狗」は大衆小説を原作とした大ヒット映画で，主演俳優もスターになりました。

3 新しい文化と生活

学習課題 大正時代の文化は，どのような特色を持っていたのでしょうか。

赤い鳥
鈴木三重吉主幹

❸大衆雑誌(左)と子ども向けの雑誌(右)

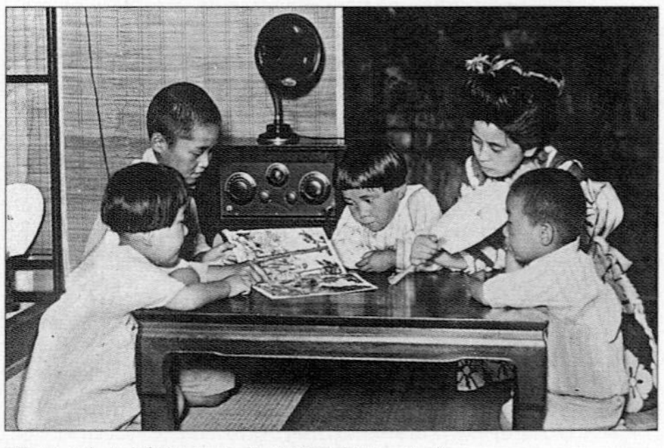

❹ラジオが置かれた部屋(1925年)

見方・考え方 関連 文化が大衆化した背景について，教育やメディアに着目してまとめましょう。

教育の広がり

大正時代には，明治時代に比べて，中等・高等教育p.197が広がりました。中学校や高等女学校(ともに現在の高等学校)への進学率が高まり，大学や専門学校も数が増えました。初等教育である小学校でも，個性を大切にし，自主性を重視する自由教育の運動が始められました。

メディアの発達と文化の大衆化

教育の広がりを背景として，第一次世界大戦後，サラリーマンなどの新中間層p.287や，さらには一般の大衆に向けた文化が発展するようになりました。

新聞・雑誌・書籍などの活字の文化が広がりを見せ，新聞では発行部数が100万部をこえるものも現れるようになりました。また，週刊誌や月刊の総合雑誌[3]の発行部数も急速にのびました。1冊1円の文学全集(円本)や，さらに低価格の岩波文庫などが出版され，文化の大衆化に大きな役割を果たしました。子ども向けの雑誌[3]が発行され，西洋風の童謡や童話が広まったのもこの時期です。

国産の活動写真(映画)も制作され，多くの観客を集めました[1,2]。また蓄音機やレコードが広まり，歌謡曲が全国で流行するよう

東京都　茨城県

5 柳宗悦（左：1889～1961）
6 板谷波山（右：1872～1963）

近代日本にうもれた美を追究

柳宗悦は，朝鮮の美術工芸や日本の民芸など，民衆の道具に美しさを見いだし，そうしたものを生み出す人々を敬愛しました。

また，板谷波山は，陶磁という分野が「産業」から「芸術」へと変わっていく時期に，「芸術としての焼き物」を確立しました。

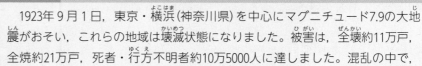

歴史にアクセス　関東大震災

防災・安全　人権・平和

1923年9月1日，東京・横浜（神奈川県）を中心にマグニチュード7.9の大地震がおそい，これらの地域は壊滅状態になりました。被害は，全壊約11万戸，全焼約21万戸，死者・行方不明者約10万5000人に達しました。混乱の中で，「朝鮮人や社会主義者が井戸に毒を入れた。暴動を起こす」といった流言が広がり，多くの朝鮮人，中国人や社会主義者などが殺されました。

一方で，震災は都市改造のきっかけにもなり，復興の中で，東京や横浜は近代的な都市として生まれ変わりました。

7 関東大震災後の浅草（着色写真）

になりました。1925（大正14）年に東京・名古屋・大阪で始まった**ラジオ放送**は全国に普及し[4]，新聞と並ぶ情報源になりました。p.199

こうしたメディアの発達とともに，大衆小説や映画，歌謡曲，野球などのスポーツが大衆の娯楽として定着していきました。p.289 p.242

新しい思想や文化

学問では，東洋と西洋の哲学を統一しようとした哲学者の西田幾多郎や，民芸運動を起こした柳宗悦[5]など，独創的な研究者が現れました。

文学では，自然主義に反対して個人を尊重した志賀直哉などの白樺派をはじめ，谷崎潤一郎や**芥川龍之介**[8]などが，優れた作品を発表しました。また，小林多喜二など，労働者の生活をえがくプロレタリア文学も流行しました。

美術では，洋画の岸田劉生や竹久夢二など，音楽では，多くの童謡を作った野口雨情や巻頭2 16，日本初の職業オーケストラを作った洋楽の山田耕筰，邦楽（箏曲）の宮城道雄などが活躍しました[6]。

都市の生活

ガス・水道・電気などの広がりによって，都市では欧米風の生活様式が広まりました。欧米風の外観や応接室を持った「文化住宅」が流行し，ライスカレー・トンカツ・コロッケなどの洋食が広まりました[9]。

また，都市ではバスガール[10]や電話交換手などの働く女性が増加し，女性の社会進出が進みました。p.198 3

東京都

8 芥川龍之介
（1892～1927）

芸術性の高いたくみな短編小説を書く

「羅生門」「地獄変」など，古典文学から題材を取った短編小説を書く一方で，「蜘蛛の糸」「杜子春」「トロッコ」といった，子ども向けの短編小説も書きました。

国語：芥川龍之介「トロッコ」　▶D

ミルクキャラメル
滋養豊富
風味絶佳
カルピス

9 大正時代に販売されたキャラメル（左）**と乳酸菌飲料**（右）**のパッケージ**（左：森永製菓蔵，右：アサヒ飲料蔵）

市バス

10 バスガール（大阪府　1927年）
乗客から運賃を受け取ったり，停留所を案内したりする仕事を担当していました。

チェック　大正時代に普及したり流行したりしたものを，本文からぬき出しましょう。

トライ　文化の大衆化が進んだ背景を，20字程度で説明しましょう。

探究のステップに取り組もう（p.247）

3節 世界恐慌と日本の中国侵略

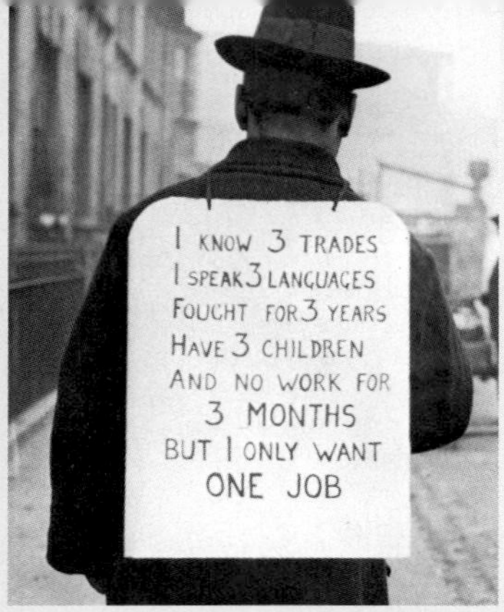

I KNOW 3 TRADES
I SPEAK 3 LANGUAGES
FOUGHT FOR 3 YEARS
HAVE 3 CHILDREN
AND NO WORK FOR
3 MONTHS
BUT I ONLY WANT
ONE JOB

❷**ロンドン（イギリス）の街頭で職を求める人**

❶**1929年10月24日のニューヨーク（アメリカ）のウォール街**（着色写真）　世界最大の金融街の様子。この日の株価の大暴落をきっかけに恐慌が始まり，「暗黒の木曜日」と呼ばれました。

公 地 歴

1 世界恐慌とブロック経済

学習課題 **世界恐慌は，世界にどのような影響をあたえたのでしょうか。**

❸**アメリカの自動車工場**（1929年）　ベルトコンベヤを使った大量生産が始まり，大衆にも自動車が普及しました。

❹**フランクリン・ローズベルト**（1882〜1945）　ラジオを通じて国民に直接語りかける手法で，人気を集めました。

❶この時期のアメリカの失業率は，最大で25%に達しました。

探究のステップ　経済情勢が変化する中、日本はどのようにして日中戦争に突入したのでしょうか。

世界恐慌の始まり

世界経済の中心となったアメリカでは，雑誌・ラジオ・映画が普及しp.213，自動車が大量に生産されて❸，大衆は新しい生活と文化を楽しみました。こうした繁栄は，ヨーロッパや日本にも広がりました。

ところが，1929（昭和４）年10月，ニューヨークの株式市場p.284で❶株価が大暴落して，多くの銀行が倒産p.284して恐慌p.286となりました。その結果，資金を借りられなくなった多くの企業が倒産し，失業者が増え❶，このため物が売れなくなり，それがさらに倒産を増やすという悪循環が生まれました。こうして恐慌は深刻な不況を生みました。またアメリカは多くの国に資金を貸していたのでp.288，恐慌は世界中に広がり（**世界恐慌**），ほかの国々にも深刻な不況をもたらしました❷。

ニューディール

アメリカは，大不況に対応するため，ローズベルト大統領❹の下，1933年から**ニューディール**（新規まき直し）という政策を始め，農業や工業の生産を調整する一方で，積極的に公共事業をおこして失業者を助け❻，労働組合を保護しましたp.159。この新しい政策をアメリカ国民は強

世紀	B.C.	A.D.1	2	3	4	5	6	7	8	9	10	11	12	13	14	15	16	17	18	19	20	21

縄文　弥生　古墳　飛鳥　奈良　平安　鎌倉　室町（南北朝）　戦国　江戸（安土桃山）　明治　大正　昭和　平成　令和

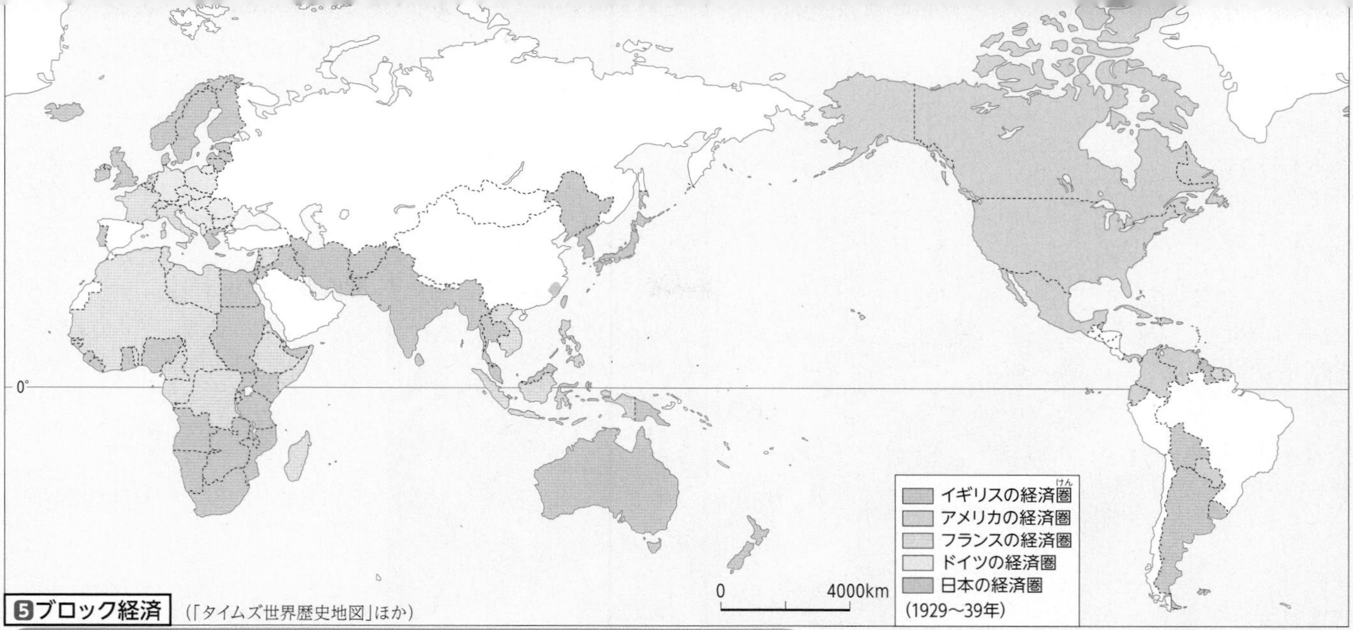

0°
0
4000km
イギリスの経済圏
アメリカの経済圏
フランスの経済圏
ドイツの経済圏
日本の経済圏
(1929〜39年)

❺ブロック経済（「タイムズ世界歴史地図」ほか）

読み取る
(1)❺とp.186❶とを比べて，気付いたことを挙げましょう。
(2)❼から，国による世界恐慌の影響のちがいを読み取りましょう。

↑カナダは，政治ではイギリスとの関係が強かったものの，経済ではアメリカと密接な関係にありました。

く支持し，民主主義の政治が維持されました。

この一方で，アメリカは自国の産業を優先して保護貿易の姿勢を強めたため，輸出入は大幅に減りました。p.289当時アメリカは世界最大の貿易国だったため，この措置はアメリカへの輸出が重要だった国々にとって大きな打撃になりました。

ブロック経済

大不況に際してイギリスは，本国と植民地との関係を密接にし，オーストラリア・インドなどとの貿易を拡大する一方，それ以外の国からの輸入に対する関税を高くしました。このように，関係の深い国や地域を囲いこんで，その中だけで経済を成り立たせる仕組みを**ブロック経済**といいます。植民地の多いフランスも，同じようにブロック経済を成立させました。❺

他方で植民地の少ないイタリア・ドイツ・日本などは，自らのブロック経済を作ろうと，新たな領土の獲得を始めました。

このように各国は，10年ほど続いた大不況に対して，それぞれ自国第一の対策を追求したので，国際連盟などによってできあがっていた国際協調の体制は大きくゆらぎました。p.212

なお，「五か年計画」p.211で独自の経済政策を採っていたソ連は，世界恐慌の影響を受けることなく成長を続け，アメリカに次ぐ工業国になりました。❼

❻ニューディールによって建設が始められたダム（アメリカ）　ニューディールでは，失業者に職をあたえるために，ダムの建設などの公共事業が行われました。

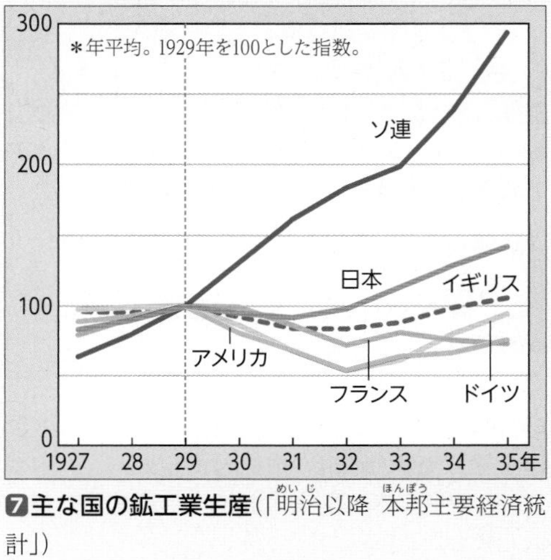

＊年平均。1929年を100とした指数。
300
200
100
0
ソ連
日本
イギリス
アメリカ
フランス
ドイツ
1927
28
29
30
31
32
33
34
35年

❼主な国の鉱工業生産（「明治以降　本邦主要経済統計」）

チェック　世界恐慌に際して各国が採った対策を，本文からぬき出しましょう。

トライ　世界恐慌が起こったきっかけと影響について，30字程度で説明しましょう。

❷ナチスの宣伝(部分訳)

　大衆の受け入れ能力は極めて限られており，理解力は薄弱であるが，そのかわりに忘れることにかけては実に早い。この事実から，全ての効果的な宣伝においては，焦点をごく一部にしぼり，それをスローガンのように利用し，最低レベルの人間がその言葉で目的としたものを思いうかべることができるまで，決まり文句を使い続けなくてはならない。

(アドルフ・ヒトラー「我が闘争」)

❶ナチスが行った収穫祭(1937年)
ナチスは，伝統的な秋の祝祭を利用し，ドイツ人の不満を人種的な差別へと向けていきました。

公 地 歴

2 欧米の情勢とファシズム

学習課題　**ファシズムは，どのようにして台頭したのでしょうか。**

❸ベニート・ムッソリーニ(左：1883～1945)**とアドルフ・ヒトラー**(右：1889～1945)(着色写真)

読み取る　ドイツでヒトラーが国民から支持された理由を，❶❷❻❼を基に考えましょう。

❶スペインでは，内戦の結果，ファシズムの影響を強く受けた政府が成立しました。この内戦には，ファシズム国家のドイツやイタリアが介入しました。

ファシズム

第一次世界大戦後のヨーロッパ諸国では，民主主義が発展した一方で，**ファシズム**と呼ばれる政治運動も登場しました。ファシズムは，競争に打ち勝った強い者が弱い者を支配する社会を望んで，人間の平等を否定しました。ファシズム国家では，国民はこうした指導者に従うべきとされ，個人の自由や民主主義は否定されました(**全体主義**p.287)。さらに，おとったとされる他民族への攻撃や他国の侵略も正当化されました。ファシズムはイタリアに生まれ，これを共産主義に対抗する勢力と考えた資本家や，新しい政治運動として期待した大衆の支持を得て，ドイツで勢力を強めて，政治と社会の仕組みを大きく変えていきました。ファシズムは，スペインなどでも勢力をのばしました。❶

イタリアのファシズム

イタリアは，第一次世界大戦の戦勝国でしたが，戦争の被害が大きく，戦争終結後も経済が混乱していました。ファシスト党を率いた**ムッソリーニ**❸は，領土問題や共産主義への国民の不満をあおりながら，1922(大正11)年に首相になりました。p.286ムッソリーニは，国王の支持

世紀	B.C.	A.D. 1	2	3	4	5	6	7	8	9	10	11	12	13	14	15	16	17	18	19	20	21

縄文　弥生　古墳　飛鳥　奈良　平安　鎌倉　室町（南北朝）　戦国　安土桃山　江戸　明治　大正　昭和　平成　令和

REICHSBANKNOTE
F·00763522
Eine Billion Mark
1000 MILLIARDEN
REICHSBANKDIREKTORIUM

↑←❹札束で遊ぶ子ども(上)と「1兆マルク」紙幣(左)　ドイツでは，1923年に物価が大きく上がり，貨幣の価値が大きく下がりました。その対策として発行された1兆マルク紙幣には「1000×10億」と書かれています(青わく部分)。

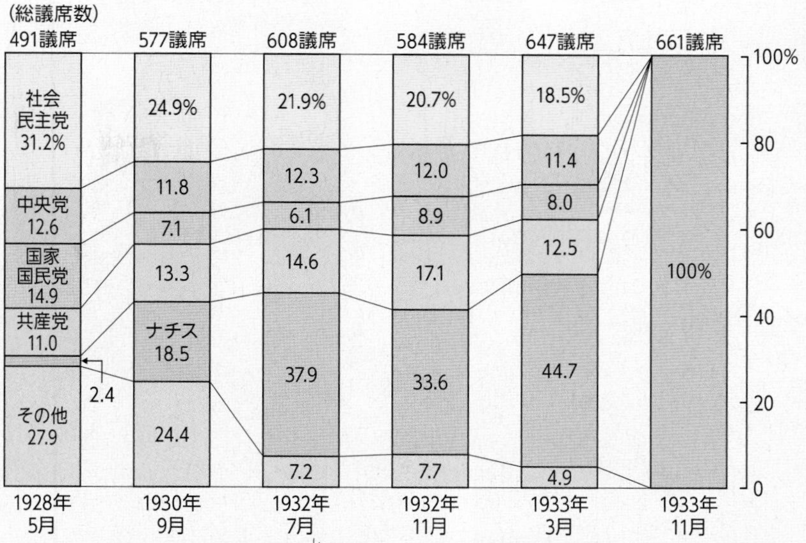
(総議席数)
491議席
577議席
608議席
584議席
647議席
661議席
社会民主党 31.2%
中央党 12.6
国家国民党 14.9
共産党 11.0
2.4
その他 27.9
24.9%
11.8
7.1
13.3
ナチス 18.5
24.4
21.9%
12.3
6.1
14.6
37.9
7.2
20.7%
12.0
8.9
17.1
33.6
7.7
18.5%
11.4
8.0
12.5
44.7
4.9
100%
100%
80
60
40
20
0
1928年5月
1930年9月
1932年7月
1932年11月
1933年3月
1933年11月

❺ナチスの得た議席の変化　1933年11月の選挙では，ナチスに所属しない少数の議員も当選していましたが，かれらはヒトラーの承認を得て立候補していました。

の下にほかの政党を禁止して独裁を行い，言論や集会の自由を制限しました。また，世界恐慌後に経済が行きづまると，エチオピアを侵略し，1936(昭和11)年にこれを併合しました。

ドイツのファシズム

第一次世界大戦で敗れたドイツでは，ベルサイユ条約が戦勝国からおし付けられたものと考えられており，また賠償金が重い負担になって，経済が混乱していました。[4] こうした中で，**ヒトラー**[3]p.212の率いる**ナチス**(国民社会主義ドイツ労働者党)は，ベルサイユ条約に対する国民の不満をあおり，ユダヤ人を迫害し，共産主義者などを攻撃しながら，ドイツ民族が他民族よりも優秀であると宣伝して注目を集めました。[1][2][6][7]

世界恐慌p.222による深刻な不況が始まると，ナチスは混乱の中で勢力を大きくのばし，1932年には議会で第一党になりました。[5] ヒトラーは1933年に首相になると，ほかの政党を解散させ，ワイマール憲法を停止して独裁を確立しました。また国際連盟p.213から脱退し，国際的な世論p.212を無視して軍備を増強しました。ヒトラーの下のドイツは，公共事業と軍需産業によって経済が回復しましたが，軍事大国になり，人々の自由はうばわれ，秘密警察が国民を監視し統制する全体主義の国家となりました。

❻ナチスの党大会で行進するヒトラーユーゲントの子どもたち(1933年)　ヒトラーユーゲントは，10〜18歳の男子の加入が義務付けられたナチスの組織で，軍事教練や思想教育が行われました。

❼ナチス党員の話　(部分訳)

「私は，党に入ったんです。…私は長い間失業していたんですから。それが，ヒトラーが政権について以来，職ができたんです。…私がNSDAP(ナチス)の党員になったのは，そうすれば私たち家族のためになると思ったからなんです。…私は，党が要求すること，行うことに全て賛成だというのでは決してないんです。しかしねえ，…どんな党でも，どんな運動でも，具合の悪い面というのはあるものじゃないですか？」

(ハンス・ペーター・リヒター「あのころはフリードリヒがいた」上田真而子訳)

チェック　ファシズムとはどのような考え方で，主な指導者はだれか，本文からぬき出しましょう。

トライ　ファシズムが台頭してきた背景を，次の語句を使って説明しましょう。[経済／不満]

普選
棄權スレバ暗クナル
投票スレバ明クナリ
昭和維新輿論政治実現スル
皆さん投票所へ
内務省

❷初の男子普通選挙のポスター（東京都　法政大学大原社会問題研究所蔵）

❶初の男子普通選挙の投票所（現在の東京都文京区　1928年）　1925年に成立した普通選挙法（p.219）に基づく初の衆議院議員選挙で，立憲政友会と立憲民政党の二大政党が9割以上の議席を獲得しました。

3 昭和恐慌と政党内閣の危機

学習課題 **昭和時代に入り，日本の政党政治はどのような危機をむかえたのでしょうか。**

❸**銀行の取り付けさわぎ**（1927年）　銀行の経営悪化が伝えられると，人々が預金を引き出そうと銀行におし寄せました。

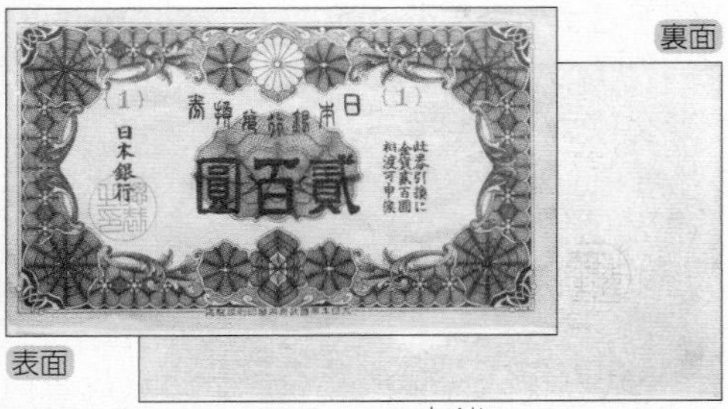

裏面
表面

❹**裏面が印刷されていない紙幣**　取り付けさわぎによって紙幣が不足したため，急きょ裏面の印刷を省いた紙幣を発行しました。

❶この選挙では，労働組合や農民組合が支持する社会主義政党も議席を得ました。

政党政治の進展と行きづまり

日本では，加藤高明内閣（p.219）が成立した1924（大正13）年以降，憲政会（後の立憲民政党）と立憲政友会とが交互に政権を担当しました。[5] 二大政党の党首が内閣を組織するこの慣例を，「**憲政の常道**」といいます。1928（昭和3）年には，初の男子普通選挙（p.219）が実施されました。[1][2][1] ところが，政党政治は，経済や外交などで困難に直面し，次第に行きづまっていきました。

昭和恐慌

第一次世界大戦後の日本の経済は不況（p.288）になやまされていました。1923年の**関東大震災**（p.221）は経済に大きな打撃をあたえ，その後の混乱などから1927年には金融恐慌（p.284・285）が起こり，多くの銀行が休業に追いこまれました。[3][4]

アメリカから始まった世界恐慌（p.222）は，1930年に入って日本にもおよび，**昭和恐慌**と呼ばれる深刻な不況が発生しました。都市では，企業が数多く倒産し，失業者が増大しました。農村でも，米やまゆなどの農産物の価格が暴落し，生活が苦しくなりました。[6] 大凶作に見舞われた東北地方と北海道では，ききんが起こりました。[8] 借金のための女性の「身売り」や，学校に弁当を持っていけない「欠食児童」が，社会的な問題になりました。

世紀	B.C.	A.D.1	2	3	4	5	6	7	8	9	10	11	12	13	14	15	16	17	18	19	20	21
縄文	弥生				古墳			飛鳥	奈良	平安				鎌倉	室町（南北朝）		戦国（安土桃山）	江戸		明治	大正・昭和	平成・令和

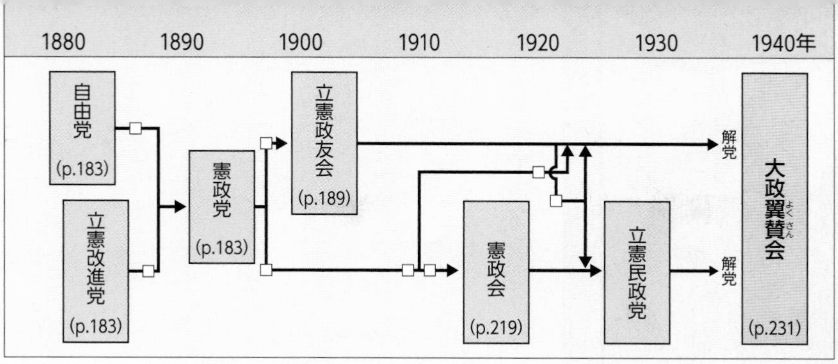

1880
1890
1900
1910
1920
1930
1940年
自由党 (p.183)
立憲改進党 (p.183)
憲政党 (p.183)
立憲政友会 (p.189)
憲政会 (p.219)
立憲民政党
解党
解党
大政翼賛会 (p.231)

← **5 主な政党の移り変わり**

8 東北地方の不況(岩手県　1934年)

見方・考え方　関連　67から，農家の収入と小作争議とにどのような関連があるか，読み取りましょう。

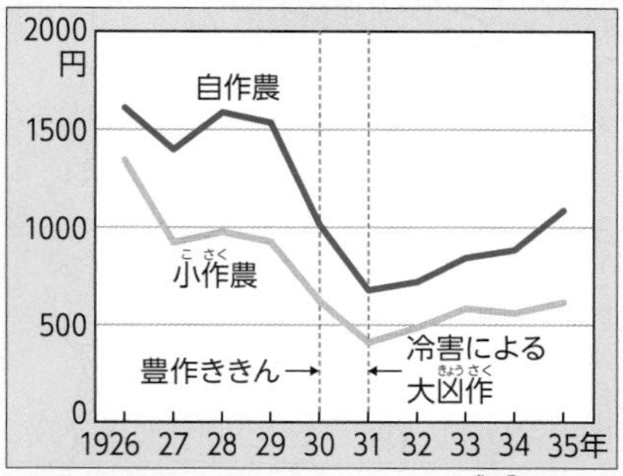

2000円
1500
1000
500
0
自作農
小作農
豊作ききん→
←冷害による大凶作
1926 27 28 29 30 31 32 33 34 35年

6 農家の収入の変化(「日本農業基礎統計」)

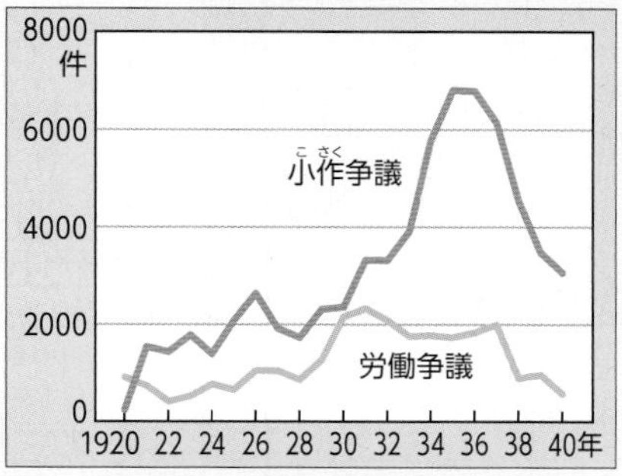

8000件
6000
4000
2000
0
小作争議
労働争議
1920 22 24 26 28 30 32 34 36 38 40年

7 小作争議と労働争議の件数の推移(「完結昭和国勢総覧」)

こうした中，労働争議や小作争議が激しさを増し[7]，経済を支配していた財閥(p.194)への批判が強まりました。さらに，財閥と結び付いて汚職や政争をくり返す政党への不信も高まりました。

難航する外交

各地の軍閥によってばらばらに支配されていた中国では，孫文(スンウェン)(p.193)の死後，蔣介石(チャンチェシー)(p.230 3)が国民党の指導者となって国内の統一を進め，1927年，それまで協力していた中国共産党(p.214)を弾圧したうえで，南京に国民政府を作りました。国民政府は共産党と内戦を行う一方，民族運動の高まりを背景に，日本などの列強が持つ権益の回収を唱えました。

国民政府軍が北京に近づくと，危機感をいだいた現地の日本軍(関東軍)は，満州の直接支配を目指して，1928年に満州の軍閥だった張作霖(チャンツォリン)を爆殺しました[9]。しかし，そのねらいとは逆に，国民政府の支配が満州にまでおよぶ結果になりました。

立憲民政党の浜口雄幸内閣は，中国全土をほぼ統一した国民政府との関係改善を図る一方で，軍備を縮小して国民の負担を減らすため，イギリスやアメリカなどと協調して，1930年にロンドン海軍軍縮条約を結びました。しかし，一部の軍人や国家主義者(p.285)は，これを天皇の権限の侵害(p.184)であると強く批判しました。浜口首相は狙撃されて重傷を負い[10]，辞任に追いこまれました。

東京朝日新聞 外號
昭和三年六月五日
昨朝奉天驛外に突發せる
張作霖氏遭難の光景
宮内特派員撮影―本社初風號の空中輸送

9 張作霖(チャンツォリン)の殺害を報じる新聞(「東京朝日新聞」1928年6月5日)　張作霖の子で後継者の張学良(チャンシュエリアン)は，この事件の後，日本に対抗するために，国民政府の傘下に入りました。

10 狙撃されて重傷を負った浜口雄幸首相(中央)(東京駅　1930年)

チェック　日本の経済が不況におちいった経緯を，本文からぬき出しましょう。

トライ　政党政治が行きづまっていった理由を，次の語句を使って説明しましょう。[財閥／満州]

❶**満州国の建国1周年を祝う人々**(新京／長春　1933年3月)　前列左から4人目が，満州国の元首(執政)となった，清の最後の皇帝溥儀です。

ソ連
満州国
(1932.3)
モンゴル
人民共和国
チチハル
1931.11
ハルビン 1932.2
新京(長春)
1931.9
南満州鉄道
ウラジオストク
柳条湖1931.9.18
中華民国
奉天(瀋陽)
山海関
1933.3
北京
天津
旅順
関東州
大連
朝鮮
黄海
日本海
日本
0
500km
満州国の範囲
日本軍の進路
数字 日本軍の占領または戦闘年月(日)

❷**満州事変の広がり**

4 満州事変と軍部の台頭

学習課題 **満州事変後，日本の政治はどのように変化していったのでしょうか。**

読み取る
(1)❶で，溥儀を取り囲むように立っている制服姿の人たちはだれか，考えましょう。
(2)❼で，日の丸に書かれている「尊皇討奸」とはどのような意味か考えましょう。

満州事変と日本の国際的な孤立

中国で日本が持つ権益を取りもどそうとする動きがさらに強まると，関東軍は1931(昭和6)年9月18日に奉天郊外の柳条湖で南満州鉄道の線路を爆破し(柳条湖事件)，これを中国側の仕業として軍事行動を始めました(**満州事変**)。❷日本政府は戦線を拡大させない方針を表明しましたが，関東軍は満州の主要地域を占領し，1932年3月，清の最後の皇帝であった溥儀を元首とする**満州国**の建国を宣言しました。❶日本が実質的に支配した満州国には，日本からの移民が進められました。❹❺

p.227　p.193　p.193

中国は，国際連盟に対して，日本の軍事行動を侵略であると訴えました。国際連盟は，1933年に開かれた総会で，イギリスのリットンを団長とする調査団の報告に基づき，満州国を認めず，日本軍の占領地からの撤兵を求める勧告を採択しました。これに反発した日本は，国際連盟を脱退しました。❸

p.212

1936年にはワシントン・ロンドンの両軍縮条約の期限も切れ，日本は国際的な孤立を深めていきました。こうした中，日本は同年，共産主義勢力の進出に対抗するという理由で，ドイツと日独防共協定を結び，ファシズム諸国に近づきました。

p.213・227　p.224

聯盟よさらば！遂に
總會，勧告書を採擇し
我が代表堂々退場す
四十二對一票，棄權一

❸**日本の国際連盟脱退を報じる新聞**(「東京朝日新聞」1933年2月25日)　日本代表の松岡洋右は，勧告の採択に抗議して議場から退席し，翌月に正式に脱退を通告しました。

世紀	B.C.	A.D.1	2	3	4	5	6	7	8	9	10	11	12	13	14	15	16	17	18	19	20	21

縄文　弥生　古墳　飛鳥　奈良　平安　鎌倉　室町(南北朝)　戦国　安土桃山　江戸　明治　大正　昭和　平成　令和

歴史にアクセス　満州移民

満州事変の勃発後，関東軍は，軍事的な目的もあって，日本から満州への移民をすすめ，日本政府の方針になりました。昭和恐慌で大きな打撃を受けた長野県などから多くの人々がわたり，現地の人々より安く買い上げた土地などに入植しました。また，16～19歳の男子を訓練して送りこむ満蒙開拓青少年義勇軍も作られました。太平洋戦争(p.235)の終戦直前には，開拓団が848団，開拓民は約27万人に上りましたが，ソ連の侵攻(p.239)を受け，多くの犠牲者が出ました。

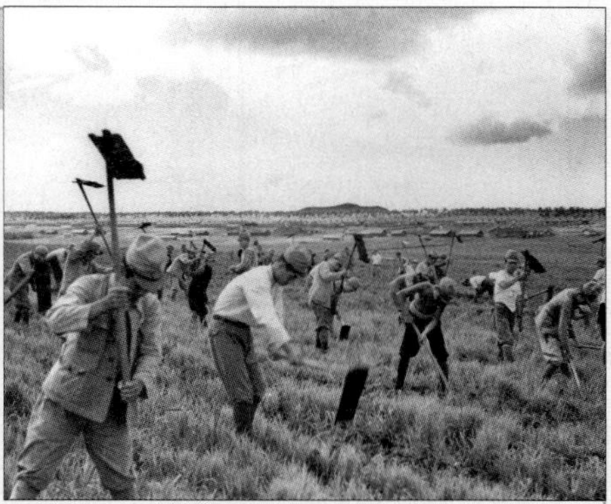

❹開墾する満州移民（1941年）

拓け満洲の大沃野
満蒙開拓青少年義勇軍
大東亜省

❺満蒙開拓青少年義勇軍を募集するポスター

首相遂に兇手に倒る
昨夜十一時廿六分絶命

十五日夕不慮の凶變にあつた犬養首相の容體は百方手をつくしたが何しろ重傷の上に高齢の身であるため症狀は漸次悪化し、十五日午後十一時過ぎ危篤に陷り十一時二十六分遂に逝去した、首相危篤に陷るや首相夫人、健秘書官夫妻、芳澤外相夫妻その他近親者をはじめ首相の兇事を聞き首相官邸にかけつけ病狀如何を案じつゝその善後處置を凝議してゐた各閣僚はいづれも病室に入り最後に官邸に來た高橋藏相をしんがりとして最後の暇ごひをした、即ち犬養首相の死は十一時二十六分であつたが首相の重職にあつて政務上種々の事情があるので喪を發せず本日發喪す

犬養總裁は黨葬に決定

後繼總裁 高橋翁

❻五・一五事件を報じる新聞（「東京朝日新聞」1932年５月16日）　暗殺された犬養毅首相は，おし入ってきた海軍の将校に，「話せば分かる」と語りかけたといわれています。

軍部の発言力の高まり

満州事変について，日本国内では，多くの新聞が軍の行動を支持し，昭和恐慌(p.226)に苦しんでいた民衆も歓迎しました。こうした中，軍人や国家主義者の間では，政党や財閥(p.194)を打倒して強力な軍事政権を作り，国家を造り直そうという動きが活発になりました。

1932年５月15日，海軍の青年将校などが首相官邸をおそい，犬養毅首相を暗殺しました。この**五・一五事件**❻によって，政党内閣の時代が終わり，軍人が首相になることが多くなりました。

また，1936年２月26日には，陸軍の青年将校が大臣などを殺傷し，東京の中心部を占拠しました。この**二・二六事件**❼は，間もなくしずめられましたが，これ以降，軍部は政治的な発言力をますます強め，軍備の増強を推し進めていきました。

経済の回復と重化学工業化

世界恐慌(p.222)で深刻な打撃を受けた日本は，諸外国と比べて，いち早く不況から立ち直りました。綿製品などの輸出が増え❶，これに対抗してブロック経済(p.223)を採ったイギリスなどとの間で，貿易摩擦(p.289)が深刻になりました。また，軍需品の生産と政府の保護とによって重化学工業が発展し，軽工業の生産額を上回りました❽。重化学工業では新しい財閥が急速に成長し，朝鮮や満州にも進出しました。

❼二・二六事件（東京府　1936年）　右はホテルを占拠した反乱軍，下は反乱軍に呼びかけたビラ。

山王ホテル
尊皇討奸

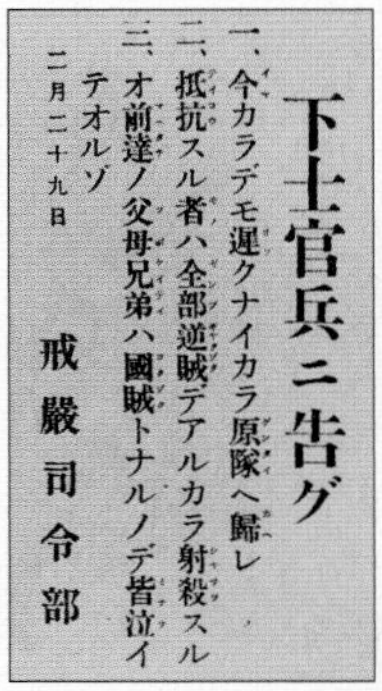

下士官兵ニ告グ

一、今カラデモ遅クナイカラ原隊ヘ帰レ

二、抵抗スル者ハ全部逆賊デアルカラ射殺スル

三、オ前達ノ父母兄弟ハ國賊トナルノデ皆泣イテオルゾ

二月二十九日

戒厳司令部

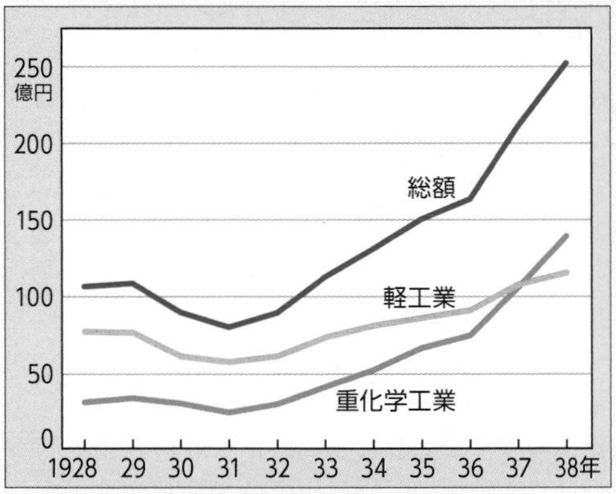
250
億円
200
150
100
50
0
総額
軽工業
重化学工業
1928
29
30
31
32
33
34
35
36
37
38年

❽日本の工業生産の推移（「長期経済統計」）

❶輸出が増えたのは，外国通貨に対する円の価値が下がり，日本製品の世界での価格が安くなったためなどでした。

チェック　満州事変後に起こった日本の外交や政治上の主な出来事を，本文からぬき出しましょう。

トライ　満州事変後の日本の外交と国内政治の変化を，次の語句を使って説明しましょう。［国際連盟／軍部］

❶盧溝橋をわたる日本軍（中国　1937年）　盧溝橋で日中両軍が衝突した後，現地では両国軍の間に停戦協定が結ばれましたが，日本が中国北部への兵力増強を決定し，全面戦争へと発展していきました。

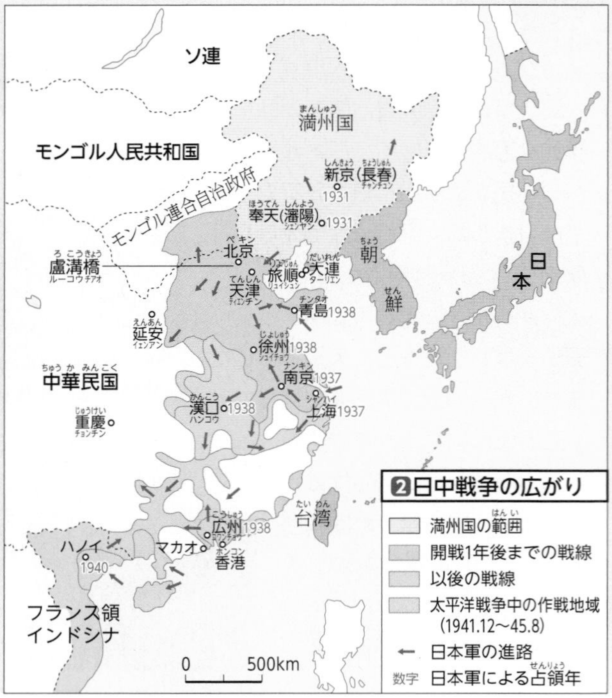

ソ連
満州国
モンゴル人民共和国
モンゴル連合自治政府
新京（長春）
1931
奉天（瀋陽）
1931
北京
盧溝橋
天津
旅順
大連
朝鮮
日本
青島1938
延安
徐州1938
中華民国
南京1937
漢口1938
上海1937
重慶
広州1938
台湾
ハノイ
1940
マカオ
香港
フランス領インドシナ
0　500km
❷日中戦争の広がり
満州国の範囲
開戦1年後までの戦線
以後の戦線
太平洋戦争中の作戦地域（1941.12～45.8）
日本軍の進路
数字　日本軍による占領年

5 日中戦争と戦時体制

学習課題　日本はどのようにして日中戦争を起こし，人々にどのような影響をあたえたのでしょうか。

日中戦争の開始と長期化

満州を支配下に置いた日本は，さらに中国北部に侵入しました。中国では，国民政府（国民党）と共産党との内戦が行われていましたが，抗日運動が盛り上がる中，**毛沢東**❹が率いる共産党は，**蔣介石**❸が指導する国民党に協力を呼びかけ，1936（昭和11）年に内戦を停止しました。p.227

1937年７月，北京郊外の盧溝橋❶付近で起こった日中両国軍の武力衝突（盧溝橋事件）をきっかけに，**日中戦争**が始まりました。戦火は中国中部の上海に拡大し，全面戦争に発展しました❷。これを受けて，国民党と共産党は日本との戦争のために協力し合うことを最終的に決め，抗日民族統一戦線が結成されました。

日本軍は，1937年末に首都の南京を占領し，その過程で，女性や子どもなど一般の人々や捕虜をふくむ多数の中国人を殺害しました（南京事件❶）。しかし，国民政府は，拠点を漢口，次いで重慶に移し，アメリカやイギリスなどの支援を受けながら❷，戦争を続けました。

強まる戦時体制

日中戦争が長期化するにつれて，日本では，政府が軍部の要求に従い，軍事費を増やす

❸蔣介石（左：1887～1975）
❹毛沢東（右：1893～1976）

共産党と国民党の協力体制を作る

蔣介石は，孫文（p.193）の死後，国民党で後継者としての地位を固め，中国の武力統一（北伐）を進め，1928年には国民政府の主席となりました（p.227）。毛沢東は，1921年の中国共産党の結成に参加し，蔣介石の圧迫からのがれる途中，1935年に党の実権をにぎりました。

❶この事件は「南京大虐殺」とも呼ばれます。被害者の数については，さまざまな調査や研究が行われていますが，いまだに確定していません。
❷アメリカやイギリスは，フランス領インドシナなどから「援蔣ルート」（p.235❺）と呼ばれる支援路を使い，重慶の蔣介石を援助しました。

世紀	B.C.	A.D.1	2	3	4	5	6	7	8	9	10	11	12	13	14	15	16	17	18	19	20	21
縄文	弥生				古墳			飛鳥	奈良	平安				鎌倉	南北朝	室町	戦国	安土桃山	江戸	明治	大正 昭和	平成 令和

歴史にアクセス　斎藤隆夫の「反軍演説」　人権 平和

5 演説する斎藤隆夫

戦時体制が強まる中，衆議院議員の斎藤隆夫(1870〜1949)は，1940年２月２日の衆議院本会議で，日中戦争の対処方針について政府を厳しく批判する「反軍演説」を行いました。しかし，軍部の圧力を受けた衆議院は，演説の多くを議事録から削除し，斎藤隆夫を除名しました。

6「反軍演説」(1940年２月２日)　　(部分要約)

聖戦の美名にかくれて国民の犠牲をなおざりにし，国際正義，道義外交，共存共栄，世界の平和といった雲をつかむような文字を並べ立てて，千載一遇の機会を見のがし，国家百年の大計を誤るようなことがあったならば，現在の政治家は死んでもその罪をなくすことはできない。

日本人なら
ぜいたくは出来ない筈だ！
精動本部・東京府・警視廳・東京市
興亜奉公日

7 節約を訴える標語(東京府　銀座　1940年)　戦時中の標語には，「ぜいたくは敵だ」「ガソリンの一滴は血の一滴」「欲しがりません勝つまでは」などがありました。

衣料切符

8 衣料切符(東京都　台東区立下町風俗資料館蔵)　1940年に砂糖とマッチが，42年に衣料が切符制になり，米は41年に配給制になりました。

ともに，戦時体制を整えていきました。[5][6]

1938年，近衛文麿内閣の下で**国家総動員法**が制定され，政府は議会の承認なしに，労働力や物資を動員できるようになりました。また近衛は1940年に総力戦のために国を一丸とする強力な政治体制を作る運動を始めました。政党はこれに応じて解散し，新たに結成された**大政翼賛会**に合流しました。また，労働組合なども解散して，戦時体制に組みこまれました。p.227 5

国民生活への統制も強められました。[7] 軍需品の生産が優先されたため，生活必需品の供給が減り，米・砂糖・マッチ・衣料品などが配給制や切符制[8]になりました。政府の統制と動員を支え，住民を相互に監視させる目的で，町内会などの下に約10戸を単位とする隣組が作られました。

また，戦争に批判的な言論や思想への取りしまりが強化されました。1941年に小学校は国民学校に変えられ，軍国主義的な教育が進められました。p.285

皇民化政策

植民地の朝鮮では，日本語の使用や神社参拝の強要，姓名の表し方を日本式に改めさせる創氏改名などの**皇民化政策**が進められました。さらに，志願兵制度が実施されるなど，朝鮮の人々も戦争に動員されました。[9] 皇民化政策や戦時動員は，台湾でも行われました。

9 動員され訓練する朝鮮の若者たち　朝鮮では，1938年に，陸軍の志願兵制度が作られました。

みんなでチャレンジ　関連

日本が戦争に突入した背景を考えよう

(1)p.226〜230の出来事から，戦争につながったと考えられるものを挙げましょう。
(2) (1)を基に，日本が戦争をした理由について，グループで話し合いましょう。
(3)なぜ第一次世界大戦の教訓が生かされなかったのか，グループで話し合いましょう。

チェック　戦時体制の下で定められた法律や政治体制を，本文からぬき出しましょう。

トライ　戦時体制の下で国民生活がどのように変化したか説明しましょう。

探究のステップに取り組もう(p.247)

❶パリを行進するドイツ軍(1940年7月)

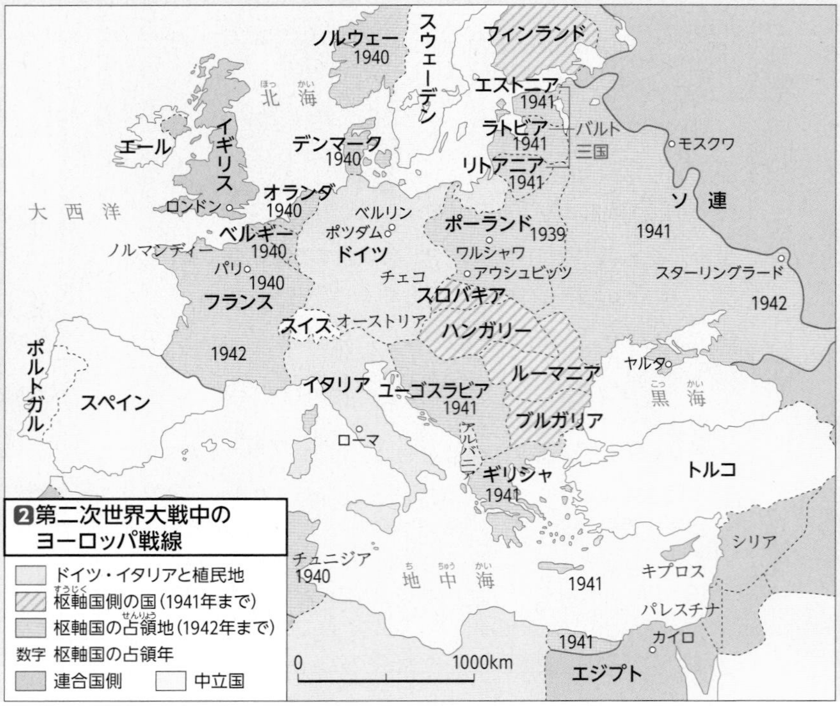
ノルウェー 1940
スウェーデン
フィンランド
北海
エストニア 1941
ラトビア 1941
バルト三国
リトアニア 1941
モスクワ
エール
イギリス
デンマーク 1940
オランダ 1940
ロンドン
ベルリン
ポツダム
ポーランド 1939
ワルシャワ
ソ連
1941
大西洋
ベルギー 1940
ドイツ
ノルマンディー
パリ 1940
チェコ
アウシュビッツ
スターリングラード
1942
フランス
スロバキア
スイス
オーストリア
ハンガリー
ポルトガル
1942
ヤルタ
イタリア
ユーゴスラビア 1941
ルーマニア
黒海
スペイン
アルバニア
ブルガリア
ローマ
ギリシャ 1941
トルコ
チュニジア 1940
地中海
シリア
1941
キプロス
パレスチナ
カイロ
1941
0 1000km
エジプト
ドイツ・イタリアと植民地
枢軸国側の国(1941年まで)
枢軸国の占領地(1942年まで)
数字 枢軸国の占領年
連合国側
中立国

❷第二次世界大戦中のヨーロッパ戦線

1 第二次世界大戦の始まり

学習課題 第二次世界大戦は，なぜ起こり，どのように拡大していったのでしょうか。

読み取る ❷から，枢軸国やその占領地の広がりを読み取りましょう。

❸防空壕でドイツ軍の空襲をさける子どもたち(イギリス：ロンドン　1940年)

❶独ソ不可侵条約の締結は，おどろきをもって受け止められ，日本では平沼騏一郎首相が「欧州の天地は複雑怪奇」という声明を発表し，総辞職しました。

大戦の開始

ヨーロッパでは，ヒトラーに率いられたナチス・ドイツが，東方への侵略を進めていました。p.225 オーストリア，次いでチェコスロバキア西部を併合したドイツは，それまで対立していたソ連と**独ソ不可侵条約**❶を結んだうえで，1939(昭和14)年9月，ポーランドに侵攻しました。

これに対して，それまでドイツの侵略に対して妥協的だったイギリスやフランスは，ポーランドを援助する条約に基づいてドイツに宣戦布告しました。こうして，**第二次世界大戦**が始まりました。❷

戦争の拡大

1940年に入ると，ドイツは，北ヨーロッパや西ヨーロッパの国々を攻撃し，さらにパリを占領して，フランスを降伏させました。❶イギリス本土も，ドイツ軍の激しい空襲を受けました。❸

ドイツの優勢を見て，イタリアはドイツ側に立って参戦しました。1940年9月，ドイツ・イタリアは，日本と**日独伊三国同盟**を結び，結束を強化しました。

この間，スターリンを指導者とするソ連は，独ソ不可侵条約

p.211

探究のステップ 第二次世界大戦はなぜ起こり，世界と日本にどのような影響をあたえたのでしょうか。

歴史にアクセス 「命のビザ」

人権 平和 道徳：六千人の命のビザ ▶D

第二次世界大戦のさなかの1940年７月，ポーランドのユダヤ人が，ナチス・ドイツの迫害からのがれるため，ソ連と日本を通過してアメリカなどにわたろうと，リトアニアの日本領事館におし寄せました。領事代理の杉原千畝は，ドイツと同盟関係にあった日本政府の意向を無視して，１か月余りにわたり，寸暇をおしんでビザ(査証)を書き続け，約6000人もの命を救いました。杉原の人道的な行為は，同様に多数のユダヤ人を救ったドイツ人実業家のオスカー・シンドラー(1908～74)と並んで，国際的に高く評価されています。

岐阜県

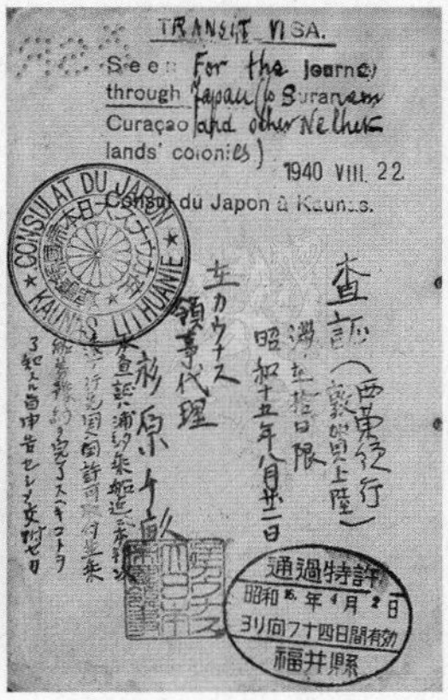
TRANSIT VISA.
Seen For the journey through Japan (to Surinam, Curaçao and other Netherlands' colonies.)
1940 VIII. 22
Consulat du Japon à Kaunas.
通過特許

❹「命のビザ」(右)と杉原千畝(左：1900～86)

❺アンネ・フランク(1929～45)

「アンネの日記」を残す

ユダヤ系ドイツ人で，亡命先のオランダでナチスに見つかり，強制収容所で亡くなりましたが，かくれ家で書かれた日記は，今でも世界で読まれています。

❻「アンネの日記」(部分訳)(深町眞理子訳)

1942年10月９日　金曜日

親愛なるキティー[1]へ

今日は悲しくゆううつなニュースばかりです。たくさんのユダヤ人のお友達が，いっぺんに10人，15人と検束されています。この人たちは，ゲシュタポ[2]からこれっぽっちの人間らしいあつかいも受けず，家畜車につめこまれて，ドレンテにあるオランダ最大のユダヤ人収容所，ベステルボルクへ送られていきます。

❶アンネが考え出した架空の友達。

❷ナチス・ドイツの秘密国家警察。

記

の秘密の取り決めに基づき，ポーランド東部やバルト三国などを軍事力で併合しました。しかし，1941年６月，ドイツは独ソ不可侵条約を破って，ソ連に侵攻しました。

アメリカはこの段階では参戦せず，イギリスやソ連に武器などを援助しました。アメリカのローズベルト大統領とイギリスのチャーチル首相は，1941年８月に**大西洋憲章**p.222を発表して，ナチス・ドイツに対決する決意と戦後の平和構想を示しました。

このようにヨーロッパでは，ファシズムの**枢軸国**❷と反ファシズムの**連合国**p.224の戦いという構図が明らかになっていきました。

ドイツの占領政策

ヨーロッパのほとんどを支配下に置いたドイツは，各地で過酷な占領政策を行いました。反抗する者を弾圧したり，物資を力ずくで取り上げたり，占領地の住民を本国に強制的に連れていって，工場などで厳しい仕事に従事させたりしました。

また，ドイツはユダヤ人を徹底的に差別し，アウシュビッツなど，各地の強制収容所に送り，労働させ，殺害しました。❹～❼

こうしたドイツの占領政策に対して，ヨーロッパ各地では，ドイツへの協力拒否や，武力などによる抵抗運動(**レジスタンス**)が行われました。

MACHT FREI

❼**アウシュビッツ強制収容所**(上：ポーランド)と**収容されたユダヤ人**(下)　収容所の入り口には「労働すれば自由になれる」と書かれています。この大戦中，ヨーロッパのユダヤ人約900万人のうち約600万人が，さまざまな形で死亡しました。また，障がい者なども同様に殺害されました。 世

❷枢軸国という言葉は，1936年に成立したドイツとイタリアの提携関係が「ベルリン・ローマ枢軸」と呼ばれたことに由来しています。

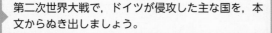

チェック　第二次世界大戦で，ドイツが侵攻した主な国を，本文からぬき出しましょう。

トライ　第二次世界大戦が始まり拡大していく過程を，ドイツの動きを中心に説明しましょう。

Honolulu Star-Bulletin 1st EXTRA
(Associated Press by Transpacific Telephone)
SAN FRANCISCO, Dec. 7.—President Roosevelt announced this morning that Japanese planes had attacked Manila and Pearl Harbor.
WAR!
OAHU BOMBED BY JAPANESE PLANES
SIX KNOWN DEAD, 21 INJURED, AT EMERGENCY HOSPITAL

❷真珠湾攻撃を伝えるハワイの新聞

❶**真珠湾攻撃**(1941年12月8日)　ハワイの真珠湾にあるアメリカ海軍基地を日本軍が奇襲攻撃し，大きな打撃をあたえました。この攻撃は日米交渉の打ち切りの通告前に行われたため，だまし打ちと見なされ，「リメンバー・パールハーバー(真珠湾を忘れるな)」がアメリカ国民を結束させるスローガンになりました。

2 太平洋戦争の開始

学習課題　太平洋戦争は，どのようにして起こったのでしょうか。

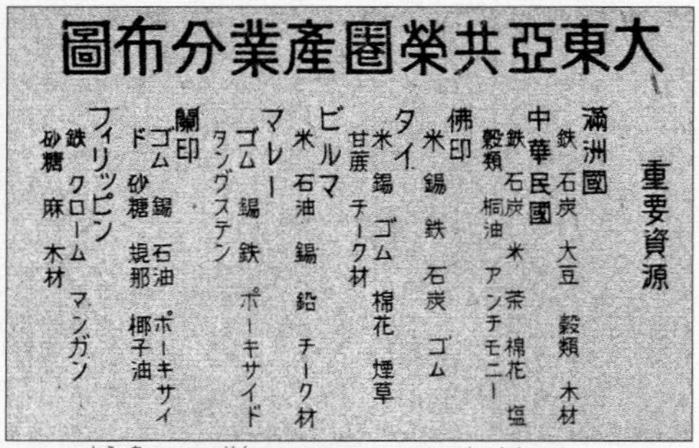

大東亞共榮圈產業分布圖

	重要資源
滿洲國	鉄 石炭 大豆 穀類 木材
中華民國	鉄 石炭 米 茶 棉花 塩 穀類 桐油 アンチモニー
佛印	米 錫 鉄 石炭 ゴム
タイ	米 錫 ゴム 棉花 煙草 甘蔗 チーク材
ビルマ	米 石油 錫 鉛 チーク材
マレー	ゴム 錫 鉄 ボーキサイド タングステン
蘭印	ゴム 錫 石油 ボーキサイド 砂糖 規那 椰子油
フィリッピン	鉄 クローム マンガン 砂糖 麻 木材

❸**「大東亜共栄圏」の資源**(「歴史寫眞」1942年3月号)　「佛(仏)印」はフランス領インドシナ，「蘭(蘭)印」はオランダ領東インドのことです。

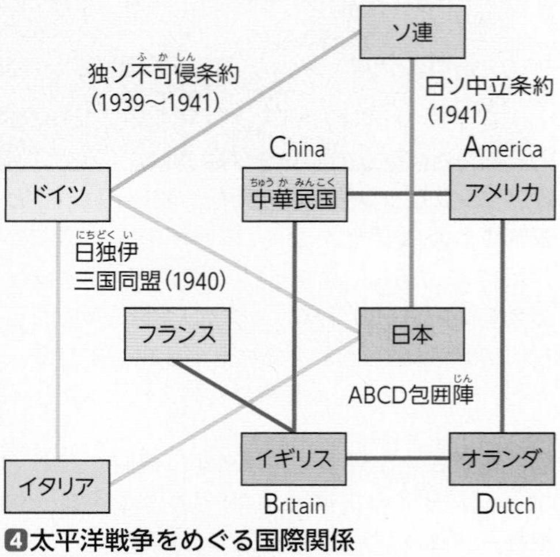
ソ連
独ソ不可侵条約(1939～1941)
日ソ中立条約(1941)
China
America
ドイツ
中華民国
アメリカ
日独伊三国同盟(1940)
フランス
日本
ABCD包囲陣
イギリス
オランダ
イタリア
Britain
Dutch

❹太平洋戦争をめぐる国際関係

日本の南進　イギリスやフランスなどがドイツとの戦争で劣勢におちいると，日中戦争p.232が長期化していた日本は，近衛内閣p.230の下，これらの国々p.231の植民地がある東南アジアに武力による南進を始めました。援蔣ルートp.230を断ち切るとともに，石油やゴムなどの資源を獲得しようとしたのです。❸

日本は1940(昭和15)年9月，フランス領インドシナの北部に軍を進め，次いで日独伊三国同盟を結びましたp.232。さらに，1941年4月に**日ソ中立条約**を結び，北方の安全を確保したうえで，同年7月にフランス領インドシナの南部へも軍を進めました。

こうした動きと合わせて，日本は「**大東亜共栄圏**」の建設を唱えました。それは，日本の指導の下，欧米の植民地支配を打破し，アジアの民族だけで繁栄しようという主張でした。

日米交渉の決裂　日本が南進を行う中で，日米関係は悪化していきました。近衛内閣は，アメリカとの戦争をさけるために1941年4月から日米交渉を行いましたが，軍部の要求などもあって，侵略的な行動を止めませんでした。

フランス領インドシナの南部へ軍を進めた日本に対して，ア

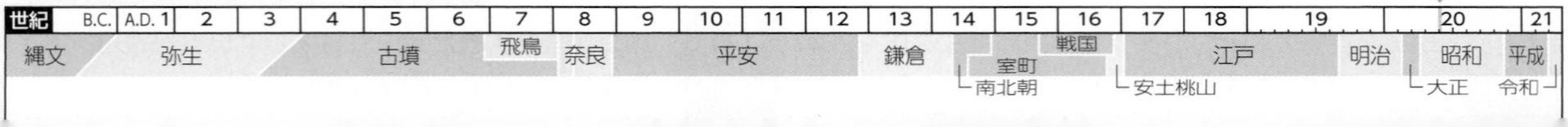
世紀 B.C. A.D.1 2 3 4 5 6 7 8 9 10 11 12 13 14 15 16 17 18 19 20 21
縄文 弥生 古墳 飛鳥 奈良 平安 鎌倉 室町 南北朝 戦国 安土桃山 江戸 明治 大正 昭和 平成 令和

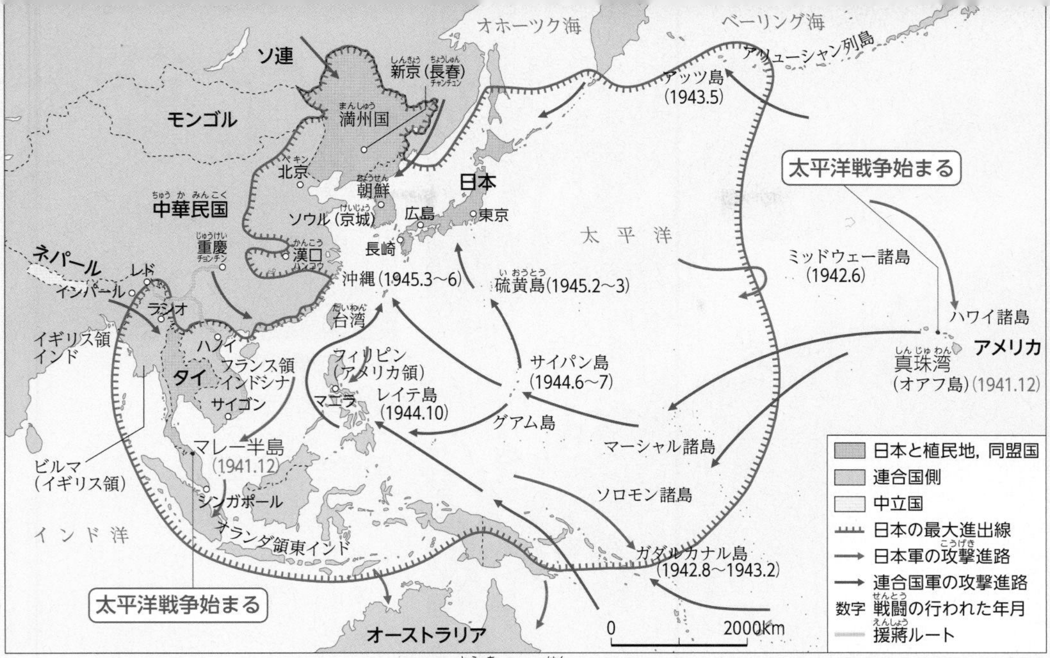
オホーツク海
ベーリング海
アリューシャン列島
ソ連
新京(長春)
アッツ島
(1943.5)
モンゴル
満州国
北京
朝鮮
日本
中華民国
ソウル(京城)
広島
東京
太平洋戦争始まる
太 平 洋
長崎
重慶
漢口
ネパール
レド
インパール
ミッドウェー諸島
(1942.6)
沖縄(1945.3〜6)
硫黄島(1945.2〜3)
台湾
ハワイ諸島
ラシオ
イギリス領
インド
ハノイ
アメリカ
フィリピン
(アメリカ領)
サイパン島
(1944.6〜7)
真珠湾
(オアフ島)(1941.12)
タイ
フランス領
インドシナ
マニラ
レイテ島
(1944.10)
サイゴン
グアム島
マーシャル諸島
マレー半島
(1941.12)
ビルマ
(イギリス領)
シンガポール
ソロモン諸島
インド洋
オランダ領東インド
ガダルカナル島
(1942.8〜1943.2)
太平洋戦争始まる
オーストラリア
0
2000km
日本と植民地，同盟国
連合国側
中立国
日本の最大進出線
日本軍の攻撃進路
連合国軍の攻撃進路
数字 戦闘の行われた年月
援蒋ルート

❺太平洋戦争　当時の日本政府は，「大東亜共栄圏」を建設するという目的から，「大東亜戦争」と呼びました。また，太平洋だけでなく中国や東南アジアでも戦争が行われたことから「アジア・太平洋戦争」とも呼ばれます。

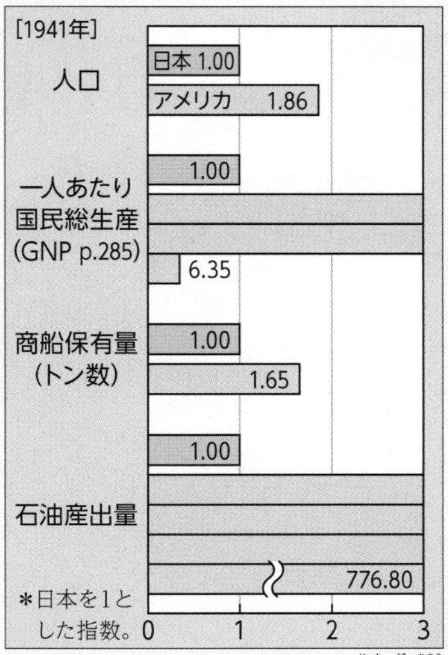
[1941年]
人口
日本 1.00
アメリカ 1.86
一人あたり
国民総生産
(GNP p.285)
1.00
6.35
商船保有量
(トン数)
1.00
1.65
石油産出量
1.00
776.80
＊日本を1とした指数。
0
1
2
3

❻日本とアメリカの国力（山田朗「軍備拡張の近代史」）

メリカは石油などの輸出禁止にふみ切り，イギリスやオランダも同調しました。❶戦争に不可欠な石油を断たれた日本では，このように日本を経済的に封鎖する「ABCD包囲陣」❹を打ち破るには早期に開戦するしかないという主張が高まりました。

日米交渉の席でアメリカが，中国とフランス領インドシナからの全面撤兵などを要求すると，近衛内閣の次に成立した**東条英機**内閣❼と軍部は，アメリカとの戦争を最終的に決定しました。

太平洋戦争の始まり

1941年12月８日，日本軍は，アメリカの海軍基地があるハワイの真珠湾を奇襲攻撃するとともに❶❷，イギリス領のマレー半島に上陸し，**太平洋戦争**が始まりました。❺❻

日本と日独伊三国同盟を結んでいたドイツとイタリアも，アメリカに宣戦布告しました。こうして，ヨーロッパで始まった第二次世界大戦は，日独伊などの枢軸国と米英ソ中などの連合国が戦う世界規模の戦争に拡大しました。

日本軍は，短期間のうちに，東南アジアから南太平洋にかけての広大な地域を占領しました。しかし，1942年６月のミッドウェー海戦の敗北❽によって，日本軍の攻勢は止まり，太平洋戦争は長期戦に入りました。

❼東条英機内閣（東京府　1941年10月）　東条首相（前列左から２人目）は，陸軍の軍人でした。

東太平洋の敵根據地を強襲
ミッドウエー沖に大海戦
アリユーシヤン列島猛攻
陸軍部隊も協力要所を奪取
米空母二隻撃沈
わが二空母，一巡艦に損害
太平洋の戦局此一戦に決す

❽ミッドウェー海戦を伝える日本の新聞（「朝日新聞」1942年６月11日）　実際の損害は，アメリカ軍が航空母艦（空母）１隻と駆逐艦１隻，日本軍が空母４隻と巡洋艦１隻でした。

見方・考え方 推移　第二次世界大戦の開戦から太平洋戦争の開戦までの日本と外国との関係の変化を，年表にまとめましょう。

❶日本は石油の大部分を輸入に依存していましたが，その約８割がアメリカから，約１割がオランダ領東インドからでした。

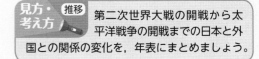

チェック　太平洋戦争の開戦前に，日本と対立していた国と，同盟や条約を結んだ国を，それぞれ挙げましょう。

トライ　太平洋戦争が始まるまでの経緯を，次の語句を使って説明しましょう。［南進／日米交渉］

❶**学徒出陣壮行会**（東京都　明治神宮外苑競技場　1943年10月）　1943年から文科系の大学生なども軍隊に召集され，戦地へと送られました。

❷**工場で働く中学生**（1943年）

みんなでチャレンジ

国民生活の変化をとらえよう

戦争で国民生活がどのように変化したか，グループで「ウェビング」(p.204)の方法で整理し，気付いたことを話し合いましょう。

3 戦時下の人々

学習課題　戦争の長期化は，人々にどのような影響をあたえたのでしょうか。

❸**集団疎開**（東京都　1944年）

❹**供出された寺の鐘**（東京都　1943年）

国民の動員

日本は，全ての国力を投入する総力戦としp.209て，太平洋戦争を戦いました。戦争が長期化するにつれて，国民の動員はいっそう強められていきました。

多くの成人男子が，兵士として戦場に送られました。また，それまで徴兵を猶予されていた文科系の大学生などが軍隊に召集される**学徒出陣**も行われました❶。

労働力が不足したため，中学生・女学生や未婚の女性も**勤労動員**の対象になり，軍需工場などで働かされました❷。空襲が激しくなると，都市の小学生は，農村に集団で**疎開**しました❸。

軍需品の生産が優先され，鍋や釜，寺の鐘までもが，兵器にするための金属として供出させられました❹。戦争の影響は国民生活のすみずみにまでおよんだのです。

その一方で，食料をはじめとする生活必需品の生産はとどこおり，十分な量の配給が行われませんでした。国民は，次第に苦しくなる生活にたえ，戦争に協力しました。

国民の戦意は，新聞や雑誌などのマスメディア，小説家や芸p.289術家たちによって高められました❻。情報は政府の統制下に置か

世紀	B.C.	A.D. 1	2	3	4	5	6	7	8	9	10	11	12	13	14	15	16	17	18	19	20	21
縄文	弥生			古墳			飛鳥	奈良	平安					鎌倉	室町 南北朝	戦国	安土桃山	江戸		明治	大正 昭和	平成 令和

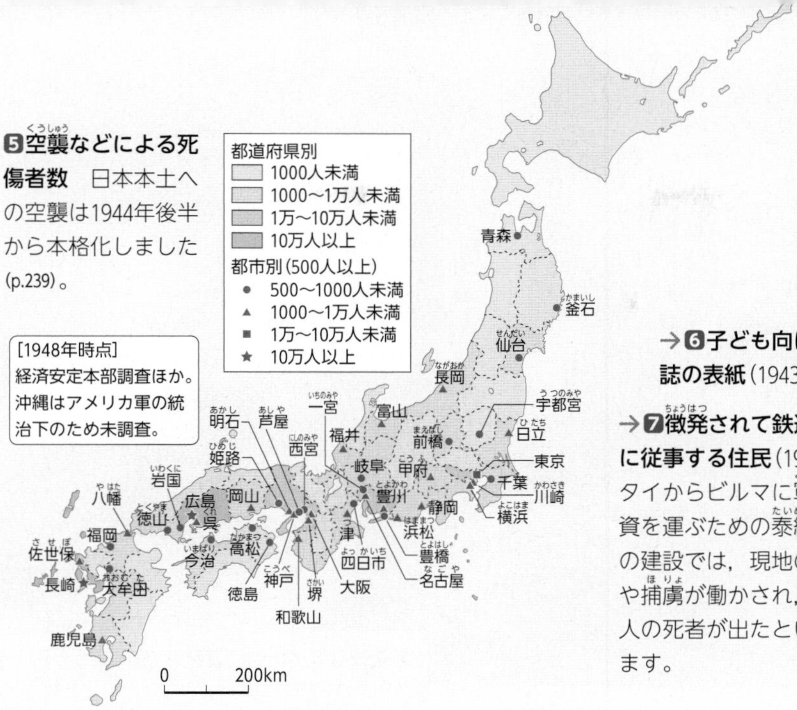
都道府県別
1000人未満
1000～1万人未満
1万～10万人未満
10万人以上
都市別(500人以上)
500～1000人未満
1000～1万人未満
1万～10万人未満
10万人以上
[1948年時点]
経済安定本部調査ほか。
沖縄はアメリカ軍の統治下のため未調査。
青森
釜石
仙台
長岡
宇都宮
一宮
富山
日立
明石
芦屋
福井
前橋
西宮
東京
姫路
岐阜
甲府
千葉
岩国
豊川
川崎
八幡
広島
岡山
静岡
徳山
呉
横浜
福岡
浜松
佐世保
高松
津
今治
豊橋
四日市
名古屋
長崎
大牟田
神戸
大阪
徳島
堺
和歌山
鹿児島
0
200km

5空襲などによる死傷者数 日本本土への空襲は1944年後半から本格化しました(p.239)。

少年倶楽部
少女の友
九月

→**6子ども向けの雑誌の表紙**(1943年)

→**7徴発されて鉄道工事に従事する住民**(1943年) タイからビルマに軍需物資を運ぶための泰緬鉄道の建設では，現地の住民や捕虜が働かされ，数万人の死者が出たといわれます。

れ，国民には正確な戦況が知らされませんでした。

植民地と占領地 p.235 8 日本は，植民地や占領地でも，厳しい動員を行いました。

多数の朝鮮人や中国人が，意思に反して日本に連れてこられ，鉱山や工場などで劣悪な条件下で労働を強いられました。こうした動員は女性にもおよび，戦地で働かされた人もいました。戦争末期には徴兵制が朝鮮や台湾でも導入されました。

東南アジアにおいても，日本軍は，労働を強制したり7，物資を取り上げたりしました。また，日本語教育などをおし付けました8。そのため，現地の住民の日本に対する期待はじょじょに失われ，各地で抵抗運動が発生しました。日本軍は，抗日的と見なした人々を厳しく弾圧し，多くの犠牲者が出ました。

総力戦と犠牲者 第二次世界大戦は，第一次世界大戦を上回る規模の総力戦になりました。戦場とそれ以外の区別がますますあいまいになり，都市に対する空襲をはじめ5，敵国の経済力に打撃をあたえたり，敵国民の戦意を失わせたりする戦術が，世界各国で採られました。

この戦争での死者は，全世界で5000万人をこえると推計され，軍人よりも民間人のほうが多かったといわれます9。負傷者・行方不明者も多数に上り，物的な被害も甚大でした。

8東南アジアでの日本語教育(インドネシア 1944年)

	国名	軍人(人)	民間人(人)
連合国側	アメリカ	292131	6000
	イギリス	264443	92673
	フランス	213324	350000
	ソ連	11000000	7000000
	中華民国	1310224	不明
	ポーランド	123178	5675000
枢軸国側	ドイツ	3500000	780000
	イタリア	242232	152941
	日本	2300000	800000

9第二次世界大戦での主な国の死者数(The New Encyclopædia Britannica, 15th ed., 2007，日本は厚生労働省資料) 日本の死者数には朝鮮や台湾の人々もふくまれています。

チェック 国内や植民地，占領地で人々を動員するために行われたことを，本文からぬき出しましょう。

トライ 戦時下の国民生活について，(1)動員，(2)食料，(3)情報の面からそれぞれ説明しましょう。

❶廃きょになった広島（1945年10月5日）

4 戦争の終結

学習課題　第二次世界大戦は，どのような経過をたどって終結したのでしょうか。

❷ベルリンの陥落（着色写真　1945年5月）　右の建物はドイツの国会議事堂。

❸東京大空襲（1945年3月10日）　約10万人が死亡し，100万人以上が住居を失いました（p.244）。

イタリアとドイツの降伏

ヨーロッパでもアジア・太平洋地域でも，初めは枢軸国が有利に戦争を進めました。しかし，1942（昭和17）年の後半から連合国が反撃を開始し，巨大な経済力と軍事力を持つアメリカが中心になって，枢軸国を追いつめていきました。

ヨーロッパでは，1943年2月にソ連軍がスターリングラードでドイツ軍を破り，9月にアメリカ・イギリス軍がイタリアを降伏させました。1944年8月にはパリが解放されました。東西から攻めこまれたドイツは，1945年5月に降伏しました。❷

空襲と沖縄戦

日本も，1943年2月にガダルカナル島で敗北してから，後退を重ねていきました。1944年7月にはサイパン島が陥落しp.235❺，東条内閣p.235が退陣しました。

しかし，日本の指導者は，勝利の見通しを失った後も，戦争を続けました。アメリカ軍と決戦を行い，大きな損害をあたえることによって，有利な条件で講和をしたいと考えたからです。その結果，犠牲者が著しく増大しました。

サイパン島の陥落をきっかけにして，本土への空襲が激しくなりました。アメリカ軍は，初めは軍需工場を主な攻撃目標に

4長崎に落とされた原子爆弾(1945年8月9日) 原爆投下から5年以内に，広島で20万人以上，長崎で14万人以上の命がうばわれ，今なお多くの人が放射線による後遺症で苦しんでいます。

歴史にアクセス　ひめゆり学徒隊　人権 平和

日米両軍が住民を巻きこんで地上戦をくり広げた沖縄戦では，15～19歳の女学生が戦場に動員され，陸軍病院などで看護活動に当たりました。沖縄師範学校女子部と沖縄県立第一高等女学校の生徒222名と教師18名とで作られたのが，ひめゆり学徒隊です。悪臭やうめき声が充満する壕で，生徒たちは前線から次々と送られてくる負傷兵を，十分にねる時間もなく看護し，水くみや食料の運搬，伝令，死体の埋葬なども行いました。アメリカ軍の攻撃を受け，砲弾が飛び交う中を沖縄島南部へと撤退しましたが，日本軍が壊滅状態におちいり，突然の解散命令が出されたことで犠牲者が増え，最終的に生徒123名，教師13名が亡くなりました。

5野田貞雄校長を囲むひめゆり学徒(1944年)(沖縄県　ひめゆり平和祈念資料館蔵)

6ひめゆりの塔(沖縄県糸満市)

していましたが，1945年3月の**東京大空襲**3p.244から，焼夷弾による都市の無差別爆撃を本格的に開始しました。

p.237 5
1945年3月，アメリカ軍が沖縄に上陸しました。日本軍は，特別攻撃隊(特攻隊)を用いたり，中学生や女学生まで兵士や看護要員として動員したりして強く抵抗しました(**沖縄戦**)56。民間人を巻きこむ激しい戦闘により，沖縄県民の犠牲者は，当時の人口の約4分の1に当たる12万人以上になりました。巻頭3 2その中には，日本軍によって集団自決に追いこまれた住民もいました。

日本の降伏

1945年7月，連合国は**ポツダム宣言**7を発表し，日本に対して軍隊の無条件降伏や民主主義の復活・強化などを求めました。しかし日本は，すぐにはそれを受け入れませんでした。

アメリカは，**原子爆弾**(**原爆**)を8月6日に広島，9日に長崎に投下しました14。また，ソ連が，アメリカ・イギリスと**ヤルタ会談**p.276で結んだ秘密協定に基づき，8月8日に日ソ中立条約を破って宣戦布告し，満州・朝鮮・千島列島などに侵攻しましたp.234。

ようやく日本は，8月14日にポツダム宣言を受け入れて降伏することを決め，15日に昭和天皇がラジオ放送(玉音放送)8で国民に知らせました。こうして，第二次世界大戦が終わりました。

7ポツダム宣言(1945年)　(部分要約)

7　日本に平和・安全・正義の秩序が建設されるまでは，連合国が日本を占領する。

8　日本の主権がおよぶのは，本州・北海道・九州・四国と，連合国が決める島に限る。

10　全ての戦争犯罪人には厳罰を加える。日本政府は，国民の民主主義的傾向を復活強化させ，言論・宗教・思想の自由をはじめ，基本的人権の尊重を確立させなければならない。

8ラジオで玉音放送を聞く疎開中の子どもたち(島根県)　ほとんどの国民は，初めて聞く天皇の声(玉音)によって，敗戦を知りました。

見方・考え方 現在　4節の学習をふり返り，平和な社会を築くために日本や自分はどうしていくべきか考えましょう。

チェック　イタリア・ドイツ・日本が降伏した時期を，それぞれ本文からぬき出しましょう。

トライ　日本が降伏するまでの間に，日本国内ではどのような戦争被害があったか説明しましょう。

探究のステップに取り組もう(p.247)

もっと歴史

人権 平和

関連するページ p.169，218〜219

「解放令」から水平社へ

1871年の「解放令」から1922年の水平社結成までの間にどのような動きがあったか，見てみましょう。

❶「解放令」（「賤称廃止令」）（1871年８月28日太政官布告）
えたひにんの称を廃し身分職業共平民同様とす。

靴製造場之図
職業競

❷近代的なくつの製造（細木年一筆　諸工職業競　靴製造場之図　東京都　品川区立品川歴史館蔵）「解放令」以後，被差別部落以外に，豊富な資本(p.286)を持つ者が近代的なくつ工場を建設し，大量のくつを製造しました。

靴
草履修理

❸はきものの修理に使われた道具（大阪人権博物館蔵）江戸時代の被差別部落では，はきものの製造にたずさわっているところが多くありましたが，近代的なくつの製造が始まったことによって，はきものの修理に従事する人々が増えました。

「解放令」（「賤称廃止令」）とその後

1871（明治４）年９月５日，大阪府庁は，いわゆる「解放令」（「賤称廃止令」[1]）を府内の町や村へ伝えました。p.169

A村の人々も，大きな喜びでこれをむかえました。９月22日は，村の神社の秋祭り。村中が太鼓を出しておどり回り，たいそうな盛り上がりです。A村は，大阪府庁に小学校の建設を願い出て許可されています。長年の差別を，教育の力ではねのけようとしたのでした。

一方，大商人たちも，「解放令」を歓迎しました。大商人たちは，江戸時代まで被差別部落の主要産業で，大きな利益をあげていた皮革産業への進出をねらっていたのです。「解放令」の「身分職業共平民同様とす」という言葉は，だれでも皮革産業に参入できることを意味していました。これ以降，大商人たちは，巨大な資金力を背景に，各地で皮革産業の経営に乗り出しました。[2]

こうした中で，被差別部落の皮革産業は，次第に衰退し，生活が苦しくなっていきました。[3]

部落改善運動の始まり

三重県のB村は，1889年，三つの被差別部落が合併して生まれました。被差別部落の側は初め，被差別部落以外の２か村を加えた，５か村による合併を求めていました。ところが役所は，「元のえた身分の多い村々がとなり村と合併すれば，人民の折り合いが悪くなる」として，被差別部落だけの合併を決定してしまったのです。

B村の有力者たちは，被差別部落の側に風紀上の問題があったとして，「規約」を作成し，村人に風紀を正すことを求めました。この規約は，「従来の悪習を洗浄し，もって人心を改良し，道徳の心を厚く」すると宣言し，家や道路を掃除すること，肥料やごみ類は，なるべく早く村外へ運び出すこと，かけごとを禁止することなどを求めています。

このころ被差別部落の生活は，厳しさを増していました。差別によって就労の機会は限られ，生活環境はどん

世紀	B.C.	A.D. 1	2	3	4	5	6	7	8	9	10	11	12	13	14	15	16	17	18	19	20	21

縄文	弥生	古墳	飛鳥	奈良	平安	鎌倉	南北朝	室町	戦国	安土桃山	江戸	明治	大正	昭和	平成	令和		

どん悪化していきます。それを切りぬけるために，子どもたちが働きに出て，家計を支えていましたが，当然，学校へ行くことができません。その結果，就労の道はさらにせまくなってしまいます。部落改善運動は，こうした状況を何とか打破しようと，被差別部落の内部から始められました。❹

しかし，被差別部落の人々には，生活のすみずみまで規制しておし付ける「改善運動」に，反発も少なくありませんでした。こうした反発が，全国水平社の結成へとつながっていきます。

水平社創立と山田孝野次郎

全国水平社の運動には，大人ばかりではなく，子どもも主体的に参加していました。1922（大正11）年の全国水平社創立大会で，16歳にして演壇に立った山田孝野次郎も，その一人です。p.219❻❼

孝野次郎は，全国水平社創立大会の後も，少年代表として全国各地で演説しました。

「我々は職業の自由をうばわれています。我々が寿司屋や弁当屋をしても，だれも買ってくれません。我々は人間である以上，一般の人間と同じように生きたい。それにもかかわらず，我々はしいたげられて，いなくていいと言う者がいます。しかしこのような者には，我々が心を一致させ手に手を取ることで，きっと『しまった…』と言う日が来るだろうと思うのです。我々はうばわれていた人間性を取り返すのです。これほど正当なものはありません。」（部分要約）

全国水平社結成の翌年，孝野次郎は「全国少年少女水平社」を創る活動を始めました。当時の学校では，教師が昼食時間に被差別部落の子どもにだけお茶をあたえず，体育の時間にはダンスに参加させないといったことが起こっていたのです。教師からの差別だけではなく，まわりの子どもからの差別も起こっていました。このような差別に対して抗議する活動を，少年少女水平社は全国で行ったのです。

孝野次郎は病気のため25歳という若さでなくなりましたが，その後も，孝野次郎の訴えに応じるように，仲間とともに立ち上がり，差別とたたかい，自由と平等を訴える子どもや大人がたくさん現れ，差別をただす運動が広がっていきました。

❹**旧柳原銀行**（京都市）　1899年に被差別部落の住民によって設立され，差別のために資金を得られなかった皮革業者などに貸し出しを行ったほか，その利子を地元の小学校の運営資金や道路建設資金にあてるなど，部落改善運動を支えました。現在は移築され，部落差別問題をはじめとする人権問題への正しい理解と人権意識の普及を図る資料館として保存されています。

島崎藤村と「破戒」

1906年に刊行された島崎藤村の小説「破戒」は，部落差別を正面から取り上げた作品です。主人公である瀬川丑松は，父親から「差別されないために，自分が被差別部落出身であることを他人に明かすな」という戒めを受けます。しかし，丑松の出身についてのうわさは広がり，追いつめられ，丑松はその戒めを破ることになります。一方，もう一人の主人公である猪子蓮太郎は，被差別部落出身であることをかくさず生きることで，反差別の姿勢をつらぬきます。「破戒」は，この二人の主人公の生き方を通して，当時の部落差別の実態をえがいています。

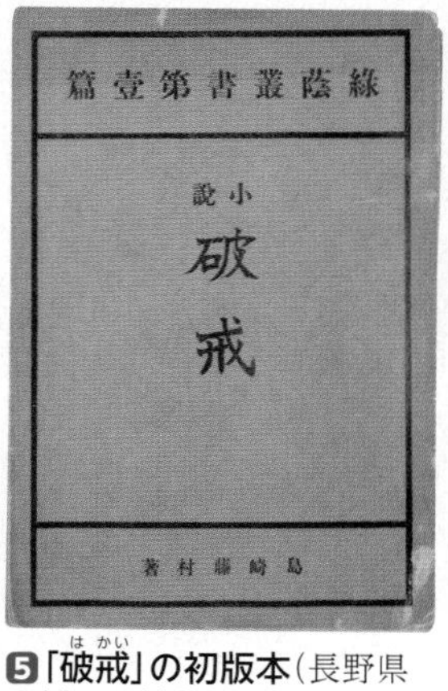
綠蔭叢書第壹篇
小説
破戒
島崎藤村著

❺**「破戒」の初版本**（長野県小諸市立藤村記念館蔵）

岐阜県

❻**島崎藤村**（1872〜1943）長野県（現岐阜県）生まれ。詩集「若菜集」でロマン派の詩人として注目を集め，小説「破戒」で自然主義の先駆者となりました。

まとめる　本文やp.219❼の山田孝野次郎の演説内容から感じたことをまとめましょう。

見方・考え方　関連　部落改善運動が始まったり，全国水平社が結成されたりした背景を考えましょう。

もっと歴史

伝統 人権 文化 平和

関連するページ p.26，230〜231，262〜263

地理や公民の関連ページ ▶

オリンピック・パラリンピックと日本

オリンピック・パラリンピックの発展と日本の関わりについて考えてみましょう。

❶円盤投げがえがかれた古代ギリシャの陶器（アメリカ　ボストン美術館蔵）

❷ピエール・ド・クーベルタン（1863〜1937）

❸オリンピック・シンボル　五つの輪は，アジア・ヨーロッパ・アフリカ・南北アメリカ・オセアニアの五つの大陸（地域）を表しています。

NIPPON

❹1912年のストックホルム大会（スウェーデン）**に参加する日本選手団**
「NIPPON」のプラカードを持つ選手はマラソンに出場した金栗四三（1891〜1983），その左奥は嘉納治五郎。

近代オリンピックの成立

古代のギリシャでは，紀元前９世紀ごろからオリンピアで「オリンピア祭典競技」が開かれ，４年に一度，各都市国家（ポリス）の代表が陸上競技や格闘技を競い合いました。❶ これは宗教行事であったため，この間，ポリスは戦争を中断して参加しました。これを「聖なる休戦」といいます。古代オリンピックは，393年を最後として幕を閉じました。

それから1500年あまり後の1896（明治29）年，フランスの教育者であったクーベルタン❷の尽力で，近代オリンピックの第１回大会がギリシャのアテネで開催されました。クーベルタンが唱えたオリンピックの精神とは，スポーツを通して心身を向上させ，文化・国籍などさまざまなちがいを乗りこえ，友情，連帯感，フェアプレーの精神をもって，平和でより良い世界の実現に貢献することでした。❸

1924（大正13）年を機に冬季大会が独立しました。その後，「東京2020大会」に至るまで，夏季32回，冬季23回の大会を重ねることになります。

また，パラリンピックは，イギリスで始まった，障がいのある人たちを対象とする国際的な競技大会が起源で，現在では，オリンピックの開催年に，同じ都市で行われています。

日本のオリンピックへの参加

日本の「オリンピック運動の父」とされるのは，東京高等師範学校（現在の筑波大学）の校長を務め，柔道の普及に力をつくした嘉納治五郎❻です。嘉納は1909年，アジアで初めての国際オリンピック委員会（IOC）委員に就任しました。これが契機となって，1912年にストックホルム（スウェーデン）で行われた第５回大会に，初めて日本代表が参加しました。❹

嘉納の多大な努力によって，1940（昭和15）年の第12回大会は，初めて欧米をはなれて東京で開催され

世紀 B.C. A.D.1 2 3 4 5 6 7 8 9 10 11 12 13 14 15 16 17 18 19 20 21
縄文 弥生 古墳 飛鳥 奈良 平安 鎌倉 室町 南北朝 戦国 安土桃山 江戸 明治 大正 昭和 平成 令和

ることが決まりました。[6][7] 当時はまだ飛行機が発達しておらず，ヨーロッパから選手団が日本に来るには船かシベリア鉄道経由しかなく，いずれも20日近くかかりました。そうした中で東京での開催が決定されたことは画期的でした。

ところが，1937年に日中戦争が始まり（p.230），東京でのオリンピックの開催が困難になりました。そこで，ヘルシンキ（フィンランド）での開催準備が進められましたが，これも1939年にソ連がフィンランドに侵攻したことで開催できなくなり，大会自体が中止になりました。ロンドン（イギリス）で開催予定だった第13回大会も，第二次世界大戦の勃発（p.232）で開催できませんでした。

オリンピックは，平和や国際協調という精神をかかげているにもかかわらず，ときに国際政治にほんろうされたのです。[5]

日本で開催されたオリンピック・パラリンピック

1964年10月10日，東京で第18回オリンピック大会が開催され，93の国と地域から5152人の選手が参加し，20競技163種目を競い合いました。東京大会では初めて柔道が競技種目に加わりました（p.262❶）。「東洋の魔女」と呼ばれた日本の女子バレーボールチームが金メダルを獲得し[8]，エチオピアのマラソン選手のアベベなども注目を集めました。また，東京オリンピックの後には，パラリンピックも開かれました。

このアジア初のオリンピックに際して，首都高速道路や東海道新幹線が開通するなど，高度経済成長が加速され（p.262❷），日本の復興が世界に印象付けられました。また，国内でスポーツクラブが一般に広がるなど，スポーツが生活の一部として普及する契機になりました。さらに，パラリンピックの開催で，障がい者スポーツが広く知られるようになりました。

その後，1972年に札幌，1998（平成10）年に長野で冬季大会が開催されました。そして，2021（令和３）年に再び東京で夏季大会が開かれました。❶ 今回の東京オリンピック・パラリンピックでは，都市化や高齢化など，成熟社会としてのさまざまな課題を解決する機会にしていくことが，ビジョンとしてかかげられています。

❺ベルリン（ドイツ）で行われた第11回オリンピックの聖火リレー（1936年）　ヒトラー（p.225）はオリンピックを，ドイツ民族の優秀さを証明する絶好の機会ととらえ，ナチスの宣伝に利用しました。

↑❻1940年の東京オリンピックの開催が決定された，国際オリンピック委員会総会に臨む嘉納治五郎（左　1860～1938）（ドイツ：ベルリン　1936年）

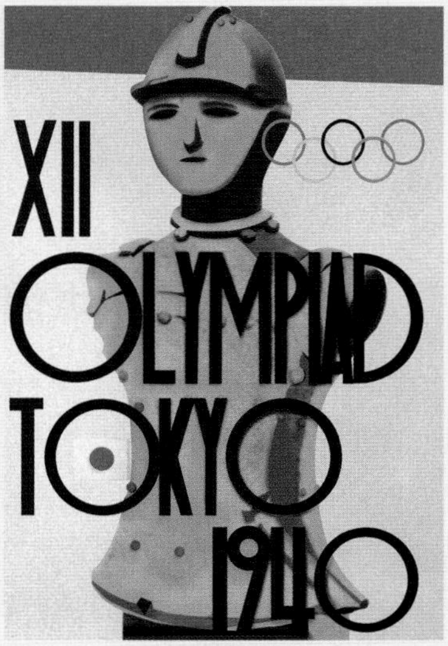
XII
OLYMPIAD
TOKYO
1940

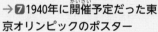

→❼1940年に開催予定だった東京オリンピックのポスター

❽東京オリンピックでの女子バレーボールの決勝戦（1964年）　金メダルを獲得した女子バレーボール日本代表は，当時「東洋の魔女」と呼ばれ，人気を博しました。

❶世界的な新型感染症の流行を受けて，開催が延期されました。

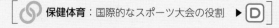

［保健体育：国際的なスポーツ大会の役割 ▶D］

まとめる　日本はいつからオリンピックに参加し，いつ日本でオリンピックを開催したかまとめましょう。

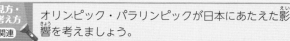

見方・考え方　関連　オリンピック・パラリンピックが日本にあたえた影響を考えましょう。

地域の歴史を調べよう－5

東京大空襲の記憶を伝える

東京都台東区・墨田区

p.14～17も参照しながら，特にまとめの段階を中心に見ていきましょう。

0
10km
墨田区
台東区立隅田公園
台東区
東京都
(23区)
すみだ郷土文化資料館

テーマの設定

1　隅田川のほとりで

私たちは，授業で東京大空襲について学習しました。学習を進める中で，かつて浅草を訪れたとき，隅田川の言問橋のたもとの公園で，東京大空襲の石碑を見かけたことを思い出しました。私たちは石碑を再び訪ね，東京大空襲について調べることにしました。

❶東京大空襲戦災犠牲者追悼碑の見学

- 日本全国の主な都市や工業地帯などが空襲の被害を受けた。
- 東京は戦争終結までに約100回の空襲を受けた。その中でも1945年３月10日の東京大空襲が最も被害が大きく，約10万人が亡くなった。
- 空襲では，焼夷弾という，建物を焼きはらう目的の爆弾が使われた。

学習課題　東京は空襲でどのような被害を受けたのだろう。

調査

2　すみだ郷土文化資料館での調査

東京大空襲について調べる中で，墨田区立すみだ郷土文化資料館に東京大空襲に関する資料が展示されていることを知り，実際に訪ねてみました。

展示室では，東京大空襲を体験された人がえがいた絵を見ることができました。体験画には，空襲の悲惨な様子が生々しくえがかれていて，胸にせまりました。

- 体験画には，文章などでは表しきれない，真にせまった様子がえがかれていた。事前に調べたときには想像もできなかった光景があった。
- 炎のすさまじさや，亡くなった人の無念さ，生き残った人の悲しみなどが伝わってきた。戦争はむごいものだと感じた。

↑❷体験画の見学

❸東京大空襲のときの言問橋の様子をえがいた体験画

3　戦災経験者からの聞き取り調査

資料館では，体験画をえがいた一人である，星野光世さんからお話をうかがうことができました。空襲のときは11歳で，自身は千葉に集団疎開をされていたそうです。東京都本所区(現在の墨田区)で暮らしていた両親と兄妹２人を空襲で亡くし，戦後は残された妹や弟とともにたいへんな苦労をされたということでした。戦争は，終わった後もたいへんな状況が続くことが分かりました。

❹星野光世さんからの聞き取り

調査

●戦後は，父親の実家に暮らすおじ夫婦に預けられたが，食べる物も不足して，おじ夫婦もたいへんな苦労をした。一度，父方の別のおじの家に預けられたが，だまされたと思い，妹弟と３人で山道を歩いて父親の実家ににげ帰った。
●その後，４歳の弟を父親の実家に残し，妹と二人で母方のおじの家に預けられた。「１年間だけ」と言われていたが，結局10年もの間，弟と会えなかった。弟は，育ててくれた父方のおじ夫婦を，本当の親だと思って育っていた。
●母方のおじは農家を営んでおり，星野さんは子どものころから農作業を手伝い，働きづめだった。20歳のときに東京にもどり，結婚して，現在に至っている。

学校へ通わせてもらえず
田んぼの中から
友だちの
通学姿を……

❺星野光世さんの体験画

考察

4 自分たちにできることの構想

現在

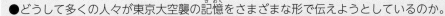

調査の結果，東京都内には，石碑や体験画，被災樹木など，東京大空襲を現在に伝えるものがたくさん残されていることが分かりました。また，東京都は，３月10日を「東京都平和の日」と定めて，現在でも記念式典や企画展を開いていることも分かりました。私たちは，今回の調査をふまえて，次のことについて話し合いました。

●どうして多くの人々が東京大空襲の記憶をさまざまな形で伝えようとしているのか。
●今の時代に生きる自分たちには何ができるか。

❻教室での話し合い

まとめ

5 インターネットを使った発信

私たちは，東京大空襲について分かったことや，平和な社会を実現するために今の私たちがすべきだと考えたことについてまとめ，インターネットを使って，社会に広く発信することにしました。文章や写真にまとめてウェブページで発信したほか，動画を編集して，AR(拡張現実)のアプリケーションを使って発信しました。

❼ウェブページを使った発信

スキル・アップ 19 まとめる インターネットで発信しよう D

●ウェブページで発信する際は，大きな文字で見出しを付け，伝えたい内容を，見出しごとに簡単にまとめましょう。また，伝えたい内容を具体的にイメージできるような画像や，根拠になる資料を示しましょう。
●外国に向けて発信する場合には，英語などの外国語も使ってみましょう。英語の場合は，文章を英語の先生やALTに確認してもらうとよいでしょう。
●AR(拡張現実)という，対象となる物や場所にスマートフォンやタブレット端末のカメラをかざすことで情報を得ることができる技術を活用すると，より印象的に伝えることができます。先生に相談して，適切なアプリケーションを選んで行いましょう。

❽ARを使った発信

プラス
●東京以外の地域での空襲や原爆の被害は，どのようなものだったか調べてみましょう。
●世界各地の紛争地域では，どのようなことが起こっているか調べてみましょう。

近代(後半)の学習をふり返ろう

1

次の語句は，この章で学習したものです。どのような意味の語句か，自分の言葉でそれぞれ説明しましょう。うまく説明できない場合は，掲載(けいさい)されていたページにもどって確認(かくにん)しましょう。

❶第一次世界大戦 p.209 □　❷国際連盟 p.212 □　❸ワシントン会議 p.213 □　❹米騒動 p.216 □　❺普通選挙法 p.219 □
❻世界恐慌 p.222 □　❼満州事変 p.228 □　❽日中戦争 p.230 □　❾第二次世界大戦 p.232 □　❿原子爆弾投下 p.239 □

2

下の年表の空欄(くうらん) A から E に当てはまる語句を，次からそれぞれ選びましょう。

ファシズム　　治安維持法　　二十一か条の要求　　ポツダム宣言　　大正デモクラシー

3

下の年表について，次の問いに答えましょう。

(1)矢印で結ばれている「ロシア革命」と「シベリア出兵」，「米騒動(こめそうどう)」の関連を説明しましょう。
(2)「世界恐慌(きょうこう)」が日本にあたえた影響(えいきょう)について考え，矢印で結びましょう。
(3)「欧米(おうべい)など」の欄に書かれている条約や会議，国際組織のうち，日本が参加したものに丸を付けましょう。

4

右ページ上の二つの資料について，次の問いに答えましょう。

(1)左のグラフは，主な国の鉱工業生産の推移を示したものです。空欄 ア ・ イ に当てはまる国名をそれぞれ答えましょう。
(2)左のグラフのように，多くの国で鉱工業生産が低下・停滞(ていたい)したきっかけとなった出来事は何か，答えましょう。また，なぜソ連だけ鉱工業生産がのびているのか，説明しましょう。
(3)右の地図は，第二次世界大戦中のヨーロッパの様子を示したものです。空欄 ウ ・ エ に当てはまる語句をそれぞれ答えましょう。

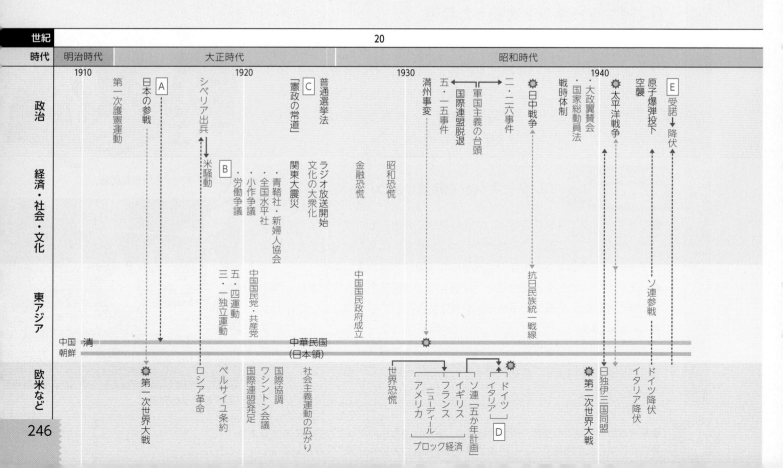

世紀	20
時代	明治時代／大正時代／昭和時代
年	1910／1920／1930／1940
政治	第一次護憲運動／日本の参戦／A／シベリア出兵／「憲政の常道」C／普通選挙法／満州事変／五・一五事件／国際連盟脱退／軍国主義の台頭／二・二六事件／日中戦争／戦時体制／・国家総動員法／・大政翼賛会／太平洋戦争／空襲／原子爆弾投下／E受諾→降伏
経済・社会・文化	米騒動／B／・労働争議／・小作争議／・全国水平社／・青鞜社・新婦人協会／関東大震災／ラジオ放送開始／文化の大衆化／金融恐慌／昭和恐慌
東アジア	三・一独立運動／五・四運動／中国国民党・共産党／中国国民政府成立／抗日民族統一戦線／ソ連参戦／中国：清→中華民国／朝鮮：(日本領)
欧米など	第一次世界大戦／ロシア革命／ベルサイユ条約／国際連盟発足／ワシントン会議／国際協調／社会主義運動の広がり／世界恐慌／アメリカ「ニューディール」／フランス／イギリス／ブロック経済／ソ連「五か年計画」／ドイツ・イタリア D／第二次世界大戦／日独伊三国同盟／イタリア降伏／ドイツ降伏

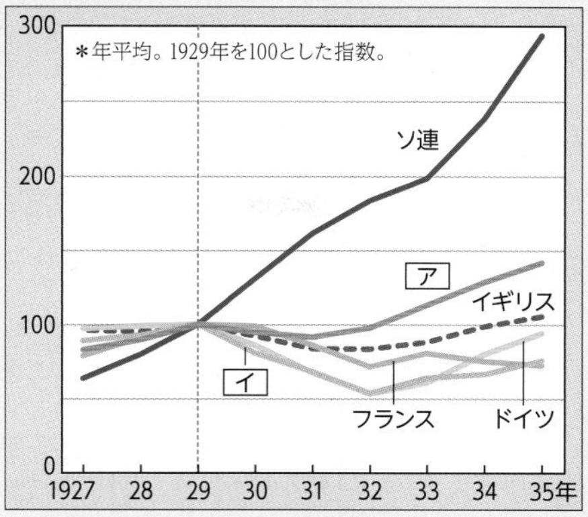
＊年平均。1929年を100とした指数。
300
200
100
0
ソ連
ア
イギリス
イ
フランス
ドイツ
1927
28
29
30
31
32
33
34
35年

イギリス
ソ 連
ポーランド
ドイツ
フランス
スペイン
イタリア
ドイツ・イタリアと植民地
ウ 側の国（1941年まで）
ウ の占領地（1942年まで）
エ 側
中立国
0
1000km

探究のステップ　節の課題を解決しよう（各節の学習の最後に取り組みましょう）

① 第一次世界大戦はなぜ起こり，世界と日本にどのような影響をあたえたのでしょうか。

バルカン半島が「ヨーロッパの火薬庫」と呼ばれていたのはどうしてだろう。

新兵器も使われたし，総力戦だったから，多くの被害が出たんだね。

➡

② なぜ日本で民主主義の風潮が高まったのでしょうか。

大正デモクラシーの風潮の中で，さまざまな運動が起こったね。

護憲運動が起こり，本格的な政党内閣もできて，文化も大衆に広まったね。

➡

③ 経済情勢が変化する中，日本はどのようにして日中戦争に突入したのでしょうか。

世界恐慌で，世界や日本が深刻な不況になって，国民の不満が高まっていったね。

なぜ，国民が日本の軍事行動を支持したり，軍国主義が広がったりしたのかな。

➡

④ 第二次世界大戦はなぜ起こり，世界と日本にどのような影響をあたえたのでしょうか。

ドイツやイタリアのファシズムによって，ヨーロッパでは第二次世界大戦が始まったね。

日本は中国と戦争をする中，どうしてアメリカとの戦争にふみきったのかな。

➡

⬇

近代（後半）の探究課題を解決しよう

探究課題 日本はどのようにして戦争に突入していったのでしょうか。 ➡

第一次世界大戦以後，世界や日本では国際協調の動きが進んだね。

でも，世界恐慌が起こって，また各国の対立が深まっていったね。

日本では政党政治が行きづまり，軍部が台頭してきて，戦争に突入していったね。

政治や経済の情勢の変化や，国内外の出来事の関わりに着目する必要がありそうですね。

戦争へのターニングポイントは何だろう

推移

この章では，「二度の世界大戦と日本」というテーマで，大正時代から昭和時代の前半までの世界と日本について学習してきました。この時代は，国民の政治参加が進む一方，戦争が続いた時代でした。二度目の世界大戦が起こるまでの流れとターニングポイントについて考えることを通じて，この時代の特色をまとめましょう。

みんなでチャレンジ

(1)グループで，右のようなワークシートに，二度の世界大戦の背景と特色をそれぞれまとめましょう。

(2)p.246の年表などを参考にして，個人でノートに「ステップチャート」を作り，二つの大戦とその間の出来事の順序や推移を整理しましょう。「ステップチャート」は，テーマごとに複数に分けてもかまいません。また，グループ内でテーマを分担して作成するのもよいでしょう。

(3)(2)の「ステップチャート」をグループ内で発表し，共有しましょう。

(4)「ステップチャート」に書き出した出来事のうち，どれが「戦争へのターニングポイント」だったと考えるか，グループで話し合いましょう。そして，世界の出来事と日本の出来事からターニングポイントを一つずつ選び，理由とともにワークシートにまとめましょう。

(5)(4)をクラスで発表し，意見を交換しましょう。

(6)ワークシートと意見交換を基に，この時代の特色をまとめましょう。

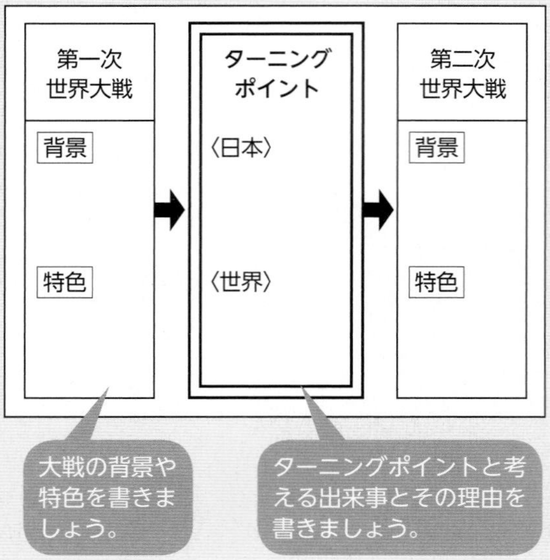
第一次
世界大戦
背景
特色
ターニング
ポイント
〈日本〉
〈世界〉
第二次
世界大戦
背景
特色
大戦の背景や特色を書きましょう。
ターニングポイントと考える出来事とその理由を書きましょう。

ステップチャートとは？

ステップチャートを使って，出来事を起こった順に矢印でつなぐことで，出来事の推移を分かりやすく整理することができます。

(例2)のように枝分かれさせたり，(例3)のように大きな流れと具体的な出来事を区別して示したりする方法もあります。

(例1)

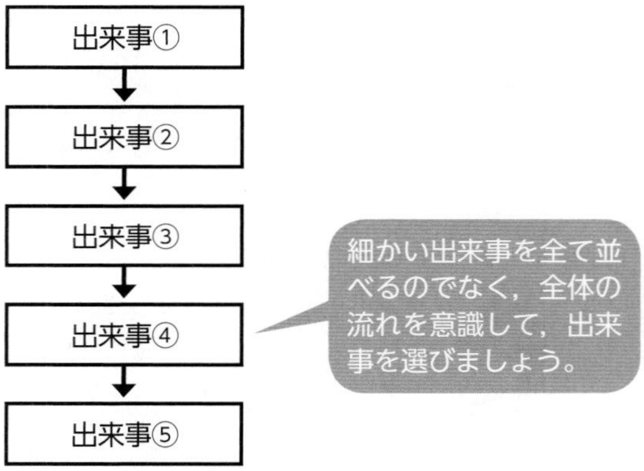
出来事①
出来事②
出来事③
出来事④
出来事⑤
細かい出来事を全て並べるのでなく，全体の流れを意識して，出来事を選びましょう。

(例2)

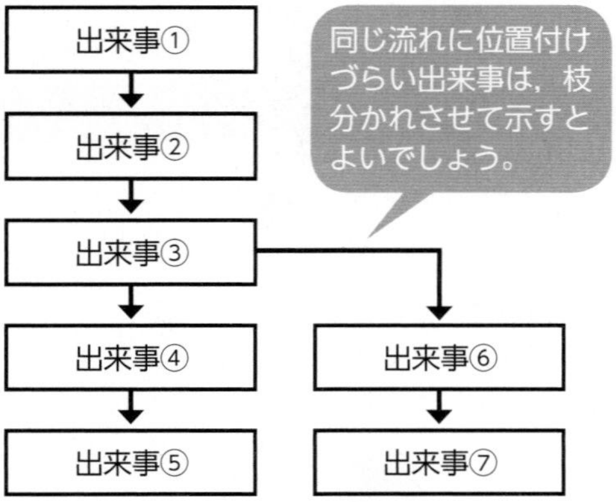
出来事①
出来事②
出来事③
出来事④
出来事⑤
出来事⑥
出来事⑦
同じ流れに位置付けづらい出来事は，枝分かれさせて示すとよいでしょう。

(例3)

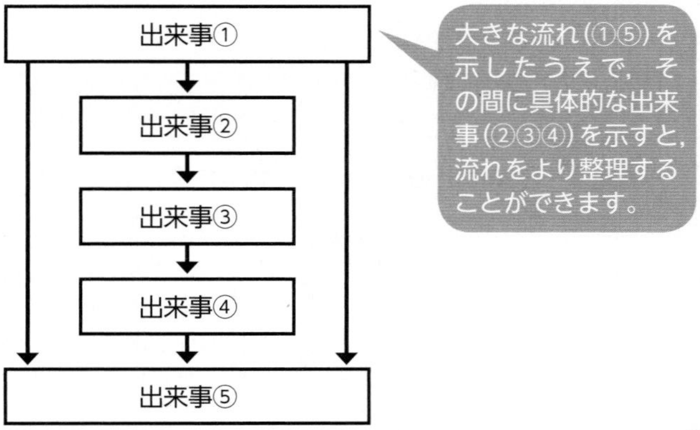
出来事①
出来事②
出来事③
出来事④
出来事⑤
大きな流れ(①⑤)を示したうえで，その間に具体的な出来事(②③④)を示すと，流れをより整理することができます。

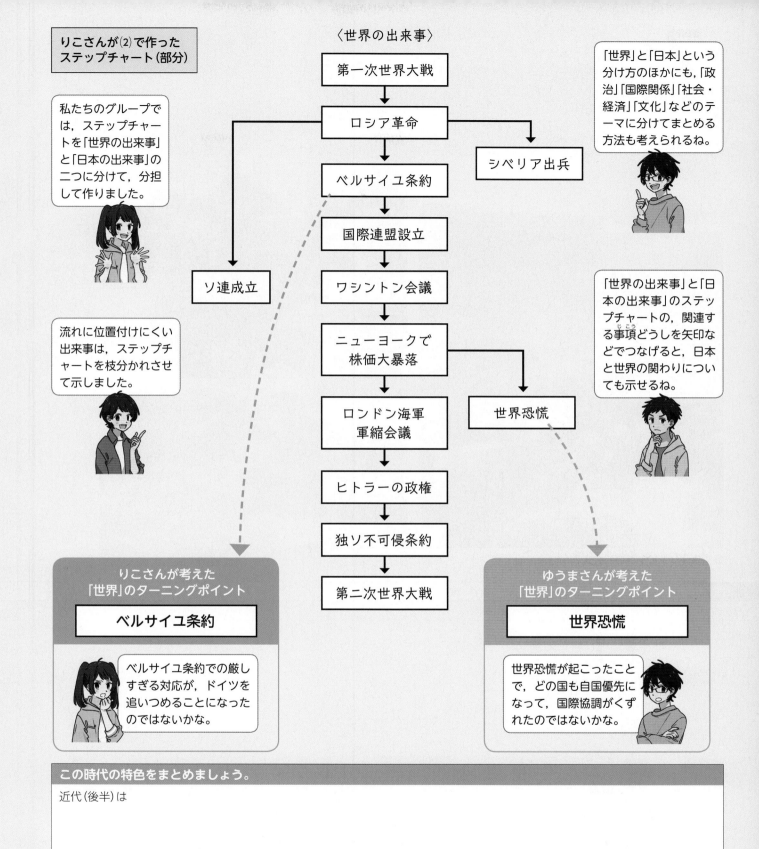

りこさんが⑵で作ったステップチャート(部分)

〈世界の出来事〉

第一次世界大戦
↓
ロシア革命 → シベリア出兵
↓ (→ ソ連成立)
ベルサイユ条約
↓
国際連盟設立
↓
ワシントン会議
↓
ニューヨークで株価大暴落 → 世界恐慌
↓
ロンドン海軍軍縮会議
↓
ヒトラーの政権
↓
独ソ不可侵条約
↓
第二次世界大戦

私たちのグループでは，ステップチャートを「世界の出来事」と「日本の出来事」の二つに分けて，分担して作りました。

流れに位置付けにくい出来事は，ステップチャートを枝分かれさせて示しました。

「世界」と「日本」という分け方のほかにも，「政治」「国際関係」「社会・経済」「文化」などのテーマに分けてまとめる方法も考えられるね。

「世界の出来事」と「日本の出来事」のステップチャートの，関連する事項(じこう)どうしを矢印などでつなげると，日本と世界の関わりについても示せるね。

りこさんが考えた「世界」のターニングポイント

ベルサイユ条約

ベルサイユ条約での厳しすぎる対応が，ドイツを追いつめることになったのではないかな。

ゆうまさんが考えた「世界」のターニングポイント

世界恐慌

世界恐慌が起こったことで，どの国も自国優先になって，国際協調がくずれたのではないかな。

この時代の特色をまとめましょう。

近代(後半)は

時代です。

第7章 現代の日本と私たち

導入の活動 戦後日本の歩みを考えよう

❶東京オリンピックの開会式（東京都新宿区）　小

❷大気汚染のためマスクをして通学する子どもたち（三重県四日市市）

↓❸東日本大震災でボランティアをする子どもたち（宮城県仙台市）　小

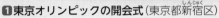

世紀	20	21
時代	昭和時代	平成時代／令和

年代	政治	経済・社会・文化	アジア・欧米など
1945〜1950	日本の再出発 連合国軍の占領 **戦後改革** ・**日本国憲法**	焼けあとからの復興	**国際連合**発足
1950〜1960	サンフランシスコ平和条約 日米安保条約 国際連合加盟		朝鮮戦争
1960〜1970		高度経済成長 東海道新幹線開通 **東京オリンピック・パラリンピック** 公害問題	
1970		日本万国博覧会（大阪）	
1990〜2000		阪神・淡路大震災	
2010		東日本大震災	
2020		東京オリンピック・パラリンピック	

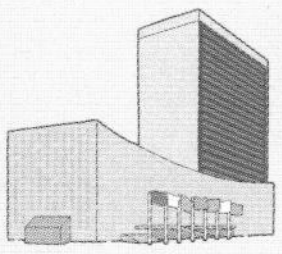

TOKYO 1964

太字　小学校の社会で習ったことば

❹サンフランシスコ平和条約の調印（アメリカ） 小

❺日本に到着したマッカーサー（神奈川県厚木市）

❻バブル経済のころのディスコ（福岡市）

この章では，太平洋戦争が終わってから現在までの時代について学習します。小学校では国民生活の変化と復興を中心に学習しました。現代の日本ではどのような出来事があったのでしょうか。p.285小学校で学習した内容を中心に，その歩みを考えましょう。

みんなでチャレンジ

(1)年表を参考にして，❶～❻の写真を年代順に並べかえましょう。

(2)並べかえた写真を基に，この時代の日本社会がどのように変化したか，グループで話し合い，文章にまとめましょう。

(3)写真や年表から，この時代の世界や日本について，知りたいことや疑問に思うことを出し合いましょう。

第7章の探究課題は？

マッカーサーは，小学校では学習しなかったけど，日本にどのような影響をあたえた人物なのかな。

日本は，経済成長をとげる中で，世界の国々とどのように関わっていったのかな。

現在の日本は発展していると思うけれど，課題はないのかな。

この章では，敗戦後の日本がどのようにして発展し，現在に至るのか，世界の出来事との関連などに着目しながら追究していきましょう。まとめでは，戦後の日本に影響をあたえた出来事について考えることを通じて，時代の特色をとらえましょう。

探究課題 戦後の日本はどのように発展してきたのでしょうか。

探究のステップ 各節の学習では，次の課題を追究していきましょう。

① 戦後の諸改革は，日本の政治や社会にどのような影響をあたえたのでしょうか。

② 冷戦の中で，なぜ日本は経済成長をとげることができたのでしょうか。

③ より良い社会を創るために，これからどのようなことが必要とされるのでしょうか。

1節 戦後日本の出発

読み取る ❶の女の子が首から下げているものは何か，考えましょう。

❶満州から引きあげてきた子どもたち（東京都 品川駅 1946年） 戦争で多くの子どもたちが両親を失い，満州や朝鮮からも，大勢の子どもたちが帰国しました。こうした子どもたちが，新しい日本を創っていきました。

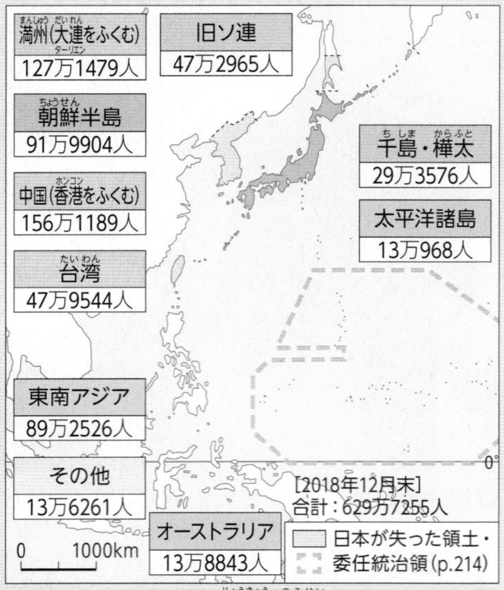

満州(大連をふくむ)
127万1479人
旧ソ連
47万2965人
朝鮮半島
91万9904人
千島・樺太
29万3576人
中国(香港をふくむ)
156万1189人
太平洋諸島
13万968人
台湾
47万9544人
東南アジア
89万2526人
その他
13万6261人
オーストラリア
13万8843人
[2018年12月末]
合計：629万7255人
0 1000km
日本が失った領土・委任統治領(p.214)

❷復員と引きあげの状況（厚生労働省資料） 軍人の復員や民間人の引きあげには，長い年月がかかりました。復員と引きあげにより，日本本土の人口は急激に増えました。

1 占領下の日本

学習課題 占領された戦後の日本は，どのような状況だったのでしょうか。

❸農村へ買い出しに出る人々（上：千葉県 1945年）**と，闇市の様子**（下：東京都 1945年）

❶満州でソ連軍に捕らえられた約60万人が，数年間シベリアで強制労働をさせられ，多くの人々が死亡しました。
❷ソ連の侵攻にともなう混乱によって，満州にいた多くの子どもたちが肉親と別れて孤児になり，中国人の養父母に育てられました。

探究のステップ 戦後の諸改革は、日本の政治や社会にどのような影響をあたえたのでしょうか。

敗戦後の日本

敗戦後の日本は，ポツダム宣言p.239に基づき，日清戦争p.188以後に獲得した朝鮮や台湾などの植民地を全て失い，領土p.289が北海道・本州・四国・九州とその周辺の島々に限られました。日本の固有の領土であっても，沖縄と奄美群島，小笠原諸島は，本土から切りはなされ，アメリカ軍の直接統治の下に置かれました。また，北方領土p.178・181は，ソ連によって不法に占拠されました。

日本は敗戦後，アジア・太平洋地域の占領地から軍隊を撤退させ，植民地や占領地にいた軍人と民間人が日本にもどってきました。❶❷しかし，復員や引きあげは順調には進まず，シベリア抑留❶や中国残留日本人孤児❷などの問題が発生しました。

日本からは，多くの朝鮮人や中国人が帰国しました。その一方で，帰国先の混乱などの理由から日本にとどまった朝鮮の人々も数多くいました。

国民の苦難

戦争は，国民生活に壊滅的な打撃をあたえました。空襲によって多くの人々が住宅を失い，工場も破壊されました。❹鉱工業の生産は日中戦争直前の

p.230

世紀 B.C. A.D.1 2 3 4 5 6 7 8 9 10 11 12 13 14 15 16 17 18 19 20 21
縄文 弥生 古墳 飛鳥 奈良 平安 鎌倉 南北朝 室町 戦国 安土桃山 江戸 明治 大正 昭和 平成 令和

4青空教室(東京都　1945年)　空襲によって校舎が焼失するなどして，屋外で授業が行われることがめずらしくありませんでした。

歴史にアクセス
在日韓国・朝鮮人
人権 平和

1910年の韓国併合後，労働者などとして朝鮮半島から日本に移り住む人が次第に増え，戦時体制が強まると飛躍的に増加し，第二次世界大戦が終わった時点で約200万人に上りました。戦後，多くの人々が朝鮮半島にもどり，約60万人が日本に残りましたが，日本国籍を失い，社会保障などさまざまな権利を制約され，就職などでの差別も見られました。1982年の難民条約の批准を機に，国民年金などについて日本国民と同一待遇を受けられるようになり，1993年には，在日韓国・朝鮮人の人たちをふくむ永住者の指紋押捺制度が廃止されるなど，共生に向けた取り組みが続いています。

5墨ぬり教科書(東京都　東書文庫蔵)　GHQの指示により，一部をぬりつぶして使われました。

読み取る 5で，どのような内容がぬりつぶされたか読み取りましょう。

3分の1以下にまで落ちこみ，物価が急激に上昇しました。復員や引きあげで人口が増え，失業者があふれました。p.288

食料の不足は深刻でした。米などの配給がとどこおり，栄養失調が広がりました。都市の住民は，農村に買い出しに行ったり，非合法の闇市に出かけたりして，飢えをしのぎました。3 こうした中で，国民は懸命に働き，経済の復興に努めました。

占領の始まりと非軍事化

日本は，アメリカ軍を主力とする連合国軍によって占領されました。p.233 そして，**マッカーサー**6を最高司令官とする**連合国軍最高司令官総司令部(GHQ)**の指令に従って日本政府が政策を実施するという間接統治の方法が採られました。p.287 その下で**戦後改革**が進められました。

GHQの占領政策の基本方針の一つは，日本が再び連合国の脅威にならないよう，徹底的に非軍事化することでした。5 軍隊を解散させ，戦争犯罪人(戦犯)と見なした軍や政府などの指導者を**極東国際軍事裁判**(東京裁判)7にかけ，戦争中に重要な地位にあった人々を公職から追放しました。

昭和天皇も6，GHQの意向に従い，1946(昭和21)年に「人間宣言」を発表し，天皇が神であるという考え方を否定しました。

6ダグラス・マッカーサー(左：1880～1964)**と昭和天皇**(右：1901～89)(東京都　アメリカ大使公邸　1945年)

7極東国際軍事裁判(東京裁判)(1947年)　東条元首相など28名が「平和に対する罪」を犯したA級戦犯として起訴され，25名が有罪判決を受けました。また，戦争中に残虐行為をしたとされるB・C級戦犯の裁判も，世界各地で行われました。

チェック 戦後改革を進めた組織と，その組織の司令官を，本文からぬき出しましょう。

トライ 敗戦後の日本の政治はどう変わったか，次の語句を使って説明しましょう。[間接統治／非軍事化]

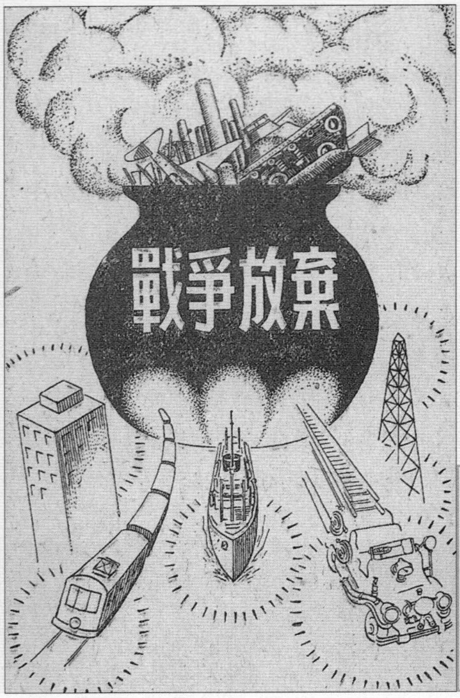
戰爭放棄

❶「あたらしい憲法のはなし」のさし絵（東京都 東書文庫蔵） 日本国憲法が施行された1947年に当時の文部省が発行した，中学生向けの教科書です。

読み取る (1)❶はどのようなことを表現しているか，考えましょう。(2) (1)は，❸でどのように表現されているか，読み取りましょう。

日本國憲法公布記念祝賀 都民大會

❷憲法公布の祝賀会（東京都 1946年11月3日） 公 地 歴

❸日本国憲法前文 （部分）

日本国民は，正当に選挙された国会における代表者を通じて行動し，われらとわれらの子孫のために，諸国民との協和による成果と，わが国全土にわたつて自由のもたらす恵沢を確保し，政府の行為によつて再び戦争の惨禍が起ることのないやうにすることを決意し，ここに主権が国民に存することを宣言し，この憲法を確定する。

2 民主化と日本国憲法

学習課題 **日本国憲法が制定されて，日本はどのように変化したのでしょうか。**

❹初の男女普通選挙（東京都 1946年 p.288） 公 地 歴

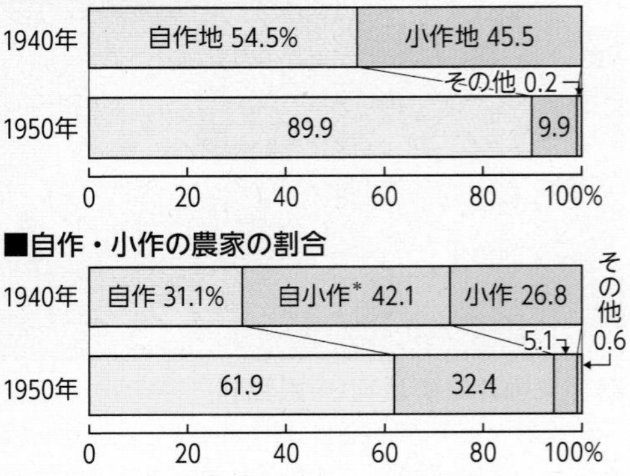
■自作地と小作地の割合
1940年
自作地 54.5%
小作地 45.5
その他 0.2
1950年
89.9
9.9
0
20
40
60
80
100%
■自作・小作の農家の割合
1940年
自作 31.1%
自小作* 42.1
小作 26.8
その他 0.6
5.1
1950年
61.9
32.4
0
20
40
60
80
100%

*自小作は，農家の耕地面積のうち，自己所有の耕地が10%以上，90%未満。

❺農地改革による変化（「完結昭和国勢総覧」ほか）

民主化

非軍事化と並ぶGHQの占領政策p.253の基本方針は，民主化でした。日本政府も，大正デモクラシーp.289の経験に基づいて，民主化に積極的に取り組みました。

政治の面では，治安維持法p.217が廃止され，政治活動の自由が認められました。また，選挙法p.219が改正され，選挙権が満20歳以上の男女にあたえられました。❹❽

経済の面では，日本の経済を支配してきた財閥p.194が解体されました（**財閥解体**）。また，労働者の団結権を認める労働組合法，労働条件p.287の最低基準を定める労働基準法が制定されました。

農村では**農地改革**p.289が行われ，地主が持つ小作地を政府が強制的に買い上げて，小作人p.285に安く売りわたしました。その結果，多くの自作農p.195が生まれました。❺

日本国憲法の制定

民主化の中心は，憲法の改正p.285でした。日本政府は初めにGHQの指示を受けて改正案を作成しましたが，大日本帝国憲法p.184を手直ししたものにすぎませんでした。そこで，徹底した民主化を目指すGHQは，日本の民間団体の案も参考にしながら，自ら草案をまとめました。

世紀 B.C. A.D.1 2 3 4 5 6 7 8 9 10 11 12 13 14 15 16 17 18 19 20 21
縄文 弥生 古墳 飛鳥 奈良 平安 鎌倉 室町 南北朝 戦国 安土桃山 江戸 明治 大正 昭和 平成 令和

大日本帝国憲法		日本国憲法
1889(明治22)年2月11日	**発布・公布**	1946(昭和21)年11月3日
1890年11月29日	**施行**	1947年5月3日
天皇が定める欽定憲法	**形式**	国民が定める民定憲法
天皇主権	**主権**	**国民主権**
神聖不可侵で統治権を持つ元首	**天皇**	日本国・国民統合の象徴
各大臣が天皇を補佐する	**内閣**	国会に連帯して責任を負う
天皇の協賛(同意)機関 衆議院と貴族院 衆議院議員のみを国民が選挙	**国会**	国権の最高機関 衆議院と参議院 両院の議員を国民が選挙
法律の範囲内で認められる	**人権**	おかすことのできない，永久の権利として認められる(**基本的人権の尊重**)
天皇が統帥権を持つ 国民に兵役の義務を課す	**軍隊**	永久に戦争を放棄する(**平和主義**)
規定なし	**地方自治**	規定あり(首長と議員を住民が選挙)

6 大日本帝国憲法と日本国憲法の比較

旧民法(1898年施行)		新民法(1948年施行)
戸主を中心とする，男性優位の家制度	**原則**	男女平等の家族制度(憲法第24条に基づく)
長男が戸主の地位とともに単独で相続	**相続**	相続人の権利の平等に基づく均分相続
戸主の同意が必要	**結婚**	両性の合意のみで成立

7 民法の比較(家族法の部分)

日本政府はGHQの草案を受け入れ，それを基に改正案を作成しました。そして，帝国議会での審議・修正を経て，1946(昭和21)年11月3日に**日本国憲法**(p.184)が公布され[2]，翌年の5月3日から施行されました。

日本国憲法は，**国民主権**(p.285)，**基本的人権の尊重**，**平和主義**[1]の三つを基本原理としました[3][6]。天皇は統治権を失い，国と国民統合の象徴になりました。かわって，国民を代表する国会が国権の最高機関になり，内閣が国会に責任を負う議院内閣制が導入されました。また，地方自治も明記されました。

日本国憲法の制定(p.287)にともない，民法(p.185・289)が改正され，男女平等に基づく新たな家族制度が定められました[7]。また，民主主義の教育の基本を示す**教育基本法**が作られ[9]，教育勅語(p.289)は失効しました。

政党政治と社会運動の復活

国民の間でも，民主化(p.185)に向けた動きが高まりました。日本社会党(社会党)や日本自由党が結成され，日本共産党が再建されるなど，戦時中に抑圧され解散していた政党(p.218)が活動を再開しました。政党は，日本国憲法の下で，政治の中心を担うことになりました(p.231)。

社会運動も盛んになり[10]，労働組合法の制定や国民生活の悪化を背景として，労働組合が数多く組織されました。部落解放運動(p.159・289)が再建され，北海道アイヌ協会(p.218)も新たに結成されました。

8 初めての女性国会議員(1946年)　この年に39人の女性の衆議院議員が誕生しましたが，3年後には12人に減少しました。

9 男女共学　教育基本法は，教育の機会均等，男女共学，義務教育などを定めました。これに合わせて，義務教育(小学校6年，中学校3年)，高等学校3年，大学4年の学校制度が始まりました。

10 復活したメーデー(東京都　1946年)　11年ぶりに行われ，飢えと貧しさからの解放などを訴えました。

チェック　日本を民主化するための政策を，本文から四つぬき出しましょう。

トライ　民主化によって国民の生活はどのように変わったか，女性に着目して説明しましょう。

探究のステップに取り組もう(p.279)

2節 冷戦と日本の発展

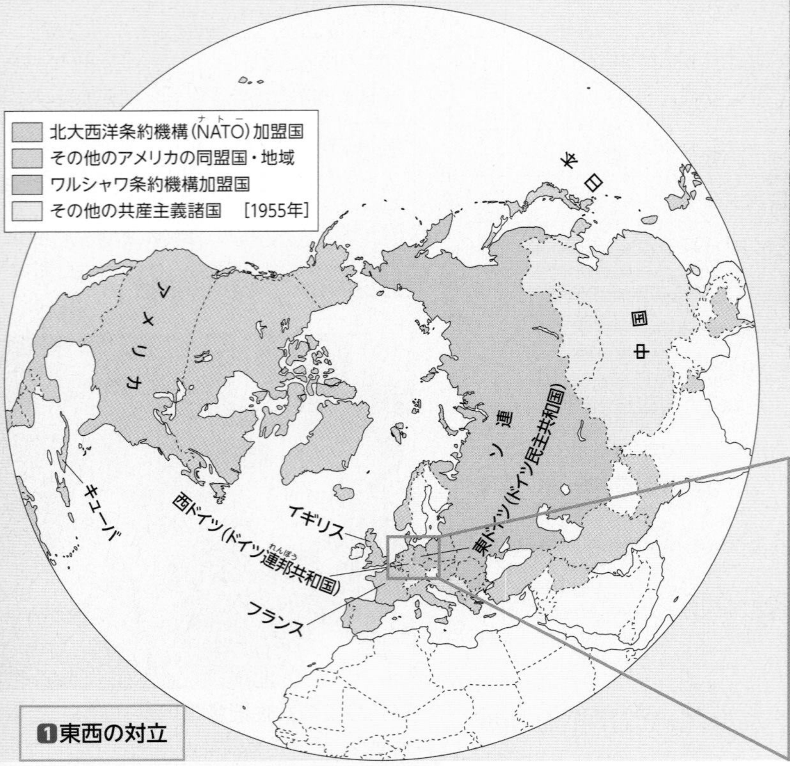

北大西洋条約機構(NATO)加盟国
その他のアメリカの同盟国・地域
ワルシャワ条約機構加盟国
その他の共産主義諸国 [1955年]
アメリカ
ソ連
中国
日本
キューバ
イギリス
西ドイツ(ドイツ連邦共和国)
東ドイツ(ドイツ民主共和国)
フランス

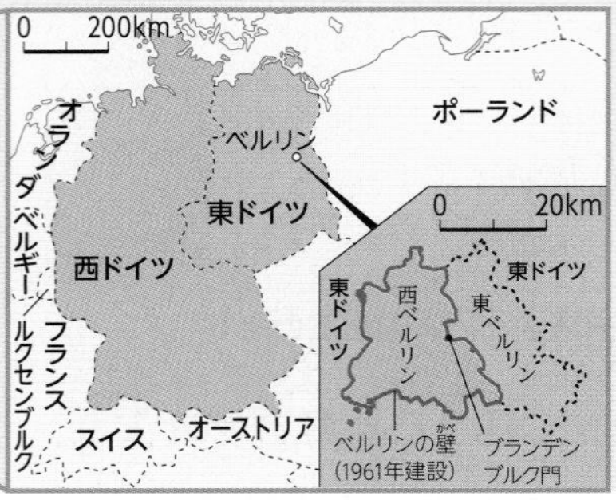

0 200km
オランダ
ベルギー
ルクセンブルク
フランス
スイス
オーストリア
西ドイツ
東ドイツ
ベルリン
ポーランド
0 20km
東ドイツ
西ベルリン
東ベルリン
ベルリンの壁(1961年建設)
ブランデンブルク門

❶東西の対立

ブランデンブルク門
東ベルリン
西ベルリン

❷「ベルリンの壁」 1961年，東ドイツは，西側陣営の飛び地であった西ベルリンを取り囲むように壁を築きました。

1 冷戦の開始と植民地の解放

学習課題 冷戦が始まって，世界はどのように変化したのでしょうか。

国際連合と冷戦の始まり

1945(昭和20)年10月，連合国は，二度の世界大戦への反省から，**国際連合(国連)**を創りました。国連には，世界の平和と安全を維持する機関として安全保障理事会が設けられ，アメリカ・イギリス・フランス・ソ連・中国が常任理事国になりました。❸

しかし，国際協調は長くは続きませんでした。ソ連が東ヨーロッパ諸国を支配したのに対抗して，アメリカが西ヨーロッパ諸国を支援し，p.159・286 アメリカを中心とする資本主義の西側と，ソ連が率いる共産主義の東側の，二つの陣営に分裂したからです。❶ p.211・284

ドイツは，1949年，東西に分かれて独立しました。❷ また，軍事同盟として，1949年に西側の**北大西洋条約機構(NATO)**が，p.288 1955年には東側の**ワルシャワ条約機構**が作られました。❶

両陣営は全面的な戦争には至らなかったとはいえ，厳しい対立を続け，実際の戦争と対比して，「**冷たい戦争(冷戦)**」と呼ばれました。米ソ両国は核兵器をふくむ軍備拡張を競い合い，冷戦下の世界は核戦争の危険にさらされました。

	国際連盟	国際連合
発足年	1920年	1945年
本部所在地	ジュネーブ(スイス)	ニューヨーク(アメリカ)
常任理事国(発足時)	英・仏・日・伊 ＊アメリカは不参加。	米・英・仏・ソ・中
表決	全会一致制	多数決制
制裁措置	経済制裁	経済制裁と国連軍による武力制裁

❸**国際連合本部**(上)と，**国際連盟**(p.212)・**国際連合の比較**(下) 国際連合の安全保障理事会では，常任理事国が拒否権(p.284)を持っています。

探究のステップ 冷戦の中で，なぜ日本は経済成長をとげることができたのでしょうか。

世紀 B.C. A.D.1 2 3 4 5 6 7 8 9 10 11 12 13 14 15 16 17 18 19 20 21
縄文 弥生 古墳 飛鳥 奈良 平安 鎌倉 南北朝 室町 戦国 安土桃山 江戸 明治 大正 昭和 平成 令和

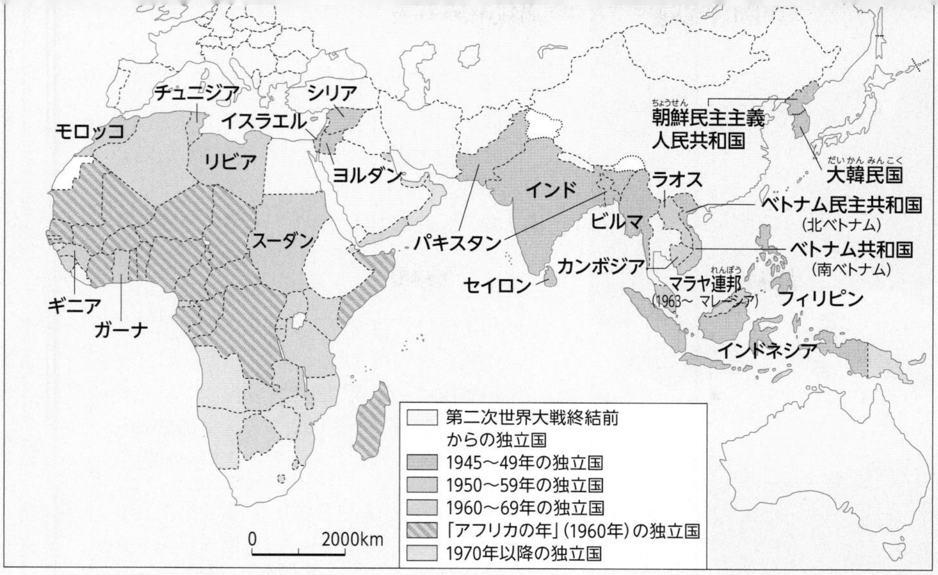
チュニジア
シリア
モロッコ
イスラエル
リビア
ヨルダン
朝鮮民主主義人民共和国
大韓民国
インド
ラオス
ベトナム民主共和国（北ベトナム）
ビルマ
スーダン
パキスタン
ベトナム共和国（南ベトナム）
カンボジア
マラヤ連邦（1963～ マレーシア）
セイロン
ギニア
フィリピン
ガーナ
インドネシア
第二次世界大戦終結前からの独立国
1945～49年の独立国
1950～59年の独立国
1960～69年の独立国
「アフリカの年」（1960年）の独立国
1970年以降の独立国
0 2000km

4 第二次世界大戦後のアジア・アフリカの独立国 独立後に分離したり統合したりした国もあります。

見方・考え方 推移 4とp.186 1とを比べて，それぞれの国がどこから独立したか確認しましょう。

歴史にアクセス イスラエルの成立とパレスチナ問題 （人権・平和）

ヨーロッパで深刻な差別を受けていたユダヤ人の間で，19世紀末，古代にユダヤ人の国があったパレスチナの地に，再びユダヤ人の国を造ろうという運動が起こりました。しかし，パレスチナには長年，イスラム教徒であるアラブ系のパレスチナ人が住んでおり，第一次世界大戦中にイギリスがパレスチナ人とユダヤ人のそれぞれに独立を約束したことをきっかけに，パレスチナ問題が発生しました。1948年にユダヤ人がイスラエルを建国すると，アラブ諸国との間で四次にわたる中東戦争が起こり，多数のパレスチナ人が難民になりました。パレスチナ問題は現在もなお解決していません。

新中国の成立と朝鮮戦争

冷戦は東アジアにもおよびました。中国では，日本の敗戦後，アメリカが支援する国民党とソ連が支援する共産党との間で内戦が再発し，共産党が勝利して，1949年に毛沢東を主席とする**中華人民共和国**（**中国**）p.230が成立しました。5 蔣介石が率いる国民党は台湾にのがれました。

朝鮮は，日本の敗戦で植民地支配から解放されましたが，北緯38度線を境にして，南をアメリカ，北をソ連に占領されました。1948年，南に**大韓民国**（**韓国**），次いで北に**朝鮮民主主義人民共和国**（**北朝鮮**）が成立しました。

1950年には北朝鮮が南北の統一を目指して韓国に侵攻し，**朝鮮戦争**が始まりました。アメリカ中心の国連軍が韓国を，中国の義勇軍p.260 1が北朝鮮を支援して長期化し，1953年に休戦しました。6

植民地支配の終わり

アジアやアフリカでは，植民地支配を行ってきたヨーロッパ諸国が第二次世界大戦によって国力を弱め，独立運動が活発化した結果，多くの植民地が独立を果たしました。4 アジアでは，1949年までにインドネシア・フィリピン・インド5などが独立しました。またアフリカでは，1960年に17か国が独立し，「アフリカの年」と呼ばれました。しかし，紛争や飢餓に苦しむ国も多く，発展途上国と先進工業国との経済格差の問題（**南北問題**）が残されました。

AIR

5 インド独立の演説をするネルー（左：1947年 p.191 11）と，**中華人民共和国の建国を宣言する毛沢東**（右：1949年）

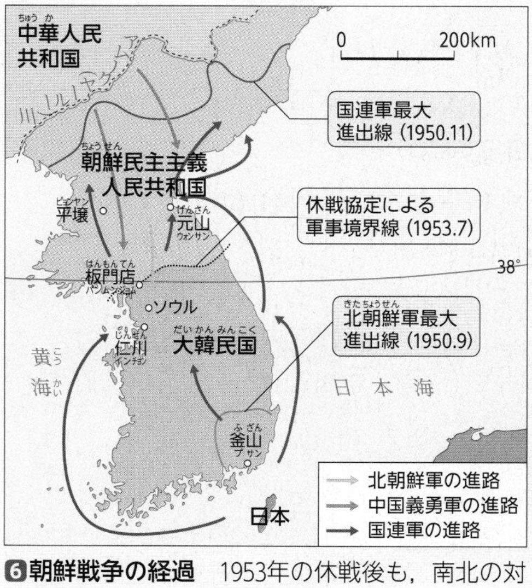
中華人民共和国
0 200km
国連軍最大進出線（1950.11）
朝鮮民主主義人民共和国
平壌
元山
休戦協定による軍事境界線（1953.7）
板門店
38°
ソウル
北朝鮮軍最大進出線（1950.9）
仁川
大韓民国
黄海
日本海
釜山
日本
北朝鮮軍の進路
中国義勇軍の進路
国連軍の進路

6 朝鮮戦争の経過 1953年の休戦後も，南北の対立は続き，いまだ終戦していません。

チェック 冷戦によって国家が二つに分裂した例を，三つ挙げましょう。

トライ 冷戦とはどのような対立か，次の語句を使って説明しましょう。［アメリカ／ソ連／軍備拡張］

❶サンフランシスコ平和条約の調印（アメリカ　1951年）　中央で署名しているのが吉田茂首相，後ろの右から２番目は，後に首相となる池田勇人(p.262)です。

❷サンフランシスコ平和条約（1951年）

第１条　(b)連合国は，日本国とその領海に対する日本国民の完全な主権(p.286)を承認する。

第２条　(a)日本国は，朝鮮の独立を承認し，済州島，巨文島および鬱陵島をふくむ朝鮮に対する全ての権利を放棄する。

(b)日本国は，台湾と澎湖諸島に対する全ての権利を放棄する。

(c)日本国は，千島列島と，ポーツマス条約で得た樺太の一部に対する全ての権利を放棄する。　（部分要約）

↑この条約を結ぶ講和会議に中国は招かれず，インドやビルマ（ミャンマー）は出席を拒否し，ソ連など東側諸国は出席しても調印しませんでした。また，東南アジアには，日本が経済上の理由から賠償を軽減されたことに不満を持ち，調印した条約の承認をおくらせた国や，承認を行わなかった国もありました。

2 独立の回復と55年体制

学習課題　日本の国際社会への復帰には，どのような背景があり，その後どのような影響があったのでしょうか。

まとめる　❷から，日本がサンフランシスコ平和条約で放棄した領土を，地図にまとめましょう。

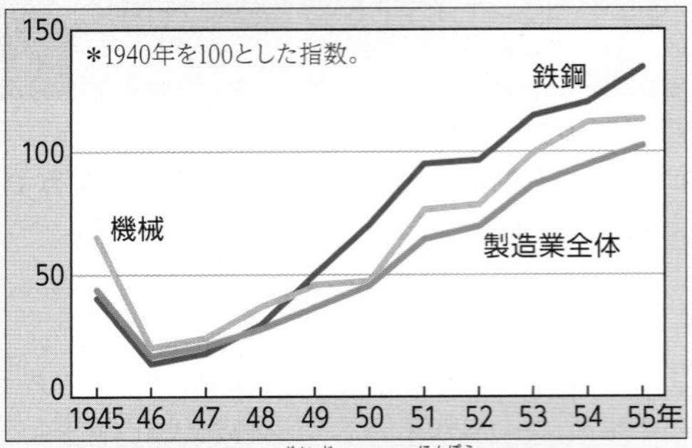

150
100
50
0
＊1940年を100とした指数。
鉄鋼
機械
製造業全体
1945 46 47 48 49 50 51 52 53 54 55年

❸日本経済の復興（「明治以降　本邦主要経済統計」）

❹自衛隊の発足（1954年）

占領政策の転換

冷戦(p.256)が激しくなると，アメリカは，東側陣営に対抗するため，日本を西側陣営の強力な一員にしようと考えました。GHQは，非軍事化(p.253)と民主化(p.253)よりも経済の復興を重視する方向に占領政策を転換し，労働運動(p.254・289)を抑制するとともに，商品の価格などの統制を撤廃しました。

1950（昭和25）年に朝鮮戦争(p.257)が始まると，日本本土や沖縄のアメリカ軍基地が使用されました。日本は，アメリカ軍向けに大量の軍需物資を生産したため，経済が好況になり，復興が早まりました（**特需景気**）❸。また，在日アメリカ軍(p.285)が朝鮮戦争に出兵すると，GHQの指令で国内の治安維持のために警察予備隊が作られ，それが次第に強化されて，1954年に**自衛隊**になりました❹。

平和条約と安保条約

アメリカは，占領の長期化が反米感情を高めることをおそれて，日本との講和を急ぎました。1951年，**吉田茂**内閣は，アメリカなど48か国と**サンフランシスコ平和条約**を結びました❶❷。しかし，東側陣営や，日本が侵略したアジアの国々の多くとの講和は実現しませんでした。

それと同時に，吉田内閣はアメリカと**日米安全保障条約**（日

世紀　B.C.　A.D.1　2　3　4　5　6　7　8　9　10　11　12　13　14　15　16　17　18　19　20　21
縄文　弥生　古墳　飛鳥　奈良　平安　鎌倉　室町　南北朝　戦国　安土桃山　江戸　明治　大正　昭和　平成　令和

歴史にアクセス　原水爆禁止運動

人権　平和　［道徳：伝えたいことがある（第五福竜丸事件）▶D］

1954（昭和29）年３月１日，アメリカが太平洋のビキニ環礁で水爆実験を行い，遠洋まぐろ漁船の第五福竜丸が，放射線を出す「死の灰」を浴びました。ほかにも多くの漁船が被ばくし，汚染された大量のまぐろが廃棄されました。半年後には，第五福竜丸の久保山愛吉無線長が「原水爆の被害者は私を最後にしてほしい」と言って亡くなりました。

こうした中，原水爆の禁止を求める署名運動が，東京都杉並区などから全国に広がり，3300万人分をこえる署名が集まりました。そして，原爆投下から10年後の1955年８月６日，広島市で第１回原水爆禁止世界大会が開かれ，14か国52人の海外代表をふくむ5000人以上が参加しました。原水爆禁止運動は，さまざまな困難に直面しながらも，ねばり強く続けられています。

❺被ばく直後の第五福竜丸（1954年３月17日）

❻日米安全保障条約（1960年改定）

第５条　各締約国は，日本国の施政の下にある領域における，いずれか一方に対する武力攻撃が，自国の平和及び安全を危うくするものであることを認め，自国の憲法上の規定及び手続に従って共通の危機に対処するように行動することを宣言する。…

第６条　日本国の安全に寄与し，並びに極東における国際の平和及び安全の維持に寄与するため，アメリカ合衆国は，その陸軍，空軍及び海軍が日本国において施設及び区域を使用することを許される。…　（部分）

読み取る　安保闘争で，人々は日米安保条約のどのような点に反対したのか，❻から考えましょう。

米安保条約）を結びました。これによって，日本の安全と東アジアの平和を守るという理由から，占領が終わった後もアメリカ軍基地が日本国内に残されることになりました。

1952年４月28日，サンフランシスコ平和条約が発効し[1]，日本は独立を回復しました。しかし，沖縄や小笠原諸島は，その後もアメリカの統治下に置かれました[2]。

自民党長期政権と安保条約改定

日本国内では，1954年にアメリカの水素爆弾（水爆）の実験で第五福竜丸が被ばくした事件をきっかけに[5]，原水爆禁止運動が全国に広がりました。また，アメリカの冷戦政策を批判する社会党などの革新勢力がp.284，日米安保条約や自衛隊に反対しました。

アメリカの冷戦政策を支持する保守勢力p.289は，革新勢力の動きに危機感をいだいて，1955年に自由民主党（自民党）を結成しました。自民党は，野党第一党の社会党と対立しながら，38年間にわたって政権をとり続けました。これを**55年体制**p.287と呼びます。

自民党と社会党の対立の頂点は，1960年の日米安保条約の改定でした。岸信介内閣は，アメリカとの関係をより対等にし，強化することを目指して，新しい日米安保条約を結びましたが[6]，それに対して激しい反対運動（**安保闘争**[7]）が起こりました。

❼安保闘争（1960年）　衆議院で条約承認が強行されたことを受け，大規模なデモ（p.288）が起こりました。条約の発効後，岸内閣は退陣しました。　公　地　歴

❶サンフランシスコ平和条約が発効する直前に，韓国は公海上に一方的に境界線を引き，その韓国側に日本固有の領土である竹島を取りこみ，不法に占拠しました。これに対して，日本政府は抗議を続けています（p.180）。
❷奄美群島は，1953年に返還されました。

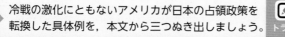

チェック　冷戦の激化にともないアメリカが日本の占領政策を転換した具体例を，本文から三つぬき出しましょう。

トライ　冷戦によって日本の政治はどのように変化したか，説明しましょう。

世界の動き

❶朝鮮戦争(1950〜53年)(p.257)

北朝鮮が北緯38度線をこえて韓国に侵攻し，韓国側をアメリカ軍を中心とする国連軍が，北朝鮮側を中国の義勇軍が支援して戦いました。(写真は，戦地に向かうアメリカ軍と戦火からのがれる人々)

→ **❷アジア・アフリカ会議**(1955年)

インドのネルー首相(p.257❺)などの提案によってインドネシアのバンドンで開かれ，29か国が参加して，西側・東側のいずれにも属さない立場から平和共存を訴えました。(写真は，中国の周恩来首相が発言する様子)

→ **❸キューバ危機**(1962年)

ソ連によるキューバでのミサイル基地建設に対抗して，アメリカが海上封鎖を行い，核戦争の瀬戸際まで至りました。(写真は，ミサイルを運ぶソ連の船[奥]と，並走するアメリカの船と飛行機[手前])

日本の動き

サンフランシスコ平和条約
日米安全保障条約
(1951年)(p.258)

→ **日ソ共同宣言**
国際連合加盟
(1956年)

→ **日米安全保障条約改定**
(1960年)(p.259)

3 緊張緩和と日本外交

? 学習課題 緊張緩和の広がりと日本の外交にはどのような関係があったのでしょうか。

見方・考え方 関連
(1)❶〜❻の出来事は，冷戦下の「緊張の高まり」と「緊張緩和」のどちらに当たるか，考えましょう。
(2) (1)の状況の下で，日本の外交関係はどのように変化したか，上の図と本文からまとめましょう。

❼友好の記念として中国からおくられたパンダを見物する人々(東京都　上野動物園　1972年)

❽日中平和友好条約(1978年)　(部分)

第1条　両締約国は，主権及び領土保全の相互尊重，相互不可侵，内政に対する相互不干渉，平等及び互恵並びに平和共存の諸原則の基礎の上に，両国間の恒久的な平和友好関係を発展させるものとする。

緊張緩和の進展

冷戦下の国際的な緊張❶は，1950年代半ば以降，高まったり低まったりをくり返しながら，次第に緩和していきました。植民地支配から独立した国々の多くは，1955(昭和30)年の**アジア・アフリカ会議**❷に見られるように，平和共存を訴え，緊張緩和をうながしました。p.256 p.257

1962年にキューバでのミサイル基地建設をめぐって米ソ間の緊張が極度に高まり(キューバ危機❸)，核戦争が起こる寸前で解決されると，緊張緩和が本格化しました❹。西ヨーロッパ諸国は経済統合を進め，1967年にヨーロッパ共同体(EC)を設立する一方，東ヨーロッパ諸国との関係を改善していきました。

中ソの支援を受ける北ベトナムや南ベトナム解放民族戦線と，アメリカが戦った**ベトナム戦争**❺の際には，世界各地で反戦運動が高まりました❻。アメリカが中国との関係を改善し，1973年にベトナムから撤兵すると，緊張緩和はアジアにも広がりました。

広がる日本の外交関係

西側陣営の一員として独立を回復した日本は，緊張緩和が進む中，東側陣営やアジアの国々との外交関係を築いていきました。p.284

世紀	B.C.	A.D.1	2	3	4	5	6	7	8	9	10	11	12	13	14	15	16	17	18	19	20	21

縄文　弥生　古墳　飛鳥　奈良　平安　鎌倉　室町(南北朝)　戦国　安土桃山　江戸　明治　大正　昭和　平成　令和

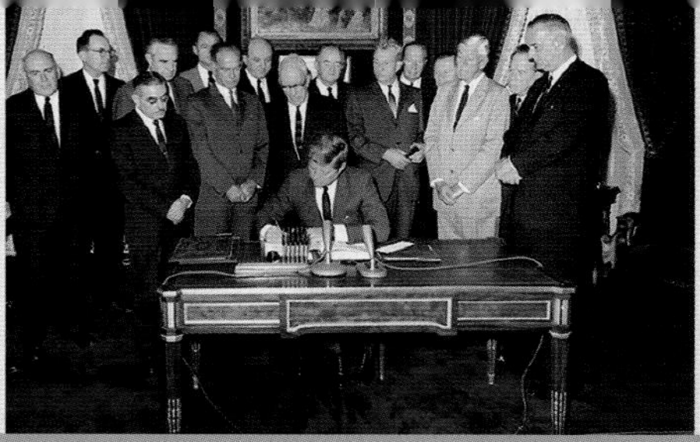

4 部分的核実験禁止条約調印（1963年）

キューバ危機の反省から，核軍縮の機運が高まり，大気圏内や宇宙空間，水中での核実験を禁止する条約が作られ，100か国以上が参加しました。（写真は，アメリカのケネディ大統領が調印する様子）

5 ベトナム戦争（1960～75年）

ソ連や中国が支援する北ベトナムと，アメリカが支援する南ベトナムとの戦争に，1965年からアメリカが本格的に介入しました。（写真は，アメリカ兵に家を焼きはらわれたベトナム人　1966年）

6 ベトナム反戦運動（1965～75年ごろ）

ベトナム戦争で現地の人々や徴兵されたアメリカ兵が多数死亡する中，若者を中心に戦争に反対する運動が起こり，世界中に広がりました。（写真は，アメリカのワシントンD.C.でのデモの様子　1970年）

日韓基本条約（1965年） → **沖縄の日本復帰・日中共同声明**（1972年） → **日中平和友好条約**（1978年）

1956年，鳩山一郎内閣によって**日ソ共同宣言**が調印され，ソ連との国交が回復しました。[1] 同年，日本はソ連の支持も受けて国連に加盟し，国際社会に復帰しました。

p.286

p.256

東南アジア諸国との賠償問題は，1950年代末までにおおむね解決されました。また，韓国とは，1965年に**日韓基本条約**を結び，韓国政府を朝鮮半島の唯一の政府として承認しました。

中国とは，1972年に田中角栄内閣が**日中共同声明**によって国交を正常化し，[7] 1978年には**日中平和友好条約**[8]を結びました。その後，中国の経済発展とともに，関係が深まっていきました。

沖縄の日本復帰

サンフランシスコ平和条約の問題点の一つは，沖縄がアメリカの統治の下に残されたことでした。軍事基地の建設のために多くの土地を取り上げられるなど，さまざまな権利が制限されていた沖縄の人々は，日本への復帰を求める運動をねばり強く行いました。

佐藤栄作[9]内閣はアメリカ政府と交渉を進め，1972年５月，沖縄が日本に復帰しました。[2] この過程で，核兵器を「持たず，作らず，持ちこませず」という**非核三原則**が国の方針になりました。しかし，沖縄のアメリカ軍基地は，多くの県民の期待とは反対に，復帰後もあまり縮小しませんでした。[10]

山口県

9 佐藤栄作（1901～75）

非核三原則を提唱

1965年に「沖縄が復帰しない限り，戦争は終わらない」と訴え，沖縄の復帰を実現させました。また，1974年には，その功績からノーベル平和賞を受賞しました。

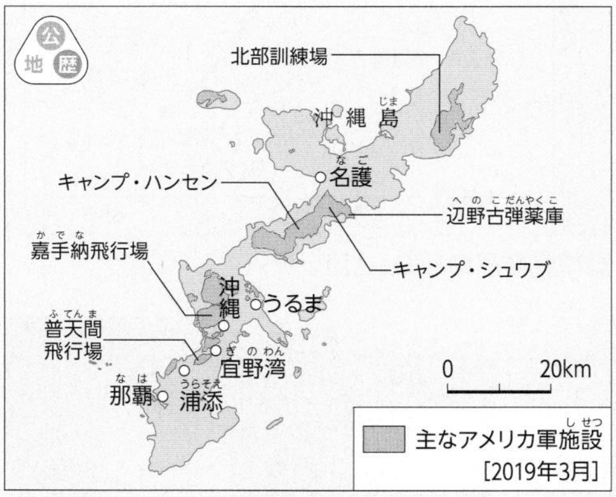
公
地
歴
北部訓練場
沖縄島
名護
キャンプ・ハンセン
辺野古弾薬庫
嘉手納飛行場
キャンプ・シュワブ
沖縄
うるま
普天間飛行場
宜野湾
那覇
浦添
0
20km
主なアメリカ軍施設
[2019年3月]

10 沖縄島周辺のアメリカ軍施設（沖縄県資料）　今なお，沖縄島では面積の約15%がアメリカ軍施設であり，事故・公害・犯罪などが起こっています。

❶このときソ連が全ての北方領土の返還に応じなかったため，平和条約を結ぶことができませんでした（p.181・252）。

❷小笠原諸島は，1968年に返還されました。

チェック　日本が中国・ソ連・韓国と国交を回復させた条約を，本文からそれぞれぬき出しましょう。

トライ　日本の外交関係が広がった背景にある，世界の大きな動きについて，20字程度で説明しましょう。

❶1964年の東京オリンピックの開会式(東京都　国立競技場)

ひかり号

❷東海道新幹線の開通(東京駅　1964年)

❸日本万国博覧会(大阪府　1970年)

4 日本の高度経済成長

学習課題 **日本の経済成長は，国民の生活をどのように変化させたのでしょうか。**

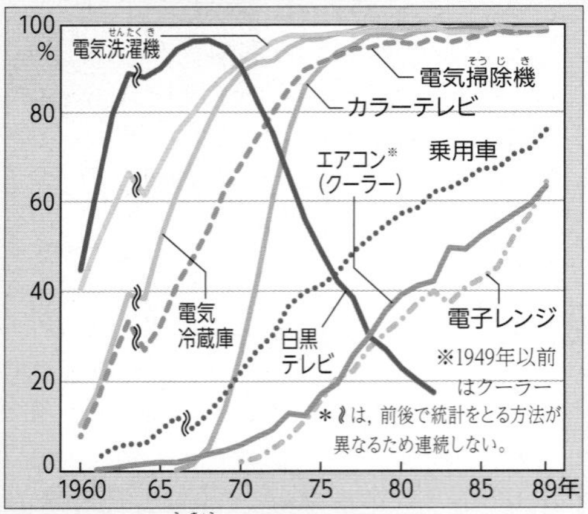
100 %
80
60
40
20
0
1960
65
70
75
80
85
89年
電気洗濯機
電気掃除機
カラーテレビ
エアコン※（クーラー）
乗用車
電気冷蔵庫
白黒テレビ
電子レンジ
※1949年以前はクーラー
＊≀は，前後で統計をとる方法が異なるため連続しない。

❹電化製品の普及(内閣府資料)

❺1960年代の団地(復元　千葉県　松戸市立博物館蔵)

高度経済成長

日本の経済は，1950年代半ばまでに戦前の水準をほぼ回復し，1955(昭和30)年から73年までの間，年平均で10％程度の成長を続けました(**高度経済成長**)。❻ 安保闘争後に成立した池田勇人内閣が「所得倍増」をかかげるなど，政府も経済成長を積極的に促進しました。p.285 p.259

この時期には技術革新が進み，鉄鋼や造船などの重化学工業が産業の主軸になりました。主なエネルギー源は石炭から石油にかわり，太平洋や瀬戸内海の沿岸を中心とする各地に製鉄所や石油化学コンビナートが建設されました。p.272

1968年，日本の国民総生産(GNP)は，資本主義国の中でアメリカに次ぐ第2位になりました。❻ また，海外との貿易も自由化されつつ拡大し，日本経済の国際化が進みました。p.285

国民生活の変化と公害

高度経済成長によって，国民の暮らしは便利で快適になりました。「三種の神器」と呼ばれたテレビ・洗濯機・冷蔵庫などの家庭電化製品や自動車が普及し，❹ スーパーマーケットが広まりました。大都市の郊外には，自宅用の浴室や水洗トイレなどを備えた団地が大規模に建

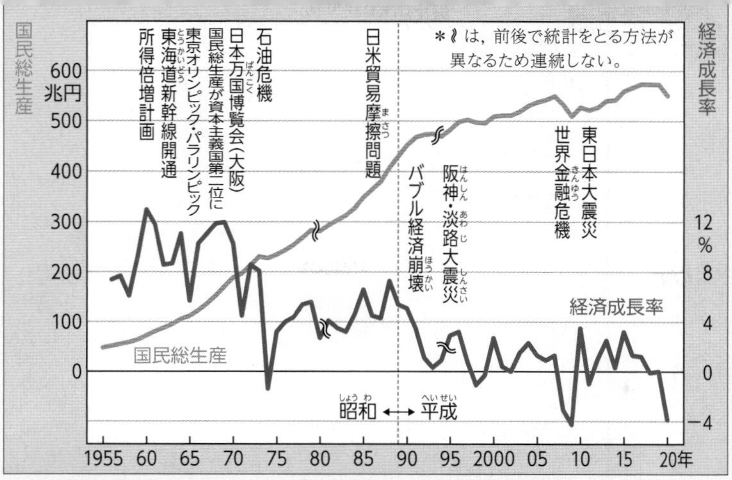

国民総生産
600兆円
500
400
300
200
100
0
経済成長率
12%
8
4
0
−4
所得倍増計画
東海道新幹線開通
東京オリンピック・パラリンピック
国民総生産が資本主義国第二位に
日本万国博覧会(大阪)
石油危機
日米貿易摩擦問題
バブル経済崩壊
阪神・淡路大震災
世界金融危機
東日本大震災
＊≈は，前後で統計をとる方法が異なるため連続しない。
国民総生産
経済成長率
昭和 ←→ 平成
1955 60 65 70 75 80 85 90 95 2000 05 10 15 20年

6日本の国民総生産(GNP)の推移(内閣府資料ほか)

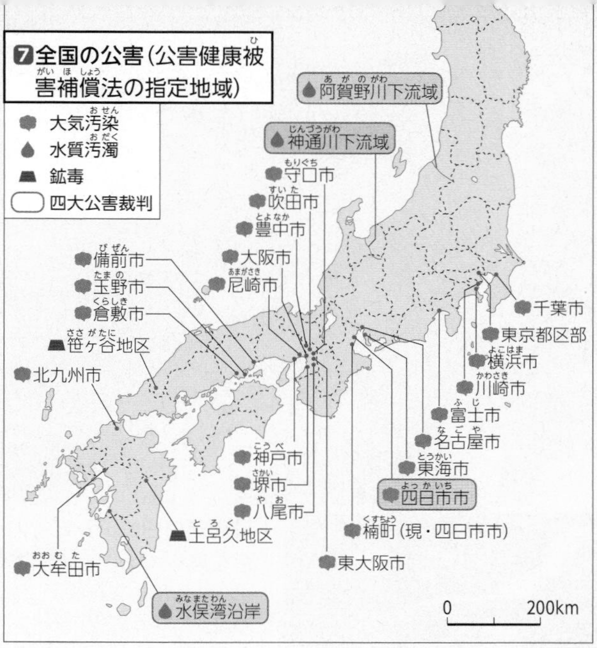

7全国の公害(公害健康被害補償法の指定地域)
大気汚染
水質汚濁
鉱毒
四大公害裁判
阿賀野川下流域
神通川下流域
守口市
吹田市
豊中市
大阪市
尼崎市
備前市
玉野市
倉敷市
笹ヶ谷地区
北九州市
千葉市
東京都区部
横浜市
川崎市
富士市
名古屋市
東海市
四日市市
楠町(現・四日市市)
神戸市
堺市
八尾市
土呂久地区
東大阪市
大牟田市
水俣湾沿岸
0 200km

みんなでチャレンジ　日本復興の象徴は何だろう

p.252～263の出来事の中で，日本の復興を最も象徴するものを考え，グループで話し合いましょう。

設されました。新幹線や高速道路が開通し，1964年には**東京オリンピック・パラリンピック**が開かれました。

一方で，高度経済成長はさまざまな社会問題を生み出しました。農村では人口が流出して過疎化が進み，逆に過密になった都市では，交通渋滞・住宅不足・ごみ問題などが起こりました。

公害問題も深刻化しました。被害を受けた住民は，各地で反対運動を起こし，新潟水俣病・四日市ぜんそく・イタイイタイ病・水俣病の四大公害裁判で，公害を発生させた企業に勝訴しました。政府も対応をせまられ，1967年に公害対策基本法を制定し，71年に環境庁(現在の環境省)を設置しました。

経済大国日本

1973年に第四次中東戦争が起こったことで**石油危機**(オイル・ショック)が発生しました。石油価格が大幅に上昇したため，先進工業国の経済は深刻な不況におちいり，日本でも高度経済成長が終わりました。

しかし，日本は，雇用調整などの経営の合理化や省エネルギー化を進め，いち早く不況を乗りきりました。そして，鉄鋼や造船などにかわって，自動車や電気機械などの輸出がのび，貿易黒字が増えました。その結果，アメリカなどとの貿易摩擦が深刻化するとともに，国際社会から経済大国としての役割を求められるようになりました。

8大気汚染対策としてマスクをして通学する子どもたち(三重県四日市市　1965年)(巻頭3 1)

9トイレットペーパー売り場に殺到する人々(東京都　1973年)　石油危機で石油を使った製品が値上がりしましたが，流言によって，関係のない商品まで買いしめられました。

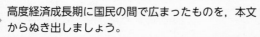

チェック　高度経済成長期に国民の間で広まったものを，本文からぬき出しましょう。

トライ　高度経済成長が日本社会にあたえた正の影響と負の影響を，それぞれ20字程度で説明しましょう。

❶街頭の白黒テレビで力道山の試合を見る人々(1954年)

❷力道山(右：1924〜63) 大相撲からプロレスに転向して活躍し，人々を熱狂させました。

❸茶の間のカラーテレビでアポロ11号の月面着陸を見る家族(1969年)

❹アメリカのアポロ11号の月面着陸(1969年) 初めて月面着陸に成功し，その様子が衛星放送で日本をふくむ40か国で中継されました。

5 マスメディアと現代の文化

学習課題 現代日本の文化には，どのような特徴があるのでしょうか。

Awarded the Grand Prize at the Venice Film Festival 1951
RASHO-MON
大映映画
監督 黒沢 明
ヴェニス国際映画祭グラン・プリ(大賞)受賞に輝く
羅生門
三船敏郎 京マチ子 志村喬 森雅之
上田吉二郎 加東大介 千秋実 本間文子

❺黒澤明(1910〜98)が監督した映画「羅生門」のポスター(1950年公開) ベネチア国際映画祭の金獅子賞を受賞するなど，海外でも高く評価されました。

❻長嶋茂雄(1936〜) プロ野球選手は，子どもたちのあこがれの存在になりました(雑誌の創刊は1959年)。

週刊 少年サンデー
4月5日号 30円
創刊号
小学館発行

戦後の文化とマスメディア

戦後の日本では，GHQの占領政策(p.253)に反しない範囲とはいえ，言論の自由が回復され，解放感が広がりました。多くの新聞や雑誌が復刊・創刊され，特に月刊の総合雑誌が知識層に強い影響をあたえました。

大衆の娯楽(p.287)としては，映画が人気を集め，監督の**黒澤明**などが世界的にも高い評価を受けました。❺ラジオは，日本放送協会(NHK)に続いて1951(昭和26)年に民間放送が始まり，映画とともに1950年代中ごろに最盛期をむかえました。❼

テレビと高度経済成長期の文化

1953年に**テレビ放送**が始まりました。最初は街頭で見られていましたが，❶❷次第に一般の家庭へと普及していきました。❸❹❼

日本が大量生産と大量消費の社会に変わった高度経済成長期は，テレビの時代でした。人々はテレビが映し出す豊かな生活にあこがれ，コマーシャルで購買意欲をかき立てられました。テレビは，多くの家庭で茶の間(リビング)に置かれ，家族の団らんの中心になりました。スポーツや芸能などの娯楽もテレビで楽しむ傾向が強まり，プロ野球の長嶋茂雄❻や王貞治，大相撲

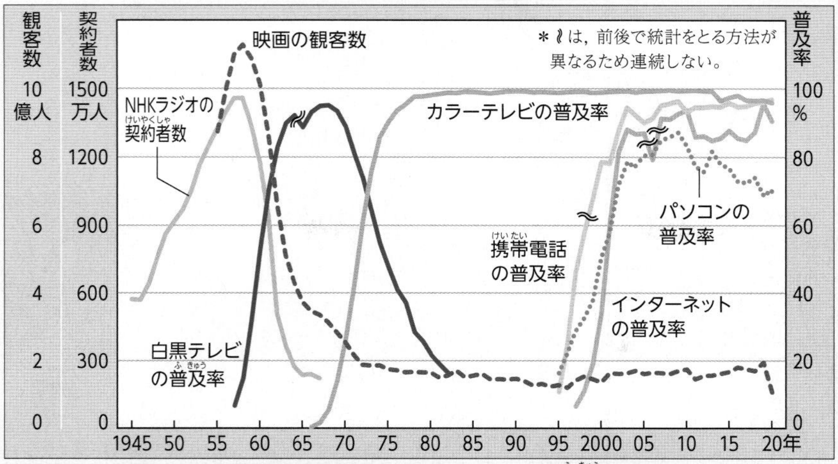

観客数
契約者数
普及率
10億人
1500万人
100%
8
1200
80
6
900
60
4
600
40
2
300
20
0
0
0
映画の観客数
＊≀は，前後で統計をとる方法が異なるため連続しない。
NHKラジオの契約者数
カラーテレビの普及率
パソコンの普及率
携帯電話の普及率
インターネットの普及率
白黒テレビの普及率
1945 50 55 60 65 70 75 80 85 90 95 2000 05 10 15 20年

7 マスメディア(p.289)**や情報通信機器，インターネットの普及**(内閣府資料ほか)

歴史にアクセス　インターネットの発達　情報技術

1990年代後半からインターネットが普及し，文字・音声・画像など大量の情報を，国境をこえて高速で双方向にやりとりできるようになりました。2000年代に携帯電話向けインターネットサービスが成長し，2010年代に入るとスマートフォンの保有率が高まりました。その結果，インターネット・ショッピングが広がり，さまざまなソーシャル・ネットワーキング・サービス(SNS)が登場するなど，経済や社会に大きな変化が生じています。

みんなでチャレンジ　現代文化の特色を考えよう　比較

(1)近代の文化(p.220～221)と現代の文化とを比べて，共通点と異なる点を挙げましょう。

(2)現代の文化にはどのような特色があるか，グループで話し合いましょう。

の大鵬などの国民的なヒーローが生まれました。

また，テレビを通じて日本全国の人々が同じ内容の情報を同時に得るようになり，国民の考え方が均質化していきました。さらに，高度経済成長によって人々の生活水準が向上し，高校と大学への進学率が上昇した結果，多くの国民が「中流意識」を持つようになりました。

漫画・アニメと文学の発展

テレビが急速に普及し始めた1950年代末には週刊誌ブームが起こり，週刊の漫画誌6や女性誌などが広く読まれるようになりました。

漫画は，**手塚治虫**8が物語性の高い作品を生み出したことで発展し，子どもだけでなく大人にも読まれるようになりました。1960年代には，手塚の漫画を原作とする日本初の本格的なテレビアニメの「鉄腕アトム」9が放送されました。

文学では，芸術性に重きを置く純文学と，娯楽性の高い大衆小説との中間的な作品が増え，松本清張の推理小説や司馬遼太郎の歴史小説が人気を集めました。その一方で，ノーベル賞10を受賞した**川端康成**や大江健三郎をはじめ，優れた純文学の作品も数多く発表されました。

兵庫県

8 手塚治虫(1928～89)

現代日本の漫画・アニメの生みの親

映画の手法を駆使したストーリー漫画を発表し，初の国産テレビアニメ「鉄腕アトム」を制作しました。代表作に「火の鳥」など。

9「鉄腕アトム」(1963年放送)©手塚プロダクション

名前	受賞年	受賞部門
湯川秀樹	1949	物理学賞
朝永振一郎	1965	物理学賞
川端康成	1968	文学賞
江崎玲於奈	1973	物理学賞
佐藤栄作	1974	平和賞
福井謙一	1981	化学賞
利根川進	1987	生理学・医学賞
大江健三郎	1994	文学賞

10 日本のノーベル賞受賞者(1990年代まで)
2021年現在で合計28人が受賞しました。

チェック　現代の文化の具体例を，本文から三つ以上ぬき出しましょう。

トライ　現代の文化の特色を，マスメディアに着目して説明しましょう。

探究のステップに取り組もう(p.279)

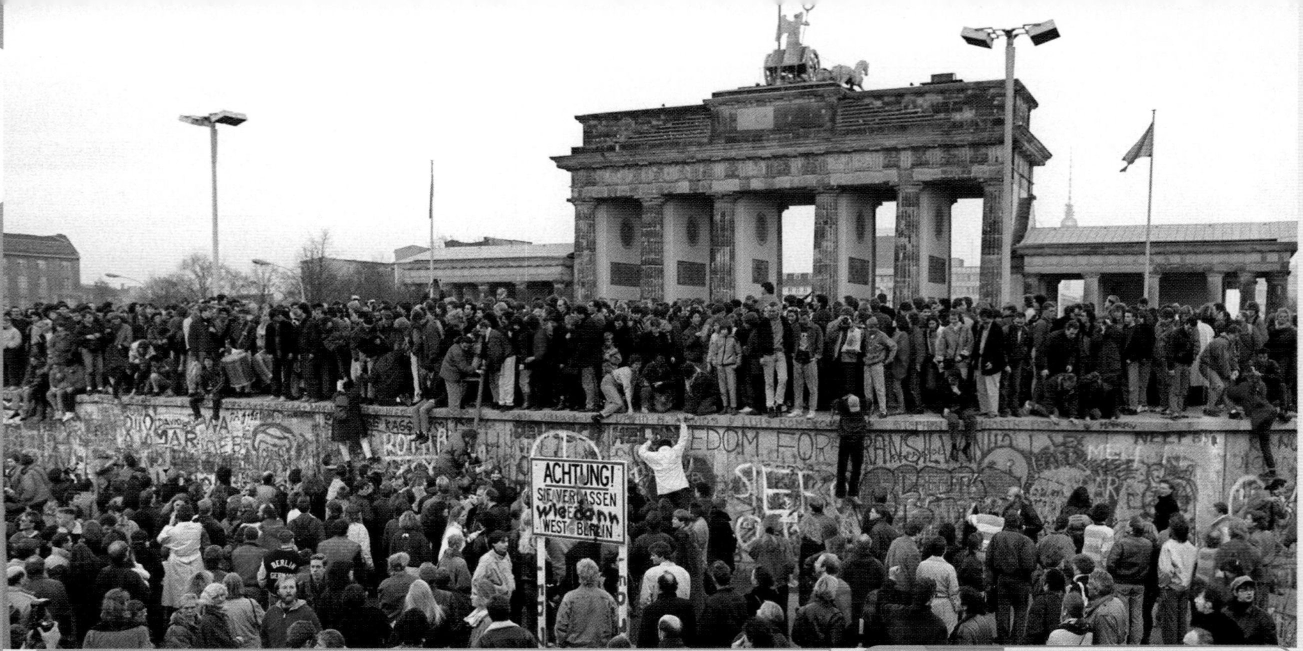
ACHTUNG!
SIE VERLASSEN
WEST BERLIN

❶ベルリンの壁(p.256❷)の崩壊を喜ぶドイツ市民(1989年)　冷戦の象徴だったベルリンの壁は，建設開始から28年後，市民によって取りこわされました。

見方・考え方　関連　冷戦が終結した背景を，本文からまとめましょう。

1 冷戦後の国際社会

学習課題　冷戦終結後の世界はどのように変化し，どのような課題があるのでしょうか。

❷マルタ会談　アメリカのブッシュ大統領(左)とソ連のゴルバチョフ共産党書記長(右)は，1989年12月に地中海のマルタ島で会談し，冷戦の終結を宣言しました。

100
50
20
10
5 EURO

❸ヨーロッパ連合(EU)の共通通貨「ユーロ」　公 地 歴

❶ソ連の解体によって，ロシア連邦(p.289)やウクライナなどに分かれました。

冷戦の終結

1979(昭和54)年に，ソ連がアフガニスタンに侵攻し，東西両陣営の対立が再び激化しました。すでに経済が停滞し始めていたソ連は，軍事費の負担などで国力がさらに低下しました。そこで，1985年に成立したゴルバチョフ政権は，西側陣営の国々と関係を改善するとともに，共産党の独裁体制や計画経済の見直しを進めました。しかし，国内の政治と経済の立て直しは成功しませんでした。p.211・285

このような中，東ヨーロッパ諸国では民主化運動が高まり，1989年に共産党政権が次々とたおれました。また，ベルリンの壁が取りこわされ❶，米ソの首脳が**冷戦の終結**を宣言しました❷。翌年，東西ドイツが統一し，1991(平成3)年にはソ連が解体し❶ました。その結果，アメリカが世界規模で軍事行動を行える唯一の超大国になりました。

国際協調への動き

冷戦後，国際協調の動きも強まり，それまで十分に機能していなかった国連は，ほぼ全世界を代表する国際機関として役割が高まりました。また，1975年から開かれている**主要国首脳会議(サミット)**に参加する

探究のステップ　より良い社会を創るために，これからどのようなことが必要とされるのでしょうか。

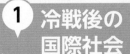

世紀	B.C.	A.D.1	2	3	4	5	6	7	8	9	10	11	12	13	14	15	16	17	18	19	20	21
縄文	弥生				古墳		飛鳥	奈良	平安				鎌倉	室町（南北朝）	戦国		江戸（安土桃山）		明治	昭和（大正）	平成（令和）	

歴史にアクセス 中国の経済発展

中国では，1976年に毛沢東(p.230❹)が死去して間もなく，鄧小平が実権をにぎり，農業・工業・国防・科学技術の「四つの現代化」を目標に，国内改革と対外開放を開始しました。しかし，1989年，北京で学生と市民が民主化を求める大規模なデモを起こすと，軍隊を使って弾圧しました(天安門事件)。その後の中国は，1991年のソ連の解体を教訓にして，共産党の独裁体制を維持する一方，経済成長を推し進めるため，市場経済(p.286)をさらに積極的に導入していきました。日本などの外国企業が安価な労働力を求めて進出した結果，中国は「世界の工場」になり，2010年には国内総生産(GDP)で日本をぬいて世界第2位になりました。その反面で，貧富の格差やアメリカとの貿易摩擦などの問題をかかえています。

❹日本の工場を見学する鄧小平（大阪府　1978年）

❺第1回G20サミット（アメリカ　2008年）　世界金融危機(p.269)への対応を話し合う会議として始まりました。

国々に，経済成長が著しい新興国の中国・インド・ブラジルなどを加えたG20サミット[5]も，2008年から開催されています。[4]

地域統合も進んでいます。ECは1993年に**ヨーロッパ連合(EU)**に発展し，やがて東ヨーロッパに拡大しました[3]。アジア・太平洋地域でも，1989年に発足した**アジア太平洋経済協力会議(APEC)**など，地域協力の枠組みがゆるやかに作られてきています。その一方で，国としてのまとまりを重視する考えも根強く存在しています[2]。

相次ぐ地域紛争

民族・宗教・文化のちがいや国家間の対立などから，ユーゴスラビア紛争[6]をはじめ各地で**地域紛争**(p.287)が起こっています。核兵器などの大量破壊兵器の拡散や，一般市民を巻きこむテロリズムも発生しています。

その焦点の一つは中東です。イラクのクウェート侵攻をきっかけに，1991年に湾岸戦争が起こり，アメリカを中心とする多国籍軍が派遣されました。2001年にはアメリカで**同時多発テロ**[7]が発生し，それを理由にアメリカがアフガニスタンを攻撃しました。2003年には，大量破壊兵器を保有していると見なされたイラクを，アメリカなどが攻撃しました(イラク戦争)。

地域紛争を解決するうえで，国連の**平和維持活動(PKO)**の役割は大きく，民間の**非政府組織(NGO)**も活躍しています。

❻ユーゴスラビア紛争の避難先から住んでいた土地へもどる人々（コソボ　1999年）　ユーゴスラビアは多民族の共産主義国でしたが，冷戦終結後に民族対立が表面化して紛争が起こり，七つの国に分裂しました。

❼アメリカ同時多発テロ　2001年9月11日，イスラム教過激派にハイジャックされた民間航空機が，ニューヨークの高層ビル(写真)や，国防総省の庁舎に突入しました。

❷イギリスは，2016年の国民投票でEUからの離脱を決め，2020年に離脱しました。

チェック　冷戦終結後に進んだ国際協調の例を，本文からぬき出しましょう。

トライ　冷戦後の国際政治はどのように変化したか，次の語句を使って説明しましょう。[超大国／地域紛争]

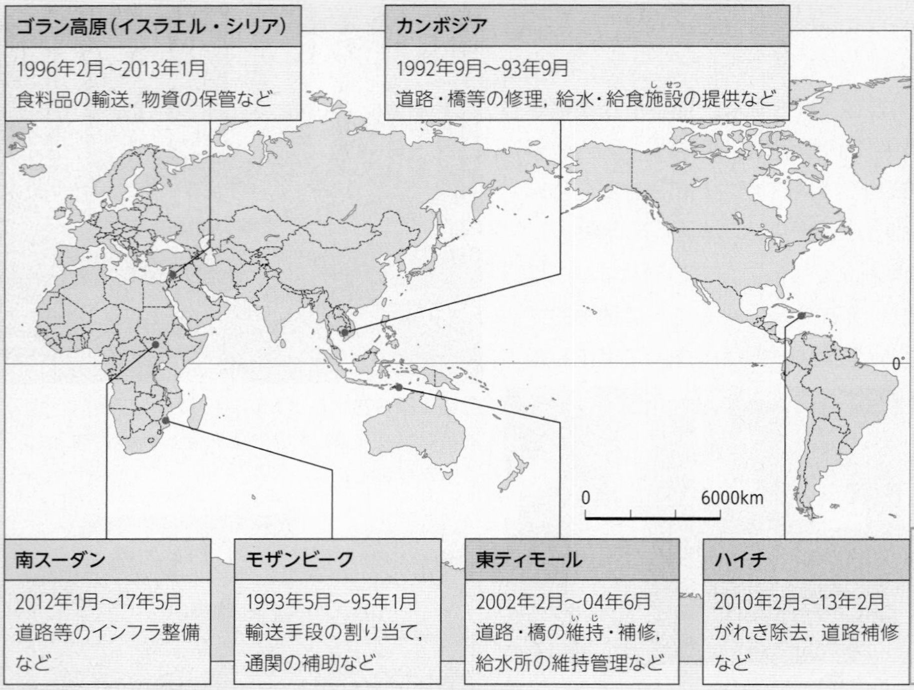

ゴラン高原（イスラエル・シリア）
1996年2月～2013年1月
食料品の輸送，物資の保管など
カンボジア
1992年9月～93年9月
道路・橋等の修理，給水・給食施設の提供など
0°
0　6000km
南スーダン
2012年1月～17年5月
道路等のインフラ整備など
モザンビーク
1993年5月～95年1月
輸送手段の割り当て，通関の補助など
東ティモール
2002年2月～04年6月
道路・橋の維持・補修，給水所の維持管理など
ハイチ
2010年2月～13年2月
がれき除去，道路補修など

UN

❷カンボジアで地雷撤去作業を行う自衛隊（1992年）　1979年からの紛争の終結後，暫定政府が成立するまでの間，統治のため，国連平和維持活動（PKO）が展開されました。（公・地・歴）

❶自衛隊の部隊を派遣した国連平和維持活動（PKO）（防衛省資料）　1992年に成立した国際平和協力法（PKO協力法）に基づき，派遣されるようになりました。

2　冷戦後の日本

学習課題　冷戦終結後の日本はどのように変化し，どのような課題をかかえているのでしょうか。

ANA
ANA

❸日本に帰国する拉致問題の被害者（東京都　2002年）　被害者のうち５人が2002年に，その家族が2004年に北朝鮮から帰国しましたが，依然として問題は解決されておらず，国交正常化の動きも進んでいません。（公・地・歴）

冷戦後の日本外交

冷戦後の世界では，国連などの国際組織のp.256枠組みを通じて地域紛争を解決する動きが強まりました。p.267経済援助だけでなく世界平和の面でも国際貢献を求められた日本は，1992（平成４）年，国連の平和維持活動（PKO）に初めて自衛隊の部隊を派遣しました。❶❷

しかし，東アジアには，韓国・北朝鮮，中国・台湾といった冷戦にともなう分断状況が残されています。核兵器の開発を進めるとともに，人権や主権を無視して多数の日本人を拉致したことが明らかになった北朝鮮との関係は，難しい問題です。❸また，近隣諸国との間には，領土をめぐる問題が続いています。p.180

こうした中，日本は日米安保条約に基づくアメリカとの同盟を強化してきました。しかし，日本国内には，アメリカの軍事行動への協力や，日本国内のアメリカ軍基地をめぐって，さまざまな意見があります。p.261❿

55年体制の終わり

自民党の長期政権は，政治の安定や経済成長を実現する一方で，政治家・官僚・企業が深く結び付いて汚職事件を生み出し，批判が高まりました。

見方・考え方（現在）　冷戦後の日本の出来事のうち，現在でも課題となっているものを一つ選び，現状について調べましょう。

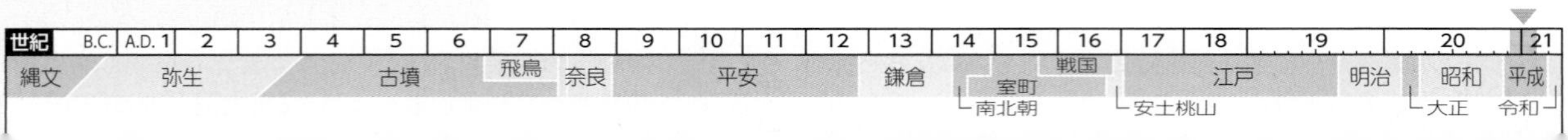

世紀　B.C.　A.D.1　2　3　4　5　6　7　8　9　10　11　12　13　14　15　16　17　18　19　20　21
縄文　弥生　古墳　飛鳥　奈良　平安　鎌倉　室町　戦国　江戸　明治　昭和　平成
南北朝　安土桃山　大正　令和

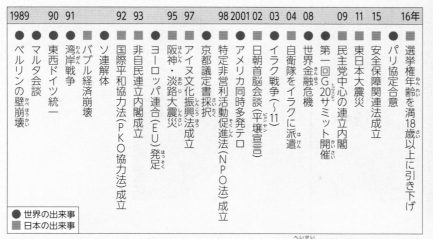

年		出来事
1989	●	ベルリンの壁崩壊
	●	マルタ会談
90	●	東西ドイツ統一
91	●	湾岸戦争
	■	バブル経済崩壊
	●	ソ連解体
92	■	国際平和協力法(PKO協力法)成立
93	■	非自民連立内閣成立
	●	ヨーロッパ連合(EU)発足
95	■	阪神・淡路大震災
97	■	アイヌ文化振興法成立
	●	京都議定書採択
98	■	特定非営利活動促進法(NPO法)成立
2001	●	アメリカ同時多発テロ
02	■	日朝首脳会談(平壌宣言)
03	●	イラク戦争(〜11)
04	■	自衛隊をイラクに派遣
08	●	世界金融危機
	●	第一回G20サミット開催
09	■	民主党中心の連立内閣
11	■	東日本大震災
15	■	安全保障関連法成立
16年	●	パリ協定合意
	■	選挙権年齢を満18歳以上に引き下げ

● 世界の出来事
■ 日本の出来事

↑ **❹平成時代の日本と世界の動き**　2019年5月1日に，今上天皇が即位されたことにともない，元号が「令和」に変更されました。

❻バブル経済のころのディスコ（福岡県　1988年）

❺細川護熙内閣（1993年）　自民党と共産党を除く8党派で構成されました。

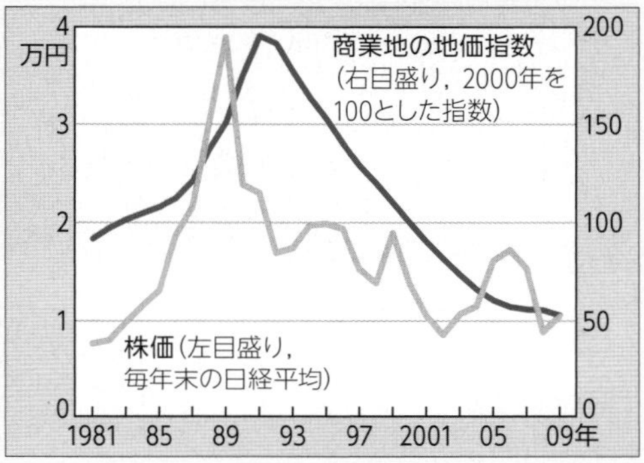
4
万円
3
2
1
0
200
150
100
50
0
商業地の地価指数
（右目盛り，2000年を
100とした指数）
株価（左目盛り，
毎年末の日経平均）
1981 85 89 93 97 2001 05 09年

→ **❼株価と地価の推移**（日本銀行資料ほか）　1980年代後半，値上がりを期待して株式や土地を買い，転売する投機が活発に行われた結果，株価や地価が経済の実態をこえて上昇しました。

また冷戦の終結は，保守勢力と革新勢力の対立を弱めました。

1993年，細川護熙を首相とする非自民連立内閣が，政治改革をかかげて成立しました❺。自民党を与党，社会党を野党第一党とする55年体制が終わったのです。

その後，自民党は政権に復帰しましたが，単独で内閣を組織するほどの議席を得られず，さまざまな政党と連立政権を作りました。2009年には民主党などへの政権交代が起こりましたが，2012年には再び自民党が連立政権を作りました❹。

バブル経済崩壊後の経済

経済の面では，1980年代後半，投機によって株式と土地の価格が異常に高くなる不健全な好況(**バブル経済**)が発生しました❻❼。しかし，1991年に崩壊し，長期にわたる平成不況におちいりました。2008年には**世界金融危機**が深刻化しました。

この間，政府は景気対策をくり返す一方，経済に対する規制の緩和❽や国営事業の民営化などの構造改革を進めました。その後，景気はゆるやかに回復しましたが，財政赤字❾や格差の拡大が課題として残されています。

❽日本で最初の携帯電話（1987年発売　高さ約18cm　重さ約900g）　携帯電話は，規制緩和の結果，1994年に，利用者が端末をレンタルするだけでなく購入できるようになり，それ以降，急速に普及しました（p.265❼）。

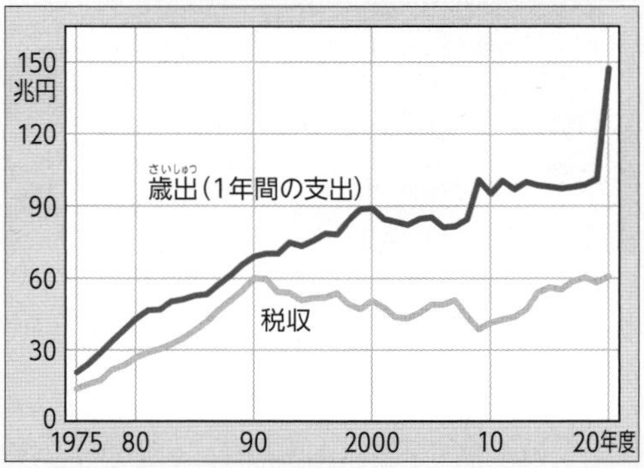
150
兆円
120
90
60
30
0
歳出（1年間の支出）
税収
1975 80 90 2000 10 20年度

❾日本の財政（p.286）**の変化**（財務省資料）　経済の低迷により税収がのびなやむ一方，社会保障費などの歳出が増え，財政赤字が拡大しています。

チェック　冷戦後の日本で起こった政権交代を，本文から四つぬき出しましょう。

トライ　冷戦後の日本の課題を，⑴外交，⑵経済の視点から，それぞれ30字程度で説明しましょう。

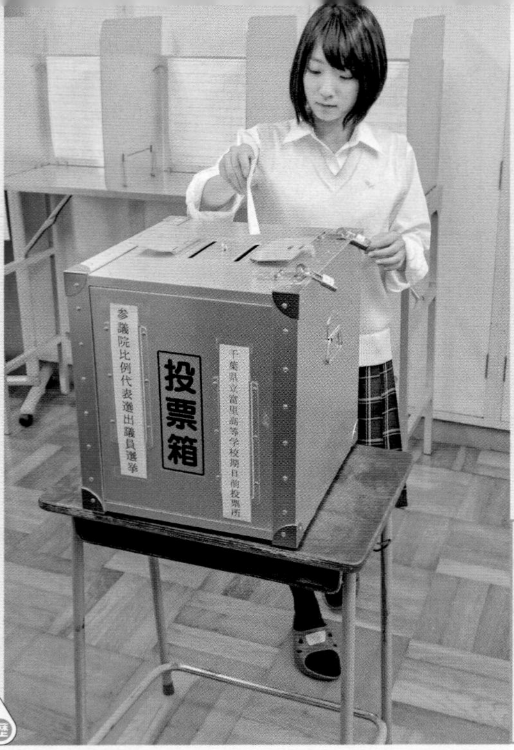
参議院比例代表選出議員選挙
投票箱
千葉県立富里高等学校期日前投票所

❶高校での参議院議員選挙の投票（千葉県富里市　2016年）　公職選挙法の改正によって，2016年から，選挙権年齢が満20歳以上から満18歳以上に引き下げられました。

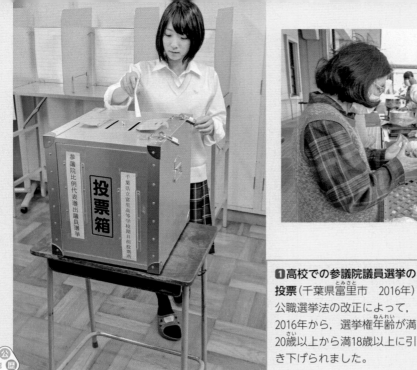

❷熊本地震で避難生活を送る人に食べ物を配る，ボランティアの中学生（熊本県南阿蘇村　2016年）　マグニチュード7.3の大地震が発生し，50人が亡くなりました。

みんなでチャレンジ　現在

自分たちにできることを考えよう

本文や資料から，「持続可能な社会」を実現するために解決すべき課題をグループで一つ選び，自分たちにできることを話し合いましょう。

3 持続可能な社会に向けて

学習課題　**持続可能な社会を実現するために，私たちはどのような課題に取り組んでいく必要があるのでしょうか。**

❸地球温暖化防止京都会議（1997年）　この会議で京都議定書が採択されました。

❹阪神・淡路大震災（1995年1月17日）　マグニチュード7.3の大地震が兵庫県南部で発生し，6400人以上が亡くなりました。

❶京都議定書では先進工業国だけが削減義務を負いましたが，パリ協定によって発展途上国も削減・抑制目標を定めることになりました。いずれも日本は締結しました。

進展するグローバル化

現在，**グローバル化**（世界の一体化）が急速に進んでいます。国境をこえた経済活動が盛んになり，情報は，インターネットなどを通じて，世界中に瞬時に伝わります。平和・環境・資源・食料・感染症といった課題は，一国だけでは解決できません。

例えば，**地球温暖化**は，海面の上昇や農作物の不作など，世界各地で深刻な問題を引き起こしています。その原因とされる二酸化炭素などの温室効果ガスの排出を削減するため，国際的な取り決めとして，1997（平成９）年に京都議定書が採択され❸，2015年にはパリ協定が合意されました❶。

日本は，こうした地球環境問題の解決に主導的な役割を果たしてきました。また，戦争による唯一の被爆国として，核兵器の廃絶をはじめとする軍縮にも取り組んでいます。

日本社会が直面する課題

1995年に**阪神・淡路大震災**❹が発生し，深刻な被害をもたらしました。被災地の復興が進められる一方で，防災教育や地域のきずな，ボランティア活動❷の重要性が明らかになり，1998年には特定非営利活動促進法

p.275

世紀	B.C.	A.D. 1	2	3	4	5	6	7	8	9	10	11	12	13	14	15	16	17	18	19	20	21

縄文　弥生　古墳　飛鳥　奈良　平安　鎌倉　室町（南北朝）　戦国　江戸（安土桃山）　明治　大正　昭和　平成　令和

歴史にアクセス 人権の発達とグローバル化 人権 平和

第二次世界大戦後の国際社会では，一国内だけでなく，国際的に人権を保障する動きが本格的に進みました。1945年に採択された国際連合憲章に人権の尊重が明記され，1948年には国連総会で世界人権宣言が採択されました。その後も人権保障に関するさまざまな条約が結ばれています。

こうしたグローバルな人権保障は，日本社会にも大きな影響をあたえています。例えば，1979年に女子差別撤廃条約が採択されると，日本でも1985年に男女雇用機会均等法が，1999年には男女共同参画社会基本法が定められました。現在も男女平等に向けた取り組みが進められています。

また，部落差別や在日韓国・朝鮮人差別，障がい者差別については，人種差別撤廃条約や障害者権利条約などに基づいて，部落差別解消法やヘイトスピーチ解消法，障害者差別解消法などの法律が整備されています。アイヌ民族差別については，1997年にアイヌ文化振興法が定められ，北海道旧土人保護法(p.179)が廃止されました。さらに，「先住民族の権利に関する国際連合宣言」をふまえて，2019年にアイヌ民族を先住民族として法的に位置付けた「アイヌ民族支援法」が，アイヌ文化振興法に代わって制定されました。

(NPO法)が制定されました。現在，日本では多くの**非営利組織(NPO)**が活動しています。

2011年の**東日本大震災**[5]は，福島第一原子力発電所の事故を引き起こしました。これを受けて，太陽光・風力・地熱など再生可能エネルギーの導入と普及が進められてきました。

日本社会は，貧富の格差や都市と地方の格差，**少子高齢化**p.273[6]などの問題にも直面しています。地方創生，非正規雇用の待遇改善，保育所の整備，男女共同参画といった施策が講じられてきましたが，十分な成果はあがっていません。

部落差別の撤廃p.218[2]など，人権に関する課題もいまだ残されています。グローバル化の中で日本に住む外国人は増え，共生のための取り組みが各地で行われています。

持続可能な社会

2015年の国連サミットでは，**持続可能な開発目標(SDGs)**[7]が採択され，2030年までに達成すべきものとして，貧困の撲滅，男女平等，クリーンエネルギーの普及，平和と公正など17の目標がかかげられました。グローバル化・情報化・少子高齢化の下，現在の世代だけでなく，将来の世代の幸福を見すえた**持続可能な社会**を創り上げることが，日本にとっても重要な課題になっています。

❺**東日本大震災**(2011年３月11日)　宮城県沖でマグニチュード9.0の大地震が発生し，津波などで死者・行方不明者は１万8000人以上に上りました。

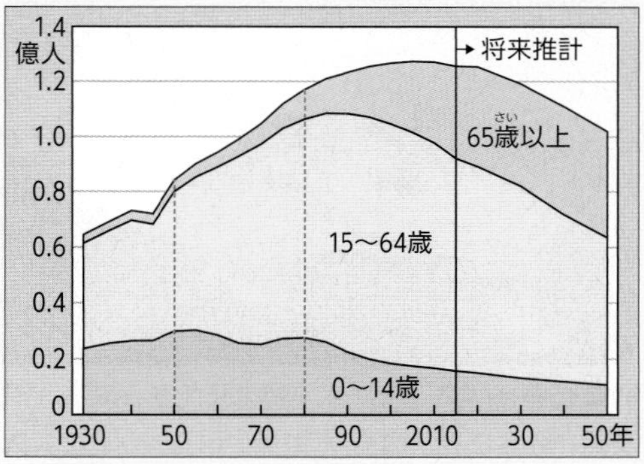
億人
1.4
1.2
1.0
0.8
0.6
0.4
0.2
0
1930
50
70
90
2010
30
50年
将来推計
65歳以上
15〜64歳
0〜14歳

❻**日本の人口の移り変わり**(「国勢調査報告」平成27年ほか)

1 貧困をなくそう
2 飢餓をゼロに
3 すべての人に健康と福祉を
4 質の高い教育をみんなに
5 ジェンダー平等を実現しよう
6 安全な水とトイレを世界中に
7 エネルギーをみんなに そしてクリーンに
8 働きがいも経済成長も
9 産業と技術革新の基盤をつくろう
10 人や国の不平等をなくそう
11 住み続けられるまちづくりを
12 つくる責任 つかう責任
13 気候変動に具体的な対策を
14 海の豊かさを守ろう
15 陸の豊かさも守ろう
16 平和と公正をすべての人に
17 パートナーシップで目標を達成しよう
SUSTAINABLE DEVELOPMENT GOALS

❼**持続可能な開発目標(SDGs)**　17のグローバル目標と169のターゲット(達成基準)で構成されています。 D

❷部落差別の撤廃に向けて，1965(昭和40)年に国の同和対策審議会の答申がなされ，特別措置法に基づく対策事業が行われました。2016年には部落差別解消法が成立し，差別撤廃の取り組みが引き続き進められています。

チェック 持続可能な社会とはどのような社会か，本文からぬき出しましょう。

トライ 本文から最優先で取り組むべきと考える課題を一つ挙げ，その理由を説明しましょう。

探究のステップに取り組もう(p.279)

もっと歴史

環境 エネ 関連するページ p.194, 262~263, 270~271

地理や公民の関連ページ ▶

日本のエネルギーのこれまで

エネルギーが日本に住む私たちの生活や社会にどう関わってきたのか考えてみましょう。

❶**軍艦島**（端島　長崎市）　明治時代から高度経済成長期にかけて海底炭鉱が開発され，最盛期の1960年には5000人以上が暮らしていました。

❷**黒部ダム**（富山県立山町）　戦後復興期の電力不足をまかなうために計画され，７年間にもおよぶ難工事の末，1963年に完成しました。

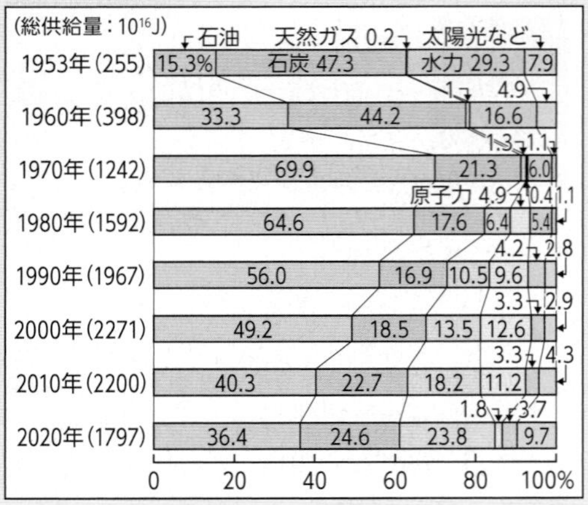

(総供給量：10¹⁶J)
石油
天然ガス 0.2
太陽光など
1953年(255)　15.3%　石炭 47.3　水力 29.3　7.9
1　4.9
1960年(398)　33.3　44.2　16.6
1.3　1.1
1970年(1242)　69.9　21.3　6.0
原子力 4.9　0.4　1.1
1980年(1592)　64.6　17.6　6.4　5.4
4.2　2.8
1990年(1967)　56.0　16.9　10.5　9.6
3.3　2.9
2000年(2271)　49.2　18.5　13.5　12.6
3.3　4.3
2010年(2200)　40.3　22.7　18.2　11.2
1.8　3.7
2020年(1797)　36.4　24.6　23.8　9.7
0　20　40　60　80　100%

❸**日本のエネルギー供給割合の推移**（「総合エネルギー統計」）

明治維新からエネルギー革命へ

日本の近代的なエネルギー産業は，明治時代の初めに西洋の先進技術が導入されて，始まりました。特に石炭は，鉄道や船などの輸送機関で利用されました。これらには，石炭を燃やして発生する熱で水p.172を蒸発させ，その蒸気の圧力を利用して機械を動かす，蒸気機関が使われていたのです。一方，ガス・電気・石油p.158は明かりのために用いられた程度でした。

20世紀に入ると，コンロやストーブなどの燃料としてガスが広く使用されるようになりました。また，工場への電力の導入も進み，船舶や自動車を動かすために石油も使われるようになりました。これにともない，水力発電所が建設され，秋田などで油田の開発が進みました。しかし，国内の産油量には限界があり，太平洋戦争の開始直前には，石油の９割以上を輸入にたよっていました。

鉄道や重化学工業に欠かp.235せない石炭は，この時期も主要なエネルギー源でした。第二次世界大戦後，石炭の増産が最優先に進められ，経済復興を支えました❶。また，1950年代の半ばには，佐久間ダム・奥只見ダム・黒部ダム❷といった水力発電用の巨大ダムが建設され始めました。

ところが，中東などで相次いで大油田が発見されたことなどから，1960年代，安く利便性も高い石油が，石炭にかわってエネルギーの中心になりました❸（エネルギー革命）。石油の需要が高まった背景には，乗用車の普及や石油化学コンビナートの建設などがp.262ありました。

石油危機と原子力

1973（昭和48）年，イスラエルとアラブ諸国との間で第四次中東戦争が勃発し，石油危機（オイル・ショック）が起こりました。アラブの産油国が石油の供給制限を行い，輸出p.263価格を大幅に引き上げた結果，

世紀　B.C.　A.D.1　2　3　4　5　6　7　8　9　10　11　12　13　14　15　16　17　18　19　20　21
縄文　弥生　古墳　飛鳥　奈良　平安　鎌倉　室町　南北朝　戦国　安土桃山　江戸　明治　大正　昭和　平成　令和

石油の価格が3か月で約4倍に高騰しました。エネルギーの7割以上を輸入石油に依存していた日本も大きな影響を受けました。

日本は，中東から輸入する石油への依存を減らすために，省エネルギーを進める一方，石油以外のエネルギーの開発を推進しました[3]。その際，天然ガスとともに重視されたのが，原子力発電です。原子力発電の燃料のウランは一度輸入すればくり返し利用できるため，新しいエネルギーとして注目されました。すでに日本初の商業用原子炉として東海発電所が茨城県東海村に建設され，1966年に営業運転を開始していました。1974年には，原子力発電を促進するため電源三法が制定され，発電所が立地する地方公共団体に補助金が交付されることになりました。その効果もあって，日本のエネルギーにしめる原子力発電の割合は，次第に増加していきました。

ところが，2011（平成23）年，東日本大震災が発生し，福島第一原子力発電所で事故が起こりました[5]。p.271大量の放射性物質が飛散し，周辺地域が深刻な被害を受け，原子力発電の安全性についての信頼が大きく損なわれました。

地球温暖化と再生可能エネルギー

1980年代の半ばには，地球温暖化問題が世界的に知られるようになりました。二酸化炭素を多く排出する，石油や石炭を使った火力発電などへの依存を減らすことが重要な課題になり，1997年の京都議定書，2015年のパリ協定と，温室効果ガスの排出削減のための国際的な取り決めが重ねられてきました。

p.270そうした中，太陽光・地熱・風力・バイオマスといった再生可能エネルギーが注目を集めています。特に普及が進んだのが，太陽光発電です。設置費用が安くなったことに加え，政府も家庭や企業での導入を後おししました。しかし，その他の再生可能エネルギーは，ほかの発電方法よりも費用が高く，発電量が安定しないといった課題もあり，普及がなかなか進んでいません。

原子力発電も二酸化炭素を排出しないため注目されましたが，福島第一原発事故を受けて，割合を大きく低下させています[3]。

常磐炭鉱と常磐ハワイアンセンター

常磐炭鉱は，福島県いわき市を中心に，福島県から茨城県に広がる炭鉱で，江戸時代末期に商人の片寄平蔵が発見してから開発が進みました。明治時代に入って近代的な採炭方法が導入され，首都圏に近い立地を背景に，発展しました。朝鮮戦争(p.257)下の1952年ごろが最盛期で，3万人以上が働いていましたが，その後，エネルギー革命が進む中，閉山が相次ぎ，炭鉱労働者たちは失業に見舞われました。そこで，石炭にかわる新しい産業として，採炭の副産物である温泉を利用して，1966年に観光施設「常磐ハワイアンセンター（現在のスパリゾートハワイアンズ）」がいわき市で開業しました。炭鉱労働者の娘たちがフラダンサーに成長する姿は，映画「フラガール」（2006年）にもえがかれました。

❹東日本大震災後に全面再開した，スパリゾートハワイアンズのフラガールショー（福島県いわき市　2012年）

❺福島第一原子力発電所の原子炉への放水（2011年3月）　津波による電源喪失により原子炉建屋が水素爆発を起こし，大量の放射性物質が飛散しました。写真は，原子炉や使用済み核燃料プールを冷やすために消防車で放水する様子です。

［理科：エネルギー資源の利用　▶D］

読み取る ❸から日本のエネルギー供給割合の変化を読み取り，その背景を本文からまとめましょう。

見方・考え方 現在 これまでの日本のエネルギーの移り変わりをふまえて，今後のエネルギーの在り方を考えましょう。

もっと歴史

防災安全　関連するページ p.270～271

公 地 歴　地理や公民の関連ページ ▶

震災の記憶を語りつぐ

震災の記憶をどのように次世代に語りついでいけばよいのか，考えてみましょう。

599（推古7）	大和地方で地震（日本最古の地震被害の記録）
869（貞観11）	貞観三陸沖地震，三陸沿岸で津波被害
1293（永仁元）	鎌倉地震，死者2万3000人あまり
1498（明応7）	明応地震，伊豆から伊勢で津波被害
1605（慶長9）	慶長東海・南海地震，房総から九州南部で津波被害
1703（元禄16）	元禄地震，房総から伊豆で津波被害
1707（宝永4）	宝永地震，伊豆から九州東部で津波被害，死者2万人以上
1854（安政元）	安政東海・南海地震（p.138），房総から豊後で津波被害
1891（明治24）	濃尾地震，死者7273人
1896（明治29）	明治三陸沖地震，北海道から宮城で津波被害，死者2万1959人
1923（大正12）	関東大震災（p.221），死者・行方不明者10万5385人
1933（昭和8）	昭和三陸沖地震，三陸沿岸で津波被害，死者・行方不明者3064人
1946（昭和21）	昭和南海地震，静岡から九州で津波被害，死者1330人
1995（平成7）	阪神・淡路大震災（p.270），死者・行方不明者6437人
2004（平成16）	新潟県中越地震，死者68人
2011（平成23）	東日本大震災（p.271），死者・行方不明者2万2252人
2016（平成28）	熊本地震（p.270❷），死者50人
2018（平成30）	北海道胆振東部地震，死者43人

❶日本の震災の歴史（「理科年表」2020年ほか）

稲むらの火の館
濱口梧陵記念館
津波防災教育センター

❷稲むらの火の館（和歌山県広川町）

理科：地震に備えるために ▶
保健体育：自然災害による傷害の防止 ▶
道徳：安全で健康な生活（田老の生徒が伝えたもの） ▶
D

「稲むらの火」

1854（安政元）年11月４日（新暦では12月23日）に起こった安政東海地震は，駿河湾から遠州灘沖を震源とする海底地震で，マグニチュードは8.4，東海地方を中心に甚大な津波被害をあたえました。安政東海地震から32時間後には，紀伊半島から四国沖を震源とする安政南海地震も発生しました。❶ p.138

この地震の後，史実を参考に次のような物語が創られました。このとき，紀伊国有田郡広村（現在の和歌山県有田郡広川町）の高台の家から海を見ていた濱口梧陵は，波が急に引いたのに気付いて津波の危険を察し，自分の家の，まだ稲の実が付いているわら束に火を点け，その火で村人に高台への避難路を示し，津波の被害を減らしたという物語です。

濱口梧陵の精神と教訓を学び，受けつぐために，2007（平成19）年４月，「稲むらの火の館（濱口梧陵記念館・津波防災教育センター）」が造られました。❷

「此処より下に家を建てるな」

岩手県の三陸地方は，1896（明治29）年と1933（昭和８）年の三陸沖地震による大津波，そして2011年の東日本大震災による大津波など，津波の被害を何度も体験した地域です。❶ p.271 宮古市重茂姉吉地区に建てられている石碑には，「此処より下に家を建てるな」と書かれています。❸ これは1933年の大津波で大きな被害を受け，生き残った人々が建てたものです。東日本大震災の津波到達点はこの石碑の約50m手前で，これより奥にあった集落までには至らず，建物被害はありませんでした。その後，東日本大震災の津波到達点にも，石碑が造られました。

東日本大震災の記憶を伝える取り組み

2011年３月11日の東日本大震災では，岩手県・宮城県・福島県・茨城県などの広い範囲で大きな被害が出ました。❶ 被災地では，復興に向けて，その記憶を語りつぐ取り組みが続けられています。

●「命てんでんこ」(岩手県宮古市)

震災時に津波被害を受けた岩手県宮古市立田老第一中学校の生徒たちは，震災直後から復旧・復興ボランティアとして積極的に協力しました。2013年には，震災当時の在校生130人全員が執筆した津波体験作文集を発行し，④ また，校舎の視聴覚室に震災資料展示室「ボイジャー」を開設しました。⑤ 震災当時2年生だった加藤諒太さんは，作文集に，次のような文章を残しています。

④「命てんでんこ」 (部分)

僕はがれきの中を歩きながら思ったことが二つある。一つは「命てんでんこ」という言葉の深い意味。命よりも大切なものはありません。どんなことがあっても逃げることを考えてください。命があればどうにでもなります。未来に向かって歩き出せます。

もう一つは，負けたくないと思ったことです。田老は今まで何度も津波の被害にあい，それを乗り越えてきた町です。(中略)

僕はあの日のことをたくさんの人に伝えたい。命を大切にしようと伝えたい。そして，決して諦めず僕らの未来を作りたい。

(「いのち一宮古市立田老第一中学校津波体験作文集」)

●「閖上の記憶」(宮城県名取市)

宮城県名取市閖上地区には，「閖上の記憶」という施設があります。⑥ これは，津波で犠牲になった14人の閖上中学校の生徒を慰霊するとともに，地域の大切な「記憶」を整理するための場所として造られたものです。津波被害についての展示や語り部活動などを通じて，訪れる人に閖上地区の「記憶」を伝えるとともに，地域の人々の情報交換の場となっています。

●「ふるさと創造学」(福島県双葉郡)

「ふるさと創造学」は，「震災で子どもたちが得た経験を，生きる力に」との思いから，福島県双葉郡内の8町村の学校が取り組んでいる「総合的な学習の時間」の総称です。⑦ 各町村の子どもたちは，東日本大震災にともなう復旧・復興に向けた地域の取り組みの経験を基に，ふるさとの将来に向けての提案を考え，ふるさとの人々や世話になった避難地域の人々に元気を発信し続けています。

③宮古市重茂姉吉地区の石碑

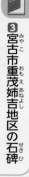

高き住居は児孫の和楽
想へ惨禍の大津浪
此処より下に家を建てるな
明治二十九年にも、昭和八年にも
津浪は此処まで来て
部落は全滅し、生存者僅かに
前に二人後に四人のみ
幾歳経るとも要心せよ

公 地 歴

⑤震災資料展示室「ボイジャー」(岩手県　宮古市立田老第一中学校)

閖上の記憶

⑥閖上の記憶(宮城県名取市)

か わ う ち を 元 気 に

⑦ふるさと創造学サミットの様子(福島県郡山市　2018年)

集める　身近な地域が経験した自然災害と，その際の人々の行動，その後の取り組みについて調べましょう。

見方・考え方 現在　震災の記憶を語りつぎ，後の世代に伝えるために，自分にできることを考えましょう。

地域の歴史を調べよう－6

広島の復興と平和への思い

広島県広島市

p.14～17も参照しながら，特にまとめの段階を中心に見ていきましょう。

0
50km
広島平和記念公園・
広島平和記念資料館
広島市
広島県
シュモーハウス

テーマの設定

1　旧日本銀行広島支店にて

私たちは，被爆地である広島の戦後の復興について調べるために，被爆建物である旧日本銀行広島支店を訪れました。原爆投下の2日後には，生き残った銀行員たちが集まり，金融の仕事を再開したという話を知っておどろくと同時に，広島平和記念都市建設法という法律によって，この建物が現在は市民の芸術活動などに利用されていることを知りました。広島平和記念都市建設法に興味を持ち，さらに調べることにしました。

学習課題　広島が復興した背景にはどのような思いがあったのだろう。

❶旧日本銀行広島支店

●旧日本銀行広島支店は，爆心地から380mに位置し，1945年8月6日の原爆投下で被爆したものの，8日には銀行の業務を再開し，金融を通じて広島の復興を支えた。2000年に広島平和記念都市建設法に基づき，広島市が無償貸与を受け，被爆建物として公開するとともに市民による活用を図っている。

❷広島平和記念都市建設法（1949年）　（部分）

第1条　この法律は，恒久の平和を誠実に実現しようとする理想の象徴として，広島市を平和記念都市として建設することを目的とする。

第3条　国及び地方公共団体の関係諸機関は，平和記念都市建設事業が，第1条の目的にてらし重要な意義をもつことを考え，その事業の促進と完成とにできる限りの援助を与えなければならない。

調査

2　広島平和記念資料館での調査

私たちは，広島平和記念資料館で，広島平和記念都市建設法制定の背景や経緯，影響などについて調べました。復興のために特別な支援を必要としていた中で，当時の浜井信三広島市長らが，人類最初の被爆地を平和都市にするという理念をかかげ，国会やGHQに請願を行ったこと，広島市出身の寺光忠参議院議事部長が法案を起草したこと，広島県選出の松本滝蔵衆議院議員の協力でGHQに働きかけたことなど，さまざまな人たちの力によって法律の制定が実現したことが分かりました。

❸広島平和記念資料館の情報資料室での調査

世

❹広島平和記念公園での広島平和記念式典（2018年8月6日）

●広島平和記念都市建設法に関連する主な施設

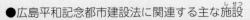

- 広島平和記念公園
- 平和大通り
- 広島ビッグウェーブ
- 旧広島市民球場
- 広島市立広島市民病院
- 広島市立基町高等学校
- 原爆ドーム
- 旧日本銀行広島支店

❺寺光忠の言葉（「ヒロシマ平和都市法」）　（部分）

かくして，わたくしは思う。

「足を一たび広島市にふみこめば，その一木一草が恒久の平和を象徴して立っている。石ころの一つ一つまでもが，世界平和を象徴してころがっている。平和都市の名にふさわしい国際平和の香気が，全ヒロシマの空にみちみちている。」

精神的にいっても物質的にみてもそういうふうな平和郷が，ここに具現されることにならなければならないのである。

いつの日にか。

調査

3　シュモーハウスでの調査

私たちは，広島平和記念資料館の人から教えてもらったシュモーハウスを訪れました。展示解説員の人から，アメリカ人でありながら原爆投下に心を痛め，広島の支援のために力をつくしたフロイド・シュモーによる，住まいを失った人々のために家を建てる活動について話を聞きました。また，被爆後の広島には，ほかにも海外からさまざまな支援があったことを聞きました。

●海外からの主な支援
- フロイド・シュモーによる「広島の家」建設（シュモーハウスもその一つ）
- 赤十字国際委員会駐日主席代表のマルセル・ジュノーによる医療支援
- 精神養子運動（孤児を文通や経済支援で支える運動）
- バーバラ・レイノルズによる広島からの「平和巡礼団」派遣

6シュモーハウスでの聞き取り

シュモーハウス
7シュモーハウス

考察

4　将来の広島の構想

現在

調査を通じて，広島の復興が，国内外のさまざまな人たちによる取り組みや支援に支えられてきたことが分かりました。将来に向けて，平和都市としての広島の課題を考え，自分たちにできることや，将来の広島の姿について話し合いました。

●平和記念都市として多くの人が訪れるようになった。
●復興した姿は，紛争地の人たちにとっても希望となっている。
●今の人たちは，寺光忠のような理想を意識していないのではないか。
●核兵器の廃絶に向けたメッセージの発信がもっと必要ではないか。

8教室での話し合い

まとめ

5　調査・考察した内容の発表と提案

私たちは，広島の復興について調べてきた内容と課題，将来の広島についての構想を，クラスでプレゼンテーションすることにしました。プレゼンテーション・ソフトを使って発表のポイントを事前に整理し，それを示しながら発表しました。

現在の広島市と平和記念都市建設法
広島平和記念都市建設法の関連施設
9クラスでのプレゼンテーション

スキル・アップ 20　まとめる　プレゼンテーション・ソフトを使って発表しよう

●調べたり考えたりした内容をどのような構成で示すかを考えて，発表全体の筋書きを作りましょう。
例：調査の目的→調査の方法→調査した内容→まとめ
●地図や写真を効果的に使って，見やすい画面構成になるように工夫しましょう。
●大きな文字を使い，要点を短い言葉でまとめましょう。
●アニメーションなどの効果は，使用場面を限定し，使いすぎないように気を付けましょう。

プラス
●広島平和記念都市建設法に基づくまちづくりが，時代とともにどのように変化してきたか調べてみましょう。
●広島以外では，戦災から復興するためにどのような取り組みがされてきたか調べてみましょう。

基礎・基本のまとめ

現代の学習をふり返ろう

1

次の語句は，この章で学習したものです。どのような意味の語句か，自分の言葉でそれぞれ説明しましょう。うまく説明できない場合は，掲載されていたページにもどって確認しましょう。

❶GHQ（p.253）□　❷戦後改革（p.253）□　❸冷たい戦争（冷戦）（p.256）□　❹朝鮮戦争（p.257）□　❺サンフランシスコ平和条約（p.258）□
❻日米安全保障条約（p.258）□　❼日中平和友好条約（p.261）□　❽高度経済成長（p.262）□　❾冷戦の終結（p.266）□　❿バブル経済（p.269）□

2

下の年表の空欄［A］から［E］に当てはまる語句を，次からそれぞれ選びましょう。

自衛隊　　中華人民共和国　　沖縄　　EU　　東日本大震災

3

下の年表について，次の問いに答えましょう。

(1)「朝鮮戦争」と「特需景気」とを結ぶ矢印の意味を説明しましょう。
(2)「第四次中東戦争」と「石油危機」とを結ぶ矢印の意味を説明しましょう。また，「石油危機」が日本にどのような影響をあたえたか説明しましょう。
(3)「日ソ共同宣言」と，日ソ共同宣言が影響をあたえた事項とを矢印で結びましょう。

4

右ページ上の二つの資料について，次の問いに答えましょう。

(1)左の表は，大日本帝国憲法と日本国憲法とを比べたものです。空欄［ア］・［イ］に当てはまる憲法名と，［ウ］から［オ］に当てはまる語句をそれぞれ答えましょう。
(2)日本国憲法制定の背景にあった，GHQの占領政策の基本方針を答えましょう。
(3)右の地図は，冷戦中の東西の対立を示したものです。空欄［カ］・［キ］に当てはまる国際組織の名称をそれぞれ答えましょう。

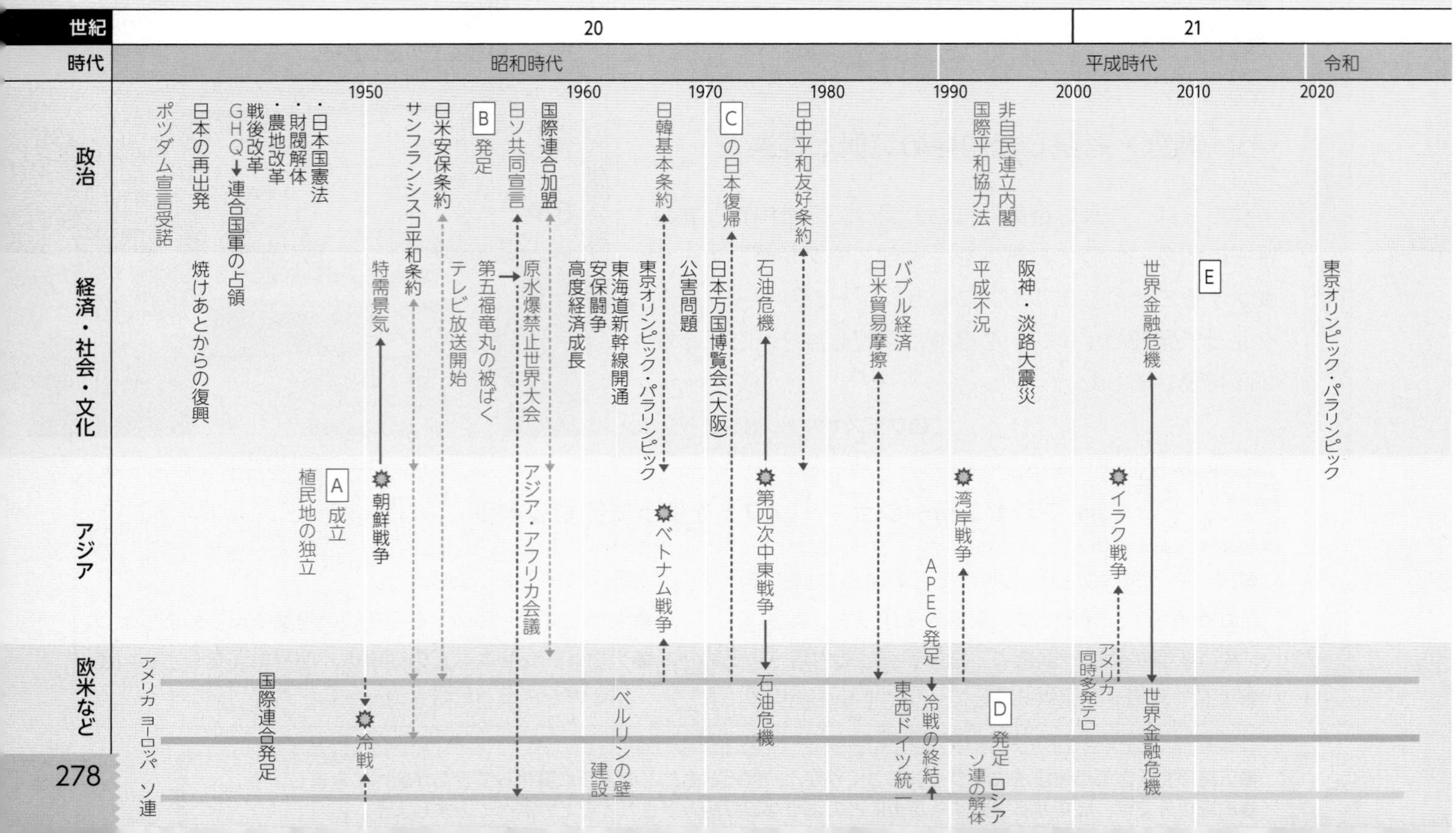

世紀
20
21
時代
昭和時代
平成時代
令和
1950
1960
1970
1980
1990
2000
2010
2020
政治
経済・社会・文化
アジア
欧米など
ポツダム宣言受諾
日本の再出発
戦後改革
GHQ→連合国軍の占領
・農地改革
・財閥解体
・日本国憲法
サンフランシスコ平和条約
日米安保条約
B 発足
日ソ共同宣言
国際連合加盟
日韓基本条約
C の日本復帰
日中平和友好条約
非自民連立内閣
国際平和協力法
焼けあとからの復興
特需景気
テレビ放送開始
第五福竜丸の被ばく
原水爆禁止世界大会
高度経済成長
安保闘争
東海道新幹線開通
東京オリンピック・パラリンピック
公害問題
日本万国博覧会（大阪）
石油危機
バブル経済
日米貿易摩擦
平成不況
阪神・淡路大震災
世界金融危機
E
東京オリンピック・パラリンピック
植民地の独立
A 成立
朝鮮戦争
アジア・アフリカ会議
ベトナム戦争
第四次中東戦争
APEC発足
湾岸戦争
イラク戦争
アメリカ
ヨーロッパ
ソ連
国際連合発足
冷戦
ベルリンの壁建設
石油危機
東西ドイツ統一
冷戦の終結
D 発足
ロシア
ソ連の解体
アメリカ同時多発テロ
世界金融危機

ア		イ
1889(明治22)年2月11日	発布・公布	1946(昭和21)年11月3日
1890年11月29日	施行	1947年5月3日
天皇が定める欽定憲法	形式	国民が定める民定憲法
天皇主権	主権	ウ
神聖不可侵で統治権を持つ元首	天皇	日本国・国民統合の象徴
各大臣が天皇を補佐する	内閣	国会に連帯して責任を負う
天皇の協賛(同意)機関 衆議院と貴族院 衆議院議員のみ国民が選挙	国会	国権の最高機関 衆議院と参議院 両院の議員を国民が選挙
法律の範囲内で認められる	人権	エ
天皇が統帥権を持つ 国民に兵役の義務を課す	軍隊	オ
規定なし	地方自治	規定あり(首長と議員を住民が選挙)

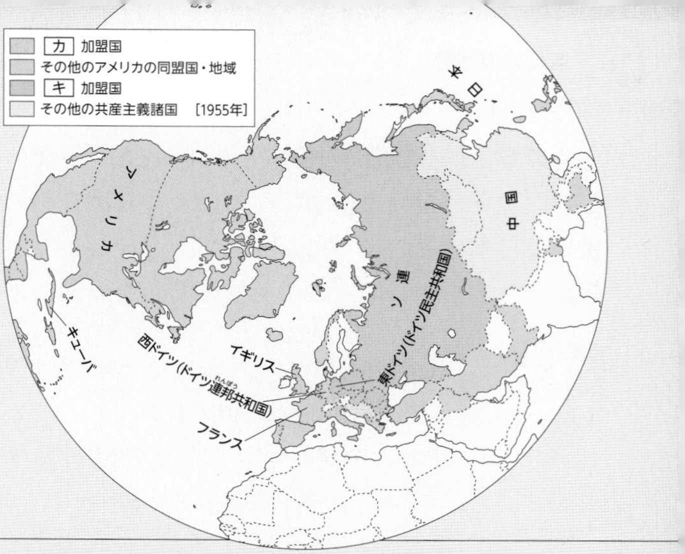

カ 加盟国
その他のアメリカの同盟国・地域
キ 加盟国
その他の共産主義諸国 [1955年]
日本
中国
ソ連
アメリカ
キューバ
イギリス
西ドイツ(ドイツ連邦共和国)
東ドイツ(ドイツ民主共和国)
フランス

探究のステップ

節の課題を解決しよう(各節の学習の最後に取り組みましょう)

① 戦後の諸改革は,日本の政治や社会にどのような影響をあたえたのでしょうか。

戦後の諸改革では,アメリカの影響が強かったんだね。
戦争の反省を生かした改革が行われたね。どのような点が変わったのかな。

② 冷戦の中で,なぜ日本は経済成長をとげることができたのでしょうか。

冷戦中の日本は,特にアメリカと強い関係を持っていたね。
世界の情勢が日本の経済成長にも影響をあたえたんだね。

③ より良い社会を創るために,これからどのようなことが必要とされるのでしょうか。

冷戦後の世界や日本に残されている課題には,どのようなものがあるかな。
持続可能な社会に向けて,私たちには何ができるかな。

現代の探究課題を解決しよう

探究課題

戦後の日本はどのように発展してきたのでしょうか。

戦争の反省をふまえて,民主化が進んだね。
アメリカとの関係を強めて,経済的に大きく発展したね。
冷戦後の社会で,経済成長した日本が果たすべき役割は大きいね。
背景にある世界の動きや,国際社会における日本の位置付けの変化に着目する必要がありそうですね。

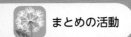

まとめの活動　現在の日本を形作ったものは何だろう

現在

この章では，「現代の日本と私たち」というテーマで，第二次世界大戦後の世界と日本について学習してきました。現在の世界と日本は，どのような出来事の影響を受けながら形作られてきたのでしょうか。そして今後，世界と日本はどのようになっていくのでしょうか。現在の世界や日本に大きな影響をあたえた出来事について考えることを通じて，この時代の特色をまとめましょう。

みんなでチャレンジ

(1) p.278の年表などを参考に，第二次世界大戦後の出来事の中から，現在の世界や日本に大きな影響をあたえたと考えられるものを，グループで出し合いましょう。

(2) (1)で出し合った出来事のうち，特に日本への影響が大きいと考える六つを選び，影響が大きいと考える順に，各自で「ピラミッドランキング」の形に順位付けしましょう。

(3) 下のワークシートにしたがって，どうして(2)の「ランキング」にしたのか，またそれらの出来事が影響した結果，現在の日本はどのような姿になったか，自分の考えを整理しましょう。

(4) (2)の「ランキング」を，グループ内でワークシートに沿って発表し合い，意見を交換しましょう。

(5) (4)での発表や意見交換をふまえて，自分の「ランキング」とワークシートを，色のちがうペンで修正しましょう。

(6) (5)をふまえて，これからの日本はどうあるべきか，また私たちには何ができるか，自分の考えをワークシートにまとめましょう。

このようなランキングにした理由は，次のとおりです。
これらの出来事の結果，現在の日本は　　　　　なったと考えます。
これからの日本は　　　　　が大切だと考えます。

ランキングとは？

ランキングの方法で，さまざまな事項を重要だと考える順番に並べることで，事項を整理したり評価したりできます。そして，どうしてそのようなランキングにしたかを考えることで，理由や根拠を整理できます。

また，ランキングにはその人の価値観が表れるため，ほかの人とランキングを見せ合うことで，自分とは異なる価値観にふれることができ，考えを深めることもできます。

ランキングの形には，ピラミッドランキングやダイヤモンドランキングがあります。

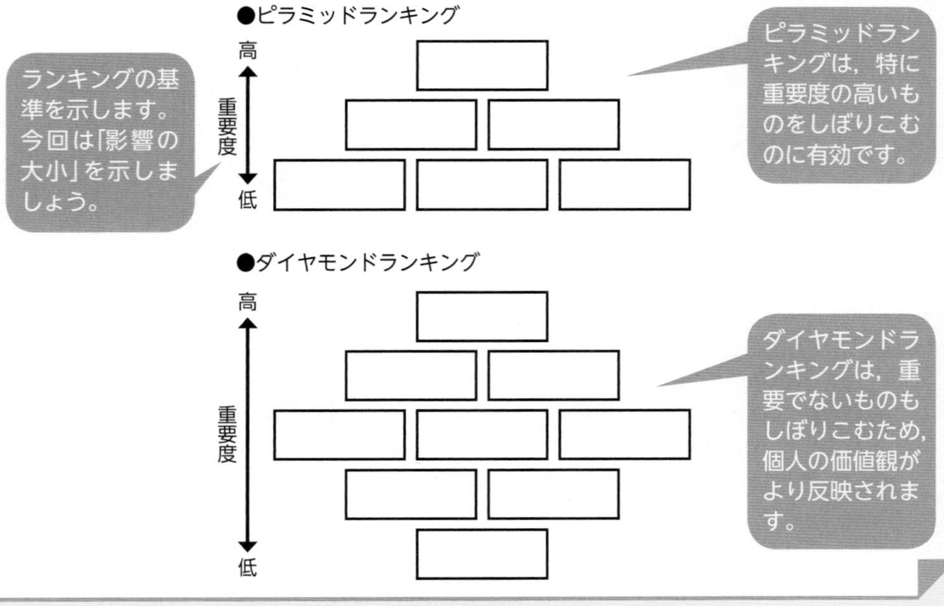

ランキングの基準を示します。今回は「影響の大小」を示しましょう。
●ピラミッドランキング
高
重要度
低
ピラミッドランキングは，特に重要度の高いものをしぼりこむのに有効です。
●ダイヤモンドランキング
高
重要度
低
ダイヤモンドランキングは，重要でないものもしぼりこむため，個人の価値観がより反映されます。

ひろとさんが(2)で作ったランキング

大 ↑ 影響 ↓ 小

	日本国憲法の制定	
サンフランシスコ平和条約	冷戦	
55年体制	日米安全保障条約	高度経済成長

日本は平和で民主的な国になったと考え，その背景となる出来事を選んでランキングしました。

日本の出来事をリストアップすると，外国と関係する出来事が多いことが分かるね。

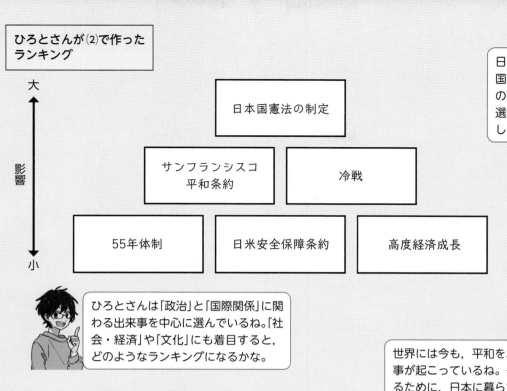

ひろとさんは「政治」と「国際関係」に関わる出来事を中心に選んでいるね。「社会・経済」や「文化」にも着目すると，どのようなランキングになるかな。

世界には今も，平和をおびやかす出来事が起こっているね。それらを解決するために，日本に暮らす私たちにはどのようなことができるのかな。

ひろとさんが(3)で作ったワークシート

このようなランキングにした理由は，次のとおりです。

戦後の日本の基礎となったのは，GHQの占領下で制定された日本国憲法だったと考え，ランキングのトップにしました。サンフランシスコ平和条約は，それによって日本が国際社会に復帰することになったため，また冷戦は，日本の国際関係を左右したため，日本国憲法制定の次に影響が大きかったと考えました。長らく日本の政治を形作った55年体制や，今でも続いている日米安全保障条約，世界有数の経済大国となった高度経済成長も，現在の日本の政治・国際関係・経済に影響をあたえていると考えます。

これらの出来事の結果，現在の日本は

平和で民主的な国

なったと考えます。

これからの日本は

が大切だと考えます。

この時代の特色をまとめましょう。

現代は

時代です。

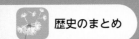

歴史に学び，未来へと生かそう

これまで学んできたように，私たちが生きる現在は，過去の歴史の積み重ねの上にあります。例えば，現在につながる民主主義や人権の考えは，過去では決してあたりまえのものではなかったのです。

そこで，私たちは，過去の歴史に学びながら，より良い社会を目指して，未来に目を向けて考えていく必要があります。痛ましい戦争への反省や，震災の被害への対応，復興の支援や協力といった過去の教訓を受けつぎ，現在の世代だけでなく，50年後，100年後の将来の世代の幸福を見すえた，持続可能な社会を創っていくことが求められています。

歴史学習の最後に，これまでの学習をふり返って，持続可能な社会に向けた自分の考えをまとめましょう。

みんなでチャレンジ

まとめる　現在

(1)グループで，これまで歴史で学習してきたことの中から，「持続可能な社会」に関わるテーマを一つ選びましょう。右のテーマ例や，これまでの教科書の内容を参考にするとよいでしょう。

教科書に 環境 エネルギー などのマークの付いた「歴史にアクセス」や「もっと歴史」がのっているので，それを参考にするのもよいでしょう。

(2)選んだテーマを追究するために，確認すべき時代や出来事をグループで出し合い，一人一つずつ分担しましょう。

(3)選んだ時代や出来事について，学習したことを整理して，右のようなワークシートにまとめましょう。

〈テーマ〉
〈担当する時代や出来事〉
〈当時の状況〉
〈現在に目を向けると〉
〈教訓〉

(4)ワークシートの内容をグループ内で発表して，共有しましょう。

(5)発表を基に，持続可能な社会の実現に向けて自分たちにできることをグループで話し合い，自分の考えをレポートや作文にまとめましょう。

●テーマ例

環境・エネルギー

・世界や日本が経験した公害問題や環境問題
　→足尾銅山鉱毒事件(p.195)，四大公害裁判(p.263)など
・日本のエネルギー問題
　→日本のエネルギーの変遷(p. 272)など

人権・平和

・差別の解消に向けた取り組み
　→部落差別(p.169・218・240・271)，アイヌ民族差別(p.141・179・271)，在日韓国・朝鮮人差別(p.253・271)，男女共同参画社会の実現(p. 213・219・255・271)など
・民主政治が実現するまでの歩み
　→民主主義の成立(p.26・150)，普通選挙の実現(p.154・213・219・254)など
・くり返される戦争と平和に向けた取り組み
　→日中戦争・第二次世界大戦の教訓(p.228～239)，世界の地域紛争(p.267)など

伝統・文化

・現代につながる生活文化の成立と変化
　→年中行事の成立と広まり(p.51・129)など
・さまざまな文化財の保護と活用
　→日本の主な文化財(重宝世記無のマーク)など
・先住民族の文化の継承と発展
　→アイヌ文化の継承の取り組み(p.141)など

防災・安全

・日本が経験した震災と人々の対応
　→震災の歴史と復興への取り組み(p.221・274)など
・災害に強いまちづくり
　→江戸の防災(p.130)など

情報・技術

・情報通信技術(ICT)の発展と生活の変化
　→日本におけるメディアの発達と社会(p.198・220・264)など
・交通手段の発達と社会の変化
　→鉄道の広まりと産業の発達(p.172・194)など

りこさんが⑵で作ったワークシート

私たちのグループは，「世界や日本が経験した公害や環境問題」をテーマに選びました。グループで，「イギリスの産業革命」「明治時代の日本の産業革命」「高度経済成長期の公害」「現代の地球環境問題」の四つを分担して，ワークシートにまとめました。

〈テーマ〉
世界や日本が経験した公害や環境問題

〈担当する時代や出来事〉
高度経済成長期の公害

〈当時の状況〉
大気汚染や水質汚濁などの公害が各地で発生した。特に四大公害が発生した地域では多くの住民に被害が出た。被害を受けた住民は反対運動を起こし，四大公害裁判では企業に勝訴した。国は公害対策基本法を制定する，環境庁を作るなど，公害対策に乗り出した。

〈現在に目を向けると〉
良好な環境を取りもどした被害地域もあるが，公害病に苦しむ人も多くおり，全てが解決されたとはいえない。

〈教訓〉
公害が発生して，裁判が起こされる前に，国や企業がその地域の環境に責任を持つことが必要ではないか。

歴史的な見方・考え方を使って，出来事の推移や影響，現在とのつながりについてまとめているね。

「教訓」の欄には，自分なりの考えをまとめ，その後の話し合いで友達の意見を聞いてみました。

ゆうまさんが⑸で書いた作文

私たちのグループは，「民主政治が実現するまでの歩み」をテーマに選びました。作文は，「過去から学んだこと」「現在の状況」「未来への提言」という流れでまとめました。

自分で調べたことと，友達が調べたことを結び付けて書かれているね。

テーマ　民主政治が実現するまでの歩み

私は古代ギリシャの民主政治について調べた。アテネでは、市民全員が参加して話し合って政治を決める民会を中心に、民主政治が行われた。ただし、市民は男性に限られ、奴隷を持ち、女性と奴隷は民会に参加できなかった。

友達の発表を聞いて、イギリスで始まった立憲君主制と議会政治が、日本にも影響をあたえたことが分かった。また、大日本帝国憲法や帝国議会ができてから、戦後に男女普通選挙が実現するまでの間に、さまざまな人々の努力があったことも分かった。現在の日本では、満十八歳以上の有権者が選挙した代表者が、国会で話し合って政治を決めている。

人々がたいへんな苦労をして獲得した選挙権だが、現在では投票に行かない人もいて、大切にされていないように思う。私は、苦労して獲得した権利なのだから大切にすべきだと思うし、将来、選挙権を得たらぜひ投票してみたいと思う。

持続可能な社会は，簡単に実現できるものではありません。過去の歴史から得た教訓をふまえ，世代をこえて知恵を出し合い，考え続けていくことが必要です。今後学習する公民では，ここで追究したような現代社会の諸課題を解決し，持続可能な社会を実現するにはどうすればよいか，そのために自分たちには何ができるのかということについて，さらに考えていくことになります。公民でも，歴史で学習してきたことを生かして考え続けていきましょう。

用語解説

あ

赤字 p.160，269
支出が収入より多くなること。不足分について問題とするために，目立つ赤い字で書いたことに由来する。

王政（王国） p.27，151，154
国王を元首とする，政治や国家の形態。共和政と対比される。

か

外交 p.41，163，192，260
国民の利益のために，条約の締結など，国家間のさまざまな関係を交渉によって調整する政府の活動。日本では主に内閣が担当するが，国会の承認などを経ることで，その活動が統制されている。

革新（勢力） p.259，269
現在の政治・社会状況を変えようとするのが革新で，保守と対立する。戦後の日本では，社会主義政党である日本社会党が代表的な革新勢力で，自由民主党政権を批判してきた。

革命 p.150，154，193，210
今まで支配されていた者が，支配していた者を打破し，社会を根本的に変革していくこと。中国での語源としては「天の命が革まり，王がかわること」を意味する。ヨーロッパにおける近代革命は，自由・平等など権利の獲得を目指す民衆の解放的な意味合いが強くなり，武装した民衆や軍隊による実力行使をともなうことが多くなった。

株式 p.195，222，269
資本主義の中で，事業を始めるための資本を集める方法の一つ。多くの場合，株式（株券）を発行し，それを買ってもらうことによって資金を集める。
株式の発行で資金を集めて設立された株式会社では，株式を持つ人や企業は株主になり，株主総会で会社の経営方針などの決定に参加できるほか，利益の一部を配当として受け取る権利を持つ。
株式は売買でき，その価格を株価と呼ぶ。株価は，その株式会社の業績や経済の状況などによって上下する。

議会政治 p.151，185，213
国民が自分たちの代表である議員を選び，その議員から成る議会によって政治が行われる仕組み。イギリスでは，近代革命後，世界初の議会政治が確立した。18世紀の初めには，議会で多数をしめる政党が内閣を組織し，政治の運営に当たる議院内閣制が誕生した。

義務教育 p.154，197
子どもに受けさせなければならない教育のこと。現在の日本では，小学校や中学校がこれに当たる。義務教育の制度ができたことで，一般の人々に教育がいきわたるようになった。

恐慌 p.222，226
資本主義の経済では，好況（好景気）と不況（不景気）とが交互に循環するが，好況から不況へと急激に変化することを恐慌という。生産物の価格や株価が暴落し，銀行や企業の倒産，失業率の増加などが見られる。1929年にアメリカでの株価の暴落から始まった世界恐慌がその例で，日本ではその影響を受けて昭和恐慌が起こった。

共産主義 p.211，218，256
主にドイツのマルクスとエンゲルスによって体系化された考えで，私的な財産を認めず，共有することにより貧富の差のない社会が生まれるという思想や，それを実現しようとする運動を指す。

協商 p.208
「親しい協和」という意味の外交用語。一般的には，条約のような文書の形の取り決めはしない，ゆるい協力関係を指す。同盟ほど強くはないが，友好よりもしっかりしたつながりを示す。

協約 p.208
協議して約束を交わすこと。国家間で，文書の形式で結ばれる条約・協約・協定は，広い意味で条約に位置付けられる。

共和政（共和国）
p.27，151，154，193，212
王政に対する政治や国家の形態で，国王など一人または少数の人々が政治を行うのではなく，多数の人々の意思によって政治が行われる。イギリスでは，1640年に始まったピューリタン革命によって王政が否定され，1649年から1660年の王政復古まで共和政が続いた。現代では，アメリカ・フランス・韓国・ロシアなど，多くの国が共和政を採る。

拒否権 p.256
会議などで決定された内容について，その決定を認めずに拒否する権利。代表的な拒否権としては，国際連合（国連）の安全保障理事会（安保理）で常任理事国が持つ拒否権や，アメリカ大統領が持つ拒否権がある。
安保理は，アメリカ・フランス・イギリス・ロシア・中国の5か国の常任理事国と，一定期間で改選される非常任理事国とで構成されているが，安保理での議決は，常任理事国のうち一国でも反対した場合は否決される。
アメリカでは，議会で可決された法案は，大統領が署名することで効力を持つが，大統領は署名せずに議会に差しもどすことができる。

近世 p.99，103，110
歴史の時代区分で，古代・中世に続く時代の名称。ヨーロッパではルネサンスや宗教改革から，近代革命の前までの時代を指す。日本では，一般的に安土桃山時代から江戸時代までを指す。主な特徴として，武士による権力の統一，兵農分離による民衆支配，全国的な規模の商品経済の発達などが挙げられる。

近代 p.149
歴史の時代区分で，ヨーロッパでは古代・中世・近世に続き，近代革命・産業革命によって成立した資本主義社会を指す。日本では，一般的に明治時代，大正時代，昭和時代の第二次世界大戦終結までを指す。

近代化 p.149，173
社会が近代的な状態を示すようになること。またはその状態への移行や変化を指す。ヨーロッパでは近代革命・産業革命を一つの指標として考える。日本では，明治時代を近代化の始まりと考える。

近代国家 p.168，170，172
近代化にともない，一つにまとまった国家。領土・国民・主権という国家の要素が明確になり，多くの場合，人々が「国民」としての意識を持ってひとつにまとまる，国民国家の形をとる。日本では，明治時代以降の天皇を中心とした中央集権国家を指す。

金融　p.105，226，269
　お金を，多くあるところから少ないところへ融通すること。またその機関（現代では銀行など）を指す。

黒字　p.263
　収入が支出より多くなること。不足したときに用いる赤字に対しての言葉。

軍国主義　p.231
　戦争を行うことを最優先にする考えや，政治・経済・文化など全ての活動について軍事力増強の目的に従わせていく国家体制のこと。

君主（権）　p.153，184
　世襲によって国家を治める，最高位の人やその権限。「王」や「皇帝」も君主にふくまれる。

君主国　p.150
　君主が政治の主権を持つ国家の形態。君主の呼び名によって，帝国や王国などと呼ばれる。

計画経済　p.211，266
　政府が作った計画に従って生産・流通・販売などの経済活動が行われること。またその仕組みや状態を指す。主に社会主義国が採用する。市場経済と対比される。

景気　p.269
　経済活動全体の動向のこと。

経済　p.77，85，126，159，168，262
　主にお金を通じて，物やサービスを生産したり消費したりする，社会全体の営みを指す。幕末に漢語の「経世済民」（世を治め，民を救済すること）を略して使われ始めた。

啓蒙思想　p.150
　18世紀のヨーロッパに広まった考え方で，イギリスのロック，フランスのモンテスキューやルソーが代表的な啓蒙思想家。理性を重視し，迷信や偏見などの非合理的なものを打ち破らなければならないとした。教会や絶対王政を批判し，フランス革命などの近代革命に影響をあたえた。

現代　p.251
　歴史の時代区分で，近代に続く，より現在に近い時代を指す。日本では，1945年の第二次世界大戦終結後を指すことが多い。最近では，高度経済成長以後を指すという考え方も出てきている。

憲法　p.151，154，183，184，213，254
　その国の統治の基礎を定める法。近代の憲法は，国家の権力を制限し，個人の権利や自由を守る意義を持っており，法律より強い効力を持つ。日本では，1946年に日本国憲法が公布され，国民主権，基本的人権の尊重，平和主義を基本原理としている。

交易　p.27，65，123，141
　たがいの地で，物を交換して商取り引きを行うことを指す。

好況（好景気）
p.216，258，269
　経済活動が活発で，生産や消費がのびている状況。

皇帝　p.25，90，153，192
　中国では，紀元前3世紀に秦の国王が中国全土を統一した際，王をこえる「皇帝」という呼び名を初めて用いた（始皇帝）。それまでの天子という称号と比べて，全人民を官僚制度を通して支配する専制君主の意味合いが強くなった。ヨーロッパでは，古代ローマの帝政開始から使われた称号で，部族や民族の長としての王より一段上位の権限を持つ者とされる。

国際法　p.168
　国家間のさまざまな関係について定めた法。条約など，諸国家間で明文化されているものや，外交上の了解もふくまれる。

国民　p.154，169，170，189
　国家の構成員である人々を指す。具体的には国籍を持つ者を指す。国民として統合されるためには，共通の歴史や文化を持っているという共通の認識が必要とされる。

国民主権・人民主権
p.151，152，255
　国を治める権利は，国王などの権力者ではなく国民（人民）が持っているという考え方。民主主義の基礎になる考え方で，ヨーロッパの啓蒙思想と，それを背景に起こった近代革命で唱えられた。明治時代の大日本帝国憲法では，統治権は天皇にあり，国民は「臣民」であるとされたが，戦後の日本国憲法では，前文に「…ここに主権が国民に存することを宣言し，この憲法を確定する」，第1条に「天皇は，日本国の象徴であり日本国民統合の象徴であって，この地位は，主権の存する日本国民の総意に基く」という形で，国民主権が規定されている。

国民総生産（GNP）　p.262
　「Gross National Product」の略で，国民が1年間に生産した物やサービスの総額。その国の経済力を示す基準として使われてきたが，現在では国内で1年間に生産された物やサービスの総額を示す，GDP（Gross Domestic Product：国内総生産）が使われることが多い。日本は戦後の高度経済成長によって，1968年には資本主義国の中で国民総生産がアメリカに次ぐ第2位になり，経済大国へと成長した。

国有化　p.194，210
　鉄道や工場などの財産を，国の所有にすること。国有化された財産は，国有財産と呼ばれる。国が管理することによって安定して物やサービスが提供されるという利点があるが，競争がなくなるため，サービスなどが向上しないという欠点が出てくることもある。逆に，国有化されている財産を，民間に任せることは「民営化」と呼ばれる。
　日本では，明治時代に近代的な産業を育成する中で，富岡製糸場などの官営模範工場が造られたが，やがて民営化された。

小作（人）
p.116，131，195，254
　土地を持たない農民が，地主から土地を借りて耕作し，小作料をはらうこと。また小作を行う人々。1873年の地租改正で，地租をはらう義務は土地所有者である地主に課されたが，実際はその土地を耕作している小作人の小作料でまかなわれており，小作人の生活は苦しかった。

古代　p.19
　歴史の時代区分で，中世に先立つ時代の名称。文明と階級が成立していく時期である。日本では，一般的に弥生時代から平安時代までを指す。

国家主義　p.199，227
　国家の価値や秩序を第一と考え，国民の権利よりも国家の利益を優先させる思想や運動。個人の権利を重視する近代革命や社会契約説に対抗する考えで，アメリカ・イギリス・フランスより後れて近代化したドイツや日本で著しかった。

国交　p.50，90，120，261
国と国との交際。現代では，平和条約や通商条約などで，正式に国交が結ばれている場合が多いが，歴史上では，正式に国交が結ばれていない場合でも，商人などの交流があって，事実上の国交がある場合もある。
戦争などが起こった場合，相手国との間で国交が断絶するが，講和条約や平和条約の締結によって，再び国交が結ばれることを「国交が回復する」という。

さ

財政　p.35，69，128，151，269
国や地方などが，税金などの収入（歳入）を得て，その収入をさまざまな目的に支出（歳出）する活動のこと。

三権分立　p.150，151
権力がみだりに用いられることを防ぐために，政治権力を一つに集中させないで，法律を制定する立法，国の政治を行う行政，法に基づいて裁判を行う司法の三つに分ける考えや制度。18世紀にモンテスキューが主張し，近代の憲法に大きな影響をあたえた。

自給自足　p.116
自分に必要な物を自分でまかなうこと。原始時代や近代以前の農村などでは，基本的な生活様式であったが，専門の職人の出現や商業の発達にともなって，くずれていった。

市場　p.186，222
「市場（いちば）」という場合は，人々が集まって取り引きをする具体的な場所を指すが，「市場（しじょう）」という場合は，そのような「市場（いちば）」もふくめた，取り引きの全体を指す。例えば，「市場（しじょう）の拡大」という場合は，商品の売買が増えることを意味する。

市場経済　p.267
市場を通じて物やサービスの取り引きが自由に行われる仕組みや状態のこと。主に資本主義国が採用する。計画経済と対比される。

自然科学　p.150，197
自然に関することをあつかう学問。具体的には，物理学・化学・生物学・地学・天文学など。これに対して，人間が創り出した文化や社会をあつかう学問を，人文科学や社会科学と呼ぶ。

資本　p.158，240
事業を成立させ，運営するための資金を指す。資本主義経済においては，生産のための工場や機械，原材料も資本の一部と考えられている。

資本主義
p.157，159，172，211，256
資本家が，利潤（もうけ）を目的として，土地，機械や工場，原材料をそろえ，労働者を雇って生産活動を行う経済の仕組み。ヨーロッパでは，18世紀後半にイギリスで起こった産業革命によって確立していった。日本でも，1880年代に産業革命が進み，資本主義が成立した。

市民　p.153
国家や社会の構成員で，政治に対して自由に発言できる人々。貴族などの特権階級に対して，工業や商業で成功した資本家や知識人を指し，近代革命の主体であった。現在でも，主体的に政治や社会に発言する人々を指すときに使われることが多い。

市民社会［上記「市民」の関連］　近代革命を経て，自由や平等といった個人の権利を獲得した社会。政治的には自由主義と民主主義を，経済的には資本主義を基盤としている。

社会契約説　p.150
社会はそもそも個人の契約で成り立っているという考え。社会契約説では，権力者の持っている政治権力は，その人個人のものではなく，人民が個々人の自由意志に基づいて委ねているものだとされる。したがって，権力者が人民の意に反する行動を起こした場合，契約は取り消され，権力がなくなるとし，近代革命の指導的原理にもなった。

社会権　p.213
人間らしい豊かな生活を営む権利。自由や平等を保障するだけでは，貧困などの問題が解決されないため，政府が人々の生活を経済的に保障する，社会権の考えが生まれた。

社会主義　p.159，190，210
資本主義は資本家と労働者という二つの階級を生み出し，貧富の差を大きくしていく体制であると批判し，より平等な社会を目指す考えや運動。19世紀前半から主張されるようになった。社会主義では，工場や土地などの生産に必要な手段を，私的に所有することを否定し，公の社会のものと考える。20世紀のソ連などは，社会主義をかかげた国家であった。

社会福祉　p.213
高齢者や障がいのある人，子どもなど，社会的に弱い立場にある人たちの生活を保障し，向上を図ること。
日本では，奈良時代に貧民や孤児の救済のために設けられた「悲田院」を福祉施設の初めとする考え方があるが，近代的な福祉政策は大正時代から昭和時代にかけて発展し，戦後の日本国憲法の下で，制度として確立した。日本国憲法第25条2項には，「国は，すべての生活部面について，社会福祉，社会保障及び公衆衛生の向上及び増進に努めなければならない」と規定されており，これに基づいて「児童福祉法」「身体障害者福祉法」「老人福祉法」などの法律が制定されている。

私有財産　p.152，211
個人や企業などが持っている財産のことで，国有財産（公有財産）と対比される。絶対王政下のフランスでは，王権神授説の下で，民衆をふくむ国内の全ての所有権は国王が持つと考えられていたが，フランス革命中のフランス人権宣言では，「私有財産の不可侵」がうたわれ，私的な所有権が保障された。
私有財産の保障は，資本主義の基礎になっているが，社会主義では私有財産が制限され，共産主義では私有財産を廃止し，公有とすることが唱えられた。

自由貿易　p.157
外国と貿易を行う際に，政府の制約なしに自由に貿易ができること。保護貿易と対比される。

主権　p.214，217，258
さまざまな意味を持つ用語だが，国家の主権を指す場合は，ある国がその国自身の在り方を最終的に決める権利や，他国からの支配を受けない権利を指す。

首相　p.155，184，224
内閣の首長を指す。日本では内閣総理大臣に当たる。

商品作物　p.124，133
最初から商品として売ることを目的とした農作物。その地域での生産が，他地域と比べて有利なものや得意なものが多い。流通においてお金を仲立ちとするので，換金作物（お金にかえられる作物）ともいう。日本では江戸時代に西日本を中心に商品作物が栽培されるようになり，明治時代に全国に広がった。現在は，大部分が商品作物である。

ストライキ　p.210，218
資本家や会社に対して弱い立場にある労働者が，労働条件や労働環境の向上を実現するために，集団で自分の業務を停止すること。省略して「スト」とも呼ばれる。現代の日本では，労働者の団体が，ストライキをふくむ争議行為を行う権利が，日本国憲法で保障されている。

政権　p.34，67，216，259
国を統治する権力を指す。日本では「政府」と同じ意味に使う場合もあり，明治時代以降は，内閣やその内閣が基盤としている政党を指すこともある。

政党内閣（制）　p.183，217
議会で多数をしめる政党が内閣を組織し，内閣総理大臣（首相）をはじめ多くの閣僚を多数派政党の者がしめる内閣とその制度。日本では，1898年に憲政党を中心とした第一次大隈重信内閣が政党内閣として発足したが，4か月しか続かなかった。最初の本格的な政党内閣は，1918年に成立した立憲政友会の原敬内閣である。

政府　p.167，253
国家を統治する機関を指す。広い意味では立法・行政・司法の全てを指すが，日本では特に内閣などの行政機関を指すことが多い。

絶対王政　p.152
国王が，常備軍と官僚制に基づいて，強力に国家の統一を進め，絶対的な権力をにぎった王政。16世紀から18世紀にかけてのヨーロッパで展開され，フランスのルイ14世の政治は代表的な例。

王権神授説［上記「絶対王政」の関連］　国王の権限は神からあたえられたもので，国民はこれに従わなければならないとする説。絶対王政を正当化するもので，17世紀にイギリスやフランスの国王が唱えた。

全権大使　p.176
戦争の講和や，条約の締結などの際に，国家の代表として，全ての権限を任されて交渉などに出席する者。複数の人間で構成される場合は「全権団」とも呼ばれる。元首が発行した全権委任状を持つことで，国家の代表として認められる。
明治時代に欧米を歴訪した岩倉使節団の岩倉具視や，サンフランシスコ講和会議に出席した吉田茂などがこれに当たる。岩倉は不平等条約改正の予備交渉をする目的でも欧米に向かったが，全権委任状を持っておらず，交渉を拒否されたため，大久保利通と伊藤博文が日本に取りにもどったというエピソードが残されている。

専制（政治）
p.150，156，190，210
君主など少数の人々が権力を集中的ににぎり，自分たちの思ったとおりに政治を行うこと。

全体主義　p.224
個人の利益よりも国家全体の利益を優先させる考えや政治の形態。民主主義を否定し，一人または一党の独裁により実現するとし，思想や表現の自由を制限し，個人の財産や生活も統制していった。

専売　p.132，137
国家などが，特定の物品の生産や販売を独占すること。販売した際の利益を独占するという目的のほかに，必需品のために流通に管理が必要な品目や，販売に制限が必要な品目などでも採られる。
日本では，江戸時代に財政難に苦しむ諸藩が，それぞれの地域の特産品を藩の専売にすることで，財政の立て直しを図ろうとした。

た

大衆　p.199，220，264
本来は仏教で「多くの人々」を指す用語が，近代では，特に意識して組織化された集団ではなく，社会を構成する一般的な人々を指す。民衆・公衆とほぼ同じ意味。大衆は，民主主義社会を構成するが，宣伝などによって操作されやすいといわれる。

大統領　p.151
共和国における最高権力者を指し，国民または国民の代表者による選挙により選出され，一定の期間，その国の行政の全責任を負う立場にある。アメリカの大統領制の場合，国民は議会の議員と大統領を別々に選挙する。

多神教　p.28
複数の神を信仰の対象とする宗教。太陽神ラーをはじめ，オシリス，ホルスなどを信仰した古代エジプトの宗教や，ヴィシュヌ神，シヴァ神などを信仰するインドのヒンドゥー教などがこれに当たる。
日本古来の神道も「八百万の神」を信仰する多神教である。

一神教［上記「多神教」の関連］　複数の神を信仰する多神教と対照的に，唯一の神を信仰する宗教。ヤハウェを唯一の神とするユダヤ教や，キリスト教，アラーを唯一の神とするイスラム教がこれに当たる。

団結権　p.254
労働者が団結して労働組合を作る権利のこと。現在の日本では，日本国憲法や労働組合法で保障されている。

地域紛争　p.267
一般の戦争のような，国と国との戦いでなく，国内で，あるいはその周辺を巻きこんで起こる武力紛争のこと。多くの場合，異なる宗教や民族を弾圧したり排除したりする民族紛争の形を取ることが多い。
地域紛争は，特に冷戦終結後に増加した。その背景として，アメリカとソ連という超大国による力の秩序がくずれたことや，世界の経済格差が広がったことが指摘されている。

地方自治　p.255
地方や地域の運営を，住民の意思に基づいて行うこと。現代の日本では，地方公共団体（都道府県，市区町村）の政治がこれに当たる。日本国憲法には，住民の意思に基づいて運営すること（住民自治）と，地方の政治を国から独立した地方公共団体が行うこと（団体自治）の，二つの原則が定められている。

中央集権　p.152，168，170
政治の権限が中央政府（国）に集中していること。これに対して，権限が地方に分散されていることを地方分権という。

中世　p.63，100
歴史の時代区分で，古代と近世の間を表す名称。日本では，一般的に平安時代の末期から戦国時代を指す。武家政権が成立し，荘園制がじょじょにくずれていった時期である。

徴兵(制)　p.153，154，171
国が国民に兵役を義務として課す制度。一定の年齢に達した男子を対象として，徴兵検査(身体検査)を経て，軍隊に配属することが多い。これに対して，希望する者のみを兵士とする制度を，志願兵制度という。

通商　p.133，154，163
外国と商取り引きを行うこと。外国との間の取り引きが，交通手段を使って行われるためにできた言葉。

抵抗権　p.150
政府による不当な権力の行使に対して人民が抵抗する権利。政府の持つ政治権力は人民から委ねられたものであり，人民のために行使されるべきという考えに基づいている。

帝国主義
p.186，191，210，214
19世紀後半，資本主義諸国が，国内で市場の独占が進む中，軍事力を背景にして，アジアやアフリカに新たな販売・生産市場を求めて投資を行い，相手国の経済をにぎって，植民地や勢力範囲を広げた動きのこと。

帝政(帝国)
p.25，27，38，105，155
皇帝や帝王が政治の主権を持つ政治や国の形態。王政や君主制と，主権者の名称は異なるものの，ほぼ同じ仕組みである。

デモ　p.210，215，218，259
デモンストレーションの略で，示威行進や示威運動とも呼ばれる。多くの人々が，自分の意思を公に表明するために行進をしたり，集会を開いたりすること。

同化政策　p.141，179，215
強い民族が，弱い民族に対して自らの文化を受け入れさせようとする政策。特に19世紀以降は，欧米などの国が，その植民地や支配地の民族に対して，自国と同一の生活習慣をとらせたり，自国と同一の言語を話させたり，宗教を信仰させたりすることで，自国の人々と同化させようとした。その結果，植民地などで民族の自立と独立を目指す民族運動がしばしば起こった。
近年では先住民の権利や文化を守ろうとする動きが，国際的に活発になっており，2019年にはアイヌ民族支援法が制定されるなど，アイヌ民族などの固有の文化を維持・発展させていこうとする政策が採られている。

投機　p.269
株式や土地を購入する目的が，企業の活動を支えたり，住宅などを建てたりすることではなく，株価や地価の上下によって発生する差額を利益として得ることなどにある場合，投資と区別して投機と呼ぶことがある。バブル経済の時期は，都市部を中心に地価の上昇を見こした投機的な土地の売買が行われた。

投資　p.195
株式を購入するなどして，企業に資本をあたえることで，その企業の活動を支えること。企業が行う「設備投資」などの場合は，利益を拡大するために，必要な部分に資金を投入して事業の拡大を図ること。

同盟　p.155，190，208，256
国家間で結ばれる関係の場合，共通した目的のために，行動をともにすることを約束すること。協商や協約と比べて強い結び付きであり，軍事的な内容がふくまれることが多い。
日本が結んだ同盟には，日露戦争前の1902年にイギリスと結んだ日英同盟や，第二次世界大戦開始後の1940年にドイツ・イタリアと結んだ日独伊三国同盟などがあるが，いずれも軍事行動について規定した同盟である。

都市国家　p.23，26，242
日本やアメリカのように広い領域を統治するのではなく，都市が一つの国家を形成している場合を指す。古代ギリシャのアテネやスパルタ，中世のイタリアで発展したベネチアやフィレンツェなどがこれに当たる。都市国家であっても，都市の地域だけでなく，周辺の農村部まで領土を広げている場合や，海外に領土を持っている場合もある。
現代でも，フランス内にあるモナコ，マレー半島の南端にあるシンガポールなどは，都市国家に位置付けられる。

奴隷　p.23，26，43，105，157
自由や権利を認められず，他人の支配下に置かれ，さまざまな労働を強いられた人々。売買や譲渡の対象ともされ，古代ギリシャ・ローマの時代に盛んであった。16世紀から19世紀にかけては，アフリカから多くの人が奴隷としてアメリカ大陸に運ばれた。日本では，古代の奴婢が奴隷に近い存在である。

農奴[上記「奴隷」の関連]
自分の土地を保有し，家族や住居を持つなどの権利はあるが，移動したり転職したりする自由がない農民。領主の持っている土地を耕し，税として収穫の一部を領主に納める義務を負っていた。中世のヨーロッパでは，農民の多くが農奴であった。

は

半官半民　p.193
政府と民間とが，共同で資本を出している事業や機関を指す。出資は必ずしも半分ずつとは限らない。

不況(不景気)
p.159，183，222，226，269
経済活動が停滞して，生産や消費がにぶっている状況。

普通選挙
p.154，213，217，219，254
一定の年齢に達した国民全てに，選挙権があたえられる選挙制度で，制限選挙と対比される。日本では，1925年の普通選挙法で，満25歳以上の男子全員に選挙権があたえられる「男子普通選挙」が実現した。男女を問わず一定の年齢に達した国民に選挙権があたえられる「普通選挙」は，日本では第二次世界大戦後の1946年に実現している。

制限選挙[上記「普通選挙」の関連]　選挙権があたえられる条件が，年齢以外で制限されている選挙のことで，普通選挙と対比される。現代ではほとんどの国が年齢以外の制限を設けていないが，歴史上では，身分や性別，宗教，納税額によって，選挙権を制限する例が見られた。
日本では，1890年に第1回衆議院議員選挙が行われたが，このとき選挙権を持っていたのは，直接国税を15円以上納めている満25歳以上の男子だけであり，制限選挙であった。納税の基準はじょじょにゆるめられ，1925年の普通選挙法で満25歳以上の男性に，1945年には満20歳以上の男女に選挙権があたえられ，制限がなくなった。

物価　p.128，165，216，253
さまざまな商品の価格を総合した，商品全体の価格の水準のこと。物価が急に上がったり下がったりすると，人々の生活に大きな影響をあたえる。

文化　p.27，31
自然に働きかけて創り上げてきた，人類の歴史的な成果の総称。建物や道具，機械などの物質的なものだけでなく，言語や学問，芸術，宗教のような精神的なものもふくむ。

文明　p.22，104
広い意味では文化と同じ意味に使われるが，せまい意味では，伝統的・精神的なものを文化とし，物質的・技術的なものを文明とすることがある。

貿易　p.50，104
輸出と輸入とを合わせた，外国との商取り引きを指す。「易」には「取りかえる」などの意味があり，商業活動を指す。

貿易摩擦　p.229，263
貿易は，たがいの国が，自国で生産していない工業製品や，栽培できない農作物を輸出入することで補い合える効果的な方法である。しかし，一方の国が，輸出量に対して輸入量が少ないことで不均衡な状態になったり，輸入が増えることで国内の同種の産業の成長がにぶったりすることで，貿易相手国との間に経済的な対立が起こる場合がある。こうした状態が貿易摩擦である。
世界恐慌とその後の不況に対応するために列強が設けたブロック経済は，自国と植民地間の経済的な結び付きを優先し，日本が輸出する製品に対しては，高い関税をかけるなどして制限したため，貿易摩擦が起こった。また日本は，石油危機による不況からいち早くぬけ出して輸出を増やし，貿易黒字が増大する結果になったが，これがアメリカなどとの不均衡を生み，貿易摩擦が起こった。

保護貿易　p.157，223
外国との貿易を行う際に，政府が輸入量を制限したり，輸入品に多額の関税をかけるなどの施策を採ったり，逆に輸出に対して補助金をあたえるなどの奨励策を採ったりすること。自国の産業の保護を目的としており，自由貿易と対比される。

保守（勢力）　p.259，269
現在の政治・社会状況を守り，維持しようとするのが保守で，革新と対立する。戦後の日本では，自由民主党が代表的な保守勢力として，長年政権の座にあった。

ま

マスメディア
p.199，236，265
メディアのうち，不特定多数の人々に情報を伝達する手段になるもの。具体的には，書籍や新聞，雑誌，映画，ラジオ，テレビ，インターネット，SNSなど。

民主化　p.254，258
組織の体制などが，民主的になることを指す。一般的には，特定の人や団体が強い権限を持つ体制から，全ての人が平等に権限を持てるようにすることを指す。

民主主義（民主政）
p.26，213，217，255
専制政治に対して，権力は人民に由来し，人民が行使するという考えや，政治の形態。古代ギリシャにはすでに存在していたが，奴隷制の上に成り立っていた。近代革命により，自由・平等・国民主権に基づく民主主義が成立した。

民族　p.75，208
共通の先祖や共有する文化，共通の信条や価値観を持つと信じている集団。特に，言語による結び付きや，宗教，生活様式が重要とされる。近代国家が成立する中で，国境が民族を分断することが多く，紛争の原因になることがある。

民法　p.153，185，255
一般の人々どうしの間の権利や義務についてまとめた法律。具体的には，契約や私有財産，家族関係などについての規定がふくまれる。

メディア　p.182，199，221
情報の記録，保管やコミュニケーションなどに用いられる物や装置のこと。具体的には，手紙や電信，電話，書籍，新聞，雑誌，映画，ラジオ，テレビなど。

ら

立憲君主制　p.151
憲法に基づいて君主（国王や皇帝）が政治を行う政治の形態。イギリスのように君主の権限が議会によって制限される場合と，君主に権限が集中する場合とがある。現在，立憲君主制を採る国々では，一般的に君主は名目的な元首にとどまっていて，政治的な権限は持たない。

立憲制国家　p.185
憲法に基づいて政治が行われる国家。近代的な成文憲法は，1787年に制定されたアメリカ合衆国憲法が世界初である。日本では，1889年に大日本帝国憲法が発布され，アジア初の近代的な立憲制国家になり，立憲政治が始まった。

領主　p.65，106
一定の土地や人を私的に支配している人を指す。日本では，平安時代以降，私的な土地を所有している，領地の主という意味で使われる。

領土　p.178，252
国家を構成する三要素のうちの一つで，広い意味では領海や領空もふくむ。領土は，国が政治などを行い，国民が生活していくうえで，なくてはならないものである。
日本では明治時代に入り，欧米の国々と接するようになって，それまであいまいだった近隣諸国との間の国境が引かれ，領土が確定した。

列強　p.186，208
近代の国際社会で政治的・経済的・軍事的に影響力のあった大国を指す。主に欧米の強国を指すことが多い。

連邦　p.211，266
複数の州や小さな国が一つにまとまって形成される国。現在では，アメリカやドイツ（いずれも州の集合体），ロシア（共和国の集合体）などが連邦制を採っている。

連立内閣　p.219，269
一つの政党だけでは議会で過半数をしめられない場合などに，二つ以上の政党が協力して組織した内閣。連立政権ともいう。

労働組合
p.159，195，218，255
労働者が雇い主（使用者）と対等な立場で，賃金や労働時間などの労働条件について交渉ができるようにするための団体組織。職業別組合・産業別組合・企業別組合などがあるが，日本では，会社ごとに労働組合を組織する企業別組合が多い。

労働条件　p.195，254
労働者と雇い主との間で決められた，労働に関する条件。具体的には，賃金や労働時間，休憩，休暇など。

さくいん

人名さくいん

あ
芥川龍之介(1892 ~ 1927) …… 221
明智光秀(1528? ~ 82) …… 108
足利尊氏(1305 ~ 58) …… 77,78,79
足利義昭(1537 ~ 97) …… 108
足利義尚(1465 ~ 89) …… 84
足利義政(1436 ~ 90) …… 84,87
足利義視(1439 ~ 91) …… 84
足利義満(1358 ~ 1408) …… 78,79,80,86,90
アテルイ(? ~ 802) …… 47
阿倍仲麻呂(698 ~ 770) …… 40
天草四郎(益田時貞, 1623? ~ 38) …… 119
新井白石(1657 ~ 1725) …… 128
アレクサンドロス大王(前356 ~前323) 26,27
安重根(1879 ~ 1910) …… 192
アンネ・フランク(1929 ~ 45) …… 233
井伊直弼(1815 ~ 60) …… 163,164
イエス(前4? ~後30?) …… 29
池田勇人(1899 ~ 1965) …… 258,262
石井十次(1865 ~ 1914) …… 197
石川啄木(1886 ~ 1912) …… 192
石田三成(1560 ~ 1600) …… 114
板垣退助(1837 ~ 1919) …… 169,177,182,183
板谷波山(1872 ~ 1963) …… 221
市川団十郎(1660 ~ 1704) …… 129
市川房枝(1893 ~ 1981) …… 219
一遍(1239 ~ 89) …… 73
伊藤博文(1841 ~ 1909) 176,183,184,189,192
伊東マンショ(1569? ~ 1612) …… 107
犬養毅(1855 ~ 1932) …… 229
井上馨(1835 ~ 1915) …… 186
伊能忠敬(1745 ~ 1818) …… 133,134
井原西鶴(1642 ~ 93) …… 128
違星北斗(1901 ~ 29) …… 141
今川義元(1519 ~ 60) …… 85,108
岩倉具視(1825 ~ 83) …… 167,169,176
ウィルソン(1856 ~ 1924) …… 212
植木枝盛(1857 ~ 92) …… 183
上杉謙信(1530 ~ 78) …… 85,89
歌川広重(1797 ~ 1858) …… 135,139
内村鑑三(1861 ~ 1930) …… 190
梅屋庄吉(1869 ~ 1934) …… 193,199
運慶(? ~ 1223) …… 72
江崎玲於奈(1925 ~) …… 265
袁世凱(1859 ~ 1916) …… 193,215
王貞治(1940 ~) …… 264
大江健三郎(1935 ~) …… 265
大久保利通(1830 ~ 78) 166,176,177,182,184
大隈重信(1838 ~ 1922) …… 169,183,187
大塩平八郎(1793 ~ 1837) …… 136
大友宗麟(1530 ~ 87) …… 107
大伴家持(718? ~ 785) …… 45
大森房吉(1868 ~ 1923) …… 197
岡倉天心(1862 ~ 1913) …… 196
緒方洪庵(1810 ~ 63) …… 135
尾形光琳(1658 ~ 1716) …… 129
荻原守衛(1879 ~ 1910) …… 196
阿国(16世紀後半~ 17世紀前半) …… 113
織田信長(1534 ~ 82) …… 89,108,112,114
小野妹子(6世紀後半~ 7世紀初めごろ) …… 37
か
片寄平蔵(1813 ~ 1860) …… 273
勝海舟(1823 ~ 99) …… 167
葛飾北斎(1760 ~ 1849) …… 135
桂太郎(1847 ~ 1913) …… 216
加藤高明(1860 ~ 1926) …… 219,226
金栗四三(1891 ~ 1983) …… 242
狩野永徳(1543 ~ 90) …… 89,112
嘉納治五郎(1860 ~ 1938) …… 242,243
鴨長明(1155? ~ 1216) …… 72
ガリレオ(1564 ~ 1642) …… 150
カルバン(1509 ~ 64) …… 103
川端康成(1899 ~ 1972) …… 265
観阿弥(1333 ~ 84) …… 86
鑑真(688 ~ 763) …… 45
ガンディー(1869 ~ 1948) …… 215
桓武天皇(737 ~ 806) …… 46
岸田劉生(1891 ~ 1929) …… 221
岸信介(1896 ~ 1987) …… 259
喜多川歌麿(1753 ~ 1806) …… 135
北里柴三郎(1852 ~ 1931) …… 197
木戸孝允(1833 ~ 77) …… 166,169,176
紀貫之(? ~ 945) …… 51
木村栄(1870 ~ 1943) …… 197
行基(668 ~ 749) …… 45
曲亭(滝沢)馬琴(1767 ~ 1848) …… 135
空海(774 ~ 835) …… 47
クーベルタン(1863 ~ 1937) …… 242
楠木正成(? ~ 1336) …… 77
久保山愛吉(1914 ~ 54) …… 259
黒澤明(1910 ~ 98) …… 264
黒田清輝(1866 ~ 1924) …… 196
クロムウェル(1599 ~ 1658) …… 151
ケネディ(1917 ~ 63) …… 261
兼好法師(1283? ~ 1350?) …… 72
孔子(前551? ~前479) …… 24,25
幸徳秋水(1871 ~ 1911) …… 190,195
光明皇后(701 ~ 760) …… 44
後三条天皇(1034 ~ 73) …… 66
コシャマイン(? ~ 1457) …… 81
後白河天皇(上皇, 1127 ~ 92) …… 66,72
後醍醐天皇(1288 ~ 1339) …… 77,78
ゴッホ(1853 ~ 90) …… 138
後鳥羽上皇(1180 ~ 1239) …… 69,72
近衛文麿(1891 ~ 1945) …… 231,234
小林一茶(1763 ~ 1827) …… 135
小林多喜二(1903 ~ 33) …… 221
小村寿太郎(1855 ~ 1911) …… 187
ゴルバチョフ(1931 ~ 2022) …… 266
コロンブス(1451? ~ 1506) …… 104
近藤重蔵(1771 ~ 1829) …… 133,181
さ
西行(1118 ~ 90) …… 72
西光万吉(1895 ~ 1970) …… 218
西郷隆盛(1827 ~ 77) …… 166,169,177,182
最澄(767 ~ 822) …… 47
斎藤隆夫(1870 ~ 1949) …… 231
坂田藤十郎(1647 ~ 1709) …… 129
坂上田村麻呂(758 ~ 811) …… 47
坂本龍馬(1835 ~ 67) …… 166
佐藤栄作(1901 ~ 75) …… 261,265
ザビエル(1506 ~ 52) …… 103,106,107
三条実美(1837 ~ 91) …… 169
シーボルト(1796 ~ 1866) …… 135
志賀潔(1870 ~ 1957) …… 197
志賀直哉(1883 ~ 1971) …… 221
始皇帝(前259 ~前210) …… 24,25
十返舎一九(1765 ~ 1831) …… 135
持統天皇(645 ~ 702) …… 36,39
司馬遼太郎(1923 ~ 96) …… 265
渋沢栄一(1840 ~ 1931) …… 172
島崎藤村(1872 ~ 1943) …… 241
島津貴久(1514 ~ 71) …… 85
シャカ(釈迦, 前463? ~前383?) …… 28
シャクシャイン(? ~ 1669) …… 123
周恩来(1898 ~ 1976) …… 260
蔣介石(1887 ~ 1975) …… 227,230,257
尚泰(1843 ~ 1901) …… 179
聖徳太子(厩戸皇子, 574 ~ 622) …… 36
聖武天皇(701 ~ 756) …… 44
昭和天皇(1901 ~ 89) …… 239,253
白河天皇(上皇, 1053 ~ 1129) …… 66
親鸞(1173 ~ 1262) …… 73
推古天皇(554 ~ 628) …… 36
菅原道真(845 ~ 903) …… 47
杉田玄白(1733 ~ 1817) …… 134
杉原千畝(1900 ~ 86) …… 233
鈴木梅太郎(1874 ~ 1943) …… 197
鈴木春信(1725? ~ 70) …… 135
スターリン(1879 ~ 1953) …… 211,232
ストウ(1811 ~ 96) …… 157
崇徳上皇(1119 ~ 64) …… 67
世阿弥(1363? ~ 1443?) …… 86
清少納言(10世紀後半~ 11世紀前半) … 50,51
セシル・ローズ(1853 ~ 1902) …… 186
雪舟(1420 ~ 1506) …… 87
善阿弥(15世紀中ごろ) …… 87
千利休(1522 ~ 91) …… 112
蘇我入鹿(? ~ 645) …… 38
蘇我馬子(? ~ 626) …… 36
蘇我蝦夷(? ~ 645) …… 38
曾良(1649 ~ 1710) …… 129
孫文(1866 ~ 1925) …… 193,214,227,230
た
大黒屋光太夫(1751 ~ 1828) …… 133
大鵬(1940 ~ 2013) …… 265
平清盛(1118 ~ 81) …… 66,67
平重盛(1138 ~ 79) …… 67
平忠正(? ~ 1156) …… 67
平将門(? ~ 940) …… 64
高杉晋作(1839 ~ 67) …… 166
高野長英(1804 ~ 50) …… 136
高峰譲吉(1854 ~ 1922) …… 197
高村光雲(1852 ~ 1934) …… 196
滝廉太郎(1879 ~ 1903) …… 196
武田勝頼(1546 ~ 82) …… 108

武田信玄(1521～73) ……85
竹久夢二(1884～1934) …… 221
田中角栄(1918～93) …… 261
田中正造(1841～1913) …… 195
谷崎潤一郎(1886～1965) …… 221
田沼意次(1719～88) …… 132
玉城朝薫(1684～1734) ……91
俵屋宗達(17世紀前半) …… 129
近松門左衛門(1653～1724) …… 129
千々石ミゲル(1570～?) …… 107
チャーチル(1874～1965) …… 233
張学良(1898～2001) …… 227
重源(1121～1206) ……72
張作霖(1875～1928) …… 227
知里幸恵(1903～22) …… 141
チンギス・ハン(1162～1227) ……74
津田梅子(1864～1929) …… 176
手塚治虫(1928～89) …… 265
寺内正毅(1852～1919) …… 192,216
天武天皇(631?～686) …… 36,39
道元(1200～53) ……73
東郷平八郎(1847～1934) …… 190
東洲斎写楽(18世紀末ごろ) …… 135,139
東条英機(1884～1948) …… 235,238,253
鄧小平(1904～97) …… 267
ドガ(1834～1917) …… 138
徳川家光(1604～51) …… 114,115,119
徳川家茂(慶福) (1846～66) …… 164
徳川家康(1542～1616) …… 107,114,118
徳川綱吉(1646～1709) …… 128
徳川秀忠(1579～1632) …… 119
徳川光圀(1628～1700) …… 129
徳川(一橋)慶喜(1837～1913) …164,166,167
徳川吉宗(1684～1751) ……130,132,134
徳富蘇峰(1863～1957) …… 198,199
利根川進(1939～) …… 265
鳥羽上皇(1103～56) ……66
留岡幸助(1864～1934) …… 197
朝永振一郎(1906～79) …… 265
伴善男(809～868) ……52
豊臣秀吉(1537～98) ……
109,110,112,114,116,118,121,124,192

な

ナイチンゲール(1820～1910) …… 156
中浦ジュリアン(1569?～1633) …… 107
中江兆民(1847～1901) …… 173,183
長岡半太郎(1865～1950) …… 197
長嶋茂雄(1936～) …… 264
中臣(藤原)鎌足(614～669) ……38
中大兄皇子(天智天皇, 626～671) … 38,39
長屋王(684～729) …… 40,42
夏目漱石(1867～1916) …… 197
ナポレオン(1769～1821) …… 153,154
ナポレオン3世(1808～73) …… 154
西田幾多郎(1870～1945) …… 221
日蓮(1222～82) ……73
新田義貞(?～1338) ……77
新渡戸稲造(1862～1933) …… 212
ニュートン(1642～1727) …… 150
ネルー(1889～1964) …… 191,257,260
野口雨情(1882～1945) …… 221
野口英世(1876～1928) …… 197
野田貞雄(1892～1945) …… 239

は

バスコ・ダ・ガマ(1469?～1524) …… 104
八田與一(1886～1942) …… 189
鳩山一郎(1883～1959) …… 261
浜口雄幸(1870～1931) …… 227
濱口梧陵(1820～85) …… 274
原敬(1856～1921) …… 217
原マルチノ(1568?～1629) …… 107
ハリス(1804～78) …… 163
ハンムラビ王(前18世紀ごろ) ……23
樋口一葉(1872～96) …… 197
ビゴー(1860～1927) …… 188
菱川師宣(1618～94) …… 129
ビスマルク(1815～98) …… 155
ヒトラー(1889～1945) … 224,225,232,243
日野富子(1440～96) ……84
卑弥呼(2世紀後半～3世紀前半) ……33
平塚らいてう(1886～1971) …… 219
平沼騏一郎(1867～1952) …… 232
武(5世紀後半ごろ) ……35
フェノロサ(1853～1908) …… 196
溥儀(1906～67) …… 228
福井謙一(1918～98) …… 265
福沢諭吉(1834～1901) …… 173,182,198
藤原定家(1162～1241) ……72
藤原純友(?～941) ……64
藤原忠通(1097～1164) ……67
藤原信頼(1133～59) ……67
藤原道長(966～1027) …… 48,49
藤原通憲(1106～59) ……67
藤原頼長(1120～56) ……67
藤原頼通(992～1074) …… 48,51
二葉亭四迷(1864～1909) …… 196
ブッシュ(1924～2018) …… 266
フビライ・ハン(1215～94) …… 74,75,76
ブラック(1827～80) …… 198
ペリー(1794～1858) 136,157,162,163,168,198
ベル(1847～1922) …… 198
北条時政(1138～1215) ……69
北条時宗(1251～84) ……76
北条政子(1157～1225) ……69
北条泰時(1183～1242) ……69
法然(1133～1212) ……73
細川勝元(1430～73) ……84
細川重賢(1720～85) …… 133
細川護熙(1938～) …… 269

ま

前野良沢(1723～1803) …… 134
正岡子規(1867～1902) …… 197
マゼラン(1480?～1521) …… 104,105
松岡洋右(1880～1946) …… 228
松尾芭蕉(1644～94) …… 129
マッカーサー(1880～1964) …… 253
松平定信(1758～1829) …… 132
松本清張(1909～92) …… 265
間宮林蔵(1775～1844) …… 133
マルクス(1818～83) …… 159,210
マルコ・ポーロ(1254～1324) ……75
ミケランジェロ(1475～1564) …… 102
水野忠邦(1794～1851) …… 136,137
三井高利(1622～94) …… 127
源実朝(1192～1219) ……69
源為朝(1139～?) ……67
源為義(1096～1156) ……67
源範頼(12世紀中ごろ) ……67
源信(810～868) ……52
源義家(1039～1106) ……65
源義経(1159～89) …… 67,68
源義朝(1123～60) ……66
源義仲(1154～84) ……67
源義平(1141～60) ……67
源頼朝(1147～99) …… 67,68
美濃部達吉(1873～1948) …… 217
宮城道雄(1894～1956) …… 221
宮崎滔天(1871～1922) …… 193
ムッソリーニ(1883～1945) …… 224
陸奥宗光(1844～97) …… 187
ムハンマド(570?～632) ……29
紫式部(978?～1016?) …… 50,51
明治天皇(1852～1912) …… 168,169,185
メスキータ(1553～1614) …… 107
毛沢東(1893～1976) …… 230,257,267
毛利元就(1497～1571) ……85
最上徳内(1755～1836) …… 133,181
本居宣長(1730～1801) …… 134
モネ(1840～1926) …… 138
森有礼(1847～89) …… 198
森鷗外(1862～1922) …… 197
森本一房(?～1674) …… 118
モンテスキュー(1689～1755) …… 150

や

柳宗悦(1889～1961) …… 221
山口尚芳(1839～94) …… 176
山田耕筰(1886～1965) …… 221
山田孝野次郎(1906～31) …… 219, 241
山名持豊(1404～73) ……84
湯川秀樹(1907～81) …… 265
栄西(1141～1215) ……73
横山大観(1868～1958) …… 196
与謝野晶子(1878～1942) …… 190,197
与謝蕪村(1716～83) …… 135
吉田茂(1878～1967) …… 258
吉田松陰(1830～59) …… 164
吉野作造(1878～1933) …… 217

ら

ラクスマン(1766～?) …… 133,136
ラファエロ(1483～1520) …… 103
力道山(1924～1963) …… 264
李舜臣(1545～98) …… 111
李成桂(1335～1408) ……80
リットン(1876～1947) …… 228
リンカン(1809～65) …… 157
ルイ14世(1638～1715) …… 152
ルソー(1712～78) …… 150,173
ルター(1483～1546) …… 102,103
レーニン(1870～1924) …… 210
レオナルド・ダ・ビンチ(1452～1519) … 102
レザノフ(1764～1807) …… 133,136
ローズベルト(1882～1945) …… 222,233
ロック(1632～1704) …… 150

わ

ワシントン(1732～99) …… 151
渡辺崋山(1793～1841) …… 136

さくいん

事項さくいん

あ

会津(藩) 142,166
「アイヌ神謡集」 141
アイヌの人々 81,123,140,179
アイヌ文化 140
アイヌ文化振興法 271
アイヌ民族 81,120,123,141,179,219,271
アウシュビッツ強制収容所 233
悪党 77
上げ米の制 130
按司 81
アジア・アフリカ会議 260
アジア太平洋経済協力会議 267
足尾銅山 125,195
足尾銅山鉱毒事件 195
足利学校 87
足利氏 78
飛鳥文化 37
「あたらしい憲法のはなし」 254
アテネ 26,242
安土城 108,112
安土桃山時代 109
アニメ 265
「アフリカの年」 257
アヘン戦争 137,160
奄美群島 91,122,137,252,259
阿弥陀堂 51
阿弥陀如来 51,73
アメリカ(合衆国) 136,151,156,162,209,212,222,233,252,256
アメリカ軍基地 261
アメリカ大陸 104
アメリカ同時多発テロ 267
アメリカ独立宣言 151
アラー 29
安政の大獄 164
安全保障理事会 256
「アンネの日記」 233
安保闘争 259

い

EC 260,267
EU 267
イエズス会 103,106,109
家持 116
イオマンテ 140
イギリス 118,136,150,154,158,160,165,208,212,223,232,256
生野銀山 109
異国船打払令 136
イスラム教 29,100
イスラム帝国 100
イタイイタイ病 263
イタリア 102,155,208,224,232,238
一揆 83
厳島神社 67
一向一揆 84,108
一向宗 84
稲作 32
「稲むらの火」 274
稲荷山古墳 35
稲 24,32
「命のビザ」 233
移民 156,195,228
イラク戦争 267
岩倉使節団 176
岩宿遺跡 30
石見銀山 85,114,125
殷 24
印象派 138,196
院政 66
インターネット 15,245,265
インダス川 23
インダス文明 22
インダス文字 23
インド 28,101,160,215,257
インド大反乱 161

う

ウィーン会議 153
浮世絵 129,135,138
浮世草子 128
打ちこわし 131,132,136,167
浦賀 162

え

映画 199,220,264
永仁の徳政令 77
APEC 267
「ええじゃないか」 167
「ABCD包囲陣」 235
駅 41
エジプト文明 22
SDGs 271
蝦夷地 81,123,125,132,178
蝦夷錦 141
江田船山古墳 35
えた身分 117,137,169,240
江戸 114,125,126,134,168
江戸時代 114
江戸幕府 114
NGO 267
NPO 271
エネルギー革命 272
絵踏 119
絵巻物 52,72
蝦夷 47
エルサレム 29,101
エルトゥールル号遭難事件 187
援蔣ルート 230,234
猿人 20
延暦寺 47,108

お

オイル・ショック 263,272
王 22,33,34,100
欧化政策 187
奥州藤原氏 65,68
王政 27,151,154
王政復古の大号令 167
応仁の乱 84
大王 34,36
大阪 109,126
大阪城 109,112
大阪の陣 114
大塩の乱 136
オーストリア 155,208,232
オオツノジカ 30
大津 39
大野城 38
小笠原諸島 178,252,259,261
沖縄 179,239,252,258,261
沖縄県 179,181
沖縄戦 239
「奥の細道」 129
桶狭間の戦い 108
オスマン帝国 101,187,208
御伽草子 87
オホーツク文化 140
おもろ 91
「おもろさうし」 91
お雇い外国人 170
オランダ 105,118,120,150,161,163,235
オランダ風説書 120
オリエント 23,26
オリンピック・パラリンピック 242,263

か

カースト制度 23
開国 163
「解体新書」 134
開拓使 178,183
貝塚 31
「解放令」 169,240
学制 170
学徒出陣 236
「学問のすゝめ」 173
化政文化 134
過疎化 263
華族 169,184
刀狩 110
合衆国憲法 151
活版印刷(術) 113,173,199
カトリック教会 100,103
神奈川 163
仮名文字 50
歌舞伎 129,135
かぶきおどり 113
株仲間 126,132,137
貨幣 22,41,114,124,126
鎌倉 67,68,72
鎌倉公方 79
鎌倉時代 68
鎌倉幕府 68,77
鎌倉府 79
鎌倉文化 72
紙 25,82,101
火薬 75,76
伽耶地域(任那) 35,36
樺太 81,133,178,191
樺太・千島交換条約 178
河原者 87
漢 25,33
冠位十二階 36
寛永通宝 125
官営模範工場 172
環境省 263
環境庁 263
勘合 80
勘合貿易 80,90
韓国 180,189,192,257
韓国統監府 192
韓国併合 192
漢字 24,35,50,90
「漢書」 33
勘定奉行 115
関税自主権 160,163
関税自主権の回復 186
寛政の改革 132
関東軍 227,228
関東大震災 221,226
関白 48,66,109
管領 79

き

魏 33
議院内閣制 255
祇園祭 83
議会政治 151,185,213
魏志倭人伝 33
貴族 22,40,42,48,64,72
貴族院 185
北大西洋条約機構 256
北朝鮮 257,268
北山文化 86
切符制 231
「絹の道」 25
義兵運動 192
基本的人権の尊重 255
義務教育 154,197,255
旧石器時代 20,30
キューバ危機 260
「弓馬の道」 70
教育基本法 255
教育勅語 185,255
狂歌 132,135
狂言 87
共産主義 211,218,256
行商 116
京都 46,68,78,125,126
京都議定書 270,273
京都所司代 115
享保の改革 130
共和政 27,151,152,154
玉音放送 239
極東国際軍事裁判 253
キリシタン 107
キリシタン大名 107
ギリシャ 26,102,242
ギリシャ文明 26
キリスト教 29,102,106,109,111,118,173
義和団事件 190
金印 33
金閣 86
銀閣 87
禁教令 118
金座 125
銀座 125
禁中並公家中諸法度 115
緊張緩和 260
金融恐慌 226
勤労動員 236

く

空襲 232,236,238
くさび形文字 23
公事方御定書 130
グスク 81,91
百済 35,36,38,90
屈葬 31
国友 106
口分田 42
組踊 91
組頭 117
蔵屋敷 126
クリミア戦争 156
グローバル化 270
郡司 41
軍閥 193,227
軍部 229,230
訓民正音 80
軍役 110

け

計画経済 211,266
警察予備隊 258
慶長の役 111
啓蒙思想 150,153
激化事件 183
下剋上 84
元 74,76,90
元寇 76
源氏 65
原子爆弾(原爆) 239
「源氏物語」 51
原人 21

遣隋使 …… 37
原水爆禁止運動 …… 259
憲政会 …… 219,226
「憲政の常道」…… 226
検地 …… 110
県知事 …… 169
遣唐使 …… 38,40,44,47
言文一致 …… 196
建武の新政 …… 78
「権利章典」…… 151
県令 …… 169
元禄文化 …… 128

こ

五・一五事件 …… 229
弘安の役 …… 76
黄河 …… 24
公害(問題) …… 159,195,263
公害対策基本法 …… 263
江華島事件 …… 177
高句麗 …… 35,38,90
甲骨文字 …… 24
甲午農民戦争 …… 188
工場制手工業 …… 131
工場法 …… 195
豪族 …… 34,36,40,64
小歌 …… 113
公地・公民 …… 38,43
高等教育 …… 170,197,220
高等女学校 …… 220
高度経済成長 …… 243,262
抗日民族統一戦線 …… 230
公武合体策 …… 164
興福寺 …… 44
神戸 …… 163,172,200
皇民化政策 …… 231
高野山 …… 47
高麗 …… 50,74,80
公領 …… 65,67,68,70
「コーラン」…… 29
御恩 …… 68
五街道 …… 127
五箇条の御誓文 …… 168
「五か年計画」…… 211,223
後漢 …… 33
「後漢書」…… 33
五畿七道 …… 41
「古今和歌集」…… 51
国学 …… 134
国際協調 212,223,256,266
国際平和協力法 …… 269
国際連合(国連) …… 256,261,266,268
国際連盟 …… 212,223,225,228
国際連盟脱退 …… 228
国司 …… 41,46,49,65
石高 …… 110
国府 …… 41,64
国風文化 …… 50
国分寺 …… 45
国分尼寺 …… 45
国民 …… 154,169,170,179
国民意識 …… 154,189
国民学校 …… 231
国民社会主義ドイツ労働者党 …… 225
国民主権 …… 152,255
国民政府 …… 227,230
国民党 214,227,230,257
極楽浄土 …… 51,73
国連平和維持活動 …… 267,268
御家人 68,76,114,126,133
護憲運動 …… 216,219
小作争議 …… 218,227
小作人 …… 131,195,254
後三年合戦 …… 65
五・四運動 …… 214
「古事記」…… 45,54
「古事記伝」…… 134
55年体制 …… 259,269
御成敗式目 …… 69
戸籍 …… 36,39,42
小袖 …… 113,129
国会開設の勅諭 …… 183
国会期成同盟 …… 183
国家総動員法 …… 231
五人組 …… 117
古墳 …… 34,37
古墳時代 …… 34
五榜の掲示 …… 168
米騒動 …… 216
コロッセオ …… 27
金剛峯寺 …… 47
金剛力士像 …… 72
墾田永年私財法 …… 43

さ

座 …… 83,85,108
在日韓国・朝鮮人 …… 253
財閥 …… 194,227,229,254
財閥解体 …… 254
堺 …… 83,85,106,109
酒屋 …… 79,83
防人 …… 42,45
桜田門外の変 …… 164
鎖国 …… 119,163
座禅 …… 73
薩英戦争 …… 166
薩長同盟 …… 166
薩摩(藩) …… 91,120,122,137,166,169,179
擦文文化 …… 140
佐渡金山 …… 125
サミット …… 266
侍所 …… 69,79
猿楽 …… 86
三・一独立運動 …… 215
三角貿易(アジア) …… 160
三角貿易(大西洋) 105,158
産業革命(世界) …… 158
産業革命(日本) …… 194
参勤交代 …… 115,127,130
三権分立 …… 150
三国干渉 …… 188
三国協商 …… 208
「三国志」…… 33
三国同盟 …… 208
三世一身法 …… 43
「三種の神器」…… 262
三線 …… 91,113
三都 …… 126
山南(南山) …… 81,90
サンフランシスコ平和条約 …… 258,261
山北(北山) …… 81,90
三民主義 …… 193

し

GHQ …… 253,254,258,264
G20サミット …… 267
自衛隊 …… 258,268
自作農 …… 254
寺社奉行 …… 115
時宗 …… 73
自然主義 …… 197
士族 …… 169,182
持続可能な開発目標 …… 271
持続可能な社会 …… 271
下地中分 …… 70
執権 …… 69,76
執権政治 …… 69
地頭 …… 68,70
地主 …… 116,131,195,254
渋染一揆 …… 137
シベリア出兵 …… 211,216
シベリア鉄道 …… 187
シベリア抑留 …… 252
資本主義 …… 159,186,256
島原・天草一揆 …… 119
下田 …… 162
下関条約 …… 188
下関戦争 …… 166
社会運動 …… 218,255
社会契約説 …… 150
社会主義 …… 159,210,218
社会党 …… 255,259
社会福祉 …… 197,213
釈迦三尊像 …… 37
ジャポニスム …… 138
三味線 …… 113
朱印状 …… 118
朱印船 …… 118
朱印船貿易 …… 118
周 …… 24
衆議院 …… 184
衆議院議員選挙 …… 185
宗教 …… 28
宗教改革 …… 103
十字軍 …… 101
十七条の憲法 …… 37
集団疎開 …… 236
自由党 …… 183
自由民権運動 …… 182
自由民主党(自民党) …… 259,268
宗門改 …… 119
儒学 …… 25,35,37,87,128
儒教 …… 25
宿場 …… 127
守護 …… 68,78
守護大名 …… 79,80,83,84
朱子学 …… 128,133
主要国首脳会議 …… 266
首里 …… 81,91
首里城 …… 81
書院造 …… 86
貞永式目 …… 69
荘園 …… 43,48,65,66,68,70,110
小学校 170,197,220,231
城下町 …… 85,92,116
蒸気機関 …… 158,272
承久の乱 …… 69
「将軍のおひざもと」…… 126
象形文字 …… 23
上皇 …… 66,69,72
少子高齢化 …… 271
正倉院 …… 44
正長の土一揆 …… 83
正徳の治 …… 128
浄土宗 …… 73
浄土信仰 …… 51
浄土真宗 …… 73,84
常任理事国(国際連合) 256
常任理事国(国際連盟) 212
商品作物 …… 124,133
昌平坂学問所 …… 133
縄文時代 …… 31
縄文土器 …… 31
縄文文化 …… 31
庄屋 …… 117
条約改正 …… 186
生類憐みの政策 …… 128
浄瑠璃 …… 113
昭和恐慌 …… 226
殖産興業 …… 172,182
植民地 105,151,155,161,186,188,192,257
女性運動 …… 218
女性の選挙権 …… 213
白樺派 …… 221
新羅 35,36,38,47,50,90
シルクロード …… 25
城 …… 112
秦 …… 25
清 91,121,160,177,188,193
辛亥革命 …… 193
新幹線 …… 263
人権宣言 …… 152
「新古今和歌集」…… 72
真言宗 …… 47,51,73
真珠湾攻撃 …… 234
新人 …… 21
壬申の乱 …… 39
新石器時代 …… 21
新田開発 …… 124,130
寝殿造 …… 48,51
神道 …… 73,173
親藩 …… 115
新婦人協会 …… 219
神仏習合 …… 47,73,173
神仏分離令 …… 173
新聞 …… 173,198,220,236,264
神話 …… 45,54

す

隋 …… 36,38
水素爆弾(水爆) …… 259
水墨画 …… 87
枢軸国 …… 233,235
枢密院 …… 184
須恵器 …… 35
スエズ運河 …… 187
スペイン …… 104,107,109,155,161,224
スラブ民族 …… 208

せ

征夷大将軍 47,68,78,114
征韓論 …… 177
征韓論政変 …… 177
正教会 …… 100
「聖書(新約聖書)」…… 29
青銅器 …… 22,24,32
青鞜社 …… 219
政党政治 …… 155,217,226
政党内閣 …… 183,217,229
西南戦争 …… 182
世界恐慌 …… 222,225,226
世界金融危機 …… 267,269
「世界の記述」…… 75
「世界の工場」…… 158,267
関ヶ原の戦い …… 114
関所 …… 79,108,127
石油危機 …… 263,272
摂関政治 …… 48
摂政 …… 48,66
絶対王政 …… 152
セルビア …… 209
尖閣諸島 …… 178,181
選挙権 185,213,219,254
前九年合戦 …… 65
戦後改革 …… 253
戦国時代 …… 85
全国水平社 …… 218,241
戦国大名 …… 85
戦時体制 …… 231
禅宗 …… 73,86
「賤称廃止令」…… 169,240
全体主義 …… 224
専売 …… 132,137
千歯こき …… 124
前方後円墳 …… 34,37
賤民 …… 42
川柳 …… 135

そ

租 …… 42

宋………50,67,71,74,82,90
宋(南朝)………35
惣………83
創氏改名………231
「宋書」………35
宋銭………71,82
曹洞宗………73
僧兵………66
雑徭………43
総力戦………209,231,236
疎開………236
蘇我氏………36,38
租借(権)………189
ソビエト………210
ソビエト社会主義共和国連邦(ソ連)…211,223,229,232,238,243,252,256,258,260,266
尊王攘夷運動 134,164,166

た

第一次世界大戦 199,209,210,212,214,257
太陰暦………23,173
大王………34,36
大学………170,220,265
大化の改新………39
大韓帝国………189
大韓民国………257
大逆事件………195
大航海時代……103,104
太閤検地………110
第五福竜丸………259
太政官………40,48
太政大臣………41,67
大正デモクラシー……217
大政奉還………167
大西洋憲章………233
大政翼賛会………231
大戦景気………216
大仙古墳………34
「大東亜共栄圏」……234
第二次世界大戦 215,232,235,237,239,253
大日本帝国憲法…184,254
台場………163
大仏………45,72
太平天国の乱………161
太平洋戦争 180,229,235
大宝律令………40
題目………73
太陽暦………23,173
大老………115,163
台湾総督府………188
多賀城………41,47
竹島………178,180,259
「竹取物語」………51
大宰府………38,41
太政官………169
打製石器………20,30
たて穴住居………31,32
種子島………106
「ダビデ」………103
濃絵………112
樽廻船………127
俵物………120,125,132
男女共同参画社会基本法………271
男女雇用機会均等法 271
壇ノ浦………67

ち

治安維持法……219,254
地域紛争………267,268
地価………171
地球温暖化……270,273
地球温暖化防止京都会議………270
チグリス川………23
地券………171
地租………171
地租改正………171
地方自治………255
茶の湯………86,92,112
中華人民共和国……257
中学校………220
中華民国………193
中国共産党………214,227
中国国民党………214
中国残留日本人孤児…252
中国分割………189
中国文明………22
中山………81,90
中尊寺金色堂………65
中等教育………197,220
調………42
長江………24
朝貢…33,80,90,122,187
町衆………83
長州(藩)……137,166,169
朝鮮………177
朝鮮国………80
朝鮮戦争…257,258,260
朝鮮総督府……192,215
朝鮮通信使………121
朝鮮民主主義人民共和国………257
朝廷………38,64,78
町人………110,116,169
徴兵制………153,172
徴兵令………171
町役人………116

つ

土一揆………83
冷たい戦争………256
「徒然草」………73

て

定期市………71,82
帝国議会………184,216
帝国主義………186,214
帝政………27
適塾………135
出島………119,120,132
鉄器………22,32
鉄道…158,172,174,194
鉄砲………106,108,110
「鉄腕アトム」………265
寺子屋………117,135
テレビ放送………264
田楽………86
「天下の台所」………126
天正遣欧使節………107
電信………172,198
天台宗………47,51,73
天皇………36
天皇機関説………217
天平文化………44
天保の改革………137
天保のききん………136
天明のききん………132
電話………198

と

問………83
ドイツ………154,184,208,212,224,228,232,234,238,266
土一揆………83
問屋制家内工業………131
唐………38,44,50,90
東海道新幹線…243,262
「東海道中膝栗毛」…135
東学………188
銅鏡………32,34
東京オリンピック・パラリンピック 243,263
東京裁判………253
東京大空襲……239,244
東求堂同仁斎………87
銅剣………32,34
東西ドイツ統一………266
唐招提寺………44
唐人屋敷………121
東大寺………44,72
銅鐸………32
「東方見聞録」………75
銅矛………32
土器…21,31,32,35,140
土偶………31
徳川氏………115
特需景気………258
徳政令………77
独ソ不可侵条約………232
特別攻撃隊………239
独立宣言(アメリカ)…151
土佐(藩)………166,169
外様大名………115
十三湊………81
都市国家……23,26,242
土倉………79,83
隣組………231
鳥羽・伏見の戦い……167
富岡製糸場………172
渡来人………35,36
奴隷………23,26,43,105
奴隷制………151,157
屯田兵………179

な

内閣制度………169,184
ナウマンゾウ………30
長岡京………46
長崎………106,109,119,120,162,239
長篠の戦い………108
中継貿易…81,91,104,122
ナチス……224,225,232
NATO………256
難波………39
名主………116
ナポレオン法典………153
生麦事件………166
奈良時代………40
成金………216
南海路………127
南下政策………156,209
南京事件………230
南京条約………160
「南総里見八犬伝」…135
南蛮人………107
南蛮文化………113
南蛮貿易………107,112
南部鉄器………125
南北戦争………157
南北朝時代(中国)…35,37
南北朝時代(日本)…78,85
南北朝の動乱………79,82
南北問題………257

に

新潟………163
新潟水俣病………263
錦絵………135,138,174
西陣………82
西陣織……125,126,131
西廻り航路………127
二十一か条の要求……214
二条河原落書………78
西ローマ帝国………100
日英通商航海条約…187
日英同盟……190,208,213
日独伊三国同盟…232,234
日独防共協定………228
日米安全保障条約(日米安保条約)……258,268
日米修好通商条約…163
日米和親条約………162
日明貿易………80,90
日蓮宗………73
日露協約………208
日露和親条約………162
日露戦争………190,208
日韓基本条約………261
日清修好条規………177
日清戦争………188
日ソ共同宣言……260,261
日ソ中立条約……234,239
日中共同声明………261
日中戦争……199,230,234
日中平和友好条約…261
日朝修好条規…177,187
二・二六事件………229
日本海海戦………191
日本共産党………218,255
日本国憲法………255
日本社会主義同盟……218
日本社会党………255
日本自由党………255
「日本書紀」………45,54
日本農民組合………218
日本町………118
日本労働総同盟………218
二毛作………71,82
ニューディール………222
人形浄瑠璃………129
仁徳陵古墳………34

ぬ

奴婢………42,43

ね

年貢………65,70,110,117,124,168
年中行事………51,129
念仏………51,73

の

能………86,91
農耕や牧畜 21,22,26,31
農地改革………254
農民運動………218
ノーベル賞………197,265
ノルマントン号事件…187

は

俳諧………129,135
配給制………231
俳句………129,135,197
廃藩置県………169,170
「破戒」………241
博多………82
白村江の戦い………39
幕藩体制………115
幕領………114,118,137
函館………162,167
馬借………83
旗本………114,126,133
バテレン追放令………109
埴輪………34
バブル経済………269
パリ協定………270,273
パリ講和会議……212,214
バルカン半島………208
パルテノン神殿………26
パレスチナ問題………257
ハン………74
藩………115
ハングル………80
「反軍演説」………231
藩校………135
万国博覧会………155,262
藩札………133
蛮社の獄………136
反射炉………137

阪神・淡路大震災 270,274
版籍奉還 168
「伴大納言絵巻」 52
班田収授法 42,46,48
藩閥 216
藩閥政府 169,182,189
ハンムラビ法典 23
万里の長城 25

ひ

PKO 267,268
PKO協力法 268
比叡山 47
非営利組織 271
菱垣廻船 127
非核三原則 261
東インド会社 105
東日本大震災 271,274
東廻り航路 127
東山文化 87
東ローマ帝国 100
飛脚 127,172
被差別部落 218,240
ビザンツ帝国 100,102
非自民連立内閣 269
非政府組織 267
肥前(藩) 137,169
備中ぐわ 124
ひにん身分 117,169
日比谷焼き打ち事件 191
姫路城 112
ひめゆり学徒隊 239
百姓 110,116,136,169
百姓一揆 131,132,136
百姓代 117
ピューリタン革命 151
氷河時代 20,30
兵庫 67,163
評定 69
平等院鳳凰堂 51
屏風絵 89
平戸 106,118
ピラミッド 22
広島 239
琵琶法師 72
紅型 91
ヒンドゥー教 28,215

ふ

ファシスト党 224
ファシズム 224,233
風刺画 189
フェートン号事件 136
福島第一原子力発電所事故 271,273
武家諸法度 115
「富国強兵」 172
武士 64,66,68,70,72,116,169
武士団 64
藤原京 39
藤原氏 48,64,66
譜代大名 115
札差 133
府知事 169
普通選挙 154,213,217,219,226
普通選挙法 219
仏教 25,28,35,37,44,73,90
「風土記」 45,54
不平等条約 161,163,176,186
部分的核実験禁止条約 261
富本銭 39
踏絵 119
部落解放運動 218,255
部落差別 218,241,271
フランス 150,152,163,166,208
フランス革命 152
フランス領インドシナ 230,234
風流おどり 87
プロイセン 154
ブロック経済 223
プロテスタント 103,151
プロレタリア文学 221
文永の役 76
分割相続 71,77
分国法 85,92
「文化住宅」 221
文明 22
文明開化 173,174
文禄の役 111

へ

平安京 40,46
平安時代 46
兵役 36,42,46,153,171
「平家物語」 72,113
平氏 65,67
平治の乱 66
平城宮 41
平城京 39,40
兵農分離 110
平民 169,240
平和維持活動 267,268
平和主義 255
別子銅山 125
ベトナム戦争 260
ベトナム反戦運動 261
ベルサイユ条約 212,214,225
ペルシャ 26
ベルリンの壁 256,266
ヘレニズム 27

ほ

貿易摩擦 229,263
保元の乱 66
奉公 68
「方丈記」 72
北条氏 69,77
北条氏(戦国) 109
法隆寺 37
ポーツマス条約 191,193
保護貿易 157,223
戊辰戦争 167
ボストン茶会事件 151
北海道 178
北海道アイヌ協会 255
北海道旧土人保護法 179
法華宗 73
ポツダム宣言 239,252
北方領土 178,181,252,261
ホモ・サピエンス 21
ポリス 26,242
ポルトガル 104,106,109,119
本能寺 108
本百姓 116

ま

「マグナ・カルタ」 150
「枕草子」 51
マスメディア 199,236,265
磨製石器 21
町火消し 130
町奉行 115
マチュピチュ遺跡 104
松前藩 120,123,181
マニュファクチュア 131
万延小判 165
漫画 265
満州 189,190,192,215,227,230
満州移民 229
満州国 228
満州事変 228
マンモス 30
「万葉集」 45,56

み

水城 38
水のみ百姓 116
ミッドウェー海戦 235
「御堂関白記」 49
港町 127
水俣病 263
南満州鉄道株式会社(満鉄) 193,228
身分 110,116
身分制度 169
任那 35
妙喜庵待庵 112
ミロのビーナス 27
明 80,82,90,111,121
民芸 221
民主政 26
民主党 269
明銭 82
民撰議院設立の建白書 182
民族自決 210,212
民法 153,185,255
民本主義 217

む

ムガル帝国 101,161
無差別爆撃 239
ムスリム商人 75,101
村役人 117
室町時代 78
室町幕府 78,108
室町文化 86

め

明治維新 168
名誉革命 151
メーデー 218,255
メソポタミア文明 22
目安箱 130

も

「モナ・リザ」 102
「武士(もののふ)の道」 70
モヘンジョ・ダロ 23
桃山文化 112
モリソン号事件 136
モンゴル帝国 74
門前(町) 71,83,127

や

八幡製鉄所 194
山城国一揆 84
邪馬台国 33
大和絵 51,129
大和政権 34,36,90
闇市 253
弥生時代 32
弥生土器 32
ヤルタ会談 239

ゆ

友禅染 129
郵便制度 172
ユーゴスラビア紛争 267
雄藩 137,162,164
ユーフラテス川 23
ユカラ 141
ユダヤ教 29
ユダヤ人 225,233,257

よ

庸 42
ヨーロッパ共同体 260
「ヨーロッパの火薬庫」 208
ヨーロッパ連合 267
横浜 163,172
吉野ヶ里遺跡 33
四日市ぜんそく 263
「世直し」 167

ら

楽市・楽座 108
楽市令 108
落語 135
「洛中洛外図屏風」 89
楽浪郡 25,33
ラジオ(放送) 199,221,264
蘭学 134

り

律 40
立憲改進党 183
立憲君主制 151
立憲政友会 189,216,226
立憲民政党 226
立志社 182
律令 36,38,40,48,90
律令国家 40,47,49
琉歌 91
琉球 81,91,113
琉球王国 81,91,122,179
琉球使節 122
琉球処分 179
琉球藩 179
琉球文化 91
柳条湖事件 228
令 40
龍安寺 87
両替商 126
領事裁判権 160,163,177
領事裁判権の撤廃 187
良民 42
臨済宗 73

る

ルネサンス 102

れ

冷戦 256,258,266
冷戦の終結 266
レジスタンス 233
連歌 86
連合国 209,233,235
連合国軍最高司令官総司令部 253

ろ

労役 42
老中 115,132,136
労働運動 218
労働基準法 254
労働組合 159,195,218,222,231,255
労働組合法 254
労働争議 195,218,227
労働党内閣 213
ローマ教皇 100
ローマ帝国 27,29,100
六波羅探題 69
鹿鳴館 186
盧溝橋事件 230
ロシア 133,156,178,180,190,208,210
ロシア革命 210
ロマン主義 197
ロンドン海軍軍縮条約 227,228

わ

倭 33,35,38
ワイマール憲法 213,225
倭寇 80,106,111
ワシントン会議 213,214
ワシントン海軍軍縮条約 213,228
和同開珎 41
倭の五王 35
ワルシャワ条約機構 256
湾岸戦争 267

著作関係者

●代表　矢ケ﨑典隆　日本大学特任教授　坂上　康俊　九州大学名誉教授　谷口　将紀　東京大学教授

●顧問　小原　友行　福山大学教授　五味　文彦　東京大学名誉教授　戸波　江二　早稲田大学名誉教授　間宮　陽介　京都大学名誉教授

- 阿部　哲久　広島大学附属中学校・高等学校教諭
- 荒井　正剛　東京学芸大学特任教授
- 五十嵐辰博　千葉市立稲毛国際中等教育学校教諭
- 石原　光　呉市立広中央中学校教諭
- 板井　孝司　吉川市立中央中学校教諭
- 伊藤　裕康　文教大学教授
- 李　洪俊　元大阪市立加美南中学校教諭
- 入子　彰子　文京区立音羽中学校主任教諭
- 上園　悦史　東京学芸大学附属竹早中学校教諭
- 江間　史明　山形大学教授
- 岡部　誠　板橋区立赤塚第一中学校副校長
- 岡本　太一　高槻市立第七中学校指導教諭
- 鬼塚　拓　宮崎大学教育学部附属中学校教諭
- 小野　大助　福山市立神辺中学校教頭
- 勝田　俊輔　東京大学教授
- 唐木　清志　筑波大学教授
- 河野真理子　早稲田大学教授
- 木村　博一　広島大学教授
- 草原　和博　広島大学教授
- 栗原　久　東洋大学教授
- 呉羽　正昭　筑波大学教授
- 兒玉　修　九州保健福祉大学学長
- 近藤沙耶香　足立区立千寿桜堤中学校主任教諭
- 今野日出晴　岩手大学教授
- 佐川　英治　東京大学教授
- 佐久間敦史　大阪教育大学准教授
- 迫　眞也　広島市立井口台中学校教諭
- 佐々木隆光　神戸市立唐櫃中学校教諭
- 佐々木智章　早稲田大学高等学院教諭
- 佐藤　全敏　東京女子大学教授
- 佐藤　元基　札幌市立もみじ台中学校教頭
- 重　秀雄　広島市立中広中学校主幹教諭
- 篠塚　昭司　東京学芸大学附属世田谷中学校主幹教諭
- 島　珠美　足立区立鹿浜菜の花中学校主任教諭
- 島津　弘　立正大学教授
- 白川　景子　元高知大学客員教授
- 菅谷　昌弘　札幌市立平岡緑中学校教頭
- 薄田　和弥　札幌市立篠路中学校教諭
- 鈴木　拓磨　豊島区立千登世橋中学校主幹教諭
- 関戸　明子　群馬大学教授
- 関　裕幸　東京都立小石川中等教育学校主任教諭
- 髙田　孝雄　足立区立東綾瀬中学校指導教諭
- 高野　信　元郡山市立明健中学校校長
- 髙橋　晶　千葉大学教育学部附属中学校教諭
- 高橋慎一朗　東京大学史料編纂所教授
- 髙山　知機　世田谷区立緑丘中学校校長
- 田﨑　義久　東京学芸大学附属小金井中学校教諭
- 田中　敏彦　高知高等学校副校長
- 谷藤　良昭　千葉市立稲毛国際中等教育学校教諭
- 丹　暁子　足立区立第七中学校主任教諭
- 千葉　功　学習院大学教授
- 千葉　一晶　中野区立第七中学校主幹教諭
- 坪田　益美　東北学院大学准教授
- 寺本　誠　お茶の水女子大学附属中学校教諭
- 東方　広海　福岡市立多々良中学校教頭
- 豊嶌　啓司　福岡教育大学教授
- 土肥大次郎　長崎大学准教授
- 内藤　圭太　東京学芸大学附属竹早中学校教諭
- 中尾　学　台東区立上野中学校主幹教諭
- 中北　浩爾　一橋大学教授
- 中平　一義　上越教育大学教授
- 中村　達矢　福岡市立金武中学校教諭
- 新坂　大輔　清瀬市立清瀬第二中学校主幹教諭
- 西川路蘭奈　新宿区立新宿中学校主任教諭
- 西村　広毅　宮崎市立広瀬中学校主幹教諭
- 蓮沼　圭　板橋区立志村第五中学校主任教諭
- 服部　一秀　山梨大学教授
- 濵田　幸伸　高知大学教育学部附属中学校教諭
- 播磨　大作　神戸市立葺合中学校教諭
- 東野　茂樹　葛飾区立堀切中学校副校長
- 平松　義樹　愛媛大学名誉教授
- 藤瀬　泰司　熊本大学教授
- 藤田　淳　港区立高松中学校主幹教諭
- 星野　勇悟　大東市立四条小学校首席
- 真壁　佑輔　札幌市立上野幌中学校教諭
- 松澤　克行　東京大学史料編纂所准教授
- 松田　敏洋　宮崎市立本郷中学校教諭
- 松原　宏　福井県立大学特命教授
- 三浦　浩　元会津坂下町立坂下中学校教諭
- 溝口　和宏　鹿児島大学教授
- 道場　康智　福井市足羽第一中学校教諭
- 峯　明秀　大阪教育大学教授
- 毛利　透　京都大学教授
- 森川　禎彦　福井大学教育学部附属義務教育学校教諭
- 森山　幸一　福岡市立友泉中学校教諭
- 諸富　徹　京都大学教授
- 山﨑　祥雄　慶應義塾中等部教諭
- 山田　秀和　岡山大学教授
- 山本　博文　元東京大学史料編纂所教授
- 湯澤　規子　法政大学教授
- 吉田圭一郎　東京都立大学教授
- 吉水　裕也　兵庫教育大学理事・副学長
- 渡邉　頼史　福山市立城南中学校教諭
- 鰐渕　翔大　札幌市立栄町中学校教諭

●特別支援教育に関する校閲

- 田中　良広　帝京平成大学教授
- 道面　美紀　墨田区立本所中学校指導教諭

ほか7名

東京書籍株式会社

●色彩デザインに関する編集協力

色覚問題研究グループぱすてる

●表紙・本文レイアウト　宮田泰之　●編集協力　市原真智子／本田高之／本田由希　●表紙写真・絵　アフロ／神戸市立博物館／サイバーネット・コミュニケーションズ／滋賀大学経済学部附属史料館／衆議院憲政記念館／鈴木智子／手塚プロダクション／東京国立博物館／徳川美術館／広島平和記念資料館／フォート・キシモト／ベルリン国立アジア美術館／悠工房／ DNPアートコミュニケーションズ／ NTTドコモ／ PPS通信社　●本文絵　青山邦彦／けーしん／杉本一文／鈴木順幸／中西立太／早川和子／藤井尚夫(大野城と水城)

●本文写真・図版　朝日新聞社／アトラス・フォト・バンク／アフロ／アマナイメージズ／石井十次顕彰会／出雲大社／出光美術館／茨城県陶芸美術館／岩手県宮古市立田老第一中学校／岩橋克浩／延暦寺／岡友幸／影山智洋／金沢ふるさと偉人館／祇園祭山鉾連合会／木村図芸社／旧開智学校校舎／九州歴史資料館／共同通信イメージズ／共同通信社／京都市埋蔵文化財研究所／宮内庁侍従職／宮内庁正倉院事務所／呉市文化振興課市史編さんグループ／ゲッティイメージズ／源谷進／高知県立図書館／©興福寺撮影　金井杜道／廣隆寺／国際連合広報センター／国立劇場／小坂文乃／小諸市立藤村記念館／迫文雄／佐野市郷土博物館／時事通信フォト／慈照寺／実業之日本社／斯文会／島根県立古代出雲歴史博物館／島根県古代文化センター／島根県松江市／四万十市立図書館／小学館／承天閣美術館／白木屋漆器店／すみだ郷土文化資料館／大知／中尊寺／知里森舎／辻井清一郎／東京家庭学校／東大寺／東洋文庫／豊田市郷土資料館／長崎県松浦市教育委員会／長門の造船歴史館／奈良国立博物館／奈良文化財研究所／西松利幸／日本近代史研究会／日本近代文学館／日本俳優協会／日本民藝館／人形浄瑠璃文楽／能楽協会／野口英世記念会／早川和子／林重男／彦根城博物館／美術院／平等院／広島平和記念資料館／フォート・キシモト／福岡県福岡市／福岡市教育委員会／福岡市博物館／福島県双葉郡教育復興ビジョン推進協議会／部落解放同盟中央本部／平凡社地図出版／便利堂／法隆寺／北海道北見市教育委員会／毎日新聞社／松野一夫 ©Nagako Iwai 2019/JAA1900109 ／マルチクリエイト／御堂義乘／宮崎県高千穂町教育委員会／宮田泰之／妙喜庵／妙法院／悠工房／ユニフォトプレス／横浜開港資料館／米沢市上杉博物館／鹿苑寺／早稲田大学図書館／ CPC ／ DNPアートコミュニケーションズ／NNP／ NTTドコモ／ PPS通信社／ WPS

新しい社会 歴史

著作者　矢ケ﨑典隆，坂上康俊，谷口将紀　ほか107名（別記）

発行者　東京書籍株式会社　代表者 渡辺能理夫
東京都北区堀船2丁目17番1号

印刷者　株式会社リーブルテック　代表者 武井宣人
東京都北区堀船1丁目28番1号

発行所　東京書籍株式会社
東京都北区堀船2丁目17番1号　〒114-8524

定　価　文部科学大臣が認可し官報で告示した定価
（上記の定価は，各教科書取次供給所に表示します。）

電話・本社　広報：03-5390-7212
編集：03-5390-7373
供給・販売：03-5390-7247
デジタル商品サポートダイヤル：0120-29-3363

支社・出張所　札幌：011-562-5721　大阪：06-6397-1350
仙台：022-297-2666　広島：082-568-2577
東京：03-5390-7467　福岡：092-771-1536
金沢：076-222-7581　鹿児島：099-213-1770
名古屋：052-939-2722　那覇：098-834-8084

2｜東書｜歴史 705

令和2年3月24日 検定済
令和5年1月20日 印刷
令和5年2月10日 発行

ISBN978-4-487-12332-2

歴史の中の植物

この教科書に出てくる
植物のうち，
いくつかを紹介します。
（50音順）

❶藍
葉やくきから染料を採ります。全国的に栽培されましたが，阿波（徳島県）が有名です。
（p.82・125）

❷麻
皮をはいで，せんいを採ります。古代から庶民の衣料に利用されましたが，近世には，木綿にとってかわられました。（p.82・113）

❸あぶらな
種子（菜種）をしぼって，食用や明かり用の油を採ります。しぼりかすは，肥料として利用されました。（p.87・124・165）

❹粟
穂から実を採り，米と混ぜてたいたり，もちにしたりしました。稲作が始まる前は，主食だったと考えられています。（p.21・24）

❺うるし
樹皮に傷を付け樹液を採り，塗料にします。関東・東北地方を中心に栽培されました。うるしをぬった器を漆器といいます。
（p.125・142）

❻桑
樹皮のせんいは製紙の原料になり，葉は養蚕のための飼料として，盛んに栽培されました。
（p.82・130）

❼さとうきび
くきをしぼって出た汁を石灰と混ぜて煮つめると，黒砂糖になります。江戸時代には，奄美群島や琉球で盛んに栽培されました。（p.105・137）

❽茶
若葉を蒸して，乾燥させます。江戸時代に，日常の飲み物として広がりました。山城（京都府）の宇治茶が有名です。（p.82・86・105・160・165）

❾はぜ
果実から，ろうそくや髪油の原料のろうを採ります。福岡・長州（山口県）・熊本などの藩で，専売品として栽培されました。
（p.133）

❿紅花
花は紅色の染料や口紅などに加工され，種子からは油を採りました。江戸時代から，出羽の村山地方（山形県）が有名です。
（p.125）

⓫綿
白い毛のせんい（綿花）と種を採ります。綿花を糸にして，木綿を作ります。また，種から綿実油が採れます。（p.75・113・124・129・130）

各地の主な史跡

1
下関
壇ノ浦
八幡
福岡城跡
志賀島
博多(福岡)
元寇防塁
❶王塚古墳
大野城跡
名護屋城跡
大宰府跡
菜畑遺跡
水城跡
吉野ヶ里遺跡
板付遺跡
大隈重信旧宅
屋形古墳群
珍敷塚古墳
有田
おつぼ山神籠石
チブサン・オブサン古墳
江田船山古墳
田原坂
シーボルト宅跡
長崎
熊本
熊本城跡
原城跡
出島オランダ商館跡
大浦天主堂
端島炭鉱跡(軍艦島)
0 40km

2
比叡山
琵琶湖疏水
慈照寺(銀閣)
伊藤仁斎宅(古義堂)跡
鹿苑寺(金閣),龍安寺,
広隆寺
京都[平安京]
安土城跡
延暦寺
草津宿本陣
近江国庁跡
長岡宮跡
伏見
方広寺石塁
宇治
平等院
兵庫(神戸)
西宮砲台
田能遺跡
奈良
大阪城跡
平城宮跡
東大寺
大阪
唐招提寺
春日大社
難波宮跡
薬師寺
興福寺
五色塚(千壺)古墳
堺
藤ノ木古墳
法隆寺
室生寺
大仙古墳
巣山古墳
黒塚古墳
誉田山古墳
飛鳥寺跡
藤原宮跡
高松塚古墳
山田寺跡
千早城跡
川原寺跡
石舞台古墳
吉野山
0 40km

❻三内丸山遺跡(青森市) 縄文時代の大規模な集落の遺跡で，大型のたて穴住居や，巨大な6本柱の建物などが復元されています。(p.31)

❸竹田城跡(兵庫県朝来市) 標高354mの山上に，15世紀中ごろに築かれた山城で，ふもとの川で発生する霧にうかぶ姿から「天空の城」とも呼ばれます。(p.85)

❷小泉八雲旧居(島根県松江市) ギリシャ出身のラフカディオ・ハーン(日本名・小泉八雲)は，日本に住み，その文化を欧米に紹介しました。(p.196)

❶王塚古墳(福岡県桂川町) 6世紀中ごろに造られた前方後円墳で，石室のほぼ全面に，赤・黄・緑・黒・白の5色で壁画がほどこされています。(p.34)

❹登呂遺跡(静岡市) 弥生時代の集落と水田の遺跡で，太平洋戦争中に発見され，戦後に日本初の大規模な発掘調査が行われました。(p.32)

佐渡金山遺
輪島
七尾城跡
大境洞くつ住居跡
金沢城跡
旧文
旧開
松本城
平出遺跡
諏訪
法皇山横穴古墳
高山陣屋跡
一乗谷朝倉氏遺跡
隠岐
伊吹山
関ヶ原古戦場
❷小泉八雲旧居
鳥取城跡
❸竹田城跡
彦根城跡
犬山城跡
出雲大社
松江城跡
2
長久手古戦場
生野銀山跡
名古屋城跡
明治用水旧堰
名古屋
萩城跡
木戸孝允旧宅
松下村塾
伊藤博文旧宅
萩反射炉
森鷗外旧宅
石見銀山遺跡
津山城跡
姫路城跡
長篠城
瓜郷遺跡
クビル遺跡
旧閑谷学校
上野城跡
造山古墳
赤穂城跡
新居関跡
対馬
沖ノ島(宗像大社境内)
土井ヶ浜遺跡
津和野城跡
広島城跡
岡山城跡
原爆ドーム
広島
草戸千軒町遺跡
屋島
伊勢神宮
志段味古墳群
金田城跡
瑠璃光寺
山口
厳島神社
讃岐国分寺跡
金刀比羅宮
高松城跡
和歌山城跡
高野山
桶狭間古戦場伝説地
唐神遺跡
1
阿波国分尼寺跡
本居宣長旧宅
壱岐
原の辻遺跡
岩橋千塚古墳群
平戸オランダ商館跡
須玖岡本遺跡
松山城跡
別子銅山跡
熊野本宮大社
金剛峯寺
高知城跡
平戸
富貴寺
河後森城跡
北里柴三郎旧宅
臼杵磨崖仏
岡城跡
宿毛貝塚
キリシタン墓碑
富岡キリシタン供養碑
人吉城跡
西都原古墳群
新田原古墳群
旧集成館
上野原遺跡
鹿児島紡績所技師館
城山
鹿児島
唐仁古墳群
種子島
広田遺跡
沖縄
今帰仁城跡
中城城跡
首里城跡
那覇
平和の礎
0 100km
都道府県の境
この本に出てくる主な関係地
主な史跡
神社・仏閣(跡)
山
文字が斜体になっているものは，この本に出てくる主な人物・史跡
0 200km